刑法基本講義

総論・各論

《第3版補訂版》

佐久間修・橋本正博・上嶌一高

有斐閣

第3版補訂版　はしがき

　2019年5月に第3版が刊行されてから，わずか3年の間に数度の増刷を重ねることになったのは，本書を利用して下さった先生方や学生さんたちのおかげである。今回，こうした読者のニーズに応えるべく，補訂版を送り出すこととなった。

　最大の理由は，2022年6月の時点で，刑罰に関する刑法典の大改正が実現し，長年なれ親しんだ懲役刑と禁錮刑に代わって，この二つをまとめた拘禁刑が創設されたことによる（令和4年6月17日法律第67号）。同改正法は，公布から3年以内に施行される予定であるが，本書では，現行刑法の懲役・禁錮について，「拘禁刑（懲役，禁錮）」，「拘禁刑（懲役）」または「拘禁刑（禁錮）」と表記することにした。したがって，改正法の施行後は，括弧の部分を削除して頂ければ幸いである。

　また，インターネット上の誹謗中傷を防ぐ目的で，侮辱罪の法定刑が加重されたことも，社会の注目を集めたところである。さらに，特殊詐欺や性犯罪をめぐる改正論議も，盛んに行われており，法改正が実現した際には，これらの罰則にも言及しなければならないであろう。

　なお，補訂の機会を利用して，第3版が公刊されて以降の新しい判例を追加することにした。ただし，上述した2022年改正前の判例や改正法が施行される前の判例については，現行刑法の処罰規定が用いられるため，判決（決定）原文のまま表記することとした。

　共同執筆者である橋本教授，上嶌教授にあっては，定期試験の採点などでお忙しい中，短期間で旧版を見直し，リニューアルして下さったことに深謝する次第である。また，編集部の一村さんには，いつもながらの迅速かつ適切な対応をして頂き，心より感謝申し上げたい。

2023年2月10日

執筆者を代表して　佐久間　修

第3版 はしがき

　初版の刊行（2009年4月）からすでに10年が経過した。また，第2版の刊行（2013年4月）より数えても6年になる。その間，立法状況も大きく変わり，2013年には，危険運転致死傷罪などの罰則が刑法典から切り離され，自動車運転死傷行為等処罰法という特別法になった。また，2017年には，性犯罪に関する大幅な法改正がおこなわれている。そこで，これらを反映した第3版を刊行することにした。

　今回の改訂のポイントは，以下のとおりである。
　まず，①性犯罪に関して，ほぼ110年ぶりの大改正があった。そこでは，伝統的な強姦罪の類型を厳罰化して強制性交等罪（177条）にするとともに，監護者わいせつ及び監護者性交等罪（179条）が追加されている。また，従前の強盗強姦罪の規定を拡充して，新たに強盗・強制性交等及び同致死罪（241条）ができたので，これらの法改正を反映させた。つぎに，②強制わいせつ罪をめぐって，主観的なわいせつ傾向を成立要件とした最高裁判例が変更される一方，③詐欺罪の共犯事例について，振込め詐欺で実行の着手時期をめぐる新しい判例が続いた。さらに，同時傷害の特例と傷害の共同正犯をめぐる重要判例もみられるため，これらにも言及するとともに，最近の刑法学説で注目されたテーマも織り込んだ。

　そのほか，特別刑法の領域に目を転じるならば，現代社会の進展にともない，重要な法令や判例が相次いでいる。読者の皆さんには，法が永久不変のものでなく，「刑法は変化する」ことを知って頂きたい。その上で，現実の刑事規制や将来像を問い続けることで，刑法解釈論の基礎となるものを理解できるであろう。

　今回の改訂作業も，共著者である橋本教授と上嶌教授のご協力により，速やかに進めることができた。また，編集部の一村さんには，前回と同様，行き届いた配慮を頂戴した。あわせて心より感謝申し上げたい。

　　2019年4月5日

　　　　　　　　　　　　　　　　　執筆者を代表して　佐久間　修

第2版　はしがき

　初版の刊行（2009年4月）から4年近くが経過した。その間，多くの読者の支持により，順調に増刷りを重ねてきたが，刑法典の一部が改正されたほか，注目すべき新判例が続いたこともあり，これらを反映した第2版を刊行することになった。

　幸いにして，読者から各種のご意見を頂戴したので，できるだけ取り入れるとともに，教科書としての利便性を高めるため，共著者間でさらに調整を図るなどした。その当否については，読者のご判断を仰ぎたい。

　具体的には，①総論と各論の合本として，刑法全体が網羅できて便利であること，②それぞれの説明が分かりやすいこと，③各テーマごとに判例に基づく豊富な実例があり，あてはめの勉強になるという長所を維持しつつも，当初，分量の増加を避けるために割愛した脅迫・強要罪の説明や，新しい罰則および重要判例に関する記述を追加した。

　もちろん，共著者の間で（特に行為無価値論と結果無価値論の違いによる）微妙なズレがあるため，よく勉強された読者には気になるというご指摘もあり，もう一度，各人の記述を見直して，実質的な内容に齟齬が生じない範囲で変更した。なお，若干の言い訳をさせて頂ければ，本書は，（少なくとも，執筆者側の意図としては）単なる入門書でなく，ある程度まで学習が進んだ者が，具体的事例に基づく知識を修得して応用力を高めて頂くことを想定している。したがって，いわゆる体系書ではないし，ましてや，辞書として使用するのを意図したものでないことを，お断りしておきたい。

　ともあれ，共著者の橋本教授と上嶌教授には，ロースクールの授業で超多忙のところ，速やかに原稿を書き直して頂いた。心より御礼を申し上げたい。また，編集部の一村さんには，これまでにも増して細やかな配慮を頂戴した。あわせて深謝する次第である。

　　　2013年1月10日

　　　　　　　　　　　　　　　　　執筆者を代表して　佐久間　修

初版　はしがき

　本書は，はじめて刑法学に接する法学部の1～2年生やロースクールの法学未修者に向けた教科書である。また，本書は，多くの学生から好評を博している佐久間毅著『民法の基礎』（有斐閣）の刑法版として企画された。たまたま姓が同じであっても，（残念ながら）親戚関係もない私（佐久間）が，同じコンセプトで本書を出すことに快諾された，京都大学の佐久間先生に対し深謝するとともに，企画段階から熱心に本書の編集作業を進めて下さった，有斐閣京都前支店長の奥村邦男氏と同編集部の一村大輔氏にも，心より感謝する次第である。

　さて，すでに30年以上も前のことになるが，経済学部から法学部に転学部したばかりの私にとって，刑法学（総論）の授業は，戸惑いの連続であった。刑法の歴史に関する部分はともかく，罪刑法定主義から犯罪論の体系に授業が進んだときには，日本語であっても，ほとんど専門用語の羅列であり，皆目その意味が分からない。他学部から移ったばかりだから仕方がないと思いつつも，もともと法学部にいた学生に尋ねてみても，あまり要領を得ない（たぶん，よく分かっていなかったのであろう）。また，何度も教科書を読み返してみたものの，やはり分からない。ほかの教科書を読んでみても，同じことである。それでも，あきらめずに何種類かの教科書を比較しながら，先生が講義された内容を理解しようと努めた結果，何とか刑法の単位は頂戴できた。こうした苦い経験は，旧時代の「法学未修者」であった私だけの体験にとどまらないと思う。

　こうした体験を踏まえて，全体の水準を引き下げることなく，少しでも平易に解説するために，本書では，以下のような工夫が施されている。
　第1に，各テーマをめぐって対立する諸見解は，そのポイントだけに絞って紹介した。それぞれの学説は，過去の議論を踏まえて展開されたものであるが，歴史的背景まで振り返る十分なスペースがないため，各見解のニュアンスの差を切り捨てたところもある。もちろん，初学者が全体像を理解するには，十分な内容になっているが，皆さんの学習が進んだ段階では，ぜひ，本格的な体系書を読んで頂きたい。その意味で，本書は，刑法学に関心を持つ初学者にとって，文字通り「踏み台」になればよいと考えている。

第2に，本書では，できる限り，具体例をもとに説明するように心がけた。また，定着した専門用語は，学習上の必要に応じて使用したが，それ以外の箇所については，平易な表現を原則とした。

　第3に，基本的な知識の修得や，それを掘り下げるためのツールを，本文とは区別して掲げておいた。

　第4に，本文中の記述では，通説・判例の部分と執筆者自身の見解を，明確に書き分けるようにした。こうした工夫は，すでに『民法の基礎』で採用され，高い評価を得たものであるが，刑法学においても成功しているかどうかは，読者の判断にお任せしたい。

　本書は，異なる大学で教えてきた者が，お互いの経験を持ち寄って，分かりやすい内容・記述になるよう，何度も議論を重ねながら書き上げたものであり，まさに共著と呼ぶに相応しい書物である。上述した本書の趣旨をご理解いただき，ロースクールや法学部の授業の合間をぬって，本書を執筆して下さった橋本教授と上嶌教授に対しては，心よりお礼申し上げたい。最後に，有斐閣京都支店編集部の依頼により，本書の未定稿段階の原稿を読んで，様々な要望と助言を提出して下さったアンケート学生の皆さんにも，あわせて感謝の意思を表しておきたい。

　　2008年12月30日

　　　　　　　　　　　　　　　執筆者を代表して　佐久間　修

本書をお読みいただくにあたって

　本書では，各章の分量が異なっているが，それ自体が，各項目の重要度を反映している。これは，「メリハリの利いた」教科書にするという狙いに基づく。また，各章の中では，「本文」， Case と 解説 （網かけの部分）， 発展学習 ， 補論 ， 用語解説 という欄がみられる。

　まず，「本文」では，一般的な学説・判例を説明しており，その合間に Case と 解説 が挿入されている。 Case は，原則として実際の判例を素材としたが，分かりやすくするために，かなり事案の内容を簡略化したほか，複数の事件を組み合わせた場合もある。その意味で， Case と 解説 は，本文中に記述した内容が，事例に即して展開されたものとお考え頂きたい。

　これに対して， 発展学習 や 補論 は，さらに理解を深めたい方に読んで頂くことを予定している。すなわち， 発展学習 は，本文中の記述からみて応用問題に相当する部分であり， 補論 では，本文中の記述とは異なり，執筆者自身の見解を述べている。

　ただし，各裁判例が当時の社会的背景を抜きにして語れないのと同様に，諸学説の対立も，そこに至る歴史的な経緯を無視して，正しく理解することはできない。その意味で，本書を講読された皆さんが，さらに詳しい解説や立法の沿革などを知りたいと思ったときには，いわゆる基本書または体系書と呼ばれる書物を読んで頂ければ幸いである。なお，本書の全体的な構成を概観するために，次頁に鳥瞰図（犯罪論体系）を掲げておいた。図表の中に示した数字は，本書における各章の番号である。

【刑罰の表記について】
　2022年6月，懲役と禁錮の区別を廃した拘禁刑が新設された。改正法律は，公布から3年以内に施行される予定であるが，同法律施行までの間，これらの刑罰については，「拘禁刑（懲役，禁錮）」，「拘禁刑（懲役）」または「拘禁刑（禁錮）」と表記することにした。施行後は，括弧の部分を削除して頂ければ幸いである。ただし，すでに補訂前に引用された判例のほか，その後に出された新しい判例であっても，改正法の施行前で従前の懲役・禁錮が用いられた場合には，判決（決定）の原文のままとし，特に必要がある場合に限って，拘禁刑に代わった旨を記載するようにした。

　なお，施行後の経過措置については，「刑法等の一部を改正する法律の施行に伴う関係法律の整理等に関する法律」の「第二編　経過措置」を参照されたい。

【犯罪論の鳥瞰図】

＊数字は総論の番号

犯罪成立（犯罪の個数と関係（**13**））

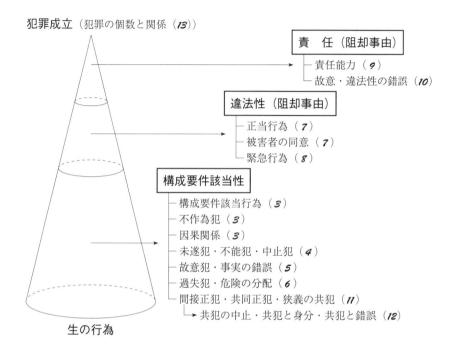

責　任（阻却事由）
- 責任能力（**9**）
- 故意・違法性の錯誤（**10**）

違法性（阻却事由）
- 正当行為（**7**）
- 被害者の同意（**7**）
- 緊急行為（**8**）

構成要件該当性
- 構成要件該当行為（**3**）
- 不作為犯（**3**）
- 因果関係（**3**）
- 未遂犯・不能犯・中止犯（**4**）
- 故意犯・事実の錯誤（**5**）
- 過失犯・危険の分配（**6**）
- 間接正犯・共同正犯・狭義の共犯（**11**）
  → 共犯の中止・共犯と身分・共犯と錯誤（**12**）

生の行為

【各論の体系】

＊数字は各論の番号

	保　護　法　益	
国家的法益に対する罪	社会的法益に対する罪	個人的法益に対する罪
国家の存立・安全 国家の作用（**14〜16**）	公共の安全（公共危険罪）（**10**） 公共の信用・取引の安全（**11〜12**） 公衆の健康・社会の風俗（**13**）	個人の生命・身体（**1〜2**） 個人の自由・平穏な生活（**3〜4, 13**） 個人の財産（**5〜9**）

目　次

総　論

1 「罪と罰」の実像 ─────────────────── 3

- **1** 「六法」の中の刑法 ── 刑法とは何か ─────────── 3
  - *1* 近年の犯罪現象と刑法(学)史 *3*
  - *2* 刑法が守ろうとするもの *9*
- **2** 刑罰の理論的基礎 ─────────────────── 13
  - *1* 刑罰の種類と適用方法 *13*
  - *2* 刑罰の位置づけと保安処分 *17*

2 刑法解釈・運用の基本原則 ─────────────── 23

- **1** 法益保護における刑法の機能 ───────────── 23
  - *1* 刑法の謙抑主義 *23*
  - *2* 一般市民だけでなく犯罪者の人権保障 *25*
  - *3* 責　任　主　義 *25*
- **2** 罪刑法定主義 *26*
  - *1* 罪刑法定の重要性 *26*
  - *2* 法　律　主　義 *28*
  - *3* 事後法の禁止 *30*
  - *4* 絶対的不定期刑の禁止 *31*
  - *5* 明確性と内容の適正 ── 罪刑法定主義の発展 *32*
- **3** 刑法の効力 ──────────────────── 34
  - *1* 刑法の場所的適用範囲 *34*
  - *2* 刑法の時間的適用範囲 *36*
- **4** 犯　罪　論 ──────────────────── 37
  - *1* 犯罪論の体系 *37*
  - *2* 行　為　論 *37*
  - *3* 犯罪の概念と犯罪論体系 *39*

3 構成要件該当行為 —————————————————————————— 43

1 構成要件の機能と意義 —————————————————— 43
2 構成要件をなす要素 —————————————————— 45
- *1* 行　　　為　45
- *2* 主　　　体　45
- *3* 行為の客体　46
- *4* 結　　　果　46
- *5* 状況と条件　47
- *6* 主観的違法要素　47

3 因 果 関 係 —————————————————————— 49
- *1* 実 行 行 為　49
- *2* 因果関係の意義　51
- *3* 条 件 関 係　53
- *4* 危険の現実化　55

4 不 作 為 犯 —————————————————————— 60
- *1* 作為と不作為　60
- *2* 真正不作為犯と不真正不作為犯　61
- *3* 不作為の因果関係　62
- *4* 作為義務（保障人的地位）と作為可能性　63
- *5* 作為義務の発生根拠　64

4 未　遂　犯 —————————————————————————— 69

1 拡張された構成要件 —————————————————— 69
2 実行の着手 ————————————————————————— 70
- *1* 形式的客観説と実質的客観説　70
- *2* 離隔犯と間接正犯　72
- *3* 行為者の主観と危険　73

3 不　能　犯 ————————————————————————— 74
- *1* 不能犯の類型　74
- *2* 行為者の意思の危険性 ── 主観主義　74
- *3* 危険の判断方法 ── 判断基底（資料）と判断基準　75
- *4* 具体的危険説と客観的危険説　75
- *5* 判例の理解　77

4 中止犯（中止未遂）————————————————— 79
- *1* 中止犯の意義　79

ix

2　中止行為　81
　　　3　既遂結果発生と中止犯　86
　　　4　中止故意（中止事実の認識）　86
　　　5　任　意　性　87
　　　6　予備段階における中止　89

5　故意犯と事実の錯誤　———————————————————— 91

　1　罪を犯す意思（故意）————————————————— 91
　　　1　38条1項の意義　91
　　　2　故意の体系的地位　92
　2　故意の内容 ———————————————————————— 93
　　　1　犯罪事実の認識　93
　　　2　事実認識の対象と認容の必要性　94
　3　故意の認識対象 ————————————————————— 97
　　　1　規範的事実の認識　97
　　　2　特殊な主観的構成要件要素　98
　4　故意を「阻却」する場合 ———————————————— 100
　　　1　事実の錯誤と法律の錯誤　100
　　　2　犯罪事実が一部「重なる」場合——法定的符合説　102

6　過失犯と危険の分配 ——————————————————— 109

　1　過失理論の進展——旧過失論から新過失論へ ———— 109
　　　1　危険社会と過失犯　109
　　　2　過失犯における注意義務　111
　2　過失の構成要素 ————————————————————— 113
　　　1　過失の種類　113
　　　2　結果予見義務と結果回避義務　115
　　　3　過失の標準　116
　3　危険の分配と管理・監督過失 —————————————— 118
　　　1　過失理論の現代的展開　118
　　　2　企業災害と管理・監督過失　122
　　　3　過失の競合と製造物責任　126

7　違法性阻却 ——————————————————————————— 129

　1　構成要件と違法性阻却 —————————————————— 129

2 違法性の実質 —————————————————— 129
- 1 客観的違法論 —— 違法性と責任の区別　129
- 2 結果無価値論と行為無価値論　130

3 違法性阻却の原理 ————————————— 132
- 1 社会的相当性　132
- 2 優越的・均衡的利益の保全　132
- 3 判例の考え方　133

4 実質的違法性阻却 ———————————— 135
- 1 刑法上の違法性　135
- 2 可罰的違法性　136

5 被害者の同意 —————————————————— 138
- 1 違法性阻却と構成要件該当性不存在　138
- 2 傷害罪と同意　139
- 3 同意の要件　140
- 4 瑕疵ある同意　142
- 5 推定的同意　144

6 正 当 行 為 ——————————————————— 145
- 1 法 令 行 為　145
- 2 正当業務行為　146

8　緊 急 行 為 ——————————————————————————— 151

1 緊急行為の特質 ————————————————— 151

2 正当防衛（36条） ———————————————— 152
- 1 正当化の根拠とその限界　152
- 2 正当防衛を認めるための条件　153
- 3 過剰防衛・誤想防衛　161

3 緊急避難（37条1項本文） ———————— 165
- 1 緊急避難の性質　165
- 2 要　　件　166
- 3 過剰避難・誤想避難　168

9　責 　 任 ——————————————————————————————— 171

1 責任の本質と責任能力 ————————————— 171
- 1 責任の理論　171
- 2 責 任 能 力　177

xi

2 原因において自由な行為 ---- 180
- *1* 行為・責任同時存在の原則　180
- *2* 原因において自由な行為の理論とその限界　183

10 故意犯と違法性の錯誤 ---- 187

1 法律的事実の錯誤と違法性の錯誤 ---- 187
- *1* 責任要素としての故意　187
- *2* 38条3項の解釈　191

2 違法性に関する錯誤 ── 故意説と責任説 ---- 197
- *1* 違法性の意識と法律の錯誤　197
- *2* 違法性阻却事由に関する錯誤　200

11 正犯と共犯 ---- 203

1 正犯と共犯の基礎理論 ---- 203
- *1* 正犯の種類　203
- *2* 共犯の種類　206
- *3* 共犯の処罰根拠　207
- *4* 共犯の従属性　208

2 間接正犯 ---- 208
- *1* 間接正犯の正犯性とその諸類型　208
- *2* 「道具理論」から正犯理論へ　209

3 共同正犯 ---- 210
- *1* 共同正犯の意義　210
- *2* 共同正犯の構造　212
- *3* 共同正犯の成立範囲の限定　213
- *4* 犯罪共同説と行為共同説　214
- *5* 共同正犯の要件　215
- *6* 共謀共同正犯　216

4 教唆犯 ---- 218
- *1* 教唆の意義　218
- *2* 未遂の教唆　219

5 幇助犯 ---- 220
- *1* 幇助の意義　220
- *2* 幇助の因果性　222

12 共犯の諸問題 ―――――――――――――――― 223

1 共犯の成立範囲 ―――――――――――――――― 223
  1 承継的共同正犯 223
  2 過失犯の共同正犯 226
  3 共犯関係の消滅・解消 228

2 身分犯の共犯 ―――――――――――――――― 231
  1 身分の意義 231
  2 65条の解釈 232
  3 65条1項における「共犯」の範囲 234
  4 65条2項における科刑 235

3 共犯と錯誤 ―――――――――――――――― 237
  1 正犯の実行行為に関する事実の錯誤 237
  2 共犯諸形式間の事実の錯誤 239

4 不作為と共犯 ―――――――――――――――― 241
  1 不作為の共同正犯 241
  2 不作為による共犯 242
  3 不作為正犯への共犯 243

5 共同正犯と正当防衛 ―――――――――――――――― 243

6 予備の共犯 ―――――――――――――――― 244

13 罪　　数 ―――――――――――――――― 247

1 犯罪の個数と関係 ―――――――――――――――― 247
2 法条競合 ―――――――――――――――― 247
3 包括一罪 ―――――――――――――――― 248
4 科刑上一罪 ―――――――――――――――― 251
  1 科刑上一罪の意義 251
  2 観念的競合における1個の行為 253
  3 牽連犯 253
  4 かすがい現象 254
  5 共犯と罪数 255

5 併合罪 ―――――――――――――――― 255

各 論

1 殺人の罪 -- 261

1 現代社会における生命の保護 ------------------------------ 261
 1 保護法益と侵害行為の態様 261
 2 侵害の客体としての生命 262

2 普通殺人罪（199条）------------------------------------- 267
 1 作為犯・不作為犯・間接正犯 267
 2 殺人未遂と殺人予備 269

3 自殺関与罪・同意殺人罪（202条）------------------------ 270
 1 「共犯」としての処罰根拠 270
 2 自殺関与罪の実行行為 271
 3 同意殺人罪の実行行為 272

4 遺棄の罪──危険犯 -- 273
 1 単純遺棄罪（217条） 273
 2 保護責任者遺棄等罪（218条） 275

2 傷害の罪 -- 279

1 身体の安全に対する罪 ---------------------------------- 279
 1 傷害罪の構成要件 279
 2 暴行罪と傷害致死罪 283

2 傷害（致死）罪における「共犯」規定 ------------------ 286
 1 （傷害）現場助勢罪（206条） 286
 2 同時傷害の特例（207条） 287

3 逮捕・監禁の罪，略取・誘拐等の罪 ------------------------- 291

1 逮捕・監禁罪（220条〜221条）------------------------- 291
 1 行動・移動の自由 291
 2 自由侵害の意義 292
 3 逮捕・監禁致死傷罪 294

2 脅迫・強要罪（222条〜223条）------------------------- 295
 1 保護法益──意思決定・意思実現の自由 295
 2 脅迫罪（222条） 295

3　強要罪（223条）　297
　3　略取・誘拐罪（224条～228条）──────────────── 297
　　　1　人身の保護と刑法　297
　　　2　略取・誘拐の意義と保護法益　298
　　　3　略取・誘拐の意義　299
　　　4　略取・誘拐罪の諸類型　300
　　　5　解放減軽（228条の2）　304
　　　6　親告罪（229条）　304

4　住居を侵す罪と名誉・信用・業務に対する罪────────── 307
1　住居を侵す罪──────────────────────── 307
　　　1　他人の私的領域を侵す罪　307
　　　2　住居侵入罪の保護法益　307
　　　3　住居侵入罪（130条前段）　309
　　　4　人の住居等の意義　313
　　　5　不退去罪（130条後段）　314
2　名誉に対する罪─────────────────────── 314
　　　1　保 護 法 益　314
　　　2　名誉毀損罪（230条1項）　315
　　　3　真実性の証明（230条の2）と真実性の誤信　316
　　　4　侮辱罪（231条）　320
3　信用・業務に対する罪──────────────────── 320
　　　1　信用・業務に対する罪の意義　320
　　　2　信用毀損罪（233条前段）　321
　　　3　業務妨害罪（233条後段・234条）　322
　　　4　電子計算機損壊等業務妨害罪（234条の2）　326

5　窃 盗 の 罪──────────────────────────── 329
1　刑法における財産の保護 ── 財産罪────────────── 329
　　　1　財産保護における民法と刑法　329
　　　2　財産罪とその分類　329
　　　3　財物の意義　331
　　　4　財物罪の保護法益　334
　　　5　財産上の利益　336
2　窃盗罪（235条）────────────────────── 337
　　　1　窃盗罪の性質　337

        2 窃盗罪の客体　338
        3 行　　為　342
    ③ 不動産侵奪罪（235条の2）-------------------------------347
        1 不動産侵奪罪の意義　347
        2 客体・行為　347
    ④ 親族間の犯罪に関する特例（244条）-------------------348
        1 親族の意義　348
        2 刑の免除とその根拠　348

6 盗品等に関する罪，器物損壊等の罪-------------------351

    ① 盗品等に関する罪---------------------------------------351
        1 保護法益と罪質　351
        2 盗品等関与罪（256条）の犯人と「盗品等」の意義　353
        3 盗品等関与罪の行為態様　355
        4 親族等の間の犯罪に関する特例（257条）　356
    ② 毀棄および隠匿の罪------------------------------------357
        1 保護法益　357
        2 公用文書等毀棄罪（258条）　357
        3 私用文書等毀棄罪（259条）　357
        4 建造物等損壊罪・建造物等損壊致死傷罪（260条）　358
        5 器物損壊罪（261条）　359
        6 境界損壊罪（262条の2）　359
        7 信書隠匿罪（263条）　359

7 強盗・恐喝の罪--361

    ① 強 盗 罪---361
        1 強盗罪の意義　361
        2 1項強盗罪（236条1項）　361
        3 2項強盗罪（236条2項）　364
        4 事後強盗罪（238条）　368
        5 昏酔強盗罪（239条）　370
        6 強盗予備罪（237条）　370
        7 強盗致死傷罪（240条）　370
        8 強盗・強制性交等罪と同致死罪（241条）　372
    ② 恐喝罪（249条）---------------------------------------373
        1 恐喝罪の意義・類型　373

　　　　2 恐喝罪の要件　374
　　　　3 権利行使と恐喝罪　375

8 詐 欺 の 罪 ─────────────────────────── 377
　　1 詐欺および恐喝の罪 ──────────────────── 377
　　2 詐欺罪（246条）──────────────────────── 377
　　　　1 詐欺罪の意義・類型　377
　　　　2 財物と財産上の利益　378
　　　　3 欺　　　　く　379
　　　　4 交 付 行 為　381
　　　　5 財産的損害　387
　　　　6 不法原因給付と詐欺罪　390
　　　　7 クレジットカードの不正使用　391
　　　　8 他罪との関係　392
　　3 電子計算機使用詐欺罪（246条の2）──────────── 393
　　　　1 電子計算機使用詐欺罪の意義　393
　　　　2 行 為 類 型　393

9 横領・背任の罪 ─────────────────────────── 395
　　1 横領の罪と背任罪 ──────────────────── 395
　　2 委託物横領罪 ────────────────────── 396
　　　　1 横領罪（252条1項）と業務上横領罪（253条）　396
　　　　2 自己の占有する他人の物　397
　　　　3 横領の意義　399
　　　　4 不法原因給付と横領罪　401
　　　　5 二重売買と横領罪　402
　　　　6 横領後の横領　402
　　　　7 詐欺罪との関係　403
　　3 遺失物等横領罪（254条）───────────────── 403
　　4 背任罪（247条）──────────────────── 404
　　　　1 背任罪の本質　404
　　　　2 事務処理者　405
　　　　3 任務違背行為　406
　　　　4 財産上の損害　406
　　　　5 故意と図利加害目的　407
　　　　6 背任罪の共犯　408

7 他罪との関係　409

10　放火の罪　411

① 放火罪の本質とその構成要件要素　411
　　　1 公共危険罪　411
　　　2 放火から焼損まで　414
② 現住建造物等放火罪（108条）　419
③ 非現住建造物等放火罪（109条）　421
④ 建造物等以外放火罪（110条）　422
⑤ 延焼罪（111条）　422
⑥ 失火罪（116条・117条の2）　423

11　文書偽造等の罪　425

① 文書偽造の罪と社会的信用　425
　　　1 文書の概念と保護法益　425
　　　2 電磁的記録の不正作出と供用　435
② 公文書偽造等の罪　437
　　　1 公文書偽造等罪（155条）　437
　　　2 虚偽公文書作成等罪（156条）　440
　　　3 公正証書原本不実記載等・同行使罪（157条）　441
③ 私文書偽造等の罪　442
　　　1 私文書偽造等罪（159条）　442
　　　2 虚偽診断書等作成罪（160条）　446
④ 印章偽造・ウィルス作成等の罪　447
　　　1 印章偽造の罪（164条〜168条）　447
　　　2 不正指令電磁的記録に関する罪（168条の2〜168条の3）　448

12　支払手段に関する偽造の罪　451

① 支払手段に対する社会公共の信用　451
　　　1 通貨偽造の罪（148条〜153条）　451
　　　2 有価証券偽造の罪（162条〜163条）　453
② 電子決済システムに対する社会公共の信用　458
　　　1 その他の支払手段と取引の安全　458
　　　2 支払用カード電磁的記録の不正作出および供用等　459

3　不正電磁的記録カード所持および不正作出準備　461

13　性　犯　罪　463

1　社会的法益と個人的法益　463
　　1　わいせつな行為の刑事規制　463
　　2　性風俗の保護と表現の自由　465

2　公衆の性風俗に対する罪　466
　　1　公然わいせつ罪（174条）　466
　　2　わいせつ物頒布等罪（175条）　468

3　個人の性的自由に対する罪　472
　　1　性暴力の罪とその厳罰化　472
　　2　強制わいせつ罪・準強制わいせつ罪　473
　　3　強制性交等罪・準強制性交等罪　475
　　4　監護者わいせつ及び監護者性交等罪（179条）　478
　　5　強制わいせつ等致死傷罪（181条）　479

14　公務執行妨害の罪　483

1　国家的法益に対する罪　483
　　1　国家的法益に対する罪の分類　483
　　2　逃走罪（97条〜102条）　484

2　公務執行妨害罪（95条1項）　484
　　1　保　護　法　益　484
　　2　公務執行妨害罪の行為対象をめぐる諸問題　485
　　3　暴行・脅迫　490
　　4　罪　　数　491

3　職務強要罪（95条2項）　492
　　1　将来の職務執行に対する妨害　492
　　2　将来の職務強要の目的　492
　　3　職務に関する処分　492

4　封印等破棄罪（96条）　492
　　1　保護法益と客体　492
　　2　行　　為　493
　　3　法　定　刑　493

5　強制執行妨害目的財産損壊等の罪（96条の2）　494
　　1　保　護　法　益　494

         2 要　　件　494
　　　6 強制執行行為妨害等の罪（96条の3）-------------------------------- 495
　　　7 強制執行関係売却妨害罪（96条の4）-------------------------------- 495
　　　8 加重封印等破棄等の罪（96条の5）---------------------------------- 496
　　　9 公契約関係競売等妨害罪（96条の6第1項）------------------------- 496
　　　10 談合罪（96条の6第2項）-- 496

15　犯人蔵匿・証拠隠滅の罪 ─────────────────── 499

　　1 犯人蔵匿等罪（103条）--- 499
　　　1 保護法益と司法作用に対する罪　499
　　　2 犯人蔵匿等罪の成立要件　502
　　　3 共犯の成否と期待可能性　505
　　2 証拠隠滅等罪（104条）-- 508
　　　1 保護法益と実行行為　508
　　　2 証拠隠滅等罪の成立要件　510

16　汚職の罪（賄賂罪） ─────────────────────── 513

　　1 公務員による犯罪-- 513
　　2 賄賂罪の基礎-- 513
　　　1 単純収賄罪（197条1項前段）　513
　　　2 贈賄罪（198条）　514
　　　3 賄賂罪の保護法益　514
　　　4 賄賂罪の要素　515
　　3 賄賂の意義--- 516
　　　1 賄賂となりうる利益　516
　　　2 社交儀礼と賄賂　517
　　　3 政治献金と賄賂　518
　　4 職務の意義--- 518
　　　1 職務と法令　518
　　　2 具体的職務権限と一般的職務権限　519
　　　3 職務密接関連行為とその具体例　520
　　　4 過去の職務　523
　　5 収賄罪の類型--- 525
　　　1 複雑な全体像　525

- **2** 受託収賄罪（197条1項後段） 525
- **3** 事前収賄罪（197条2項） 526
- **4** 第三者供賄罪（197条の2） 526
- **5** 加重収賄罪（197条の3第1項・第2項） 527
- **6** 事後収賄罪（197条の3第3項） 528
- **7** あっせん収賄罪（197条の4） 528

6 没収・追徴 529
- **1** 刑法総則における任意的没収・任意的追徴 529
- **2** 賄賂罪における必要的没収・必要的追徴（197条の5） 530
- **3** 収受した賄賂の没収 531
- **4** 賄賂の価額の追徴 532

7 恐喝罪・詐欺罪との関係 533

事項索引 535
判例索引 547

略語一覧

1 主な法律等

刑訴	刑事訴訟法
憲	日本国憲法
児童買春・児童ポルノ処罰	児童買春,児童ポルノに係る行為等の処罰及び児童の保護等に関する法律
出資	出資の受入れ,預り金及び金利等の取締りに関する法律
精神保健福祉	精神保健及び精神障害者福祉に関する法律
臓器移植	臓器の移植に関する法律
道交	道路交通法
盗犯等防止	盗犯等の防止及処分に関する法律
独禁	独占禁止法(私的独占の禁止及び公正取引の確保に関する法律)
破防	破壊活動防止法
不正アクセス行為等処罰	不正アクセス行為の禁止等に関する法律
暴力行為等処罰	暴力行為等処罰に関する法律
労組	労働組合法

　刑法の規定については,他の法律の規定と区別するためにとくに必要であると思われる場合を除き,単に条数のみで示している。

2 判決(決定)

最判(決)	最高裁判所判決(決定)
最大判	最高裁判所大法廷判決
大判(決)	大審院判決(決定)
大連判	大審院連合部判決
高判	高等裁判所判決
地判	地方裁判所判決

3 判例(裁判例)登載誌

下刑集	下級裁判所刑事裁判例集
刑月	刑事裁判月報
刑集	大審院刑事判例集または最高裁判所刑事判例集
刑録	大審院刑事判決録

高刑集	高等裁判所刑事判例集
高刑速報	高等裁判所刑事判決速報集
高刑特	高等裁判所刑事裁判特報
裁判例	大審院裁判例（法律新聞別冊）
集刑	最高裁判所裁判集刑事
新聞	法律新聞
東高刑時報	東京高等裁判所判決時報（刑事）
判時	判例時報
判タ	判例タイムズ
判特	高等裁判所刑事判決特報
評論	法律学説判例評論全集
民集	最高裁判所民事判例集

　判例（裁判例）の引用について，読者の検索の便宜のため本書では刑集以外は，判時・判タなど比較的入手しやすい文献を優先して登載した。

執筆者紹介

佐久間　修（さくま　おさむ）

- 1954年　生まれ
- 1977年　名古屋大学法学部卒業
- 1979年　名古屋大学大学院法学研究科博士（前期）課程修了
- 1979年　名古屋大学法学部助手
- 現　在　名古屋学院大学法学部教授
- 担　当　総論 *1*, *5*, *6*, *9*, *10*　各論 *1*, *2*, *11*, *12*, *13*, *15*

橋本　正博（はしもと　まさひろ）

- 1958年　生まれ
- 1982年　一橋大学法学部卒業
- 1987年　一橋大学大学院法学研究科博士後期課程単位修得
- 1987年　一橋大学法学部専任講師
- 現　在　専修大学大学院法務研究科教授
- 担　当　総論 *2*, *8*, *11*, *12*　各論 *3*, *5*, *6*, *10*, *14*

上嶌　一高（うえしま　かづたか）

- 1963年　生まれ
- 1986年　東京大学法学部卒業
- 1986年　東京大学法学部助手
- 現　在　関西学院大学大学院司法研究科教授
- 担　当　総論 *3*, *4*, *7*, *13*　各論 *4*, *7*, *8*, *9*, *16*

総論

1　「罪と罰」の実像

1　「六法」の中の刑法 ── 刑法とは何か

1　近年の犯罪現象と刑法（学）史

1　規制緩和社会と刑法の機能

　われわれの日常生活が，刑法によってコントロールされる領域は，次第に広がっている。近年の日本は，かつての行政指導による事前の間接的規制から，刑罰などの事後規制を中心とした規制緩和社会に移行したからである。また，1990年代には，犯罪発生（認知）件数が急激に増加したこと，凶悪犯罪が都市部から周辺地域に拡散したことも見逃せない。その意味で，刑法（＝犯罪と刑罰に関する法）は，国民生活に大きな影響を及ぼしており，もはや，19世紀のような「必要最小限の手段」でなくなった。たとえば，高齢者を狙った特殊詐欺に対しては，通信手段や送金方法にかかる刑事規制が，日常生活の隅々まで浸透している。また，悪質な交通事犯に伴う死傷者数の増加は，交通関連法規の罰則を強化しただけでなく，危険運転致死傷罪（自動車運転死傷行為等処罰法2条）や過失運転致死傷罪（同法5条）を含んだ特別法を新設することにもなった。今後，国内外の治安状況の推移によっては，新しい罰則の整備や法定刑の加重が必要となるであろう。

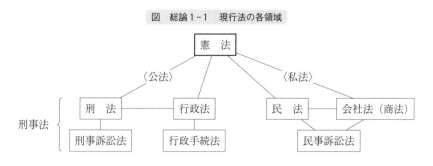

図　総論1-1　現行法の各領域

> ### Case 1
> Xは，無免許・飲酒運転をして，人身事故を起こしたが，そもそも，自動車運転免許をもっていなかった。しかも，呼気1リットル中に0.25ミリグラムのアルコールを保有する酒気帯び運転の状態で，所定の自動車整備も受けず，自動車損害賠償責任保険にも加入していない自動車を，時速100キロメートルで暴走させて，歩道上の通行人AとBをひき殺したものである。

>> Case 1 は，実際に起きた事件であり，裁判所は，犯人を業務上過失致死および無免許・酒気帯び運転の道路交通法違反等の併合罪（なお，p.255の 5 を参照）で処罰した。しかし，本件事案は，最も悪質な部類に属するため，量刑上は，傷害致死に準じた非難がふさわしいとした。Xには，犯行当時の法定刑で最高の懲役5年6か月の実刑判決が言い渡された（暴走ドライバー事件．横浜地相模原支判平成12・7・4判時1737号150頁）。

　自動車と歩行者の衝突それ自体は，犯人の運転時の過失に基づくため，殺人罪のように，被害者を殺そうとする意思があるわけではない。しかし，Case 1 のような悪質な人身事故では，道路交通法規に反するXの投げやりな態度が，無免許運転や無車検・無保険車の使用，さらに酒気帯び運転にも現れている。これらはいずれも故意犯であって，しかも，別の事案では，警察官の取締りを免れるため，猛スピードで車を暴走させた例もある。この時点では，業務上過失致死傷罪が想定した注意義務違反の限界をはるかに超えるといえよう。ここに至って，Xの行動は全体として人命無視の態度と評価され，Xの運転する自動車は，「走る凶器」となるのである。こうした危険な運転態度は，通常の過失犯と異なり，生命・身体を侵害しようとした故意犯に限りなく近づく。ただし，犯行当時の刑法では，業務上過失致死罪で処罰するほかなく，その後，悪質な交通違反に伴う人身事故を想定した「危険運転致死傷罪」の規定が新設されたわけである（平成13年改正208条の2）。しかし，危険運転致死傷罪の適用例が，その後もごく少数にとどまったため，さらに，自動車運転過失致死傷罪の規定が設けられた（平成19年改正211条2項）。

2　治安の悪化と法定刑の引上げ

　平成15（2003）年あたりをピークとする犯罪認知件数の増加や凶悪犯罪の多発により，国民の「体感治安」は悪化したままである。こうした社会状況を反映して，平成16（2004）年の法改正では，拘禁刑（懲役，禁錮）の上限（長期）が，一

律に15年から20年に引き上げられた。個々の犯罪類型についても，たとえば，殺人罪の法定刑は，従来の「死刑又は無期若しくは3年以上の拘禁刑（懲役）」から，「死刑又は無期若しくは5年以上の拘禁刑（懲役）」に加重された（199条）。また，傷害罪では，「10年以下の拘禁刑（懲役）又は30万円以下の罰金若しくは科料」から，「15年以下の拘禁刑（懲役）又は50万円以下の罰金」となり（204条），傷害致死罪の法定刑も，3年以上の有期拘禁刑（懲役）に引き上げられている（205条）。さらに，性犯罪に対する厳しい処罰感情から，(旧)強姦罪および(旧)準強姦罪の法定刑の下限を，「2年以上の有期拘禁刑（懲役）」から「3年以上の有期拘禁刑（懲役）」としたほか（177条・178条2項），強制わいせつおよび準強制わいせつ罪の法定刑も，「6月以上7年以下の拘禁刑（懲役）」から，「6月以上10年以下の拘禁刑（懲役）」に引き上げられた（176条・178条1項）。その後も，平成29 (2017) 年には，伝統的な強姦類型を拡張・加重した強制性交等罪（5年以上の有期拘禁刑〔懲役〕）や，監護者わいせつ及び監護者性交等罪の規定が設けられた（179条）。

> **補論**　**「治安の悪化」をめぐる議論**
> 　　最近の犯罪状況と「治安の悪化」をめぐっては，諸見解が対立する。一部の論者は，ストーカー行為規制法のように，以前は処罰されなかったものが新たに犯罪となった結果，犯罪認知件数を押し上げたという。しかし，「特別法違反」に対する警察の取締方針が変化しても，ただちに，「(刑法典上の) 刑法犯」の認知件数が増加することにはならない。つぎに，「ひったくり」などの摘発が強化された点を挙げるが，これだけで，他の犯罪類型を含む刑法犯全体の認知件数が増加するわけではない。また，近年の統計では，若年者に対する加害事例は若干減少したものの，少子高齢化社会の中で，子供全体の絶対数が激減したとすれば，個々の被害者に対する犯罪リスクが減少したことにならない。同様なことは，少年犯罪の高止まり状態や犯罪の凶悪化をめぐる議論にもあてはまる。さらに，刑務所に収容された囚人の多くが高齢者である点も，単に日本社会の高齢化を反映したにすぎず，これを捉えて，「治安は悪くない」というのは早計である。
> 　　そのほか，犯罪の「凶悪化」について，万引き犯人が逃走途中で暴行に及んだとき，これを強盗致傷罪に包含することが，凶悪犯罪の数を押し上げたと指摘する論者もいる。しかし，こうした論法に具体的な論拠があるわけでなく，被害者による追跡や被害物品の取戻しを防ぐ目的で，窃盗犯人が暴力を加えるとき，それがしばしば被害者の死傷という重大な結果につながるなど，社会的にみれば，凶悪犯罪とされるのは当然であろう。かようにして，犯罪認知件数の増加や犯罪の凶悪化をめぐる議論の中には，一部のマスメディアや特定の論者によるミスリーディングもみられる。したがって，今後は，国民の目線に立った客観的なデータの分析が必要である。

3　刑法の起源と刑法学派の争い

1　実質的意味の刑法
　　刑法とは，いったい，どのような法律であろうか。

広い意味の刑法は,「犯罪と刑罰に関する法律」である。これは,すべての犯罪成立要件と刑罰を定めたものである。ただし,狭い意味の刑法は,明治40 (1907) 年に制定された「刑法（明治40年・法律第45号）」を指す。そのほかにも,現在の日本には,たとえば,暴力行為等処罰に関する法律や,盗犯等の防止及処分に関する法律,軽犯罪法,覚醒剤取締法,爆発物取締罰則,不正アクセス行為等処罰法,自動車運転死傷行為等処罰法などのような,多数の特別刑法が存在する。しかも,道路交通法のような各種の行政取締法規だけでなく,会社法や独占禁止法などの中にも,犯罪と刑罰について定めた条文がある。これらは,特別刑法として,広い意味の刑法に含まれる。また,刑法が,「形式的な意味の刑法」と呼ばれるのに対して,特別刑法を含めた刑罰法規の全体を,「実質的な意味の刑法」と呼ぶことがある。なお,現行刑法は,平成7 (1995) 年の全面法改正により,立法当初のカタカナ混じりの条文を改めて,今日の日常用語に合わせた現代用語化が実現した。その後も一部改正が繰り返されたが,その骨組み（全体の構成）については,立法当初（明治40年）のままである。他方,刑罰の種類については,令和4 (2022) 年の法改正により,従前の懲役・禁錮を一つにまとめた拘禁刑となった。

図　総論1-2　「刑法」と「刑法典」

広義の刑法（実質的な意味の刑法）

狭義の刑法
明治40年に制定された（法律第45号）「刑法」という名称の法律
↓
形式的な意味の刑法
「広義の刑法」と区別するため,「刑法典」と呼ぶことがある。しかし,単に「刑法」と呼ぶ場合もある。なお,とくに明記しない限り,本書の刑法はこちらの意味で用いる。

特別刑法
・軽犯罪法,覚醒剤取締法,大麻取締法など,個別の分野ごとの刑罰法規
・道路交通法などに含まれる行政刑罰法規
・会社法や破産法などの私法に含まれる刑罰法規
＊日本では,800以上の特別刑法がある。

2　古典学派の発生　　刑法の起源は,古代社会にあって被害者の部族が加害者の部族に復讐するという「しきたり」から始まった。それらは,「同害報復（タリオの法）」や「贖罪金（しょくざい）」と呼ばれるが,その後,中世になって国家的な刑罰の形式になった。こうした刑法の歴史をみるならば,刑罰の応報的性格は明らか

である。もっとも，17～18世紀に啓蒙主義思想が優勢となった時代には，人道主義と自由主義の主張を取り入れて，残虐な刑罰が廃止される一方，社会契約説の見地から，刑罰の目的を威嚇による犯罪抑止（一般予防）と犯罪者の改善（特別予防）に求める見解が支配的となった。たとえば，ベッカリーアは，刑罰の合理性・目的性に依拠しつつ，刑法の一般予防的機能を強調した。これに対して，カントは，犯罪者が社会契約に基づく国家的刑法に違反した場合の応報が刑罰であると考えた（応報刑論，絶対主義）。

また，「近代刑法学の父」と呼ばれるフォイエルバッハは，犯罪一般を外界に現れた権利侵害であるとした（客観主義）。そこでは，共同生活の目的に反する犯罪行動を防ぐため，法律により犯罪と刑罰を予告して，一般人に犯罪を思いとどまらせるものが，刑法とされる（一般予防主義，相対主義）。こうした考え方は，いわゆる「心理強制説」と呼ばれる。この時代の刑法理論は，罪刑法定主義思想を受け継いだ古典学派または旧派の考え方につながった（なお，p.23 の**1**を参照）。

3　近代学派の批判　しかし，19世紀後半のヨーロッパでは，産業革命に伴う貧民層が必然的に犯罪者となる場合が激増した。その結果，犯罪はもはや個人の自由意思によるものとはいえず，応報的な見地から犯罪者を処罰してきた伝統的理論が疑問視されるようになった。そこで，古典学派（旧派）に対抗して唱えられたのが，近代学派（新派）の刑法理論である。たとえば，ロンブローゾは，犯罪人類学の見地から，一定の身体的・精神的特徴をもった「生来犯罪人」が必然的に犯罪に陥るものと主張した。また，フェリーやガロファロは，犯罪行動に至る社会経済的要因や心理学的要因を考慮しつつ，行為者の危険性に着目した刑法理論を構築した。とくに近代学派を代表するリストは，「罰せられるべきものは行為でなく，行為者である」と述べている。

今日の刑法学は，こうした18～19世紀の刑法学派の対立を克服したものである。すなわち，古典学派と近代学派は，いずれも極端な主張であって，実際の犯罪現象を正しく捉えていない。人間に完全な自由意思がないのと同じく，まったく素質・環境に支配された犯罪行動も，ある種の理念的モデルにとどまる。その意味で，完全な自由意思を前提とした「非決定論」に基づく応報刑論は，刑罰の一面しか捉えておらず，最近では，脳科学研究の成果を踏まえつつ，自由意思の存在それ自体について懐疑的な見解もみられる。他方，およそ自由意思を否定した「決定論」に基づく近代学派の教育刑論も，それだけで刑罰の本質を説明することはできないのである。

図 総論1-3 古典学派と近代学派の主張

	犯 罪 論	→	刑 罰 論
古典学派 (客観主義)	行為主義＋自由意思（非決定論） →　心理強制説（一般予防）	→	応報刑論（罪刑の均衡）
近代学派 (主観主義)	行為者主義＋生来犯罪人（決定論） →　犯罪徴表説	→	教育刑論（不定期刑）

4　刑法の基本原則　近年，犯罪の抑止手段である刑法（広義）の領域は，ますます拡大しつつある。したがって，伝統的な刑法学の原則を維持するだけでは，実際の刑罰権の行使にあって不具合が生じている。とりわけ，社会状況の変化や技術革新を契機とした新しい犯行形態については，処罰規定の形式論的解釈ないし文理解釈だけでは対応できない。そこから，犯罪論体系を重視する形式的犯罪論を批判して，社会有害性を重視する実質的犯罪論が唱えられるようになった。しかも，国境を越えた人と物の移動がさかんになった現在，国際的な犯罪予防に資する意味でも，条約に沿った重大犯罪の取締りが要請されることもある。

だが，過去の刑法学説や刑事立法の流れを無視して，近未来における刑法のあり方を論じることはできない。とくに刑法は，国家権力が国民の権利を制限する道具になりやすいからである。そのため，刑罰権の濫用を防止するための基本原理が，刑法学の出発点とされてきた。すなわち，伝統的な刑法学では，刑法の謙抑性や補充性が前提であり，罪刑法定主義が刑法の基本ルールである。たとえば，罪刑法定主義に基づく「成文法主義」，「刑罰法規の明確性」，「類推解釈の禁止」，「罪刑の均衡」は，今日の刑法学でも堅持されている（なお，p.28の **2** を参照）。

> **発展学習**　**古典学派（旧派）と近代学派（新派）の違い**
> 　刑法学における新旧両派の対立を整理しておこう。まず，古典学派は，①およそ犯罪人を理性的な存在と仮定した上で（非決定論），②実際に発生した外部的な行動やその結果を基準として（行為主義，客観主義），③責任面では，犯人の反社会的意思を非難することで，その処罰根拠を導くことになる（意思責任論，道義的責任論）。したがって，④刑罰は，責任能力をもった犯人に対する反作用であり，⑤犯罪者に罪を償わせるのと同時に（応報刑論，絶対主義），一般人を威嚇することで，将来の犯罪を予防することになる（一般予防主義）。
> 　これに対して，近代学派では，①およそ意思の自由を認めず（決定論），②外部に現れた犯罪行動は，素質と環境に支配された行為者の危険性を徴表するにすぎない（徴表主義，主観主義）。したがって，③責任面では，危険な犯罪者から社会を防衛する意味で，犯人の側に受刑能力さえあれば足りることになる（性格責任論，社会的責任論）。したがって，④刑罰は，社会防衛処分として犯罪人を再社会化することであり（目的刑論，教

育刑論），⑤犯人を改善するためには（特別予防主義），不定期刑や保安処分制度も許されることになる。

2 刑法が守ろうとするもの

❶ 犯罪を予防するための法律

　刑法は，実際に罪を犯した者を処罰する法律であり，外見上は，犯行後の事後処理にほかならない。しかし，古典学派の主張では，将来の犯罪者に警告を与えて，犯罪一般を予防し，善良な国民を守るという機能がある（一般予防主義）。こうした刑法の機能は，学説上，規制的機能と秩序維持機能，そして，法益保護機能に区分できる。たとえば，①刑法は，国民に何が犯罪であるかを明示することで，法的に許されない行為の規範的評価を示している（評価機能）。これと同時に，刑罰という制裁を予告して，国民に犯罪を回避するよう働きかける（意思決定機能）。この両機能をまとめて，規制的機能と呼ぶ。また，刑法には，②国家的秩序および社会的秩序を維持して（秩序維持機能），一般人を犯罪から遠ざけたり（一般予防機能），過去に罪を犯した者についても，重ねて犯罪をしないように働きかける機能をもつ（特別予防機能）。その結果として，③社会生活上の利益（法益）を保護するという機能がある（法益保護機能）。

　これに対して，刑法はまた，④国家の刑罰権行使を制限することで，国民の行動の自由を保障している（自由保障機能）。すなわち，処罰の対象となる犯罪行為が何かを明らかにすることは，それ以外には刑罰権が及ばないことを意味するからである。その点で，一般国民はもとより，犯罪者に対しても，刑罰からの自由を保障している。自由保障機能は，歴史的な経緯から，マグナ・カルタ的機能と呼ばれることもある（なお，p.25の *2* を参照）。上述した秩序維持機能，法益保護機能と自由保障機能は，一見すると対立・矛盾しているが，これらは刑法という社会の盾がもつ両面である。したがって，いずれか一方が優越するという性質のものではない。たとえば，国民の基本的人権と相反する社会的利益は，刑法的保護に値しないとされる点で，両者は表裏一体の関係にある。また，刑法は，刑罰という強力な制裁手段を用いるため，他の法律では法益を保護できない場合にのみ，刑法を使うことが許される（刑法の補充性）。すなわち，刑罰という「劇薬」の投与は，国民の自由を不当に制約する「副作用」を伴うため，謙抑的な態度が望ましいのである（刑法の謙抑性）。

図　総論1-4　刑法の社会的機能

国家の視点	規制的機能（評価機能＋意思決定機能）
社会の視点	秩序維持機能（一般予防・特別予防機能）
国民の視点	法益保護機能→←自由保障機能 対抗

2 刑法と道徳の関係

1　被害者のない犯罪　刑法の補充性から，規制的機能や秩序維持機能は，法益保護に必要な範囲でのみ認められる。その際，国民の倫理観や社会の道徳は，刑法上の保護法益といえるであろうか。たとえば，堕胎，売春，麻薬使用，賭博などは，「被害者のない犯罪」とされる。買売春や麻薬取引では，当事者の双方が望んで行為しており，第三者に迷惑をかけないというのである。むしろ，これらを処罰することは，国家が「麻薬は悪である」「売春は許されない」という価値観（道徳または倫理）を押し付けるものと批判される。しかし，賭博行為や麻薬使用を放置しても，社会全体にとって無害なのであろうか。ここでは，まさに刑法と道徳の関係が問題となる。たとえば，賭博の習慣が蔓延することは，労働による財産の取得という健全な経済観念や勤労の風俗を損なう。その意味で，経済秩序の基礎となる勤労の道徳に反するだけでなく，国民のギャンブル熱（過剰な射幸心）を刺激して，国家全体の健全な発展を妨げるとされてきた。売春行為についても，これらを放任することで，国民一般の健全な社会常識や青少年の育成に悪影響を及ぼすであろう。なお，堕胎行為は，客観的にみて胎児の生命を奪っており，そもそも，「被害者のない犯罪」といえるかは疑問である。

> **Case 2**
> Xは，Yと共謀の上，Y宅で花札賭博の場所を提供して，Zら数名の客に賭博をさせた。その際，Zらから寺銭（場所代）名義で現金を受け取っていた。

Case 2 では，刑法186条2項の賭博場開張等図利罪にあたる。刑法上の賭博罪は，その資金を得るための窃盗や強盗などを予防する目的で設けられたものであり，当事者間で金銭の得喪をめぐる同意があった以上，賭博それ自体は，第三者の法益を侵害しないとする見解もある。しかし，最高裁によれば，賭博行為が「国民〔原文では，国氏〕をして怠惰浪費の弊風を生ぜしめ，健康で文化的な社会の基礎を成

す勤労の美風を害するばかりでなく，甚だしきは暴行，脅迫，殺傷，強窃盗その他の副次的犯罪を誘発し又は国民経済の機能に重大な障害を与える恐れすらある」とされる（花札賭博事件。最大判昭和25・11・22刑集 4 巻11号2380頁）。ここでは，まさしく刑法の規制的機能や秩序維持機能が重視されている。

2　刑法と自己決定権　賭博や売春，麻薬使用などは，当事者間の自由意思に基づく処分である以上，刑法の介入を控えるべきだとする主張がある（非犯罪化：decriminalization）。また，「承諾者には不法はなされない」という法格言があるように，被害者の承諾に基づく行為は，犯罪とならない場合がある。たとえば，窃盗罪（235条）や住居侵入罪（130条）では，被害者の意思に反した占有の取得や立入りが前提とされるため，権利者の同意・承諾があれば，そもそも，犯罪構成要件に該当しない（最判昭和25・11・24刑集 4 巻11号2393頁）。また，保護の客体を被害者の自由な処分権（自律権）と考えるならば，保護法益が欠如しているといえなくもない。しかし，かりに個人が保有する法益であっても，その法的な保護は国家権力が担っており，保有者の意思が，ただちに保護の客体としての属性まで排除するわけではない。また，刑法上も，すべての法益について完全な処分の自由を認めておらず，自殺関与および同意殺人罪（202条）や逮捕監禁罪（220条）が成立する場合もある。なぜならば，生命の放棄や奴隷契約は，個人の自律性の存在基盤を破壊するだけでなく，およそ「人間の尊厳」にも反するからである。むしろ，そこでは，国家による後見的保護が要請されてきた（一種のパターナリズムである）。

Case 3
　甲暴力団の構成員であるAは，これと対立する乙暴力団の組員Bと交流があったため，こうした行動をとがめられ，兄貴分のXから「ケジメ」をつけるようにいわれた。そこで，Aが自分の指を詰めることを申し出た際，Xは，Aの小指の上に出刃包丁を当てた上で，金づちでその峰を 2 〜 3 回たたいて左小指の末節を切断した。

Case 4
　産婦人科医師であるYは，いわゆる男娼のCから，睾丸の摘出，陰茎の切除および造膣などの一連の手術（性転換手術）を依頼された際，法定の除外事由がないにもかかわらず，Cを生殖不能にする手術を行った。

(*Case 3*) の被害者Aは，小指を切断することについて嘱託または承諾を与えてい

> た。そのため、同意傷害を不可罰とする見解もあるが、通説・判例は、いわゆる「エンコ詰め」が公序良俗に反する行為である以上、傷害罪の成立を認めてきた（エンコ詰め事件。仙台地石巻支判昭和62・2・18判時1249号145頁）。なるほど、*Case 4* の性転向症者に対する去勢手術は、医学的にみて（性同一性障害の）治療行為にあたる場合もある。しかし、設問の事実からは、本件手術が医学上承認された点をうかがわせる事実はなく、正当な理由がないままCの生殖を不能にした以上、旧優生保護法（現行の母体保護法）28条に違反するとされた（ブルーボーイ事件。東京高判昭和45・11・11判時639号107頁）。

③ 自動車事故と民事・行政・刑事上の責任

1 三種の法的責任 わが国では、自動車事故による死者が毎年3,500～4,000人であり、重軽傷者まで含めると、交通事故の犠牲者数は膨大なものになる。たとえば、*Case 1*（⇒p.4）のように、飲酒・酩酊したドライバーが、十分な傷害保険もかけないまま、整備不良の自動車を高速で走らせる行為は、「走る凶器」を用いた犯罪にほかならない。こうした危険運転が、道路交通法に違反しており、他のドライバーや歩行者を殺傷したならば、損害賠償責任のみならず、刑事責任も負うことになる。すなわち、自動車事故では、①人の死傷結果や物品の損傷に対する民法上の損害賠償責任、②道路交通法の違反に対する行政法上の責任、さらに、③故意または過失により、歩行者を殺傷したことについて刑事上の責任が生じる。その際、同じく制裁金として、犯人（加害者）の財産を剥奪する場合にも、刑法の罰金刑においては、犯人である運転手と訴追側の検察官のあいだは、「私人」対「国家」の関係になる。そもそも、刑法上の罰金・科料が国庫に納入されるのに対して、民法上の損害賠償は被害者個人に支払うものであり、この点で、両者はまったく異なるのである。

> ### *Case 5*
> Xは、無免許であるにもかかわらず、酒気帯び状態で自動車を運転した上、交差点の赤色信号を無視して時速70～80kmで進入し、交差道路を走行していたAの自動車の側面に衝突して、同車に乗っていたAら4名を死亡させた。

Case 5 は、無免許運転と信号無視、さらに酒気帯び運転による危険運転致死傷罪（自動車運転死傷行為等処罰法2条）の事例であり、いわゆる交通三悪のすべてにあてはまる。前2者は、道路交通法違反として（117条の2第1号・117条の2の2第1号・3号・119条1項2号参照）、後者は、犯行当時の刑法208条の2第2項後段および

1項前段の罪を構成するとされた（大阪地判平成15・6・19判時1829号159頁）。ただし，同じく道路交通法上の制裁であっても，別途，行政処分として免許の取消し・停止などが考えられる（道交103条以下）。また，民事裁判では，被害者の死傷に伴う逸失利益や慰謝料を請求されることになる。しかし，私人対私人の関係にある民事裁判では，被害者から加害者に対して民事訴訟を提起する必要がある。

2 民事責任と刑事責任 同じことは，他人から借り入れたお金を返済しない場合にも妥当する。およそ返済不能な状態であることを認識しつつ，相手方に「必ず返す」と約束して金を借りたとき，刑法上の詐欺罪（246条）にあたる。ここでは，犯人が最初から金をだまし取るつもりで，相手方を「欺いて」おり，詐欺罪にいう「欺く」行為と相手方の錯誤，そして処分行為という一連の構成要件要素が備わっているからである。しかし，多重債務者が返済の見通しを誤った結果，最終的には破産して返済できない場合には，せいぜい，民事上の債務不履行にとどまる。そのほか，ストーカー行為規制法では，行政処分として，警察当局による警告や禁止命令などが予定されているが，公安委員会の禁止命令に違反するなど，犯人のつきまとい行為が「ストーカー」と認められた場合にのみ，最終手段として刑罰を科する仕組みになっている。

なお，現行法上の刑罰としては，死刑・拘禁刑（法改正前の懲役，禁錮）・罰金・拘留・科料および没収という6種類があるのに対して（9条），行政処分には，過料のほか，営業停止や改善命令，法人の解散命令などがある。

2 刑罰の理論的基礎

1 刑罰の種類と適用方法

1 現行法上の刑罰体系

これら6種類の刑罰の中でも，死刑は，受刑者の生命を奪う生命刑であり，拘禁刑（懲役，禁錮）および拘留は，犯罪者の自由を剥奪・制限する自由刑である。また，罰金，科料および没収は，犯人から一定額の財産を剥奪する財産刑に分類される。およそ刑罰は，責任論（応報刑）の見地からみて，犯罪の重さに見合ったものでなければならない。他方，危険な犯罪者に対する予防という見地（抑止刑）からは，犯罪の重さと無関係に刑罰を科すことができる。そこから，現在の刑罰制度の中核を占める自由刑（拘禁刑）にあって，犯人の拘束期間がどうなる

かの問題も，応報または抑止（予防）をめぐる刑罰の本質論に左右されるのである。

つぎに，拘禁刑を中心とする自由刑（拘留を含む）では，犯罪者を刑事施設に収容して執行することになる。法改正前の懲役刑では，「所定の作業」が義務づけられたが（旧12条），内乱罪などの政治犯，名誉毀損罪（230条）などの思想犯，各種の過失犯（211条など），自殺関与・同意殺人罪（202条）では，非破廉恥罪として，刑務作業のない禁錮刑（旧13条）が科せられた。いわゆる名誉拘禁である。しかし，刑務作業を「不名誉」なものとみる立場は，前近代的な奴隷労働を想定しており，労働蔑視の思想に基づく点で，現代の刑罰観と合致しない。そこで，従来から，懲役と禁錮の区別を廃止する自由刑単一化論が唱えられてきた。その後，令和4（2022）年の刑法典改正では，処遇面の必要性に柔軟に対応できるよう，懲役と禁錮を統一した拘禁刑が設けられるに至った。

> **発展学習** 　**自由刑単一化論と短期自由刑の廃止**
> 　拘禁刑（懲役，禁錮）は，無期または1か月以上20年以下の期間で宣告される。また，拘留刑は，それより短期の1日以上30日未満の自由刑である。いずれも刑事施設に拘置されるが（12条・13条・16条），実際には，両者の分界を設けて収容している。しかし，短期自由刑で被収容者に十分な改善を行うのは困難であり，むしろ，刑事施設内で「悪風に感染する」弊害がある（かつては「刑務所学校」という言葉もあった）。そこで，近年では，施設外処遇（または開放処遇）を拡大したり，刑の一部執行猶予を導入したほか，社会奉仕命令や財産刑への代替なども検討されている。しかし，犯罪の種類によっては，交通事犯のように，短期間の集禁処遇によって改善する効果も期待できる。その意味で，被収容者の改善可能性に応じた弾力的運用が求められており，ただちに自由刑の種類を廃止する「完全な自由刑単一化」論は，まだ時期尚早である。むしろ，近年では，被収容者の高齢化や外国人受刑者の取扱いなど，数多くの課題が指摘されている。

財産刑には，罰金と科料（主刑）のほか，付加刑としての没収がある（なお，p.529の❻を参照）。罰金刑の下限は，10,000円以上であるのに対して（15条），科料の下限と上限は，1,000円以上10,000円未満である（17条）。しかし，この程度の金額で抑止効果を期待できるかは疑問である。とくに巨額の利益を獲得する経済犯罪では，刑罰による「烙印付け（スティグマ化とも呼ばれる）」を除けば，ほとんど制裁として機能していない。そこで，独占禁止法や金融商品取引法などの課徴金制度（独禁7条の2・8条の3，金融商品取引172条以下など）が，犯人から不当な利益を剥奪することで犯罪抑止の役割を担っている。なお，罰金・科料を完納できない場合，換刑処分としての労役場留置の制度がある。その期間や方法は，刑法で定められるが（18条），実際上は，刑事施設の中で他の受刑者と一緒に作業

することになるため，財産刑を執行する際には，財産の有無による不平等が生じる。そこで，受刑者の資力も勘案して，各人の収入に応じた日数罰金制度の採用も検討されたが，収入の算定方法などをめぐって意見がまとまらず，導入されるには至っていない。

2　加重減軽とその方法

刑法上，各条文が定める法定刑に法律上の加重・減軽をしたものが，処断刑である。刑罰の加重減軽事由としては，①法律上の加重事由，②法律上の減軽事由，そして，③裁判上の減軽事由（66条。酌量減軽）がある。また，これらは，ⓐ必要的な減軽事由と，ⓑ任意的な減軽事由に区分することができる。なお，刑法各則には，ⓒ犯罪類型に応じた特別減軽事由がある。詳細については，図総論1-5を参照して頂きたい。

図　総論1-5　刑法上の加重減軽事由

ⓐ　必要的な加重減軽事由
　　①法律上の加重事由　併合罪（47条），累犯・再犯（57条・59条）
　　②法律上の減軽事由　心神耗弱（39条2項），中止未遂（43条ただし書），
　　　　　　　　　　　　従犯減軽（63条）

ⓑ　任意的な減軽事由
　　過剰防衛（36条2項），過剰避難（37条1項ただし書），法律の不知・錯誤（38条3項ただし書），自首・告白（42条），障害未遂（43条本文）

ⓒ　各則上の特別減軽事由
　　偽証罪，虚偽鑑定・通訳罪における自白（170条・171条），虚偽告訴罪における自白（173条），身代金目的略取誘拐罪における解放減軽（228条の2），同予備罪における自首（228条の3ただし書）

つぎに，複数の加重・減軽事由が存在する場合には，①再犯加重，②法律上の減軽，③併合罪の加重，④酌量減軽の順序に従って処断される（72条）。たとえば，再犯加重では，まず，定められた拘禁刑（懲役，禁錮）の長期を2倍以下の範囲まで引き上げる（57条）。その上で，犯罪行為の内容と密接に関連する法律上の減軽を加える。反対に減軽する場合には，複数の選択刑の中で，適用すべき刑種を定めて法律上の減軽を行う（69条）。ただし，2個以上の主刑が併科される場合には（256条2項など），各刑罰を減軽して併科しなければならない。

そのほか，①死刑を減軽する場合（68条1号），②無期の拘禁刑（懲役，禁錮）を減軽する場合（68条2号），③有期の拘禁刑（懲役，禁錮）を減軽する場合（68条

3号），④罰金を減軽する場合（68条4号）には，各条文の規定に従うことになる。とくに実務で多数を占める有期の拘禁刑（懲役，禁錮）にあっては，その長期および短期を2分の1にすることとなる。

> **用語解説** 法定刑・処断刑・宣告刑
>
> 　刑罰の量を決定する手順について説明しておこう。まず，刑法は，各犯罪に対する刑罰を定めているが，それらは一定の幅をもって定められる。これを，法定刑と呼ぶ。法定刑の段階では，自由刑である拘禁刑（懲役，禁錮）と財産刑である罰金・科料において，その長期・短期または多額・寡額を明記しているにすぎない。したがって，裁判官は，刑種の選択を含めて裁量的な判断を加えることで，法定刑の中から，具体的な刑の種類・程度を決定する。とくに刑の加重・減軽事由が認められる場合には，必要な範囲で法定刑に修正（加重・減軽）を施した上で算出されたものが，処断刑である。さらに，裁判官は，被告人の情状を含めた刑の量定を行い，最終的に「被告人を拘禁刑〇年〇月に処する」という宣告刑を下すことになる。

> ***Case 6***
> 　Xは，昭和21年9月7日，窃盗罪による懲役5年の有罪判決が確定して，刑の執行を受けた（前犯）。その際，未決勾留日数を通算した上で，刑の執行開始日から起算して4年10か月の執行期間が経過する刑の終期は，昭和26年8月5日となっていた。したがって，この時点から刑法56条の規定する5年の期間が経過するのは，昭和31年8月5日であった。ところが，Xは，昭和31年4月19日の午前1時から20日の午前4時の間，前後数回にわたり，屋外にあったA占有の建築資材を窃取して自宅に持ち帰った（後犯）。なお，上述した屋外窃盗のとき，Xはかなりの酒気を帯びており，心神耗弱の状態にあった。また，Xは，翌日にも，飲酒していない状態で，同じ資材置き場に行き，事務所の脇においてあったカバンを盗んだ。その後，後犯の刑事裁判が開始され，第一審判決が言い渡されたのは，昭和31年9月5日であった。

> 　***Case 6***におけるXは，わずか3時間くらいの間に，同一場所で同一態様の窃盗を行っており，いずれも所有者Aが占有する建築資材であった。その意味で，一連の窃盗は単一の犯意が発現した1個の行為として，包括的な一罪となる（最判昭和24・7・23刑集3巻8号1373頁）。他方，翌日の窃取行為は，併合罪となる（45条）。つぎに，Xは，前犯による刑の執行が終わってから5年以内に，新たな犯行に及んでおり，刑法56条1項の「5年以内に更に罪を犯した場合」にあたる。解釈論上は，後犯が上記の5年以内に生じたことで足り，後犯に対する裁判が同期間内に言い渡されなくてもよいからである（最決昭和32・6・29刑集11巻6号1801頁）。もっとも，犯行当時のXが，酩酊により限定責任能力の状態であったとすれば，法律上の必

> 要的減軽がなされる（39条2項）。したがって，後犯の刑事裁判では，まず，①上記の再犯加重をした上で，②心神耗弱による法律上の減軽を行い，さらに，③建築資材の窃盗とカバンの窃盗について，併合罪加重をすることになる。なお，かりにXが常習累犯窃盗にあたる場合にも，累犯加重は可能とされる（最決昭和44・6・5刑集23巻7号935頁）。

2 刑罰の位置づけと保安処分

1 応報刑主義と目的刑主義

1 古典学派と近代学派　刑罰とは，犯罪に対する法的効果として，犯人に加えられる制裁である。

古典学派によれば，刑罰は「侵害の価値に応じた」報復であって（応報刑），他の目的を達成するための道具ではない（絶対主義）。犯罪による「法の侵害（否定）」を，刑罰が否定することで「法の安定（回復）」が得られるのである。その意味で，刑罰は，単なる威嚇手段ではなく，侵害の価値に応じた害悪・苦痛である（法律的な応報刑主義）。また，犯罪者の責任量に応じた刑罰でなければならず，刑罰論でも責任主義が貫かれる（責任刑）。かようにして，古典学派の刑罰論は，消極的な方向で一般予防論を採用することになろう。

これに対して，近代学派は，犯罪それ自体を素質と環境に支配された必然の産物と捉える。したがって，刑罰は，社会構成員としての責任を問うものであり（社会的責任論），犯人の危険性や反社会的性格に着目した積極的な一般予防の見地から，目的刑論や教育刑論が採用されることになる。

2 応報的な改善刑　このようにして，人間の犯罪行動をめぐる理解の対立は，そのまま，刑罰の理論にも反映されてきた。近代学派では，目的刑主義による犯罪の抑止を出発点としたが，伝統的な刑罰理論では，犯罪そのものに対する応報刑ないし責任刑という側面を否定することはできない。したがって，一般には，古典学派による犯罪理論と刑罰理論が妥当であるとはいえ，現代国家の刑罰制度は，原始的な応報感情だけに根ざすわけでない（醇化された復讐）。また，近代学派の行為者主義を基礎とする目的刑論にあっても，責任主義の見地からは，合理的かつ必要な範囲の刑罰にとどめるべきである。

3 保安処分の位置づけ　つぎに，刑罰と保安処分の関係が問題となる。保安処分とは，犯人の危険性に着目して，社会秩序の維持や行為者の改善を促す強制的処分である。たとえば，①危険な精神障害者の社会治療施設への収容，②麻

薬常用者などの禁絶治療施設への収容，③労働嫌忌者に対する労働施設への収容処分などの，対人的保安処分のほか，④財産の没収や，⑤営業所の閉鎖などの対物的保安処分もある。保安処分は，もっぱら犯罪を予防するための制度であるため，社会防衛論に基づく刑罰論に近い。そこでは，刑罰と保安処分は一元化されることになる（一元主義）。しかし，古典学派によれば，刑罰は応報であって，当該行為に対する道義的非難を前提とするため，もっぱら予防を目的とする保安処分とは区別されねばならない（二元主義）。古典学派の刑罰論では，社会にとって有害かつ危険な精神障害者であっても，いわゆる責任主義に基づいて（⇒ p.25の**3**），刑罰の対象から除外されることになる。むしろ，危険な精神障害者を治療施設で収容・改善する措置は，保安処分として位置づけられる。

2 刑罰の威嚇力と応報刑論

1 死刑の威嚇力 刑法それ自体の一般予防機能と関連して，刑罰には威嚇力のあることが前提となっている。たとえば，最も峻厳な刑罰である死刑は，国民全体および潜在的犯罪者に対する威嚇力があり，死刑を定めた重大犯罪を抑止する効果があるとされる。しかし，近年，いわゆる「人道主義」に影響されて，死刑廃止論が声高に唱えられている。そこでは，死刑に威嚇力がないという主張もみられる。他方，死刑存置論の支持者は，法秩序を維持する上で，死刑の威嚇力を無視できないという。この点について，最高裁大法廷判決は，現行の死刑制度を合憲であるとする中で，「死刑の威嚇力によつて一般予防をなし，死刑の執行によつて特殊な社会悪の根元を絶ち，これをもつて社会を防衛せんとしたものであ」ると述べている（最大判昭和23・3・12刑集2巻3号191頁）。

2 一般予防と間接的威嚇 なるほど，死刑に威嚇力があることの厳格な証明はない。また，犯行を促進する要因が複雑多岐にわたる以上，死刑廃止国と死刑存置国の犯罪統計を持ち出して，威嚇力の有無を議論するのもナンセンスである。その意味では，死刑の問題にとどまらず，すべての刑罰について，実際に威嚇力があるか否かの議論は，ある種の水掛け論になりかねない。むしろ，刑罰の機能は，啓蒙期刑法学の一般予防論と同じく，国民全体の法意識に作用することで生じる威嚇効果，いわばフィクションとしての間接的威嚇力にとどまる。その意味では，応報刑主義と表裏一体の関係にあるため，最高裁の用いた表現によれば，「個体に対する人道観の上に全体に対する人道観を優位せしめ，結局社会公共の福祉のために死刑制度の存続の必要性を承認した」のである。

死刑存置論と死刑廃止論の対立

　死刑廃止論は，①殺人を重大犯罪とする国家が，犯罪者（人間）の生命を剥奪するのは論理的に矛盾するとか，②人道主義的な見地から，死刑は残虐な刑罰であり，③誤判による死刑（国家による殺人）のおそれを無視できないと主張する。さらに，④死刑のもつ威嚇力は証明されておらず，⑤社会にとって危険な受刑者を隔離するのであれば，無期自由刑で代替できるし，⑥被害者側の損害回復という見地からは，死刑にすることで，犯人自身による損害賠償の可能性を奪うべきでないという。

　死刑存置論は，①一般人の法確信として，残忍凶悪な殺人犯には死刑をもって臨むべきであり，②死刑の残虐性は，その執行方法に負うべき部分が多いこと，③誤判の可能性は他の刑罰にも通用するため，厳格な手続によって防ぐほかはないと主張する。さらに，④法秩序を維持するためには，死刑の威嚇力を無視することはできず，⑤仮釈放の可能性を排除した絶対的無期刑（終身刑）も，反対説のいう改善刑の考え方とは合致しない。しかも，⑥無期拘禁刑（懲役）に減軽したところで，被害者に対する損害賠償が行われる保証はなく，現在では，賠償能力のない犯罪者に代わり，国家が損失補償をするようになった以上，損害賠償の可能性は死刑廃止の理由にならないとされる。

3　客観的処罰条件と処罰阻却事由

　犯罪の中には，犯罪成立要件だけでなく，一定の処罰条件を規定した犯罪類型がある。たとえば，事前収賄罪（197条2項）では，公選の候補者である非公務員が収賄した場合，実際に公務員となった時点ではじめて処罰される。また，詐欺破産罪でも，破産手続開始の決定が確定しなければ，犯人を処罰できない（破産265条・266条）。これらは，一定の政策的理由から国家の刑罰権を限定したものであり，客観的処罰条件と呼ばれる。

　学説上は，こうした客観的処罰条件を一定の犯罪成立要件に取り込もうとするものがある。しかし，賄賂罪でいう公務員の候補者が，事前に賄賂を収受・要求・約束したならば，それだけでも十分に法益侵害があるといえよう。しかも，上述した見解では，犯人に対して，実際に公務員となる旨の明確な認識まで要求することになりかねない（なお，p.526の **3** を参照）。なお，親告罪（135条など）における被害者の告訴のように，刑事訴訟法上，実体的裁判を開始するための手続的な前提条件は，訴訟条件と呼ばれており，刑罰権の存否にかかる処罰条件とは区別しなければならない。

　そのほか，すべての犯罪成立要件が備わったにもかかわらず，一定の事実の存在が国家刑罰権の発生を妨げる場合がある。たとえば，刑法244条1項および257条1項のように，一定の親族関係を理由とした刑の免除規定がある。一身的処罰阻却事由ないし人的処罰阻却事由と呼ばれる（前者については，p.348の **4** を参照，後者については，p.356の **4** を参照）。

> **用語解説**
>
> ## 自首と首服
>
> 「自首」とは，犯罪事実が捜査機関に発覚しておらず，あるいは，犯罪事実の発覚はあったが，犯人が判明していない場合，自己の犯罪事実を自主的に捜査機関に申告することをいう（42条1項）。しかし，捜査機関の取調べに応じて，自己の犯罪事実を申告しただけでは，自首とはいえない（大判昭和10・5・13刑集14巻514頁）。また，匿名文書で犯罪事実を申告したため，誰が犯人かを識別できなかったり（大判昭和9・12・20刑集13巻1785頁），被害者を自宅で殺害した犯人が，殺害の嘱託があった旨の虚偽記載があるメモを遺体のそばに置くなど，殺害の事実を偽って申告したときにも，自首があったとはいえない（最決令和2・12・7刑集74巻9号757頁）。つぎに，「首服」とは，被害者の告訴が訴訟条件とされる犯罪（親告罪）にあって，告訴権者に自己の犯罪事実を告白することで，その措置を委ねる場合であり，自首の場合と同じく，刑の任意的減軽事由とされている（42条2項）。

図 総論1-6 刑法犯 認知件数・検挙人員・検挙率の推移

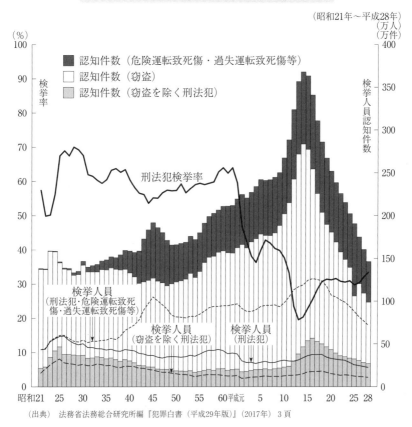

(出典) 法務省法務総合研究所編『犯罪白書（平成29年版）』（2017年）3頁

刑法解釈・運用の基本原則

1 法益保護における刑法の機能

1 刑法の謙抑主義

1 法益保護のための最後の手段

　刑法の究極の目的は，社会生活上の利益（法益）の保護であり，犯罪者を処罰するのは法益を保護するためである。ただし，刑法が法益保護の手段として予定している制裁は，刑罰であり，積極的な害悪にほかならない。威嚇が過ぎて，処罰を恐れるあまり安心して暮らすことができなくなっては本末転倒である。そもそも，刑罰は，いったん法益侵害が起きた後，それに対する反応として法益侵害者に科されるのであって，処罰それ自体が直接に法益保護や損害回復に資するわけではない。刑罰を合理的に運用する配慮がぜひとも必要である。これが近代刑法学を貫く基本思想である。

　ここから，立法・解釈の両面において，刑法の適用，したがって処罰を限定しようとする「刑法の謙抑主義」が導かれる。一罰百戒の必罰主義でなく，真に必要なときにだけ処罰するべきだということである。国家刑罰権の発動をもたらす前提条件には十分な根拠が求められる。人々の行動を規制するルールである「規範」は，社会の中にさまざまな形で存在しているが，中でも法規範は国家による強力な権力を背景にする。不合理な強制が行われても，それに抵抗するのは困難であるため，適切にコントロールする必要がある。

2 補充性・断片性

　謙抑主義からは，刑法の「補充性」も明らかになる。刑法は，他の手段では足りない部分を補充するものだということである。法益保護のためには，まず，直接に法益保護に役立ち，人の行動に対する制約が少ない手段が用いられるべきである。民事法・行政法は，刑罰という強力な制裁をもたない代わりに，事前の規制も行い，法益保護に役立つ種々の制度・ルールを定める。それで足りないとき

にはじめて事後的な刑罰制裁に訴えるべきなのである。

さらに、刑法以外による保護で十分であるならば、結局刑法による保護は控えられることになるから、法益の中には刑法の保護が欠けている部分が残る。このような性質は、刑法の「断片性」と呼ばれるが、刑罰を使わなくても世の中がうまく回っていることの反映であるから、むしろ望ましいことである。

3 「思想は税関を通過する」

処罰範囲を合理的に限定するためには、外形的事実をもって犯罪とする視点が重要である。しばしば引用される法諺（ことわざ）に、「思想は税関を通過する（が、地獄で引っかかる）」というものがある。他方で「淫らな思いで他人の妻を見る者は、既に心の中で姦淫したのである」という新約聖書マタイ伝のイエスの言葉がある。宗教あるいは個人道徳の教える規範は、内心の次元からの「正しさ」を要求する。しかし、刑法の規範は、法一般がそうであるように、それらとは要求水準が異なる。頭の中のことだけでは処罰対象にならない。これは当たり前のようだが、たとえば重大犯罪の計画を心に抱いている人をみつけて処罰することを考えてみれば、そこには法益侵害を事前に抑止する効果が厳然としてあるとはいえないだろうか。それにもかかわらず「それはできない、しない」というのが刑法なのである。

4 行為と結果

このような姿勢の現れとして、行為主義・結果主義を論じることができる。これらは、不法の実質を人の行為とするか、生じた結果と考えるか、という対抗軸（⇒ p. 130 の **2**）の意味で用いられることもあるが、ここでは、いずれも刑法が「外形」を対象とする規範であることを示す考え方としてとりあげる。

行為主義は、その名のとおり、思想でなく行為を対象とすることを意味する。刑法規範の発動を、法益侵害に向かう行為が外形として社会内に現れたときにはじめて認め、かつ、その行為に限って認めるということである。刑法は、人の内心に介入することはない。国民が、外形の態度において法を守っている限り、刑法も黙っている。あるいは、行為者が外に現れていない危険な素質をもっているというだけでは動かない。行為の形で外に現れたときにはじめて、刑罰制裁が現実のものとなるのである。

結果主義とは、法益侵害という結果が、刑罰の前提としての犯罪を規定すると

考える立場を指す。刑法が法益侵害に事後的に反応する法である以上，刑法は結果発生を待って動き始めることになる。結果に結びつかない行為，形式的な規則違反がそれだけで処罰対象になることは避けなければならない。もっとも，結果そのものではなく結果発生の「危険」が生じたところで刑法が介入する場合も少なくない。このような犯罪を危険犯という。犯罪行為を始めたものの結果が発生せずに終わった場合である未遂犯も一種の危険犯に分類することができる。

> 補論　**危険犯と形式犯**
> 　危険犯の場合にもあくまで行為と関係する結果が想定されていることに注意が必要である。なぜなら「危険」の捉え方の抽象度を増していくと，具体的な結果との関係が希薄な場合も犯罪とされることになるからである。たとえば，免許証不携帯に対する道路交通法の罰則（95条1項・121条1項10号）があるが，行政取締上の規制の必要性はともかく，処罰の対象とすることについては疑問も提示されている。免許証を携帯していないという単純な事実が生活上の具体的利益が侵害される危険に影響するとはいえないというのである。このような犯罪は，法益侵害との関係が考慮される実質犯との対比で形式犯といわれる。

2　一般市民だけでなく犯罪者の人権保障

　近代刑法に期待されている機能として重要なのは，人権や自由の保障である。これは，刑法が保護する法益の中に自由や財産などの人権に関連したものが含まれることを指すだけではない。すでに述べてきたように，刑法には，国家刑罰権を制約する機能が期待されているという意味がある。刑法は，後に述べる罪刑法定主義を核として，一般市民の自由保障に資するとともに犯罪者の適正処罰を保障することで犯罪者の人権保障に資する。刑法は「善良な市民にとってのマグナ・カルタであると同時に犯罪者のマグナ・カルタである」というのは，ドイツの有名な刑法学者であったフランツ・フォン・リスト（Franz von Liszt, 1851-1919）の言葉であるが，犯罪者といえども権力者の恣意的な処罰から守られるべきことを述べたものである。

3　責任主義

1　非難可能性

　関連して，刑法の基本原則として責任主義を挙げておくことにする。責任主義という言葉はいろいろな意味をもっている（⇒p. 171の**1**）が，ここでは原理的に重要な内容として次のような点を指摘しておこう。

1　法益保護における刑法の機能

第1に，主観的非難可能性が犯罪成立にとって必要条件になることである。すなわち，行為者当人の内心の働きに非難の契機が含まれていることが必要になる。ある構成要件的結果が生じたとき，その結果がそれを引き起こした本人に予見可能なものであり，かつ，予見すれば回避可能であった場合には，予見または回避せずに法益侵害結果（あるいはその危険）を引き起こしたことについて，行為者を非難することが可能である。逆に，予見不可能な結果については，規範が結果発生を回避することを要求してもその要求には従いようがなかったのであるから，その人を非難することはできない。こうして，非難可能であるためには，行為者の心理状態として捉えれば，結果発生を認識している場合（故意）か，結果発生が予見可能であった場合（過失）か，いずれかの心理状態が必要である。また，個人の意思責任が問題であるから，他人の行為については責任を負わないことも導き出される。

2 責任なければ刑罰なし

　第2に，責任のないところに犯罪はなく，したがって処罰もない。責任主義は，非難可能性がないところでは処罰を容認しないのである。このような「責任なければ刑罰なし」という考え方を消極的責任主義という。これに対し「責任があれば処罰する」という思考を積極的責任主義というが，責任が認められても予防の効果が期待できないようなときには処罰を控えるか減軽することが考えられてよいから，消極的責任主義を強調すべきである。

　これらの原則から，製造物責任，営造物責任，代位責任，団体責任，連座・縁座などは，刑法には存在しないことになるのである。

2　罪刑法定主義

1　罪刑法定の重要性

1 恣意的・封建的処罰からの解放

　刑法の目的は法益保護にあるが，法益保護の手段として積極的な害悪（刑罰）を用いるので，刑法の謙抑的性格が強調され，刑罰による規制が真に必要だと考えられた行為のみが犯罪として禁止されることはすでに述べた。そのためには，犯罪とすべき行為が明確になっていなければならない。具体的にいうと，1つは犯罪以外が処罰されない保証があること，もう1つは，犯罪と犯罪以外の行為と

の間になるべくはっきりした線が引かれることである。そのような条件がなければ，いくら処罰を限定するといっても本当の意味で限定したことにはならないであろう。そのつど刑法の謙抑性を考慮するとしても，ご都合主義で処罰対象の行為が決められたり，境界があいまいだったりすれば，国民はいつ処罰されるか分からず，処罰を心配しながら生活しなければならない。国民の行動の自由は大きく制約されざるをえないのである。

実際，国王や領主の都合で処罰対象が決められていた社会では，その不都合が切実に実感された。フランス革命をはじめとする市民革命で，国家の刑罰権を合理的に制約することが重要な課題となったのも当然だといえる。処罰対象を真に必要な範囲に限定することと，処罰が行為者によって予測可能にすることが重要である。処罰対象になっていることが分かれば，行為者はそれを思いとどまる可能性が出てくるので，法益は守られるであろう。

2 処罰の正統性

あらかじめ法律で犯罪と刑罰とを規定することを要請する原則が「罪刑法定主義（原則）」である。これは市民革命以降の近代刑法を支える原則である。この原則の下では，あらかじめ法律で定められているときに限り処罰可能である。法律を作るときには想定しなかった事態が生じた後になって，これもけしからぬから処罰したい，というので法律を作って，泥縄式に処罰することはできない。行為のときに処罰が予測できなければならないからである（⇒p.30の **3**）。加えて，処罰は，「法律」という国民代表による立法を前提とする。処罰には，国民主権に基づく「正統」性の裏づけも必要なのである。

このように，罪刑法定主義には，三権分立による国家刑罰権の制限という民主主義的基礎に基づく「法律主義」と，処罰の予測可能性の担保という自由主義的基礎に基づく「自由保障」という支柱がある。今日では，多くの近代国家における共通基盤になっているこの原則は，日本でも憲法上の原則となっている（憲31条・39条・73条6号ただし書）。もっとも，日本の刑法には罪刑法定主義の明文規定はない。また，憲法上も，アメリカ合衆国憲法の影響下で，手続法的側面から罪刑法定主義を規定するという傾向がみられる。しかし，日本国憲法が実質的に罪刑法定原則を定めていること，そして，罪刑法定主義が刑法の大原則であることに異論はない。

2 法律主義

1 条例も法律か

　上に述べたように，国家刑罰権を国民代表による民主的規制の下におこうとするのが罪刑法定主義の目的の1つであるから，法律とは国会制定法のことである。行政府の命令も「法定」の一形態に含めることも不可能ではないが，それ自体は行政作用の現れであるから，民主主義的基礎からすればあくまで「法律の委任」がある範囲で細部を決める場合に限って罪刑法定原則を充足すると考えるべきである。問題なのは，地方自治体の条例である。地方自治法14条3項によって，当該自治体内部において効力を有する条例で処罰規定を設けることが認められている。地方自治法の規定はかなり包括的な委任であるが，地方自治法という法律の委任がある以上，地方議会の審議を経ることによって実質的な民主主義的基礎を有する条例による処罰は，ただちに罪刑法定主義違反とはいえない。

2 慣習は法律ではない

　つぎに，法律が国会制定法に限られることから，慣習刑法の排除という派生的原則が導かれる。日本では国会が成文法の形で立法するものだけが法律であるから，慣習法に基礎をおく刑罰は認められないということになる。慣習はその存否，通用範囲，そして慣習法の内容を明確に把握することが困難なので，処罰範囲の限定を旨とする罪刑法定主義の観点からは受け入れられない。もっとも，成文法の解釈に際し，その指針として慣習を考慮することはさしつかえない。あるいは，そうせざるをえないこともある。たとえば，詐欺罪（246条）で用いられている「欺いて」という行為の意味を「解釈」するとき，通常の取引でどのような行為が行われるか，取引上の信義に反するのはどんな行為かを吟味する必要があり，慣習を無視することは無理であろう。

3 類推解釈という立法

　もう1つの派生的原則として，「類推解釈の禁止」がある。類推解釈とは，法律に直接の規定がないことがらについて，規定されている事項との類似を根拠に，それと同様に扱うことである。たとえば，「サンダル履き禁止」という規則がある廊下を「下駄」を履いて通行するのは規則違反か。このとき，サンダルも下駄も，足の全体を覆う履物ではないという共通点があるから，下駄にもこの規定の

効力を及ぼして禁止されると解釈するのが「類推解釈」である。

　類推解釈は，規定の趣旨に沿った柔軟で妥当な結論を導くものだから，解釈手法として頭から否定されるものではなく，民法ではむしろ積極的に用いられている。しかし，類推解釈が規定の存在しないところに解釈の名の下に規範を定立する一種の立法であることは否定できない。加えて，刑法でこれを認めてしまうと，何らかの類似点を発見して処罰範囲を拡張することに道を開いてしまう。抽象度を高めると，どこかに共通点がみつかるものであるからである。「人を殺した者は殺人罪として処罰する」という規範があるときに，「殺人罪の保護法益は生命である。人も動物も生命体である点で共通するから，動物を殺した者も殺人罪の規定で処罰してよい」とか，「植物も生命をもつから，草花を枯れさせた者も殺人と同じように処罰すべきだ」という解釈は，どう考えてもおかしい。もちろんこれは極端な例であるが，そうならないために解釈上の制約が必要なのである。

　類推解釈の禁止は，行為者の処罰予測可能性という観点からの要請であるから，被告人に有利な方向での類推解釈は許される。たとえば，犯罪成立を制限する事情は，似た事情があるときに直接規定されているものと同じ取扱いをしても，処罰されない方向に広げる解釈であるから許されるということになる。

4　拡張解釈と類推解釈の区別

　成文法の文言から予測できる範囲であれば，必ずしも直接規定が言及しているといえない可能性がある場合でも適用を認めてよいであろう。このような場合は類推解釈ではなく拡張解釈と呼ばれ，罪刑法定主義に反しないと考えられている。通常の日常用語では必ずしも含まれないが，言葉そのものの意味としては含まれうる範囲で解釈する場合である。もっとも，類推と拡張との区別は難しく，結局，その規定をみたときに処罰（不処罰）の予測を裏切るような解釈は，言葉の意味の「拡張」とはいえず「類推」になるというほかはない。実際に問題になった例として次のようなものがある。

Case 7
　Xは，満員の1両編成のガソリンカーを運転している際，遅れを取り戻そうとスピードを上げたところ，カーブにさしかかっても所定速度を大きく上回っていたため曲線を曲りきれず，ガソリンカーを脱線・転覆させてその一部を破損するとともに，乗客を死傷させた。

> **Case 8**
> 　Yは、洋弓銃（クロスボウ）を用いてマガモ（またはカルガモ）を狙い矢を4本発射したが命中しなかった。しかし、旧鳥獣保護及狩猟ニ関スル法律1条の43項の委任による昭和53年環境庁告示により、「『弓矢を使用する方法』を用いて狩猟鳥獣を捕獲してはならない」とされている禁止違反（法定刑は6か月以下の懲役または30万円以下の罰金。ただし、この規定は、現在は廃止されている。）として起訴された。

　Case 7 では、刑法129条の過失往来危険罪にいう「汽車・電車」の中に「ガソリンカー」が含まれるかが問題となる。汽車は蒸気、電車は電気によって推進力を得る乗物であると厳格に解するならば、ガソリン・エンジンによる乗物は客体に含まれない。しかし、戦前の最上級裁判所である大審院は、交通の安全を維持するという法趣旨からは汽車代用のガソリンカーを除外する理由がないし、汽車とガソリンカーとは、動力が違うだけで共に鉄道線路上を運転し多数の貨客を迅速安全かつ容易に運輸する陸上交通機関である点で同一だから、ガソリンカーも汽車に含まれると判断した（ガソリンカー事件。大判昭和15・8・22刑集19巻540頁）。この説明だけをみると類推解釈のようであるが、当時の日常用語としての「汽車」は、大審院のいうように鉄道線路上を運行する陸上交通機関を広く意味していたと思われる。行為者の予測可能性は奪われなかったと考えられる限りで、実質的には拡張解釈であって罪刑法定主義には反しないといえるだろう。

　Case 8 で争点になるのは、「捕獲」に「矢が外れたため鳥獣を自己の実力支配内に入れられず、かつ殺傷するに至らない場合」が含まれるかである。最判平成8・2・8刑集50巻2号221頁は、同法の他の条文におけると同様、「捕獲」は「捕獲行為」を意味するから、上のような場合も「捕獲」にあたるとした。通常の用法では捕獲とは「とる」ことであって「とれなかった」場合は含まれないように思われるが、「捕獲」が禁止されているのは当該客体動物だけでなく人や他の保護動物に危険が及ぶことを防止する趣旨だから、「捕獲」は上述のように解すべきだというのである。しかし、それが言葉の意味の範囲内にあるか、行為者の処罰への予測可能性が奪われないかは問題としうるであろう。

3　事後法の禁止

1　刑罰法規不遡及の原則

　刑罰法規不遡及の原則または事後法の禁止も、罪刑法定主義の下位原則である。刑罰法規は時間を遡って適用されてはならない。行為後に制定された規定による処罰が可能になれば、国民の処罰への予測可能性が失われるからである。日本国憲法も39条で遡及処罰を禁止している。たとえば、刑法典第2編第18章の2、す

なわち163条の2以下の「支払用カード電磁的記録に関する罪」は，すでに問題となる事件が起きていたからこそ制定されたのであるが，この改正が施行される以前の行為にはこれらの規定は適用されない。

法律そのものではなく，行為当時の「判例」が事後に行為者にとって不利益に変更されたときにも同じかというと，そうではない。最高裁は，行為当時に判例上示されている解釈からすれば無罪とされたはずの行為を処罰しても，憲法39条違反ではないとしている（最判平成8・11・18刑集50巻10号745頁）。ただし，学説においては，このような扱いは行為者の処罰予測可能性を失わせるとして罪刑法定主義の趣旨から問題視する見解も有力である。

刑法6条は，犯罪後の法律によって刑の変更があったときは，軽い方に従うこととしている。この規定は，軽い処罰を定めた法であれば遡及を肯定するものであるから，刑罰法規不遡及の原則に対する例外である。これは，犯罪後に当該行為には軽い処罰が相応だとされたのであれば，もはや重い刑を科する必要はないという趣旨であり，処罰の予測可能性を保証し，国民の行動の自由を担保するという罪刑法定主義の趣旨と矛盾するものではない。

3 「かけこみ犯行」の防止 ── 限時法の理論

法律によっては，規律の対象となる事項の性質などから，あらかじめ特定の期間に限って有効としている場合（限時法）がある。このとき，法律が失効した後に行われた行為にその法律の適用がないのはもちろんである。行為後，裁判前に刑罰法規が失効した場合も，6条の軽い方に従うとの趣旨からすると処罰されないという扱いがなされるはずである。ただ，そうなると失効直前の行為は，有効期間内であるにもかかわらず事実上処罰の可能性がなくなってしまう。そこで，限時法については特別に有効期間内の行為には適用があるとする例外を認める「限時法の理論」が提唱された。しかし，今日の通説は一般論としてこのような例外を認める必要はないと解している。そのような扱いを当該法律中に明文で規定すれば足りる（現に多くの場合に行われている）からである。

4 絶対的不定期刑の禁止

刑罰をあらかじめ定めるといっても，ただ「処罰する」とか，「施設に拘禁する」などと定めてあるだけなら，事件ごとに場当たり的な期間が言い渡され，処罰の予測ができないことになるであろう。そこで，「絶対的不定期刑の禁止」も

罪刑法定主義の派生原則であるとされている。絶対的不定期刑とは，刑期の定めのない自由刑である。これに対し，相対的不定期刑は，「3年から5年の刑に処する」のように長期と短期とを定めて言い渡す刑罰のことをいう。これも宣告された者を不安定な地位におくものではあるが，合理的な理由がある場合には許されると考えられている。たとえば，少年法52条が不定期刑を認めているのは，成長途上にある少年の場合には，将来の人格形成における可能性の幅が大きいことにかんがみ，柔軟な処遇を可能とする趣旨であるといえる。なお，無期拘禁刑（懲役，禁錮）も期間の定めのない自由刑といえるが，その理由には議論があるものの，結論として罪刑法定主義違反とは解されていない。

5 明確性と内容の適正──罪刑法定主義の発展

このように，罪刑法定主義は，形式的側面から国家権力の恣意的行使を制約し，ひいては国民の自由保障につなげることを目的としていたが，現在では，さらに内容に関連する要請も一般に承認されている。英米法で人権保障のための手続法的要請として発展してきた「デュー・プロセス（適正手続）」の保障が犯罪実体の確定の側面でも必要だとする「実体的デュー・プロセス」の思想の影響を受けたものだと考えられる。

刑罰法規の内容に関する要請の第1は，「刑罰法規の明確性」という派生原則である。あらかじめ犯罪と刑罰とを法律に規定しておきさえすればいいというものではない。極端な話，「悪いことをした者」を処罰すると規定したとしても，罪刑法定主義は骨抜きになる。何が処罰対象かが，明確に規定される必要があることが分かる。

第2に，刑罰法規の内容自体の適正（主として立法の制約原理）も主張されている。明らかに行為と刑罰とが不均衡であるような場合には，たとえ法がそう定めていても正義に反する。また，処罰すべきとまではいえないような行為が処罰対象になっているならば，それも罪刑法定主義違反だということになる。こうなると「悪法も法か」という古くからの哲学的問題に近づくが，いずれにしても不適正な刑罰であることが明白な場合には，罪刑法定主義の問題として争う余地があって然るべきであろう。

これら刑罰法規の内容に関する要請は，アメリカの憲法判例上発展してきた，「漠然性のゆえに無効」・「過度の広汎性のゆえに無効」の理論の影響を受けたものである。たしかに，漠然とした刑罰規定，あるいはあまりにも広い範囲にわた

って処罰しようとする規定は，罪刑法定主義に違反するといわなければならない。日本国憲法31条がこのような要請を含むとする点に異論はないと思われる。したがって明確性・適正性を欠く規定は違憲であって無効である。問題は，それをどのように判断するか，である。

Case 9
 Xは，県反戦青年委員会主催のデモ行進に青年・学生約300人とともに参加した際，先頭集団数十人の中に入って自らも蛇行進したり，先頭列の外付近に出て持って来た笛を吹いたり，両手を上げて前後に振ったりして，行進者に蛇行進させるように刺激を与えた。

Case 10
 A県に住むY（26歳）は，B女（16歳）と交際していたところ，Bが18歳未満であることを知りながら，A県内のホテル客室においてBと性交した。A県の青少年保護育成条例においては，小学校就学の始期から満18歳に達するまでの者を青少年と定義した上で，「何人も，青少年に対し，淫行又はわいせつの行為をしてはならない」との規定，および，その違反者に対して2年以下の懲役または10万円以下の罰金を科す旨の規定がおかれていた。

 *Case 9*の事例において最高裁判所は，刑罰法規があいまい不明確のゆえに憲法31条に違反する場合があることを肯定した上で，それは，通常の判断能力を有する一般人の理解において，具体的場合に当該行為がその適用を受けるものかどうかの判断を可能にするような基準が読み取れるかどうかによって決定すべきであるとした（徳島市公安条例事件．最大判昭和50・9・10刑集29巻8号489頁）。法律の明確性を罪刑法定主義の派生原則として明示し，その判断基準を規範の名宛人である一般人の処罰予測可能性におくことを明らかにしたものであるが，明確か否かの判断方法・基準については議論の余地を残している。
 刑罰法規の明確性だけでなく，処罰対象行為が広汎にすぎることも争点となったのが*Case 10*である。この事件で最高裁は，条例で処罰対象とされている「淫行」の範囲は，条例の趣旨を考えれば広く一般的な意味に解釈すべきでないことが明らかであるから，青少年の「心身の未成熟に乗じた不当な手段により行う性交又は性交類似行為のほか，青少年を単に自己の性的欲望を満足させるための対象として扱っているとしか認められないような性交又は性交類似行為をいうものと解するのが相当である」と述べた（福岡県青少年保護育成条例事件．最大判昭和60・10・23刑集39巻6号413頁）が，批判も強いところである。なぜなら，通常の意味で解釈すると罪刑法定主義違反になるから限定的に解釈するべきである（合憲限定解釈）というのは，規定の違憲性判断としては論理が逆であるといえるし，他方，真摯な交際における性交渉が処罰対象になるとの結論には，行為者の処罰予測可能性の観点から疑問が

2 罪刑法定主義 33

あるからである。

3 刑法の効力

1 刑法の場所的適用範囲

1 場所的効力の定め方

刑法も主権国家の法制定権力の産物であるから，基本的には，その主権の及ぶ範囲で効力を有する。しかし，たとえば，犯罪の場所が領土外でも，自国民を被害者とする場合には自国の刑法を適用することにも理があるだろう。そこで，場所的適用範囲については，立法上いくつかの選択肢が考えられる。

 国際刑事司法共助

刑法の場所的適用範囲，効力の及ぶ範囲の問題は，実際に刑法の効果を実現することができることとは別の問題である。国外の犯人を処罰するためにはさまざまな問題がある。他国の主権の及ぶ範囲にいるその国の国民を，日本の警察や検察が捕らえて日本の裁判所に連れてくるようなことはできない。かりにそれができたとしても，そもそも日本の裁判所に他国人や他国内での犯罪を裁く権限（刑事裁判管轄）があるかどうかが問題になる。このような問題は，広くいえば国際刑事法，より実際的には国際刑事司法共助の問題になる。

2 属地主義の原則

実体法の適用範囲の定め方を大別すると，①自国の領域内で行われた犯罪について適用を認める属地主義，②行為者または被害者の国籍を基準にする属人主義（行為者が自国国籍である場合に自国刑法を適用するのは積極的属人主義，被害者が自国国籍であるときに適用するのは消極的属人主義という），③自国の法益保護に必要な場合には領域外の犯罪でも自国刑法の適用を認める保護主義，④国際協調の観点から場所の如何にかかわらず自国刑法を適用する世界主義，この4種類がある。日本刑法は，属地主義を基本に，犯された罪の性質に応じ，保護主義，世界主義，属人主義によって補充しているといえる。

刑法1条が属地主義の原則を定めている。日本国内とは日本の領域内（領土・領海・領空内）を意味する。日本国外にある日本船舶・日本航空機内にも刑法の適用がある（同条2項）。

属地主義の下では，犯罪がどこで行われたか（犯罪地）が重要である。犯罪地

を決定する基準については，行為の場所，結果発生の場所とするなどの考え方もあるが，通説・判例は，「構成要件該当事実の一部が日本国内で発生した場合」は日本国内で罪を犯したことになるとする，いわゆる「遍在説」の立場をとっている。したがって，行為だけ，結果だけが日本国内にある場合も日本刑法が適用される。また，共謀共同正犯の共謀（⇒p.216 の **6**）も構成要件該当事実の一部をなすので共謀だけが国内で行われた場合も同様である。共犯の犯罪地については，共犯行為が行われたのが日本であればもちろん，国内の正犯を教唆・幇助する場合には，共犯行為自体が国外で行われたときにも適用がある（最決平成6・12・9刑集48巻8号576頁）。

3 属人主義・保護主義・世界主義

刑法2条は，その各号に規定する犯罪について，犯罪地が国内であるか国外であるかや，犯人被害者の国籍を問わず日本刑法の適用を認める趣旨である。そこに規定される犯罪が日本の国家主権の根本的利益に関わるものであるところから，保護主義に基づく規定であると理解される。3条は，日本国民による重大犯罪について日本刑法の適用を認める積極的属人主義に基づく規定，3条の2は，日本国外で行われた日本国民に対する行為に日本刑法を適用する消極的属人主義に基づく規定である。4条では，公務員の国外犯を定めており，各号には日本の国家的法益の侵害を内容とする犯罪が掲げられているので，保護主義に基づく規定といえる。4条の2は，その他の場合を条約によって決めることを包括的に容認した規定で，一種の世界主義と解される。

4 外国判決の効力

以上にみたように，刑法の適用範囲は，各国の国内法が定めることになるので，1個の行為が外国の刑法と日本刑法との両方の適用を受けることがある。5条によると，「外国において確定裁判を受けた者であっても，同一の行為について更に処罰すること」ができるとし，ただし書で，「犯人が既に外国において言い渡された刑の全部又は一部の執行を受けたとき」は，必要的に，刑の執行を減軽するか，免除するかのいずれかの扱いがなされることになっている。つまり，外国判決の一事不再理効を否定し，同一事実について日本刑法の適用を是認した上で，外国・日本の二重の刑執行を避ける趣旨である。形式的に外国判決を無視する原則には批判もあるが，実務的には，ただし書により妥当な処理が行われることが

期待される。

2 刑法の時間的適用範囲

1 犯罪時

　刑法の時間的適用範囲については，刑罰法規不遡及の原則（憲39条）と，刑の変更に関する刑法6条が基準となる。いずれもすでに罪刑法定主義との関係で述べた（⇒p.30の**3**）。そこで触れなかった6条の解釈論上の問題をいくつか補足しておく。

　まず，場所的適用範囲の場合と同様，犯罪の行われた時を判断する基準が問題になる。行為時と結果発生時が考えられるが，処罰の予測可能性の観点から実行行為の時であるとするのが通説である。

　実行時と裁判時との間に刑の変更が複数回あった（中間法が存在する）ときは，その中でもっとも軽い刑罰を定めるものが適用される。また，裁判時に刑が廃止されている場合には処罰されないことは，6条の趣旨からいって当然である（刑訴337条2号で免訴の言渡しをすべき場合とされている）。

2 刑の変更と遡及効

　「刑の変更（廃止）」とは，類型としての犯罪につき定められた刑の変更（廃止）のことである。これに対し，駐車禁止指定が解除されたため，その場所への駐車が処罰対象行為でなくなったとしても，禁止区域への駐車を処罰する法律の規定が変更されていない以上は，刑の廃止ではない。ただ，他の法令の制定・変更により行為の構成要件該当性評価に変更が来たされるときの処理は，判例上，場合によって判断が分かれている。変更・廃止とされたものとしては，たとえば，密輸出入罪について，外国とみなされていた奄美群島が外国とみなされなくなった場合（最大判昭和32・10・9刑集11巻10号2497頁）がある。反対に，否定されたものとしては，民法の改正で被害者が尊属殺人罪（旧200条）にいう尊属に含まれないこととなった例（最判昭和27・12・25刑集6巻12号1442頁）や物価統制令違反につき主務大臣が統制額を指定した告示が廃止された例（最大判昭和25・10・11刑集4巻10号1972頁）などがある。

　刑の執行猶予の条件に関する変更については，刑そのものの変更ではないとして遡及適用を肯定する旨の判例がある（最判昭和23・6・22刑集2巻7号694頁）。刑の一部の執行猶予の規定が新設されたことも刑の変更にはあたらない（最決平成

28・7・27刑集70巻6号571頁)。一方，刑法6条の「刑」には，主刑だけでなく付加刑（9条参照）も含まれると解されているので，没収の要件や没収される物の範囲，さらには追徴・労役場留置関係の変更も含まれる。

4 犯罪論

1 犯罪論の体系

　刑法総論は，刑法総則（刑法典第1編）の解釈論であるが，刑法総則は，その8条本文によって，刑罰法規全体の総則として位置づけられている（なお，同条ただし書のいう「特別の規定」として刑法総則規定の適用を除外する明文が必要か，それとも法律または規定の趣旨を根拠にして判断してよいかについて議論があるが，判例は趣旨から判断することを認めている）。そこで，刑法総論の役割には，単に条文の解釈というだけではなく，犯罪や刑罰法規全般の基本構造を明らかにするという基礎論の部分も含まれることになる。

　犯罪の構造，犯罪成立要件の体系に関する現在の通説は，犯罪を三段階の階層構造として捉える。すなわち，犯罪は，①（犯罪）構成要件に該当し，②違法性を有し，③犯罪行為者に責任が認められる場合に成立する。いい換えれば，犯罪とは，構成要件に該当し，違法かつ有責的に行われた行為である。刑法学の中でも，このような三段階の体系に整序された犯罪成立要件を論じる分野が犯罪論であり，伝統的に理論刑法学の中核となっている（⇒ p. vii **犯罪論の鳥瞰図**）。

　なお，犯罪の成立を前提としたうえ，刑罰のあり方，処罰の方法を研究する分野は刑罰論と呼ばれる。

2 行為論

1 犯罪は行為である

　行為主義の下で犯罪とされるのは行為である。そこで，行為と行為以外とを分けることが犯罪論の出発点となる。ところが，一方で処罰対象とされるべき対象はこれまでの議論の積み重ねでほぼ確定している。すなわち，故意行為・過失行為，そして作為・不作為である。

> **発展学習　行為概念の機能と犯罪論上の位置づけ**
> 　行為概念には，違法評価の対象となる事実の性質を記述し，刑法上問題とすべきものを選び出す働き（基本要素としての機能）が求められる。また，行為は，構成要件該当・

違法などの評価がなされる個別の対象であることから，犯罪論上の諸要素を結びつける働き（結合機能）があるといわれる。形式的には，「構成要件該当性」・「違法性」などの法的評価が形容詞として「行為」を修飾していく形で結び合わされる。他方，行為概念は行為以外のものを犯罪論の対象から除外する働きを求められているともいえる（限界要素としての機能）。

ただし，行為は，犯罪概念の基底ではあるが，犯罪の成立要件ではない。行為でなければ犯罪ではないが，行為であることそれ自体は犯罪性を基礎づける因子ではない。それは，画家であるためには人間である必要があるが，人間であることが（たとえば医師ではなく）画家であるための要件ではないのと同じである。

2　身体の動静から主観的要素の考慮へ

伝統的な行為概念によると，行為とは，「人間の意思に基づく身体の動静」である。行為は何より外形として捉えられ，行為者の内心状態は，無意識的動作などを除くといった形で考慮されるにすぎない。さらに，この立場は，行為を法益侵害結果に対する純粋に因果的な関与としての身体動静とする見解に発展する。このように，行為を客観的に認識可能な事象として把握する説を，因果的行為論と呼ぶ。

因果的行為論とは，元来，目的的行為論が自らの思考と従前の考え方とを区別するために名づけたものである。それまでの行為論は，客観的側面から因果性のみをみて人間の意思による因果統制を看過していると批判したのである。目的的行為論は，人間の行為とは，目的を設定しそのための手段を統制する働きとして捉えられるべきであり，行為は，主観と客観の統合として理解されるべき全体構造を有すると主張する。

主観的な要素を含めて行為を把握する立場としては人格的行為論も主張された。この見解からは，行為とは「行為者人格の主体的現実化としての身体の動静」である。行為は，機械的な身体活動ではなく人格の現れにほかならないとの洞察から，行為を生み出す人格形成や行為自体の主体性に着目するもので，責任本質論における人格責任論と統合された行為論である（⇒ p. 174 の 2）。

3　社会的行為論への展開

因果的行為論では，不作為を行為概念に含めることが難しい。外形としての不動作（動静のうちの「静」）は，何ら法益侵害結果への因果的作用をもたないからである。だからといって「体を動かさないこと一般」を行為とすれば，行為概念の限定機能不足を露呈してしまう。さらに，主観的要素をまったく排除した行為

論では，たとえば故意による殺人行為と過失により人を死に至らせる行為とは外形が同様である限り区別されないことになるから，構成要件の有する処罰限定機能を減殺するとの批判が可能である。

目的的行為論に対しては，「目的設定に基づく結果実現」とはいいがたい過失行為や不作為を行為概念に含められないと批判された。人格的行為論についても，「人格の主体的現実化」という基準の不明確さが指摘されるほか，基礎となる人格責任論に対する批判があり，行為論としては少数説にとどまっている。

現在の通説的見解は，社会的行為論である。これには種々の傾向を示すものが含まれるが，最大公約数的にいえば，行為を「意思によって支配可能な，社会的に意味のある身体の動静」であると捉える立場である。これは犯罪論上とりあげられるべき行為態様を過不足のない形で含みうるが，概念の内実に乏しいことは否めない。社会的行為論が有力になると，行為論自体も内容希薄な議論とされ，下火になっていった。

|補論| **行為をどう捉えるべきか**
行為論の意義が過不足のない概念枠組の提供に尽きるとするなら，それは社会的行為論によって十分満足されるであろうが，「社会的に意味のある行為」の実体について解答を与えないことには不満が残る。
　この点で，目的的行為論が行為の存在構造に基づく把握を志向していることが注目される。目的的行為論への批判はあるにしても，むしろ重要なのは，目的的行為論が，いわゆる行為無価値論と結果無価値論という対抗軸として犯罪論の種々の場面にその影響を残すきっかけとなった「人的不法概念」に事実的・存在論的基盤を与える点である。このような思考を前提とする限り，行為論は犯罪論の基底としての重要な意義を有するはずだと思われる。

3 犯罪の概念と犯罪論体系

1 構成要件該当性

国家刑罰権という観点からいえば，犯罪の成立は，その行為者に対する国家刑罰権発生のための条件である。国家刑罰権の制御は刑法の重要な役割であるから，まず形式的な基準で犯罪とそうでないものとを選別しておくのが妥当である。構成要件該当性は，それに応える装置として組み立てられている。すなわち，構成要件は立法者が選び出した違法行為の類型である。

もう少し詳しくみると，構成要件とは，犯罪の類型的記述という形で示される「類型的違法判断」の枠組である。「類型的」というのは，行為の外形を事件の具

体的な文脈から切り離し，いわば形式的に取り出すことを意味する。こうすることによって，さしあたり事件固有の事情を度外視し，行為・事実の類型として把握されたものが違法評価の対象となり，類型に関する違法性が問題とされる。もちろん，形式的といっても，行為が主観・客観の全体であるとする立場からは，純粋に客観的な要素だけでなく，類型的に把握された心理状態としての故意・過失も構成要件該当性を判断するための目印（メルクマール）になる。

2 違法性

　構成要件該当性が肯定された行為は，類型的違法性を備えており，違法性が推定される。ただし，類型的には犯罪に含まれそうにみえても，実質的には法が許容する行為がある。そのような実質的違法性を判断するのが犯罪論の次の段階となる違法性である。要するに，違法性は，ある事実に対する実質的法違反性（不法）評価である。構成要件該当性を前提にすると，その違法の推定をくつがえすかどうかを判断すればよいことになるので，一般に「違法性阻却事由」の存否という形で検討される。刑法上の違法性阻却事由としては，正当防衛（36条），緊急避難（37条），医療行為などの正当業務行為（35条）がある。

3 有責性

　違法性は，外形としての行為について法が行う評価であるが，それが犯罪とされるためには，さらに，その行為を行った者を非難することが可能でなければならない。不可抗力や他人の影響下でやむをえずした場合にはその人を非難することができない。犯罪成立要件のうち，このような非難可能性にあたる要素を責任という。行為に対する評価ではなく，行為者の人格または意思決定に対する評価であって，個人的なものである。したがって，同じことをしても人によって責任が肯定されることも否定されることもある。

　構成要件該当性・違法性・有責性が肯定されれば，犯罪が成立する。実際にそれらが証明されたときには有罪の判決，具体的には，被告人に科する刑罰が宣告される。ただし，このほか例外的に，客観的処罰条件や処罰阻却事由が関係する場合があることについては，総論 1「『罪と罰』の実像」（⇒ p. 19 の 3）で説明したとおりである。

4　犯罪論体系の意義

　犯罪論を分析的・多層的体系として構築することには，第1に，思考経済の観点から利点がある。まず，構成要件は，行為の類型の観点から処罰対象を選び出す機能を有する。次の違法性判断は，類型としては違法である行為が具体的事件において実質的にも違法であるかを，例外的に違法でない場合に該当するかという形で判断するものである。責任論は，以上のように違法な事実が存在することを確認した上で，その事実を生じさせた者を非難することが可能かどうかを行為者の内心も含めて評価しようとする。このように，前の段階を前提に一般から個別へ思考を進める形になっている。

　第2に，判断に恣意が入り込む余地を少なくし，公平で安定した評価を担保する枠組を提供する意味がある。犯罪成立のための「要件」となる要素を抽出し，精緻に体系化された判断枠組を設けることによって，要件の存否・判断の当否を吟味する手続が詳細かつ可視性の高いものになることが期待できる。犯罪論は，公正な処罰の土台という実践的基礎を提供するのである。

　ただし，いたずらに体系性・形式的論理性を追求することは問題である。学説上も，体系的思考に対して問題的思考を重視すべきだという主張が有力に展開された。体系に適合することより個々の課題に対し刑法が果たすべき機能を全うする方が重要だというのである。また，形式的明確性を追求するあまり，刑法の解釈・適用が現実に生じた犯罪の適切な処理と将来の犯罪予防という広義の刑事政策的考慮を欠くならば妥当な刑事司法は求められないとして，実質犯罪論を提唱する学説もある。これらの学説自体に同調するかどうかはともかく，刑法解釈学も実践の学であることを念頭に，理論と実際との均衡を考慮した議論が必要であることは当然である。

法人の処罰

　これまでの説明では，犯罪は「人間の行為」であるとし，行為者の意思決定についての非難可能性を論じてきた。伝統的刑法理論は，犯罪主体が自然人であることを当然の前提とする。少なくとも殺人や窃盗を中心とした刑法犯は，そうである。

　ところが，実際には，経済活動に関するものを中心に，法人を処罰する規定は数多い。そのほとんどは，法人だけを処罰するのではなく，自然人が法人の活動の一環として行為した場合に，自然人とともに法人に罰金刑を科する形をとる。従業者の行為について，当該行為者を処罰するとともにその事業主である自然人・法人・団体を処罰する規定を両罰規定という。たとえば，独占禁止法95条1項は，「法人の代表者又は法人若しくは人の代理人，使用人その他の従業者が，その法人又は人の業務又は財産に関して，次の各号に掲げる規定の違反行為をしたときは，行為者を罰するほか，その法人又は人に対

しても，当該各号に定める罰金刑を科する。」としている。

　両罰規定の形であっても，法人を処罰する以上，法人の犯罪能力，責任負担能力などが問題になる。

　大陸法やその影響を受けた日本の刑法学では，法人処罰は否定されることが一般的であった。上で述べたとおり，伝統的刑法理論では法人の場合は犯罪成立要件が充足されないからである。しかし，英米法の国では，より現実的に，法人であっても社会内の活動で利益を得ているものは刑事責任をも負担すべきであるとする傾向が強かった。現在では，ヨーロッパでも法人犯罪処罰の必要性は共通了解となり，日本でも何らかの意味で法人の犯罪能力を正面から肯定する犯罪主体論が有力化している。英米法系の法理論でも，法人の刑事責任を自然人の犯罪の場合と整合させる構成が目指されている。

　法人の犯罪で問題になるのは，生身の体を有していない法人の行為能力，故意や過失に相当する意思活動が想定しえない法人の責任負担能力，そして受刑能力である。

　行為能力については，法人にも社会的実体としての行為があることは事実であり，法人の機関（手足）として活動する自然人の行為を法人の行為と考えることができそうである。受刑能力については，自由刑を科すのは不可能だが，現実には両罰規定で罰金刑が科されるので問題はない。さらに，立法論としては，制裁としての解散命令・営業停止など，法人を念頭においた刑罰制度の新設なども考えられる以上，原理的な障害はない。残る問題は，刑事責任負担能力である。法人の法人としての意思決定とそれに対する非難可能性が肯定されるかを中心に，研究が進められている最中である。

　今のところ，両罰規定による事業主処罰規定の基礎にある法人の処罰根拠としては，法人に，自然人行為者の選任・監督において過失があったと推定されるからだとする過失推定説が通説・判例（最大判昭和32・11・27刑集11巻12号3113頁，最判昭和40・3・26刑集19巻2号83頁）である。ただし，さらに進んで，両罰規定に限らず，法人としての会社が一般刑法犯の主体として，たとえば詐欺罪や業務上過失致死傷罪の刑事責任を問われるかという点になると，否定的な見解がほとんどである。

構成要件該当行為

1 構成要件の機能と意義

　一般に，犯罪は，構成要件に該当する違法で責任のある行為であるとされる。犯罪が成立するためには，まず，構成要件に該当することが必要である。構成要件とは，犯罪として法律上規定された行為の類型をいう。構成要件という犯罪成立要件は，罪刑法定主義の要請に応えて，違法で責任を伴う多くの行為のうちで，処罰される行為は限定される（構成要件に該当しなければ犯罪ではない）ことを明らかにしているのである。このようにして，構成要件には，第一義的に罪刑法定主義的機能が認められる。

　構成要件が，違法性や責任とどのような関係にあるかについては，構成要件は，①違法行為の類型であるとする見解と，②違法行為の類型であるとともに，責任行為の類型でもあるとする見解に分かれる。また，故意や過失とどのような関係にあるかについても，見方が分かれる。具体的にいうと，たとえば，199条の殺人罪は，故意に（人を殺すことを知りながら）人を殺したことを処罰の対象とする故意犯である。一方，210条の過失致死罪は，過失により（人を死亡させることを知らずに誤って）人を死亡させたことを処罰の対象とする過失犯であるが，ⓐ殺人罪の構成要件と過失致死罪の構成要件は，人の生命を奪うことであり，同じであるとする見方と，ⓑ知りながら人の生命を奪うという殺人罪の構成要件と，知らずに誤って人の生命を奪うという過失致死罪の構成要件は，異なるとする見方に分かれるのである。

> 発展
> 学習
> 　**構成要件の内容**
> 　(i)違法性の本質を法益の侵害およびその危険とする立場（⇒p.130の**2**参照）から，構成要件は，違法行為の類型であるとする見解（＝①の見解）は，故意・過失は違法要素でなく，責任要素であるから，構成要件要素ではないとし，殺人罪と過失致死罪の構成要件は同じであるとする（＝ⓐの帰結）。一方，(ⅱ)この立場から，構成要件は，違法行為および責任行為の類型であるとする見解（＝②の見解）は，故意・過失は違法要素でなく，責任要素であるとともに，構成要件要素であるとし，殺人罪と過失致死罪の構

成要件は異なるとする（＝ⓑの帰結）。これに対して，(iii)違法性の本質を規範違反を中心に捉える立場（⇒p. 130 の **2**）から，構成要件は，違法行為の類型であるとする見解（＝①の見解）は，故意・過失は違法要素であるとともに，構成要件要素であるとし，殺人罪と過失致死罪の構成要件は異なるとする（＝ⓑの帰結）。また，(iv)この立場から，構成要件は，違法行為および責任行為の類型であるとする見解（＝②の見解）は，故意・過失は違法要素および責任要素であるとともに，構成要件要素であるとし，殺人罪と過失致死罪の構成要件は異なるとする（＝ⓑの帰結）。

　もっとも，構成要件は，あくまでも行為の類型であるから，構成要件該当性があれば，それぞれの見解に応じて，原則的には違法性や責任のあることが肯定されるが，具体的にみて，例外的に，違法でなかったり，責任があるとはいえなかったりすることがある。犯罪となる行為は，構成要件に該当し，具体的に，違法であり，かつ責任のある行為である。場合によっては，たとえば，正当防衛（36条1項）の要件が充足されることによって違法性がなくなる（違法性が阻却されるという）ことがあり，また，場合によっては，たとえば，責任能力がない（39条1項）ことによって責任がなくなる（責任が阻却されるという）ことがある。このような場合には犯罪は成立しない。

|発展学習| **構成要件と犯罪類型**

　p. 43 の に記した(i)の見解は，責任要素を考慮した犯罪類型を観念し，殺人罪と過失致死罪の構成要件は同じであるが，犯罪類型は異なるという。このような見解は，犯罪行為の確定に際して，違法性と責任を峻別し，まず，構成要件該当性がある行為について，違法性（違法性阻却事由）の存否を判断し，つぎに，違法性があることを確認した行為について，責任の存否を判断すべきであるという思考順序に基づいている。ただ，同様の思考順序は，(ii)の見解においても，とることが可能である。すなわち，違法行為の類型としての構成要件（違法構成要件）と責任行為の類型としての構成要件（責任構成要件）を峻別し，まず，違法構成要件該当性の存否を判断し，それがある行為について，違法性（違法性阻却事由）の存否を判断し，つぎに，違法性があることを確認した行為について，責任構成要件該当性の存否を判断し，それがある行為について，責任（責任阻却事由）の存否を判断するのである。

|用語解説| **形式的犯罪論と実質的犯罪論**

　構成要件論を基礎として，国家による恣意的な刑罰権の行使を防止するため，刑罰法規を形式的に解釈しようとするのが，伝統的な立場（形式的犯罪論）であるが，これに対して，処罰を限定するだけでは，国民の利益を保護することはできないとして，処罰の必要性を実質的に判断して，刑罰法規を解釈しようとする立場（実質的犯罪論）もみられる。

次節において，構成要件をなす要素について順に解説する。因果関係と不作為犯については，それぞれ，節を改めて説明する。

2 構成要件をなす要素

1 行　　為

　行為だけが犯罪として処罰の対象となりうる。行為の意義については，さかんに議論され，意思に基づく身体の動静が行為であるとする通説的見解（踏切番が居眠りをしていて遮断機を下ろすのを忘れたため，通過した列車により通行人が死傷したような，いわゆる忘却犯の場合，行為性を認めることはできないとした）のほかに，目的によって支配された身体の運動が行為であるとする目的的行為論が主張される。しかし，行為であることは，単なる思想や信条が処罰されないという意味において必要であるものの，何らかの意思に基づくものである点は責任において評価すれば足りるとして，身体の動静が行為であると解することも可能である。動は作為，静は不作為を意味する（⇒p.37 の***2***）。

2 主　　体

1 自　然　人

　刑法典上の犯罪行為の主体は，「人を殺した者」（199条）のように，「者」と表現されているが，これは，自然人を指す。

　犯罪の中には，自然人一般が，その主体となるのではなく，一定の身分を有する者だけがその主体となることができるものがある。身分があることによってはじめて処罰される犯罪を構成的身分犯（真正身分犯ともいう），身分があることによって刑が加重または減軽されている犯罪を加減的身分犯（不真正身分犯ともいう）という。収賄罪（197条1項）は，公務員のみを犯罪の主体とする構成的身分犯であり，業務上横領罪（253条）は，業務者が主体となることによって，単純横領罪（252条）の刑を加重した加減的身分犯である。

2 法　　人

　特別法上には，業務主としての法人を，違反行為を行った自然人とともに処罰する両罰規定と呼ばれるものがある（独禁95条1項，金融商品取引207条1項等）。このような場合には，法人も犯罪の主体となっている（⇒p.41 の 発展学習 ）。

3 行為の客体

　たとえば，他人を殺したことを要件とする殺人罪における行為の客体は，人である。職務を執行する公務員に対して暴行または脅迫を加えることを要件とする公務執行妨害罪（95条1項）における行為の客体は，公務員である。しかし，殺人罪の保護の客体（保護法益）は，人の生命であり，公務執行妨害罪では，公務員の身体だけでなく，公務が保護の客体である。一方，逃走罪（97条）や偽証罪（169条）では，行為の物理的客体はない。しかし，逃走罪では，国の拘禁作用が，偽証罪では，審判作用の適正が，保護の客体である。犯罪の成立には，法益の侵害・危険が不可欠のものとして要求されるから，何を当該犯罪の保護法益と理解するかは重要な問題である。

4 結　　果

1 侵害犯と危険犯

　結果とは，保護法益の侵害またはその危険をいう。構成要件要素である結果を構成要件的結果という。法益侵害を要素とする犯罪を侵害犯，法益侵害の危険を要素とする犯罪を危険犯という。

> **用語解説　結果犯と単純行為犯・自手犯**
>
> 　結果犯と単純行為犯（挙動犯）という言葉が用いられることがあり，単純行為犯の例として，住居侵入罪（130条）が挙げられる。これは，他人の住居に侵入するという行為のみによって成立するようにみえる。しかし，行為と同時に法益侵害が発生するものであるにすぎず，結果が発生していないわけではない。
> 　自手犯と呼ばれるものがある。住居侵入罪や偽証罪（169条），道路交通法上の無免許運転の罪等，自らの手で実行しなければならないものを指し，間接正犯は成立しえないというのである。しかし，法益侵害がある以上，間接正犯の成立を否定することはできず，自手犯を観念する必要はないという見解もある。

2 具体的危険犯と抽象的危険犯

　危険犯は，具体的危険犯と抽象的危険犯に分けられる。具体的危険犯とは，法文上，具体的な危険の発生が要件として規定されているもの（109条2項ただし書・110条・125条等）をいい，抽象的危険犯とは，一般的・抽象的に危険な行為が

規定されているもの（108条等）をいう。

3 即成犯・状態犯と継続犯

結果の発生により犯罪は成立するが，この犯罪がいつ終了するかによって，犯罪は区別される。即成犯とは，結果の発生と同時に，犯罪が終了するものをいう。殺人罪（199条）がその例である。結果の発生により法益が消滅し，その後は，法益の侵害も観念しえなくなる。状態犯とは，結果の発生と同時に，犯罪が終了するが，その後も法益侵害状態は継続するものをいう。窃盗罪（235条）がその例である。一般に，傷害罪（204条）もその例であるとされる。犯罪が終了した時点から公訴時効が進行する（刑訴253条）。

これに対して，継続犯は，結果発生と同時に犯罪が終了するのではなく，その後も構成要件該当事実が継続している限り，犯罪は終了しないものである。監禁罪（220条）がその例である。状態犯である窃盗罪の場合，窃取行為後も，他人の財物の占有を侵害する状態は継続するが，この状態自体はもはや窃盗罪の構成要件に該当する事実であるとはいえない。一方，継続犯である監禁罪の場合，人を一定の場所に閉じ込めている間，監禁罪の構成要件に該当する事実（構成要件に該当する行為と構成要件的結果）が継続していると解されるのである。この間に，閉じ込めることに他人が関与すれば，共犯が成立する。人をこの場所から解放してはじめて犯罪が終了する（なお，名誉毀損罪は状態犯であるとされてきた。もっとも，インターネットにおける書き込みについて，これを削除する義務を果たさない限り犯罪は終了せず，継続しているとする裁判例として，大阪高判平成16・4・22判タ1169号316頁）。

5 状況と条件

行為と結果のほかに，法文上，行為時の状況や行為後の条件が要件とされる犯罪がある。前者の例として，消火妨害罪（114条）における「火災の際に」がある。これは，構成要件要素であり，故意犯成立のために行為者が認識すべき対象である。後者の例として，事前収賄罪（197条2項）では，「公務員となった場合において」と規定され，公務員となったことが必要である。このような条件を客観的処罰条件という（⇒p.19の3）。

6 主観的違法要素

違法行為類型としての構成要件は，法益侵害・危険行為の類型であり，基本的

2 構成要件をなす要素　47

に客観的要素から構成され，犯罪成立のため，主観的要素である故意・過失が，責任要素として必要であると解する立場からも，これ以外の責任要素（たとえば，窃盗罪における不法領得の意思のうちの財物を利用する意思）や，法益侵害の危険に影響を与えるとして違法要素である主観的要素があることが認められている。後者の要素を，主観的違法要素（あるいは，同時に構成要件であることから，主観的構成要件要素）という。

　通貨偽造罪（148条1項）は，「行使の目的」で通貨を偽造することが要件とされている。このように目的が要件とされている犯罪を目的犯という。通貨偽造罪では，通過を偽造するという客観的要素を超えた，偽造した通貨を行使する（流通におく）という事実について目的が要求されている。このような要素は，主観的超過要素，または，超過的内心傾向と呼ばれる。通貨偽造罪においては，偽造した通貨を行使する目的があってはじめて，保護法益である通貨の真正に対する公衆の信用を害する危険があるということができる。このようにして，「行使の目的」は，法益侵害の危険を基礎づけることから，主観的違法要素であることになる（文書偽造罪〔155条1項等〕についても同様のことが妥当する）。未遂犯における行為意思も，同様に，主観的違法要素であるとみることが可能である（⇒p.73の *3*）。

> **用語解説** 　　　　表現犯と傾向犯
>
> 　表現犯とは，内心を表現することが犯罪となるものであり，偽証罪がその例である。証人が自己の記憶に反する陳述をすることが，国の審判作用の適正を危うくすると解すると，それが虚偽の陳述である（大判大正3・4・29刑録20輯654頁）として，陳述が自己の記憶に反することの認識という主観が違法要素であるとしうる。しかし，客観的事実に反する陳述をすることが，国の審判作用の適正を危うくすると解すると，それが虚偽の陳述であるとして，故意以外の特別な主観的要素が要件であると解する必要はないことになる。
>
> 　また，傾向犯とは，内心的傾向・意図の表出が犯罪となるものであり，強制わいせつ罪（176条）がその例とされる。最高裁判例は，この罪の成立には，犯人の性欲を刺激興奮させ，または，満足させるという性的意図の下になされることが必要であるとしていた（最判昭和45・1・29刑集24巻1号1頁。もっぱら婦女に報復し，または，これを侮辱し，虐待する目的のときは，成立しないとする）。一方，被害者の性的自由を侵害する行為とそれについての故意があれば，強制わいせつ罪は成立し，特別な意図は必要ないとする見解も有力であった。近時，最高裁は，性的な被害に係る犯罪に対する社会の一般的な受け止め方の変化等をふまえると，今日では，行為者の性的意図を同罪の成

立要件とする上記判例の解釈は，もはや維持し難いとし，わいせつな行為に当たるか否かの判断を行うための個別具体的な事情の一つとして，行為者の目的等の主観的事情を判断要素として考慮すべき場合はあり得るが，故意以外の行為者の性的意図を一律に強制わいせつ罪の成立要件とすることは相当でなく，上記判例の解釈は変更されるべきであるとした（最大判平成29・11・29刑集71巻9号467頁。女児に対し被告人の陰茎を触らせ，口にくわえさせ，女児の陰部を触るなどした行為について，性的な意味の強い行為として，客観的にわいせつな行為であることが明らかであるとした）。

3 因果関係

1 実行行為

　殺人罪の構成要件該当性がある（構成要件が実現される）というためには，殺人罪の構成要件に該当する行為と結果と因果関係が必要である。構成要件に該当する行為のことを，実行行為と呼ぶのが通説である。たとえば，人を殺す意思で人の腹部を刺す行為や人に向かってピストルを発射する行為は，殺人罪の実行行為である。「犯罪の実行に着手し」たと規定する未遂犯に関する43条や，「2人以上共同して犯罪を実行した者」と規定する共同正犯に関する60条における「実行」もこの意味の実行行為を指すとされた。ただ，構成要件に該当する行為というだけでは，その内容は明らかでなく，実行行為とは，特定の構成要件の予定する結果発生の類型的危険を有する行為であると説明される。さらに，現在では，実行行為が，未遂犯を画する概念や，正犯を画する概念として機能すると一般に理解されているわけではない（⇒ p.203 の **1**。なお，構成要件該当行為を実行行為と呼んで，行為自体が特別の性質を有するものでなければならないかのように説明することは，誤解を招きやすいとして，実行行為という要件の存在〔実行行為という概念〕を否定する考え方も主張された）。

Case 11
　Xは，Aは森において落雷に打たれて死ぬがいいと思い，「森林浴に行こう」といって，Aとともに森に行ったところ，実際に急に雷雨になり，Xの少し後ろを離れて歩いていたAに雷が落ちてAが死亡した。

Case 12
　Yは，Bは飛行機事故によって死ぬがいいと思い，海外旅行を強く勧め，Bが飛行機に乗ったところ，パイロットが操縦ミスを犯し，飛行機が墜落したため，Bが

死亡した。

> *Case 11*では，XがAを森に誘って，Aに行かせる行為には，殺人罪の予定する類型的危険がなく，それは，殺人罪の実行行為とはいえないから，殺人罪は成立しない。実行行為は，既遂犯の成立要件であるだけでなく，未遂犯の成立要件でもあるとされるから，殺人未遂罪も成立しない。*Case 12*におけるYがBに海外旅行を勧め，Bを飛行機に乗せる行為についても，同様である。あるいは，実行行為という観念を用いて，そこに類型的危険を想定しなくても，Xの行為やYの行為と死亡という結果（あるいは，死亡の危険という未遂結果）との間に，条件関係はあるとしても因果関係はないとして，殺人罪（あるいは殺人未遂罪）は成立しないという説明もなされる。

実行行為において必要とされる結果発生の類型的危険とは，未遂犯成立に必要とされる結果発生の現実的危険と同じであると解されているわけでは必ずしもない。

> *Case 13*
> Xは，Aを殺害する意思で，毒薬を混入した砂糖をA宅に郵送し，Aがこれを受け取り，その後，これを食して死亡した。
> *Case 14*
> Yが，自分の小学生の息子Bに命じて，近くのコンビニエンスストアから，商品であるお菓子をポケットに入れて，持ち出させた。

たとえば，人を殺す意思で人の腹部を刺す場合，行為の時点において同時に結果発生の現実的危険性が生じる。一方，*Case 13*は，離隔犯と呼ばれる形態であり，このように，行為をした時点と結果発生の現実的危険が生じる時点が離れる場合がある。*Case 13*では，Aが砂糖を受け取った時点（あるいは，砂糖を口に入れようとした時点）において，殺人罪の現実的危険が生じる。また，*Case 14*は，他人を利用して犯罪を行う間接正犯の場合であるが，Bがお菓子をポケットに入れようとした時点において，他人の財物の占有を侵害する罪である窃盗罪における占有侵害の現実的危険が生じるということができる。このような場合，Xの郵送する行為，あるいは，Yの命じる行為の時点において現実的危険が存在しているか否かを考えると，それはないことになろう。しかし，むしろ，実行行為の時点には存在していないが，後に存在するに至った現実的危険は，実行行為

から生じたものであるとして，実行行為と現実的危険との間に因果関係が存在するとみることができる。

> それぞれの例で，かりに，Ａが砂糖を受け取ったものの食べなかった，Ｂがお菓子をポケットに入れようとしたところ，店員にみつかったという場合にも，殺人未遂罪，窃盗未遂罪の成立を肯定することができ，*Case 13* では殺人罪，*Case 14* では窃盗罪の成立を肯定することができる（⇒p.72 の **2**）。

ただ，実行行為とは，因果関係の起点となる，特定の構成要件の予定する結果発生の類型的危険を有する行為でなければならない。

> *Case 15*
> Ｘは，夫Ａを殺そうと思い，機会をみて自分が飲ませるつもりでウイスキーに毒を入れて戸棚の中においていたところ，Ａがウイスキーを戸棚から出して飲み，死亡した。

> *Case 15* のような場合，Ｘについて，ウイスキーを自分が飲ませようとする行為をしておらず，まだ殺人予備の行為しかなく，故意犯である殺人罪の実行行為は存在しないから，殺人予備罪が成立することは別として，Ａが死んでも殺人既遂罪にはならないが，過失犯である過失致死罪の実行行為は存在するから過失致死罪になることはありうるとされる。これは，過失犯の実行行為の危険性は，故意犯のそれに比してより軽度の危険性で足りるとする考え方による。しかし，両者の実行行為は共通のものであり，その危険性も同程度のものが要求されていると理解すると，Ｘには，殺人罪と過失致死罪に共通する実行行為はあるものの，その危険性についての認識がないため，殺人罪の故意がなく，殺人既遂罪は成立しない（しかし，その危険性についての認識可能性はありうるため，過失致死罪は成立しうる）等と説明される。
> もっとも，最決平成16・3・22刑集58巻3号187頁（⇒p.71 の **1**）のような考え方によれば，Ｘが毒入りウイスキーを戸棚の中においた時点において，殺人に至る客観的危険性があるとして殺人罪の実行の着手が認められる場合がありうることになろう。

2 因果関係の意義

それでは，因果関係とは何か。たとえば，殺人既遂罪が成立するには，他人を殺そうとする実行行為があって，他人が死亡したという結果が発生したとしても，

その行為からその結果が発生したという関係がなければならない。このような関係を因果関係という。

> **Case 16**
> Xは、Aを殺そうとしてその腹部を刺し、死亡の危険のある重傷を負わせた後、逃走した。その後救急車が現場に到着し、Aを病院へ運ぶ途中、道路脇の電信柱に激突し、その事故のため、Aが死亡した。

Case 16 では、XがAを刺さなければ、Aは傷害を負うことはなく、Aが傷害を負わなければ、Aは救急車で運ばれることはなく、Aが救急車で運ばれなければ、Aは事故に遭うこともなく、Aが事故に遭わなければ、Aは死亡することもない。このように、「その行為がなければ、その結果は発生しなかったであろう」という関係のことを条件関係という。因果関係を肯定するためには、条件関係がなければならない。ただ、条件関係がある、すなわち、その行為がその結果の1つの原因となっているだけでは足りず、その行為からその結果が発生することが、一般的にありうることである、あるいは、経験的にみて通常である（異常でない、不相当でない）といえる場合でなければならない。いわゆる相当性がなければならず、相当因果関係がなければならないとされてきた。

> しかし、Case 16 では、Xの行為からAの死亡が発生することが不相当でないとして、因果関係の存在を肯定することは妥当でないとされ、その存在が否定され、Aの死亡結果はXの行為に帰属しないと解されている。したがって、Xは、殺人罪における最終的結果である死亡という既遂結果を要件とする既遂犯、すなわち、殺人既遂罪（199条）に問われることはない（殺人既遂罪のことを、殺人罪と略していうことが多い。もっとも、文脈によって、殺人既遂罪と殺人未遂罪をあわせて、殺人罪ということもある）。ただ、この場合、Aに対する未遂犯、すなわち、殺人未遂罪には問われる（⇒p. 69の**1**）。

なお、ここでの結果は、具体的に考える必要がある。人間はいつかは死ぬものであるとして、当該行為がなくても、その人は死亡したであろうといえるから、行為と結果との間に（条件関係はなく）因果関係はないとすることはできない。

3 条件関係

> *Case 17*
>   Xは，Aを殺害しようとして，Aに致死量の毒を与えたが，その毒が作用する時刻になる前に，Xの行為とは独立に，YがAを射殺した。
> *Case 18*
>   X，Yはそれぞれ独立に，Aを殺害する意思で，Aの飲み物に致死量の2分の1の毒を入れ，それを飲んだAが死亡した。
> *Case 19*
>   X，Yはそれぞれ独立に，Aを殺害する意思で，Aの飲み物に致死量の毒を入れ，それを飲んだAが死亡した。

> *Case 17*では，Xの毒を与える行為がなくてもAは死亡したであろうから，Xの行為と結果との間に，条件関係は存在しない。*Case 18*では，Xの行為がなければ，Aの死亡という結果は発生しなかったであろうし，Yの行為についても同様のことがいえる。よって，Xの行為についても，Yの行為についてもそれぞれ結果との間に，条件関係がある（もっとも，相当因果関係があるかは疑問視されうる）。*Case 19*は，条件関係の有無が問題となる教室事例である。

Case 17 のような場合は，条件関係の断絶と呼ばれている。*Case 18* は，単独では結果を発生させることのない行為が重畳的に作用してはじめて結果が発生する。重畳的因果関係と呼ばれる場合である。

Case 19 は，択一的競合と呼ばれる場合である。X，Yのそれぞれの行為とAが死亡したこととの間に条件関係は存在するだろうか。もし，①あわせて致死量の2倍の毒が入った飲み物をAが飲むことによって，（両者の毒薬が同時に効いたものの）どちらか一方を飲むときよりもAの死亡時期が一定程度早まったような場合は，Xの毒を入れる行為がなければ，その早まった死亡結果は発生しなかったであろう，同様に，Yの毒を入れる行為がなければ，その早まった死亡結果は発生しなかったであろう，として，Xの行為についても，Yの行為についても，条件関係があることになる。これに対して，②（両者の毒薬が同時に効いたものの）Aの死亡時期が早まらなかったような場合は，Xの毒を入れる行為がなくても，Yの毒を入れる行為が現実になされているから，その死亡結果は発生したであろうということになる。同様に，Yの毒を入れる行為がなくても，Xの毒を入れる行為が現実になされているから，その死亡結果は発生したであろう

3 因果関係 53

ということになり，①の例とは逆に，Xの行為についても，Yの行為についても，条件関係があるとはいえないことになる。

Case 20
死刑囚の死刑執行をする際，死刑囚の行った犯罪の被害者の父親Xがその場に現れ，死刑執行のボタンを押そうとしていた係官を押し退けて，自分でそのボタンを押して，ほぼ死刑執行が予定されていた時刻に死刑囚を死亡させた。

は，条件関係の有無が問題となるもう1つの類型である。この場合は，Xがそのボタンを押さなくても，係官がそのボタンを押したであろうから，その死亡結果は発生したであろうということから，条件関係がないことになる。

は，仮定的因果経過と呼ばれる場合である。ここでは，上の択一的競合の場合とは異なり，Xの行為がなければ，として，Xの行為を取り除いたときに，現実には行われなかった係官の行為が付け加えられている。現実には存在しなかった事実をどのような範囲で付け加えるべきかについては問題があるが，法が期待する行為，あるいは，なすべき行為であるならば，付け加えて考えてよいであろう。

|発展学習| **事実的結合関係と結果回避可能性**

もっとも，条件関係は，事実的な結合関係であり，先行する行為から後行する結果が因果法則に従って生じたということができれば，その存在を肯定することができるという合法則的条件説によると，Case 20 については，条件関係があるとされる。ただ，Case 19 で，どちらの毒薬が効いたか分からない場合には，条件関係は否定されよう。共犯関係はなくても現実に競合しているXの行為とYの行為を両方とも取り除いたら結果は生じなかったであろうといえるから，条件関係はあるとする見解があるが，どうして，択一的競合の場合に判断方法のこのような修正が許されるのかは明らかではない。

しかし，条件関係は，事実的な結合関係を含むことは否定しないとしても，それとともに，その行為がなければその結果を回避することができたか否かを問題とし，その行為がなくても結果を回避することができなかった場合には，その行為を禁止することに意味がなく，処罰の対象とすることはできないとして，結果回避可能性を，（不作為犯や過失犯だけでなく）故意犯を含めた犯罪一般に妥当する要件であると理解する見解は，これが，「その行為がなければ，その結果は発生しなかったであろう」という条件関係の判断方法（仮定的消去法という）に含まれているとして，その判断方法を維持することができる。もっとも，条件関係をこのように規範的に理解することを躊躇する見方からは，条件関係とは別個に，結果回避可能性を構成要件をなす要素と位置づける，あるいは，責任要素として要求することも可能である。

4 危険の現実化

1 相当因果関係と危険の現実化

　条件関係が存在するだけで因果関係があるとし，行為から生じた結果を処罰の対象とする（条件説）ことは妥当でないとして，そのような処罰の限定のため相当因果関係がなければならないとこれまで一般に解されてきた（相当因果関係説あるいは相当性説）。相当因果関係は，刑法の謙抑性の観点から，行為者が，一般に利用可能であると認められる因果経過を利用して結果を発生させた場合に処罰を限定するために要求されるものと解される。もっとも，そのような処罰の限定のため因果経過の相当性を問題とすることが妥当であるかについては，近年さかんに議論がなされている。むしろ，因果経過が相当でないと認められる場合でも，因果関係があるとすることは可能で，実行行為の一定の類型的危険性が存在し，その危険が結果に実現（現実化）したということができるときに因果関係があると解することができるとされている（危険実現説とでもいうことができる。結果に行為の危険が実現したか否かを判断する重要な要素として，因果経過の相当性を考慮するということができる）。このような理解は，行為が許されない危険を創出し，その危険が結果に実現したときに，結果が行為に帰属するとし，規範的考慮に基づいた結果の行為への帰属を問題とする客観的帰属論と，共有しうると思われる。

2 相当性判断において基礎となる事情

　相当因果関係における相当性の有無を判断する際に，どのような事情を基礎とすべきかについては，行為時に行為者が認識していた事情と一般人ならば認識しえた事情を基礎とするという折衷説と，行為時に存在していたすべての事情を基礎とするという客観説がある。相当性の有無の検討は，行為時に存在していた事情が問題となる場合と，行為後に介入した事情（被害者の行為，第三者の行為や行為者の行為）が問題となる場合とに分けてなされてきた。

> *Case 21*
> 　Xは，Aを殺害の意思で切りつけたところ，生じた傷は小さかったもののAが血友病であったため出血多量で死亡した。

　Case 21 のように，外見からは分からない被害者の病気のような特殊な事情が

> あるからこそ結果が発生したときに，行為と結果との間に因果関係があるといえるか。客観説からは，Aに血友病という特殊な事情があることを基礎として，行為から結果が発生することが相当であるといえることになる。これに対して，折衷説からは，特殊な事情を行為者が認識していたか，一般人ならば認識しえたといえなければ，判断の基礎とすることはできず，相当性は否定されることになる。そこで，特殊事情が一般人には認識しえないものであるとすると，行為者がそれを認識していたか否かによって，因果関係の有無が決まることになる。XがAの血友病を認識していなければ，殺人既遂罪は成立せず，殺人未遂罪しか成立しない。

　客観説によれば，*Case 21* では，因果関係が肯定され，Xには，相当な因果経過を利用して結果を発生させる意思が存在するので，行為者の意思した事実と発生した結果が殺人罪という同一構成要件の範囲内にあるため，発生した結果について，殺人の故意責任を肯定して，殺人既遂罪の成立を肯定することになる（⇒p. 102の❶）。また，客観説は，行為時の事情については，そのすべてを基礎とするが，行為後の事情については，これと異なり，客観的に予見可能な事情に限る。

❸　因果関係存否の具体的判断 ── 判例の動向

　1　行為時に存在した特殊事情　判例は，被害者に特殊事情（重篤な疾病等）が存在したため結果が発生した場合においては，因果関係を否定しない。たとえば，最高裁は，行為者が暴行によって被害者が死亡した場合について，被害者に特殊事情がなければ死亡という結果が生じなかったであろうと認められ，かつ，行為者がその特殊事情があることを知らず，予見できなかったとしても，暴行と死亡結果の間に因果関係があるとする判断を示している（被害者に脳梅毒による高度の病的変化があった場合について，最判昭和25・3・31刑集4巻3号469頁，重篤な心臓疾患があった場合について，最判昭和46・6・17刑集25巻4号567頁等）。行為時に存在していた危険性については，客観的にその存否を判断するという態度が示されているということができる。

　2　行為後に介入した事情　行為後に介入した事情に関する最高裁判例としては，米兵ひき逃げ事件決定（最決昭和42・10・24刑集21巻8号1116頁）がある。被告人が自動車を運転中，自転車に乗った被害者に衝突させたが，被害者が自動車の屋根にはね上げられ意識を失ったことに気づかなかったところ，同乗者がそれに気づき，走行中の自動車の屋根から被害者を引きずり降ろして路上に転落させ，

死亡させた。これについて，同乗者の行為は，「経験上，普通，予想しえられるところではなく」，死因となった頭部の傷害が，最初の衝突の際に生じたのか，路上への転落の際に生じたのか確定できないのであり，このような場合に，被告人の過失行為から死の結果の発生することが，「われわれの経験則上当然予想しえられるところであるとは到底いえない」として，条件関係があれば因果関係があるとする条件説的な立場に立つとされた従前の判例とは異なり，相当性説的な判示を行った。

　ところが，大阪南港事件決定（最決平成2・11・20刑集44巻8号837頁）は，相当性説をゆるがした。被告人は，第1現場で被害者に暴行を加え，脳出血を発生させ，意識喪失状態にして，第2現場に運び放置したところ，被害者は脳出血により死亡したが，第2現場において，生存中何者かによって角材でその頭部を数回殴打されていた。これについて，「犯人の暴行により被害者の死因となった傷害が形成された場合には，仮にその後第三者により加えられた暴行によって死期が早められたとしても，犯人の暴行と被害者の死亡との間の因果関係を肯定することができ」るとした。角材による殴打という暴行の介入は，異常であり，予測不可能であるとしても，その結果に対する寄与度が軽微な場合に，因果関係を肯定しており，相当性説の判断方法には限界があることを示している。もっとも，米兵ひき逃げ事件においても，死因となった頭部の傷害が，被告人の過失行為による最初の衝突の際に生じたものであるとすれば，同乗者の行為が予測不可能であるとしても，因果関係を肯定したことが考えられ，そこで行った相当性説的判示も無制約に貫かれるものではなかったということができる。

　3　行為の危険と介在事情との結びつき　近年の判例は，因果関係の存在を肯定するに際し，まず，行為者の行為が，生じた結果との関係においてどのような危険性をどの程度有していたのかを重要視していることがうかがわれる。

　行為者が，暴行を加えて，被害者に対して，多量の出血を来す左後頸部刺創による血管損傷等の傷害を負わせ，被害者が，5日後にその刺創に基づく頭部循環障害による脳機能傷害により死亡した事件（最決平成16・2・17刑集58巻2号169頁）について，「被告人らの行為により被害者の受けた前記の傷害は，それ自体死亡の結果をもたらし得る身体の損傷であって，仮に被害者の死亡の結果発生までの間に，……被害者が医師の指示に従わず安静に努めなかったために治療の効果が上がらなかったという事情が介在していたとしても」，行為と被害者の死亡との間に因果関係があるとした。これは，当該具体的態様の結果を生じさせる危険を

有する傷害を行った場合である。

　また，柔道整復師である行為者が風邪気味の被害者から診察，治療を頼まれた際，誤った治療法を指示し，被害者がそれに従ったため，症状が悪化して死亡したという柔道整復師事件（最決昭和63・5・11刑集42巻5号807頁）において，「被告人の行為は，それ自体が被害者の病状を悪化させ，ひいては死亡の結果をも引き起こしかねない危険性を有していたものである」と述べる。スキューバダイビングの潜水指導者である行為者が，夜間潜水の指導中不用意に移動して受講生のそばから離れ，受講生らを見失い，受講生ができ死した夜間潜水事件（最決平成4・12・17刑集46巻9号683頁）において，行為者の行為は，それ自体が，被害者を「でき死させる結果を引き起こしかねない危険性を持つものであ」ると述べ，その後，指導補助者および被害者に不適切な行動があったが，それは，行為者の行為から誘発されたものであるとする。さらに，トレーラーの運転手であるAの運転態度に腹を立て，夜明け前の暗い高速道路車線上に，自ら運転する自動車およびAの車を停止させたという行為者の過失行為の後，行為者が現場を立ち去ってから7～8分後，停止中のA車後部に，別の自動車が衝突し，その運転者および同乗者3名が死亡する等の事故が発生した事件（最決平成16・10・19刑集58巻7号645頁）において，行為者の過失行為は，「それ自体において後続車の追突等による人身事故につながる重大な危険性を有していた」と述べ，事故は，Aが現場に自車を停止させ続けたことなど，少なからぬ他人の行動等が介在して発生したが，「それらは被告人の過失行為及びこれと密接に関連してされた一連の暴行等に誘発されたものであった」として，行為と被害者の死傷との間に因果関係があるとした。これらの事件のように，介在事情があることによって当該具体的態様の結果が生じたものであっても，行為と介在事情の間に一定の関連性（結びつき）があるときには，行為と結果との間の因果関係を肯定するということができる。

　第三者の甚だしい過失行為の介入
　　判例は，深夜，行為者らが自動車後部のトランク内に被害者を押し込み，カバーを閉めて脱出不能にし，同車を発進させた後，市街地の片側一車線の道路上で停車したところ，同車のほぼ真後ろからその後部に，後方からきた自動車が，運転者の前方不注意により衝突し，トランク内の被害者が死亡した場合について，「被害者の死亡原因が直接的には追突事故を起こした第三者の甚だしい過失行為にあるとしても，道路上で停車中の普通乗用自動車後部のトランク内に被害者を監禁した本件監禁行為と被害者の死亡との間の因果関係を肯定することができる」とした（最決平成18・3・27刑集60巻3号382

頁)。人を防御する構造にはない危険な場所に人を監禁することが，時間的・場所的に事故の可能性が高い状況におけるものであるとして，行為と介在事情との関連性があるとみることが可能な場合である。

> *Case 22*
> XらはAを暴行し，その暴行に耐えかねたAが，逃走しようとして池に落ちて死亡した。

> *Case 22* について，「被害者の死因となったくも膜下出血の原因である頭部擦過打撲傷が，たとえ，被告人及び共犯者2名による足蹴り等の暴行に耐えかねた被害者が逃走しようとして池に落ち込み，露出した岩石に頭部を打ちつけたため生じたものであるとしても」，因果関係があるとする（最決昭和59・7・6刑集38巻8号2793頁）。

このような場合だけではなく，被害者の行為自体が極めて危険なものであっても，因果関係を認めることがある。高速道路進入事件において，最高裁（最決平成15・7・16刑集57巻7号950頁）は，長時間にわたり行為者らにより激しい暴行を受け，すきをみて逃走した被害者が，行為者らからの追跡から逃れるため，高速道路に進入し，疾走してきた自動車に衝突され，後続の自動車にれき過されて死亡した場合について，「被害者が逃走しようとして高速道路に進入したことは，それ自体極めて危険な行為である」が，「被害者は，被告人らから長時間激しくかつ執ような暴行を受け，被告人らに対し極度の恐怖感を抱き，必死に逃走を図る過程で，とっさにそのような行動を選択したものと認められ，その行動が，被告人らの暴行から逃れる方法として，著しく不自然，不相当であったとはいえない。そうすると，被害者が高速道路に進入して死亡したのは，被告人らの暴行に起因するものと評価することができる」として，因果関係を肯定した。これらは，被害者が受けた心理的影響の下において，そのような行動に出ざるをえなかったものということができる。

|発展学習| **行為者の行為の介入**
行為者の行為が介入した例としては，行為者が殺人の意思で被害者の首を絞めたところ，動かなくなったので，死亡したと思い，犯行の発覚を防ぐ目的で離れた砂浜に被害者を運んで，放置したところ，被害者は，頭部絞扼と砂末吸引により死亡したという事案について，判例は，因果関係があるとし，殺人罪の成立を認める（大判大正12・4・30刑集2巻378頁。なお，p.102の**1**参照）。頭部絞扼が（砂末吸引とともに）死亡の重要な原因となっており，（砂末吸引の原因となった）被害者を砂浜に放置するという介在事情

3 因果関係 59

は，行為者の認識によると，殺害行為後の死体遺棄であり，行為との関連性もあるから，因果関係を肯定することができる。

その一方で，行為者が，被害者を熊と間違えて猟銃を発射し，10数分以内に死亡するような重傷を負わせた（第1行為）が，苦悶する被害者を早く楽にさせようとして，銃を発射し，死亡させた（第2行為）場合について，業務上過失傷害罪と殺人罪（の併合罪）が成立することを是認し（最決昭和53・3・22刑集32巻2号381頁），第1行為と死亡結果との間の因果関係を否定しているとみられる。もっとも，ここには，第2行為について殺人罪の成立を認める以上，重ねて第1行為について死亡結果を処罰の対象とするならば，死亡結果を二重に評価することになるという考慮があるものとも思われる。

4 行為時の危険とその結果への現実化　このようにして，判例は，行為時に存在していた危険性を客観的に判断し，その危険性が，結果に現実化したか否かを問題として，因果関係の存否を決定するものということができる。この決定に際しては，結果に対する行為の危険性，結果に対する介在事情の危険性（寄与度あるいは影響度）と，行為と介在事情の関連性が重要な要素となると思われる。そして，最近の最高裁判例は，業務上過失致死傷罪の成否が問われた事件において，実際に，因果関係を危険の現実化と表現するに至っている。

> **危険の現実化と表現する最高裁判例**
> 　最高裁は，旅客機が著しく接近し，両機の衝突を避けるために急降下した航空機の乗客が跳ね上げられて落下し，負傷したというニアミスについて，実地訓練中の航空管制官が便名を言い間違えて降下指示を出したことは，両機が接触，衝突するなどの事態を引き起こす高度の危険性を有しており，結果発生の危険性を有する行為として過失行為にあたり，航空機機長が，航空機衝突防止装置による上昇指示に従うことなく降下操作を継続したものの，これは異常な操作ではなく，その航空管制官から降下指示を受けたことに大きく影響されたものであるから，「本件ニアミスは，言い間違いによる本件降下指示の危険性が現実化したものであり，同指示と本件ニアミスとの間には因果関係がある」と述べた（最決平成22・10・26刑集64巻7号1019頁）。また，トラックのハブが走行中に輪切り破損したために前輪タイヤ等が脱落し，歩行者らが死傷した事故について，これは，ハブの強度不足に起因して生じたものであり，そうすると，本件事故は，トラックの製造会社で品質保証業務を担当していた者において，同種ハブを装備した車両についてリコール等の改善措置の実施のために必要な措置をとらなかった「義務違反に基づく危険が現実化したものといえるから，両者の間に因果関係を認めることができる」と述べた（最決平成24・2・8刑集66巻4号200頁⇒p.126の参照）。

4 不作為犯

1 作為と不作為

人に向かってけん銃の引き金を引き，銃弾を発射する。その銃弾が人にあたっ

て死亡する。このことを故意によって行ったときには、殺人罪（199条）が成立する。けん銃の引き金を引くというように、犯罪は、通常、一定のことをする、作為と呼ばれる行為によってなされる。作為によって犯罪がなされる場合を作為犯という。しかし、たとえば、父親が溺れそうになったわが子を救助せずに放っておく、そして、その子は溺れて死んでしまうというように、一定のことをしない、不作為と呼ばれる行為によってなされることもある。不作為によって犯罪がなされる場合を不作為犯という。

> **発展学習　禁止規範と命令規範**
> 　不作為による場合を殺人罪は予定しておらず、不作為による殺人罪の成立を認めることは、類推解釈の禁止にあたるとの見方もある。すなわち、作為犯は、たとえば、「人を殺してはいけない」、つまり、人を殺すことを禁止するという規範（禁止規範）に違反することによってなされる。それに対して、不作為犯は、たとえば、「人を救助しなさい」、つまり、人を救助することを命令するという規範（命令規範）に違反することによってなされる。そして、殺人罪は、「人を殺してはいけない」という禁止規範をその内容とするが、「人を救助しなさい」という命令規範を含んでいないにもかかわらず、命令規範違反を理由として殺人罪の成立を肯定することはできないというのである。しかし、これに対しては、「人を殺してはいけない」という規範の根底にあるのは、「人の生命を尊重しなさい」という規範であり、その規範は、「人を殺してはいけない」という禁止規範だけでなく、「人を救助しなさい」という命令規範を含んでいると説明される。殺人罪の「人を殺した」という文言には、母親がミルクを与えないことによって生まれて間もないわが子を見殺しにしたことも含まれると理解することができる。もっとも、このように、殺人罪において、不作為犯が予定されているからといって、あらゆる犯罪構成要件において不作為犯が予定されているというわけではない。

2　真正不作為犯と不真正不作為犯

　不作為犯には、その適用される条文との関係において、法文上、構成要件が不作為によって実現されることが明示されている場合と、そうでない場合がある。たとえば、刑法218条は、「老年者、幼年者、身体障害者又は病者を保護する責任のある者がこれらの者を遺棄し、又はその生存に必要な保護をしなかったときは、3月以上5年以下の拘禁刑（懲役）に処する」と規定する。この規定の前段は、保護責任者遺棄罪、後段は、保護責任者不保護罪と呼ばれる類型を定める。保護責任者不保護罪では、「生存に必要な保護をしな」いという不作為が明示されている。また、刑法130条は、「正当な理由がないのに、人の住居若しくは人の看守する邸宅、建造物若しくは艦船に侵入し、又は要求を受けたにもかかわらずこれらの場所から退去しなかった者は、3年以下の拘禁刑（懲役）又は10万円以下の

罰金に処する」と規定する。これは，住居侵入罪と不退去罪を定めるが，不退去罪では，「要求を受けたにもかかわらずこれらの場所から退去しな」いという不作為が明示されている。このような場合を真正不作為犯と呼んでいる。

これに対して，法文上，構成要件が不作為によって実現されることが明示されておらず，通常は，作為により実現される場合を不真正不作為犯と呼んでいる。先に挙げた，父親が溺れそうになったわが子が溺死することを認識しながら，その子を救助せずに放っておいて，溺死させて，これが殺人罪に該当するような場合である。不真正不作為犯の場合は，不作為によることが法文上明示されていないから，真正不作為犯の場合に比して，どのような場合に犯罪が成立する（たとえば，「人を殺した」）ことになるのかが明らかでなく，より大きな問題となる。作為犯が成立すれば，不作為犯の成否を検討する必要は実際上はない。作為犯が成立しない場合に，不作為犯の成否を検討する必要が生じる。

3 不作為の因果関係

かつては，「無から有は生じない」から，何もしないことである不作為には，結果に対する因果力（原因力）は存在しないとして，不作為と結果との間の因果関係を否定する見解があった。しかし，通説は異なる。不作為は，一定の何かをしないことであり，不作為がなければ，すなわち，一定の何かをすれば，よって，期待された作為を行っていれば，結果を回避することができたであろうという関係が認められるときには，不作為と結果との間の因果関係を肯定することができるとする。逆に，期待された作為を行っていても，結果を回避することができなかったであろうという関係が認められるときには，不作為と結果との間の因果関係を肯定することはできない。したがって，不作為であるからといって，ただちに結果との間の因果関係を否定するわけではないのである。

判例も，同様の考え方に従っている。最高裁は，注射された覚醒剤により錯乱状態に陥った少女をホテルの客室に放置したために，少女が急性心不全のために死亡したという事案について，「被告人が救急医療を要請していれば」，同女が年も若く（13歳），生命力が旺盛で，特段の疾病がなかったこと等から，「十中八九同女の救命が可能であ」り，「同女の救命は合理的な疑いを超える程度に確実であった」として，被害者を放置した行為と急性心不全のため死亡した結果との間に因果関係を肯定し，不保護による保護責任者遺棄致死罪（219条）の成立を肯定した（最決平成 1・12・15刑集43巻13号879頁）。これは，期待された作為をしていれ

ば，結果を回避することが，合理的な疑いを超える程度に確実に可能であったということができるときには，不作為と結果との間の因果関係を肯定することができるとするものであると解することができる。

> **発展学習** 　結果回避可能性の不存在と未遂犯の成否
> 　なお，結果回避可能性がなく，不作為と既遂結果との間の因果関係を肯定することができないとして，既遂犯の成立を肯定することができないとしても，未遂犯の成立を肯定することができるかは別に問題となりうる（未遂犯の処罰根拠に照らして判断される）。自動車運転中，誤って被害者をはねとばす事故を起こし，被害者に頭蓋骨骨折を生じさせ，被害者をただちに病院に搬送したとしてももはやその命が助かる可能性がないのに，運転者は，病院にただちに搬送すれば被害者の命が助かる可能性があると思いながら，事故の発覚を恐れて，その場を立ち去ったような場合，すなわち，客観的には結果回避可能性がないのに，主観的には，結果回避可能性があると認識した場合である。一方，被害者の生命を救える可能性がある，すなわち，結果回避可能性があるにもかかわらず，これを認識しながら被害者を放置し，そのままでは死亡したであろうと認められる場合に，第三者によって救助され，結果は発生しなかったとしても，不作為による殺人未遂罪が成立する。

4　作為義務（保障人的地位）と作為可能性

　不作為によって結果が発生したといえる場合であっても，すべての場合に，不作為犯が成立するというわけではない。

> *Case 23*
> 　幼稚園児Aが池で溺れているのをその父親Xがみかけ，ただちに池に飛び込んで泳いでいれば助けることができたのに，このままでは溺れてしまうと思いながら，Aを助けなかったためAは死亡した。

> 　*Case 23*で，他に誰もいなかったような場合は，Xは不作為による殺人罪に問われる。もっとも，同じような状況で，助けることができるのが，通りすがりの者Yだけであるのに，Yが助けなかったからといって，殺人罪に問われるわけではない。

　不作為犯は，作為義務と呼ばれる特別な義務に違反するときにのみ成立し，具体的状況において作為義務があると認められる者だけが，不作為犯に問われる。*Case 23*の場合であれば，Aを助けるべきであると認められる者だけが，殺人罪に問われることになる。

では，作為義務とは何か。構成要件該当結果を回避するために必要な作為を行う義務である。これは，単なる倫理的義務ではなく，刑法上の義務である。そして，通説は，作為義務を基礎づける地位を保障人的地位と呼び，この保障人的地位を，構成要件要素に位置づける。保障人的地位があることによって，不作為が作為と同価値であると認められることになる（ここでは，不作為による正犯が成立する場合について述べる。不作為による共犯が成立する場合については，p.241の**4**参照）。

　もっとも，上の場合，泳ぐことのできない者に助けることを要求する，すなわち，作為義務を課すことはできない。そこで，泳ぐことによって助けるという作為をする可能性（作為可能性），あるいは，泳ぐことによって助けるという作為を容易にする可能性（作為容易性）が存在することが作為義務を課す前提となるとの理解が有力である。

> **発展学習　作為可能性の性質**
> 　ただ，このような作為可能性は，最終的には，個人の能力を基準として判断されるものである。作為義務（あるいは，それを基礎づける保障人的地位）の存在は，構成要件該当性にかかわるものであることから，そのような個別・具体的な作為可能性を作為義務の前提とすることは理論上妥当でなく，責任要素である（もっとも，一般人を基準とした作為可能性は，作為義務の前提として構成要件要素である）と解することは理論上可能であろう。

5　作為義務の発生根拠

1　作為義務の形式的根拠

　具体的にどのような場合に保障人的地位があり，作為義務があると認められると解すべきかは困難な問題である。作為義務（あるいは，それを基礎づける保障人的地位）の根拠として，形式的には，法令，契約（および事務管理），条理が挙げられてきた。条理の内容としては，行為者が先行行為（不作為に先行する結果発生の危険を創出した行為）をしたこと，監護者であること，物の所有者・管理者であること等が挙げられてきた。もっとも，単に，何らかの法律に義務が定められているからといって，当該構成要件該当結果との関係において，それが作為義務となり，保障人的地位を生じさせるわけではない。その義務に違反することによって，その法律に規定された制裁が課されるとしても，ただちに，刑法上の犯罪による処罰が基礎づけられるわけではない。

2　判例の理解

1　殺人罪　判例において、不真正不作為犯の成否、とりわけ作為義務の存否が問題となるのは、殺人罪、放火罪、詐欺罪等の限られた類型についてである。わが国の実務は、不真正不作為犯の成立を肯定するにあたり、比較的謙抑的な態度をとっているといわれる。

まず、殺人罪に問われうる類型として、①子供に食物を与えないこと、②嬰児を救助しないこと、③病人に医療を施さないこと、④身体の不自由な人を置去りにすること、⑤交通事故を起こした後逃走すること（ひき逃げ）等がある。

　支配領域性の重視
　　たとえば、①に関して、大審院は、契約により預った生後6か月未満の嬰児に、食事を与えずに死亡させた事案について、養育の義務を負っていることを理由として、殺人罪の成立を肯定した（大判大正4・2・10刑録21輯90頁）。同様に、実父が内縁関係にあった女との間にあった嬰児を引き取ったが、授乳せずに死亡させた事案について、大判大正15・10・25大審院判例拾遺1巻刑87頁）。戦後の下級審裁判例では、家出した妻が知人に預けた生後8か月の子を夫が引き取り、いったんは食事を与えたものの、自暴自棄になり、食事を与えずに放置し、子を餓死させた事案に殺人罪の成立を肯定したものがある（名古屋地岡崎支判昭和43・5・30下刑集10巻5号580頁）。
　　被害者が行為者の事実的支配下にあり、法益が保護されるか否かが事実上行為者に左右され、依存している状態（これを支配領域性という）にあることを前提として、被害者の保護を行為者が引き受けた例であるが、それについて、法律・契約の根拠が認められるものである。
　　②に関して、陣痛を催した被告人が、便秘による腹痛と思い、便所に入っているうちに、嬰児を便槽内に産み落とし、とっさに殺害を決意してそのまま放置し、死亡させた事案について、殺人罪の成立を肯定した下級審裁判例がある（福岡地久留米支判昭和46・3・8判タ264号403頁）。支配領域性と、親であるという社会的関係の他に、先行行為を重視しているとみることも可能である。
　　③に関して、被告人がその自宅における住み込み従業員に暴行を加え、骨折等の傷害を負わせ、重篤な症状を呈するに至らせたのに、犯行の発覚を恐れて医師による診察を受けさせず、化膿止めの薬を投与する等の措置をとるにとどまり、従業員を死亡させた事案について、殺人罪の成立を肯定した裁判例がある（東京地昭和57・12・22判タ494号142頁）。ここでは、支配領域性と、先行行為といったん保護を引き受けたということが重視されている。
　　④に関して、歩行困難な老人をだまして、自動車で厳寒期に深夜人気のない山中に連行し、所持金を奪って置去りにしたが、老人は、自力で山小屋にたどりつき救護された事案について、殺人未遂罪の成立を肯定した裁判例がある（前橋地高崎支判昭和46・9・17判時646号105頁）。先行行為だけでなく、被告人以外に救助を期待しうる者が存在せず、支配領域性のある事案に関するものである。
　　⑤に関して、交通事故によって被害者を負傷させるという先行行為が認められるが、そのような先行行為だけで（すなわち、単純なひき逃げ事案において）、殺人罪（あるいは、殺人未遂罪）の成立が肯定されているわけではない。

ひき逃げと殺人罪

　下級審裁判例において，いったん重傷の被害者を救護すべく助手席に乗せたものの，事故の発覚等を恐れて被害者を，夜明け前，人家から50〜300メートル離れた畑の中の寒気厳しく降霜する路上に引きずり降ろし，置去りにして逃走した事案（横浜地判昭和37・5・30下刑集4巻5＝6号499頁），重傷の被害者を，入院させるため助手席に乗せて走行中，事故の発覚を恐れて翻意し，寒気の厳しい深夜の人通りの少ない場所に至り，身動きのできない被害者を道路沿いの陸田に放置したが，被害者は発見されて死に至らなかった事案（東京高判昭46・3・4判タ265号220頁）について，殺人未遂罪の成立が肯定されている。また，意識不明の重体に陥った被害者を最寄りの病院へ搬送すべく助手席に乗せたものの，事故の発覚を恐れて翻意し，適切な場所に遺棄して逃走しようと走行中，車内で被害者を死亡させた事案（東京地判昭和40・9・30判時429号13頁）について殺人罪の成立が肯定されている。

　以上のように，いったん重傷の被害者を救助のため自己の運転する自動車内に乗せている，さらに，厳しい気候の中，人通りの少ない場所に放置している等の事情がある場合について，殺人罪の成立が認められている。先行行為があるだけでなく，被害者の保護の引受け，支配領域性の作出がある例である（なお，瀕死の重傷を負わせるという先行行為に基づいて被害者を救護する義務が生じるとし，その後の殺意をもって被害者を河川敷に放置することを不作為による殺人罪と判断した上で，放置への被告人の関与に殺人幇助罪の成立を肯定した名古屋地判平成9・3・5判時1611号153頁等がある）。

　最高裁は，③から⑤の類型に関して，これまで不作為による保護責任者遺棄（致死）罪の成立を肯定することはあった（最判昭和34・7・24刑集13巻8号1163頁，最決昭和63・1・19刑集42巻1号1頁，最決平成1・12・15刑集43巻13号879頁）が，③に関して，はじめて不作為による殺人罪の成立を肯定する判例が現れた。重篤な患者に対するシャクティ治療をその親族から依頼された被告人が，その患者を病院から連れ出す指示をした上，必要な医療措置を受けさせる義務を怠り，未必的な殺意をもって放置して患者を死亡させた場合について，「被告人は，自己の責めに帰すべき事由により患者の生命に具体的な危険を生じさせた上，患者が運び込まれたホテルにおいて，被告人を信奉する患者の親族から，重篤な患者に対する手当てを全面的にゆだねられた立場にあった」とし，自ら救命できるとする根拠はなかったから，「直ちに患者の生命を維持するために必要な医療措置を受けさせる義務を負っていた」として，「不作為による殺人罪が成立」するとした（最決平成17・7・4刑集59巻6号403頁）。最高裁が，先行行為のほかに，保護の引受け，支配領域性の存在に言及していることが注目される。

　2　放火罪　つぎに，放火罪についての重要な3判例をみると，被告人の先行行為や所有者または管理者としての地位をその根拠として作為義務を認めている。被告人のほかに，消火することができる者がなく，支配領域性がある事案に

関するものということができる。

 大審院判例
　大審院は，養父を争いのすえに殺害した被告人が，養父が投げた燃木尻の火が住宅の内庭に積んであった藁に飛散して燃え上がったが，養父殺害の罪責を隠滅しようとして消火せず，住宅等を焼損した事案において，①火を消し止めるべき法律上の義務（作為義務），②容易に火を消し止めうる地位（作為容易性），③既発の火力を利用する意思の存在によって，自己所有非現住建造物等放火罪（109条2項）の成立を肯定した（大判大正7・12・18刑録24輯1558頁）。①を基礎づける事情としては，被告人が物件の占有者または所有者であることを挙げている。また，自己が点火した神棚のろうそくが神符の方へ傾いているのを認識しながら，火事になれば，保険金を得ることができると考えて，そのまま外出し，家屋を焼損した事案において，先の判例と同様に，①作為義務，②作為容易性，③既発の危険を利用する意思によって，他人所有非現住建造物等放火罪（109条1項）の成立を肯定した（大判昭和13・3・11刑集17巻237頁）。①を基礎づける事情として，被告人が家屋の所有者であること，そして，蝋受が不完全な燭台に点火した蝋燭を立てたという先行行為があることを挙げることができる。

　最高裁は，事務室において1人で残業していた職員である被告人が，仮眠中に，自分が机の下に放置していた火鉢から書類や机に火が燃え移ったにもかかわらず，自己の失策の発覚を恐れて宿直員を呼ぶ等することなく，そのまま立ち去り，会社建物等を焼損した事案において，「自己の過失行為により右物件を燃焼させた者（また，残業職員）」として，自己の過失による危険な先行行為と残業職員としての地位によって，①作為義務を肯定し，現住建造物等放火罪（108条）の成立を肯定している（最判昭和33・9・9刑集12巻13号2882頁）。2つの大審院判例と同様に，②作為容易性も認定している。しかし，③既発の火力を「利用する意思」には言及がなく，既発の火力により建物等が焼損することを認容する意思（これは，放火罪の故意にあたるであろう）があったことで足りるとしている点が注目される。また，下級審裁判例においても，これらの判例と同様に，自己が管理・支配している場所での過失による先行行為が認められるときに，容易な消火措置を怠ったことを理由として放火罪の成立を肯定したものがみられる（大阪地判昭和43・2・21下刑集10巻2号140頁，東京高判昭和55・1・21東高刑時報31巻1号1頁，東京地判昭和57・7・23判時1069号153頁等）が，最高裁判例は，行為者に，所有者・管理者という継続的な支配的地位はなくても，場所についての一時的な（事実上の）支配関係があれば足りるという考え方を採用しているとも思われる。

4 不作為犯　67

3 作為義務の実質的根拠

　現在の学説は，実質的にどのような根拠によって保障人的地位，作為義務を認めることができるかの議論を続けている。その発生根拠を多元的に認め，具体的事例において，総合的に判断する見解のほかに，より明確に保障人的地位を認めることができる場合を明らかにしようとする見解が主張される。

> **発展学習　先行行為・事実上の引受け・支配領域性**
>
> 　①作為と不作為の原因力の有無という構造上の相違を超えて，作為犯と不作為犯が同価値性であることを担保するためには，不作為者が不作為以前に法益侵害に向かう因果の流れを自ら設定していなければならないとして，故意・過失に基づく先行行為がある場合に保障人的地位を肯定する見解がある。もっとも，これによれば，故意または過失によって生命の危険を生じる傷害を与えてしまった被害者を，そのまま放置するだけで，不作為による殺人罪の成立する可能性があり，たとえば，単純なひき逃げの場合に，行為者に未必的殺意が生じることにより，殺人罪の成立が認められることになる。しかし，このように作為による故意犯や過失犯を広く故意の不作為犯に転換することは妥当でないという疑問があるとされる。
>
> 　②不作為者の法益に対する密着性に着目し，法益保護・法益侵害等の結果の発生が不作為者に依存している場合に保障人的地位を肯定する見解は，依存性が認められるためには，事実上の引受け行為が必要であり，その存在は，法益の維持・存続を図る行為の開始，そのような行為の反復・継続性，法益保護についての排他性の確保がある場合に肯定されるとする。自動車運転事故を起こした加害者が，被害者を救助する意思で助手席に乗せる等すればよいが，被害者を遺棄する意思で乗せる等すると，保障人的地位が否定されることになるが，このような区別に理由があるかが疑問であるとされる。
>
> 　③作為と不作為の同価値性を担保する要素を，不作為者が結果へと向かう因果の流れを掌中に収めていた，すなわち，因果経過を具体的・現実的に支配していたこと（よって，支配領域性を有していたこと）に求める見解がある。ただ，これは，不作為者が自己の意思に基づいて支配領域性を設定した場合（「排他的支配」があるという）と，意思によらずに支配領域性が生じたが，不作為者こそが作為すべきであったという規範的要素がある（親子等の身分関係，建物の所有者，管理者，賃借人のように社会的地位に基づき社会生活上継続的に保護・管理義務を負うときに限定される）場合に，保障人的地位が肯定されるとし，支配領域性だけで同価値性を認めるわけではない。支配領域性があることにどのような要件が加われば，同価値性を肯定することができるのかについて，さらに議論がなされている。偶然に排他的支配を有してしまった場合に，同価値性を肯定するのは妥当でないとして，因果的支配の観点から排他的支配が必要となり，自由保障の観点から危険創出（行為者が危険を創出または増加させたこと）が必要となるという見解もある。

未遂犯

1 拡張された構成要件

Xは、Aを殺害する意思で、Aに狙いをつけてけん銃の引き金に指をかけたところ、これをみたBが、Xの手からそのけん銃をはらい落としたため、Xは、銃弾を発射するに至らなかった場合、銃弾がAにあたってAが死亡するという殺人罪の既遂結果は生じていない。したがって、殺人既遂罪（199条）は成立しない。しかし、殺人未遂罪（203条）は成立する。

刑法43条は、未遂犯について、「犯罪の実行に着手してこれを遂げなかった」者は、その刑を減軽することができると規定する。すなわち、未遂にとどまる場合には、刑を任意的に減軽することを可能とする。44条は、「未遂を罰する場合は、各本条で定める」とし、各犯罪について、個別に未遂を罰することを法律上明示することとしている。そして、刑法203条は、199条の殺人罪の未遂は、罰するとしている。上の場合には、殺人の実行の着手があったとして、殺人未遂罪の成立が肯定される。

> *Case 24*
> Xは、Aを殺害する意思で、Aに狙いをつけてけん銃の引き金を引き、Aに向かって銃弾を発射したが、その銃弾は、Aのすぐそばをとおりすぎたため、Aは死亡しなかった。
> *Case 25*
> Xは、Aを殺害する意思で、Aに狙いをつけてけん銃の引き金を引き、Aに向かって銃弾を発射し、その銃弾は、Aに命中したが、命中したのは、その心臓ではなく、左腕であったため、Aは死亡しなかった。

> *Case 24*・*Case 25* ともに、Xには、殺人未遂罪は成立する。

このようにして、殺人罪における人の生命のような、当該犯罪の保護法益が現

実に侵害されなくても、未遂犯は成立する。未遂犯は、法益をより厚く保護するため、重要な犯罪について、時間的にその処罰を繰り上げ、処罰範囲を拡張するものである。未遂犯は、既遂犯を予定した基本的構成要件の修正形式（拡張形式）と呼ばれる。

2 実行の着手

1 形式的客観説と実質的客観説

　未遂犯が成立するためには、実行に着手したといえることが必要である。この実行の着手とは、何を意味するのだろうか。どのような点に着目して、どのような段階に達すれば、実行の着手があるといえるのだろうか。

　犯罪の意思があれば、本来は未遂犯として処罰してよいという立場から、犯罪の意思が外部に現れ、明らかになれば、実行の着手を認めてよいとする見解、すなわち、行為者の主観に未遂犯の根拠を求める主観説がかつては主張された。しかし、これでは、着手時期が不明確で、早くなりすぎることから、現在は、客観説が通説である。

　客観説のうち、形式的客観説という見解は、実行行為（構成要件に該当する行為）の一部をすることが必要であるとする。しかし、たとえば、殺人罪においては、ピストルの引き金を引くことまで要求することとなるが、それでは、あまりに着手時期が遅くなりすぎる。判例には、このような形式性を緩和し、窃盗の目的で他人の住居に侵入し、他人の財物に対する事実上の支配を犯すにつき「密接なる行為」をしたときは、窃盗罪に着手したものということができるとするものがある（大判昭和9・10・19刑集13巻1473頁）。また、学説も、その主張を緩和しており、構成要件該当行為に直接関連する行為、あるいは、構成要件に該当する全部もしくは一部の事実、または、それに密接した事実の実現等があれば足りるとしている。

　客観説のもう1つは、実質的客観説と呼ばれるものである。この中にも、（主に、違法性についての行為無価値論の立場から）行為としての危険に着目し、結果発生の危険を惹起する行為をすれば、着手があるとする見解、あるいは、（違法性についての結果無価値論の立場から）結果としての危険に着目し、行為によって結果発生の危険を惹起すれば、着手があるとする見解がある。そこで、結果には、既遂結果（たとえば、人の死亡という現実の法益侵害）だけでなく、未遂結果（たとえ

ば，人の死亡の危険という法益侵害の危険）があることになる。

　形式的客観説によると，どのような基準によって，構成要件該当行為より前に着手時期を求めるかについてその根拠を示すことが必要となるが，この点について，未遂犯処罰の根拠を既遂結果発生の現実的危険に求め，その成立時期を画定しようとするのが，実質的客観説である。もっとも，このような見解に立っても，未遂犯は，あくまで「実行」の着手であると法文上表現されていること，また，危険は程度概念であるから必ずしも明確でないことを理由として，構成要件に該当する行為あるいはこれに接着する行為があり，結果発生の現実的な危険を生じた場合に，実行の着手を認めるとする，形式的客観説の掲げる基準をもあわせて採用する見解が有力である。

　最高裁は，被告人が，友人と共謀の上，夜間1人で道路を通行中のA女を強姦（強制性交）しようと企て，必死に抵抗するAを被告人の運転するダンプカーの運転席に引きずり込み，発進して同所から5,800メートル離れた護岸工事現場に至り，運転席内でこもごもAを強姦した事案について，「被告人が同女をダンプカーの運転席に引きずり込もうとした段階においてすでに強姦に至る客観的な危険性が明らかに認められるから，その時点において強姦行為の着手があった」とする（最決昭和45・7・28刑集24巻7号585頁）。また，近年，直接死亡結果を発生させる行為の前段階の行為の時点において，「殺人に至る客観的な危険性が明らかに認められる」として，殺人罪の実行の着手があったことを認めており，実質的客観説と同様の考え方に立つものと解される（最決平成16・3・22刑集58巻3号187頁。なお，電話をかけてうそを述べ，キャッシュカード入りの封筒と偽封筒とをすり替えてキャッシュカードを窃取するという計画の事案について，被害者に対してキャッシュカード入りの封筒から注意をそらすための行為をしていないとしても，うそを述べて被害者宅付近まで赴いた時点では，窃盗罪の実行の着手が既にあったことを認めるものとして，最決令和4・2・14刑集76巻2号101頁がある。ほかに，詐欺罪の実行の着手があったことを認めるものとして，最判平成30・3・22刑集72巻1号82頁がある。⇒ p.379の**3**）。

> **Case 26**
> 　Xは，Aにクロロホルムを吸引させ失神させるという第1行為をした上，Aを自動車に乗せて自動車ごと海に転落させるという第2行為をして死亡させる計画で，そのような行為を行った。しかし，Aは，第1行為によって死亡していた可能性が認められる。

最高裁は、(Case 26)のような場合について、第1行為は、第2行為を確実かつ容易に行うために必要不可欠であったこと、第1行為に成功した場合、それ以降の殺害計画を遂行する上で障害となるような特段の事情がなかったこと、第1行為と第2行為との間の時間的場所的近接性等に照らすと、第1行為は、第2行為に密接な行為であり、第1行為を開始した時点で殺人に至る客観的な危険性が認められるから、その時点において殺人罪の実行の着手があったといえるとする（前掲最決平成16・3・22）。

2 離隔犯と間接正犯

　行為としての危険に着目する見解によると、未遂犯として処罰するためには、行為時に危険の発生を肯定するほかない。もっとも、行為と既遂結果発生との間に時間的間隔が存在する離隔犯の場合に、行為時には、既遂結果発生の危険は、まだ、具体化ないし現実化していないとすると、行為時の段階で未遂犯の成立を肯定することは妥当でない。結果としての危険に着目して、未遂結果発生時、すなわち、既遂結果発生の危険が生じたときにその成立をはじめて肯定することが妥当であると思われる。また、他人の行為を利用して犯罪を実現する間接正犯の実行の着手時期についても、結果としての危険に着目して、利用（する）行為の時ではなく、被利用行為（利用される行為）の時が着手時期となると解することができる。判例も、毒入り砂糖を郵便で送った事案について、「飲食し得べき状態に置」いたときに、殺人の実行の着手があるとする（大判大正7・11・16刑録24輯1352頁）。すなわち、着手時期について、発送時説ではなく、到達時説をとる。

> **発展学習**　**結果発生の確実性と切迫性**
> 　未遂犯の成立に必要な現実的危険の捉え方には、結果との関係において2つのものが考えられる。1つは、結果発生の確実性（自動性・蓋然性）であり、もう1つは、結果発生の切迫性である。行為としての危険に着目する見解が、発送時や利用行為時にすでに、危険の存在を肯定し、実行の着手を認めようとするのは、結果発生の確実性を根拠と解するからだということができる。たとえば、わが国の郵便事情は、ベルトコンベアの一端に物を載せれば必ず他端に到達するのと同じであるといわれるだけの正確性をもっているとされたことから、郵便物を発送すれば、確実に到達することを根拠とするのである。これに対して、結果としての危険に着目し、到達時や被利用行為時に至らなければ、実行の着手を認めない見解は、結果発生の切迫性をその根拠とするからだということができる。発送すれば到達することは確実だとしても、郵便物が到達しないことには、結果発生は、切迫しているとはいえないのである。たとえば、行為者が、毒の入った砂糖を殺害しようとする相手宅に（郵送するのではなく）自ら届ける場合には、届けた時に実行の着手があるとするのであれば、それと同様に解することができる。理論的には、結果発生の確実性と切迫性の両方を要件とすると解することができる。

3 行為者の主観と危険

　実質的客観説によるとしても，行為者の主観を考慮すべきか否か，すべきであるとしてどこまでの範囲で考慮すべきかという問題がある。

　行為者の主観を考慮して，危険の有無を判断する見解は，行為者の故意を超えて犯罪計画を考慮するという見解（前掲最決平成16・3・22は，客観的危険性の判断に際して行為者の犯罪計画を考慮することを明らかにしたものということができる）と，（主観的違法要素として）行為者の故意までは考慮してよいという見解，あるいは，行為意思を考慮する見解に分かれる。これに対して，主観的違法要素を認めない立場からは，既遂結果発生（法益侵害）の危険は，違法性の問題であり，行為者の主観を考慮せずに，もっぱら客観的に危険の有無を判断すべきだという見解が主張される。

　行為意思の考慮
　Xが，けん銃の引き金に手の指をかけて，銃口をA男の心臓の方に向けているとき，引き金を引く意思があれば，銃弾が発射される現実的危険があり，よって，Aに命中し，Aが死亡する現実的危険があるから，殺人未遂罪の成立を肯定することができる。しかし，Xに引き金を引く（それによって，客体に銃弾を命中させる）意思がなければ，銃弾が発射される現実的危険はないから，逆に，殺人未遂罪の成立を肯定することはできない。このように考えると，未遂罪成立後の行為をする意思を考慮すべきことになる。ただ，ここでは，殺人罪の故意が考慮されて，危険の有無が判断されているように思われるが，そうではない。たとえば，このような危険は，行為者が，Aを熊だと勘違いしているときにも，引き金を引く意思があれば肯定することができるから，殺人罪の故意，あるいは法益侵害行為をする意思とは異なる。また，2発目で撃ち殺すつもりであり，1発目は，威嚇発砲のつもりでしかなかったが，銃口がAの心臓の方に向いていたときにも，引き金を引く意思があればこの危険を肯定することができるから，何らかの客体を侵害する意思とも異なる。これは，（犯罪の成否とは関係のない，）事実として引き金を引くという行為をする意思である。故意を責任要素と解する見解においては，このような行為をする意思を主観的違法要素であると解することになる。

　行為意思と計画の考慮
　上のように犯罪意思ではなく行為意思を考慮するべきであるという見解によるときも，行為者の計画（計画の下における行為意思）を考慮することも可能である。計画によれば，直後に行為を予定しているときと，一定の過程を経て行為に至ることを予定しているときとがある。前者の場合には，危険が切迫しており，未遂罪の成立を肯定するが，後者の場合には，危険がいまだ切迫しておらず，未遂罪の成立を肯定しないというのである。

　このような見解によると，たとえば，強制性交目的で，女性を自動車に引きずり込む場合であっても，①車の中でただちに強制性交しようと思っているとき，②車の中で口説いてみて拒絶されてから強制性交しようと思っているとき，③車を移動させて，ホテ

ル等別の場所において，強制性交しようと思っているとき等，計画如何によって，結果発生の切迫性に相違があり，危険性が異なるとみることができる。①のときには，危険が肯定されやすいであろうが，③のときには，肯定されにくいことになろう。

3 不能犯

1 不能犯の類型

時間的・段階的には実行の着手に至った場合でも，既遂結果を発生させることが不能であり，既遂結果を発生させる実体的危険が生じないため，未遂犯の成立が否定されることがある。このような場合を，不能犯（「犯」という言葉を用いるが，犯罪の成立は否定される），あるいは，不能未遂という。

不能犯が議論される事案には，3つの類型がある。①身分犯において身分がないために構成要件を実現することができない場合を主体の不能といい，背任罪（247条）の事務処理者でないのに，自分が事務処理者であると思って，任務違背行為をしようとした場合がその例である。②ベッドに寝ている人を殺害する意思で，けん銃をベッドに向かって発射したところ，ベッドに人は寝ていなかった場合，人を殺害する意思でけん銃を発射したが，相手がすでに死亡していた場合のように，客体が存在していない場合や客体の性質が異なる場合を客体の不能という。③人を殺害する意思で毒薬を飲ませたつもりだったが，飲ませたのは，砂糖であった場合，あるいは，人を殺害する意思でけん銃の引き金を引いたが，銃弾が入っていなかった場合のように，方法・手段が結果を発生させるのに不適切な場合を方法の不能という。

2 行為者の意思の危険性 ── 主観主義

かつては，行為者の認識した事情を基礎に，行為者の主観的基準によって，危険性を判断する純主観説，あるいは，行為者の認識した事情を基礎に，一般人を基準として危険性を判断する主観的危険説（抽象的危険説とも呼ばれた）が主張された。前者によれば，砂糖で人を殺すことができると思って砂糖を飲ませる場合も，行為者の主観的基準によると，危険があるとして殺人未遂罪が成立する。後者によれば，その場合は，殺人未遂罪は成立しないが，毒薬であると勘違いして，砂糖を飲ませる場合は，行為者の認識である毒薬を基礎とすると，危険があるとして殺人未遂罪が成立することになる。しかし，このような見解は，行為者の意

思の危険性を未遂犯の処罰根拠とする主観主義の立場によるものであって、現在ではほとんどみられない。

3 危険の判断方法──判断基底（資料）と判断基準

現在、主張されているのは、行為無価値論の立場からの具体的危険説と、結果無価値論の立場からの客観的危険説である。

具体的危険説は、行為時において一般人が認識しえた事情と行為者がとくに認識していた事情を基礎（判断基底あるいは判断資料という）に、一般人を基準として危険性を判断するものであるのに対し、客観的危険説は、事後的・科学的に客観的危険性の有無を判断するものである。もっとも、行為時および行為後に存在したすべての事情を基礎として、事後的に考察すると、科学的にすべての事象が解明できるとすれば、既遂結果が発生しなかったことには、相応の理由があるから、あらゆる場合に、既遂結果が発生することが不能であったということになってしまい、未遂犯が成立しえなくなる。そこで、具体的危険説がなお有力である。

4 具体的危険説と客観的危険説

1 具体的危険説

具体的危険説は、一般人を基準として危険の有無を判断するものであり、行為時において一般人が認識しえた事情と行為者がとくに認識していた事情を基礎に、一般人が危険だと感じるような場合には、未遂犯の成立を肯定するものである。

> 補論　**具体的危険説の問題点**
> まず、「一般人」は、危険判断に適していない。たとえば、殺害に用いられた化学物質が生命に危険をもたらすものであるか否かを判断する場合、専門的科学的知識が危険判断に不可欠であるが、そのような知識は、一般人にはないから、常に危険の存在が否定されるというのは妥当でない。
> そうすると、つぎに、一般人が、殺害に用いられたものの性質がどのようなものかは分からないが、危険なものだと感じるときには、危険の存在が肯定されることになるが、未遂犯は、一般人の安心感を保護するものではない。このような行為は、社会に衝撃を与えるからであるという説明もある。しかし、社会に衝撃を与えるのは、犯罪の付随的効果にすぎない。

具体的危険説が、行為者がとくに認識していた事情を判断資料とするのは、一般人が認識しえなかったが、行為者がとくに認識していた事情を利用して、行為者が犯罪を行う場合に、不能犯であり、不可罰となるという結論を回避しようと

するためである。たとえば，外見上一般人には毒薬であるとは認識しえない毒薬を，殺害する意思で人に飲ませる場合や，一般人には認識しえない重度の糖尿病患者であることを利用して，殺害する意思でその人に砂糖を飲ませる場合等である。ここで，行為者が利用しようとするのは，現実に存在した事情に限られる。というのは，現実に存在しないが，行為者がとくに認識していた事情を基礎として，危険判断を行うとすれば，行為者が危険な事実がないのにあると勘違いしたときにも，危険があることになり，主観的危険説と同じになるからである。しかし，事実が現実に存在したか否かは，事後的にしか判断することができないのであるから，具体的危険説が基本的立場とする事前判断と相容れない。また，具体的危険説は，行為者がとくに事実を認識しているか否かによって，危険があったりなかったりすることを認めることになるが，このように危険を行為者によって相対化し，客観的であるべき危険概念を不合理に主観化するとの批判が客観的危険説からなされる。

　具体的危険説は，たとえば，***1***（⇒p. 74）に挙げた②の客体の不能の例において，一般人からみれば，ベッドに人が寝ているようにみえた場合は，現実にはベッドに人がいなくても，危険の存在が肯定されるし，一般人からみれば，まだ人が生きているようにみえた場合は，現実には人が死んでいても，危険の存在が肯定される。このような場合には，一般人が認識することができ，かつ，行為者が認識していた事情が，現実に存在していなくても，その判断事情に取り込まれることになる。ここでは，まさに事前判断を行っており，この点に，具体的危険説の特徴があるのである。

2　客観的危険説

　これに対して，客観的危険説は，事後的に科学的判断を行おうとするものである。危険判断の資料を，一般人の認識可能性や行為者の認識によって制限しないが，一定の可能性判断をすることを認める。このうち，従来から主張されているのは，結果発生が絶対的に不可能である場合と相対的に不可能である場合とに分け，相対的不能の場合に未遂犯を肯定し，絶対的不能の場合は否定する見解である。これは，客体の不能や主体の不能の場合には，未遂犯の成立を否定し，方法の不能の場合には，上のような区別に従って，未遂犯の成否を決定するものである。

可能性判断における事実の抽象化

　もっとも，このような見解によると，問いの発し方によって結論が変わりうる。たとえば，致死量に達しない青酸カリを飲ませて，人を殺害しようとした場合，「およそ青酸カリで人を殺すことが可能か」を問えば，絶対的不可能ではないことになる。しかし，「その量の青酸カリで人を殺すことが可能か」を問えば，およそ人を殺すに足りない量であったときは，絶対的に不可能であり，人を殺すに足りる量ではあったが，相手を殺すには足りない量であったときは，相対的に不可能であるということになる。このように，絶対的不能と相対的不能の区別を行うためには，事実を抽象化する必要があるが，どの程度抽象化するかによって，その結論が変わってくるとの指摘がある。

　近年の有力な見解は，結果が発生しなかった原因を解明し，事実がどのようなものであったら，結果の発生がありえたかを科学的に明らかにした上で，このような結果発生をもたらすべき仮定的な事実がどの程度ありえたかを問題とする。そして，仮定的事実について，一般人が事後的にそれを「ありえたことだ」と考えるかを基準として危険を判断し，一般人が事後的に十分ありえたと考える場合には，危険を肯定する（もっとも，これに対しては，仮定的事実がどの程度ありえたかも，このような一般人の事後的な危険感によるのではなく，科学的判断に従うべきだとする指摘がなされる）。覚せい剤製造の事案で，製造工程は妥当であったが，ある薬品の使用量が不足していたので，成品を得るに至らなかったときには，適当な量を使用することもありえたと考えられる限りで，未遂犯が成立するが，主原料が真正でなかったときには，成品を得ることが不可能であるとして，未遂犯は成立しないことになるとする。このような見解によると，方法の不能のときと区別して，客体の不能のときには常に未遂犯の成立を否定するのではなく，客体が存在することが十分ありえたと認められる場合には，危険が存在し，未遂犯が成立すると解することができる。

5　判例の理解

　判例は，方法の不能の例について，伝統的に，客観的危険説により，絶対的不能か相対的不能かを問う考え方を示している（最判昭和25・8・31刑集4巻9号1593頁）。たとえば，硫黄の粉末を飲食物等に混入し服用させて人を毒殺しようとした事案について，その方法では，殺害の結果を惹起することは「絶対に不能」であるから，不能犯であるとした（大判大正6・9・10刑録23輯999頁）。

Case 27
　Xは，30ccないし40ccの空気を静脈に注射してAを殺そうとした。

上の硫黄を用いた場合とは異なり，判例は，Case 27 について，「空気の量が致死量以下であっても被注射者の身体的条件その他の事情の如何によっては死の結果発生の危険が絶対にないとはいえない」として未遂犯の成立を肯定した（最判昭和37・3・23刑集16巻3号305頁）。また，覚せい剤の製造を企てたが，触媒の量を「2倍量ないし3倍量用うれば覚せい剤の製造が可能であったと認められる場合には」覚せい剤製造の未遂犯が成立するとしたものがある（最決昭和35・10・18刑集14巻12号1559頁。これに対して，東京高判昭和37・4・24高刑集15巻4号210頁は，主原料が真正でなかった覚せい剤製造について，「結果発生の危険は絶対に存しない」として，未遂犯の成立を否定した）。

一方，同じく方法の不能の例について，具体的危険説による下級審裁判例がある。巡査が腰に着装していたけん銃を奪取し，その巡査の脇腹に銃口を向けて引き金を引いたが，巡査がたまたま当夜に限り実弾の装填を忘れており，殺害に至らなかった事案について，「制服を着用した警察官が勤務中，右腰に着装していた拳銃には，常時たまが装てんされているべきものであることは一般社会に認められていることであるから」，この行為は，殺害の結果を発生する可能性を有するとして，未遂犯の成立を認めている（福岡高判昭和28・11・10判特26号58頁）。

Case 28
Xは，都市ガスを部屋に漏出させてAらを巻き込んで一家心中をしようとした。しかし，都市ガスは，天然ガスであり，一酸化炭素が含まれていないので，中毒死する危険はなかった。

Case 28 について，「一般人はそれが天然ガスの場合であっても，都市ガスを判示のような態様をもって漏出させることは，その室内に寝ている者を死に致すに足りる極めて危険な行為であると認識しているものと認められ，従って社会通念上右のような行為は人を死に致すに足りる危険な行為であると評価されている」として未遂犯の成立を肯定したものがある（岐阜地判昭和62・10・15判タ654号261頁）。もっとも，これは，都市ガスも室内に充満すれば，電気器具等を引火源としたガス爆発事故や酸素欠乏症により人の死亡の結果発生の危険が十分生じうることを認定しており，一般人の危険感のみを未遂犯成立の根拠としているものではないということができる。

つぎに，客体の不能の例については，判例は，客観的危険説によって未遂犯の成立を否定するというわけではない（大判大正3・7・24刑録20輯1546頁）。

Case 29
Xは、銃弾を受けて倒れているAにとどめを刺そうと、日本刀を突き刺したが、Aはすでに死亡していた。

> *Case 29* について、より明瞭に具体的危険説に依拠するとみることができる裁判例がある。「Aの生死については専門家の間においても見解が岐れる程医学的にも生死の限界が微妙な案件であるから、単に被告人Xが加害当時被害者の生存を信じていたという丈けでなく、一般人も亦当時その死亡を知り得なかったであろうこと、従って又被告人Xの前記のような加害行為によりAが死亡するであろうとの危険を感ずるであろうことはいづれも極めて当然」であるとして、未遂犯の成立を肯定している（広島高判昭和36・7・10判時269号17頁）。もっとも、Aの生死の限界が微妙なものであったという事後的に判明した事実が、危険の有無の判断に影響を与えているということができよう。

4 中止犯（中止未遂）

1 中止犯の意義

1 中止犯規定と刑の減免の根拠

Xは、Aを殺害する意思で、Aに狙いをつけてけん銃の引き金を引き、Aに向かって銃弾を発射し、その銃弾がAの腹部を貫通し、Aに重傷を負わせた場合、殺人未遂罪が成立する。それでは、その直後、「人を死なせてしまえば、どのようにしてもその償いをすることはできない」と反省し、ただちに、救急車を呼ぶとともに、タオルで応急に止血をしたため、病院に搬送されたAは、一命を取り留めたという場合はどうか。

未遂罪について定める刑法43条は、刑の任意的減軽を定めた本文に続けて、ただし書で、「ただし、自己の意思により犯罪を中止したときは、その刑を減軽し、又は免除する」と規定する。すなわち、刑の必要的減免（減軽または免除）を定める。43条本文の通常の未遂犯の場合を、（行為者に既遂の意思があるにもかかわらず、障害があるために未遂に終わったとして）障害未遂というのに対し、このただし書のような場合を、（行為者が犯罪を中止したため未遂に終わったとして）中止未遂、あるいは、中止犯と呼ぶ。上のような場合は、この中止犯が成立する。

未遂犯が成立する場合には、未遂犯に含まれる（吸収される）犯罪は、（法条競

合の関係にあるため）成立しない。中止犯が成立する場合は，その前提として未遂犯が成立していたため，やはり，未遂犯に含まれる犯罪は，成立しない。冒頭の例のような場合，Aに対する殺人未遂罪が成立し，Aに傷害結果が生じていたとしても，殺人未遂罪によって評価されるため，Aに対する傷害罪は成立しない。

　通常未遂犯は，刑を減軽することができるだけであるのに，中止犯の場合には，刑を必ず減軽するか，免除しなければならないのはなぜか。その根拠については，政策説と呼ばれる見解と法律説と呼ばれる見解がある。政策説は，刑の減免の根拠を，未遂行為者を中止行為に誘導して，犯罪が既遂に達する（既遂結果が発生する）のを防止するという政策目的に求める。中止犯規定は，「後戻りのための黄金の橋」であると表現される。法律説は，これに対して，中止犯規定が，既遂結果が発生するのを防止するためにあることを前提としつつも，刑の減免の根拠を，犯罪成立要件との関係において説明しようとする。

2 違法減少と責任減少

　法律説のうち，未遂犯が成立することによって発生した違法性や責任が，自己の意思による中止行為によって事後的に減少するというのが，違法減少説や責任減少説である。ただ，違法減少説，あるいは，責任減少説といっても，それぞれ，その内容には違いがありうる。行為者に対する道義的責任が減少するから，刑が減免されるというのが，中止犯の趣旨であることを強調する立場からは，中止行為が倫理的に推奨されるべき動機からなされることが必要であるとされうる。また，違法性が減少するから，刑が減免されるというのが，中止犯の趣旨であると解しても，違法性とは規範違反であるとする立場からは，中止行為が倫理的に推奨されるべき動機からなされてはじめて規範違反性の減少が認められるということも可能であろう。一方，このような形で中止犯の趣旨を強調せずとも，自己の意思によって結果発生を防止しようとすることは，既遂故意（既遂結果を発生させようとする意思）を放棄することを意味するから，故意を主観的違法要素であるとする立場からは，違法減少を意味し，故意を責任要素であるとする立場からは，責任減少を意味する。そして，客観的に法益侵害の危険を減少させることは，違法減少を意味する。

3 未遂犯成立後の中止行為

しかし，中止犯は，未遂犯が成立することを前提としているものであり，既遂結果発生の危険としての未遂結果も，犯罪を構成する結果であることに変わりはない。いったん生じた（犯罪要素を構成した）違法性や責任が事後的に減少することはありえないということができる。そうだとすると，中止犯は，未遂犯の違法性や責任が減少したことによって刑の減免を認めるというより，未遂犯成立後の中止行為自体が，すでに生じた違法性や責任をこれ以上増加させないという意味をもつことによって刑の減免を認めるものであると考えることができよう。

中止犯規定は，犯罪（既遂結果発生）の防止を目的として，自己の意思による犯罪の中止に対して刑の減免という効果を与えるものである。刑罰法規は，犯罪行為により犯罪結果を発生させた場合，それを抑止するために刑罰を科すものであるのに対し，中止犯規定は，中止行為により中止結果を発生させた場合，それを奨励するために刑の減免を認めるものであると解することができる。通常の犯罪が，客観的には，行為，結果，両者の間の因果関係をその要素とし，主観的には，故意犯であれば，故意（犯罪事実の認識）をその要素とするのと同様に，中止犯では，客観的には，中止行為，中止結果（危険の消滅による結果不発生），両者の間の因果関係，主観的には，中止故意（中止事実の認識）および中止行為の任意性をその要素とすると解することができる。中止犯は，「逆の方向に向かった」あるいは，「裏返し」の構成要件であるといわれることがあるのである。以下において，中止犯の成立要件について説明する。

2 中止行為

1 着手中止と実行中止

1 **未遂の類型** それでは，中止行為とは何か。従前は，未遂を着手未遂（未終了未遂）と実行未遂（終了未遂）に分けて，それぞれに応じて中止行為とされるものは異なり，着手中止と実行中止に分けることができると解されてきた。たとえば，①Xは，Aを殺害する意思で，Aに狙いをつけてけん銃の引き金に指をかけたが，これ以上の行為には出なかったというときには「これ以上の行為に出ない」ということが，中止行為にあたると解されてきた。引き金を引くという実行行為の終了前，すなわち，着手未遂の段階においては，中止行為は，不作為によるもので足りる。これに対して，②Xは，Aを殺害する意思で，Aに狙いをつけてけん銃の引き金を引き，Aに向かって銃弾を発射し，その銃弾は，A

の腹部に命中したが，ただちに，救急車を呼ぶとともに，タオルで応急に止血をしたため，病院に搬送されたAは，一命を取り留めたというときには，即座に被害者を病院へ搬送する等のことが，中止行為にあたると解されてきた。引き金を引くという実行行為の終了後，すなわち，実行未遂の段階においては，中止行為は，結果発生を防止するための積極的作為であることが必要であると解されてきたのである。

2 実行行為の終了時期　このような理解によると，実行行為の終了前か終了後かを問うことが必要となり，どのようにして実行行為の終了時期を定めるべきかが問題となる。これについては，ⓐ行為者の主観面を基準とする立場と，ⓑ行為の客観面を基準とする立場がある。まず，ⓐの立場は，実行の着手の時の行為者の主観（意思・計画）を基準として判断し，上のような銃弾の発射の例においては，③行為者が最初2発で仕留めようと思っていたときには，1発を発射した時点においてはいまだ実行行為は終了していないから，1発目が命中し，被害者に瀕死の重傷を負わせた後，そのまま放置するという不作為だけでも，その後近くを通りかかった者が呼んだ救急車によって被害者が病院に搬送されたため，一命を取り留めたという場合には，中止行為が認められうる。これに対し，④行為者が最初1発で仕留めようと思っていたときには，1発を発射した時点においてもはや実行行為は終了しているから，1発目が命中しなかったときにも，中止行為を肯定するには，結果発生防止のための積極的作為が必要となるが，この場面において，このような作為を観念することはできないため，中止行為が存在することはありえないことになる。しかし，③と④の帰結に不均衡はないか。

つぎに，ⓑの立場は，行為の外形において本来既遂に達しうべき動作が終了すれば，実行行為は終了したと解するから，行為者が，最初1発で仕留めようと思っていたか，2発で仕留めようと思っていたかに関係なく，1発の銃弾を発射した時点において，もはや実行行為は終了したことになる。もっとも，この立場によっても，⑤1発目が命中して，被害者に瀕死の重傷を負わせたときには，結果発生防止のための積極的作為をすることによって，行為者は中止行為をすることが可能であるが，⑥1発目が命中しなかったときには，やはり，結果発生防止のために必要な積極的作為を観念することはできないため，中止行為が存在することはありえないことになる。しかし，⑤と⑥の帰結に不均衡はないか。

ここで，瀕死の重傷という重大な法益侵害を生じさせてもなお中止犯の成立可能性が存在しうる反面，そのような法益侵害を生じさせなくても，中止犯の成立

可能性が存在しない場合があることは不均衡である。よって，上の③と④，⑤と⑥の帰結の間に不均衡があると思われる。そうであるとすると，実行行為が終了したか否かによって，必要となる中止行為の内容が異なると解すべきではない。むしろ，どのような内容の未遂結果（既遂結果発生の危険）が生じたかに応じて，必要となる中止行為の内容が定められるべきである。そこで，因果関係を遮断しなければ（そのまま何もしなくても）結果が発生してしまう状態（たとえば，被害者に瀕死の重傷を負わせること）が惹起されたか否かによって，中止行為として作為が必要か否かを問題とする見解が主張される。

2 未遂行為後の危険と中止行為の内容

　未遂結果がどのようなものであるかによって，未遂行為後の危険（既遂結果に至る可能性）の内容・有無は，3つの場合に分けることができる。第1は，被害者に瀕死の重傷を負わせた場合のように，未遂結果が，因果関係を遮断しなければ（物理的因果の進行により）結果が発生してしまう状態であると評価でき，その未遂結果の継続が既遂結果発生に至る可能性である場合，第2は，1発目の銃弾はあたらなかったため，未遂結果の継続が既遂結果発生に至る可能性であるとはいえないが，2発目の銃弾を発射する可能性，すなわち，行為を続行する可能性が既遂結果発生に至る可能性である場合，第3は，第1，第2の可能性がなく，既遂結果発生に至る可能性がない場合である（ここで注意すべきことは，未遂犯が成立しているからといって，未遂行為・結果後になお結果発生の危険が必ず存在しているとは限らないということである）。

　第1の場合は，被害者を救急車で病院に搬送する等の作為によって，既遂結果発生に至る可能性を消滅させることが必要であるが，第2の場合は，2発目の銃弾を発射しないという不作為によって，既遂結果発生に至る可能性を消滅させることができる。これに対して，既遂結果発生に至る可能性がそもそもなかった場合は，犯罪を中止することはできないから，第3の場合には，中止行為を観念することはできない。

Case 30
　Xは，Aを殺害する意思で，Aに毒薬を飲ませた後，思いなおしてAに解毒剤を飲ませた（あるいは，Aを病院に搬送した）。しかし，毒は致死量をみたしていなかったので，Aは死亡しなかった。

> (Case 30)のような場合，毒が致死量をみたしていなかったとしても，Ａに対する殺人未遂罪は成立しうる。しかし，因果関係を遮断しなければ結果が発生してしまう状態（既遂結果発生に至る可能性）が生じたとはいえない（上の第１の類型にあたらない）。よって，中止犯は成立しない。もっとも，行為を続行する可能性があれば（第２の類型にあたり），単なる不作為によって危険を消滅させることによって，中止犯が成立しうる。

　裁判例も同様の考え方に従っているものと思われる。裁判例をみると，山中において石で被害者の頭部を打撲して重傷を負わせた事案について，被告人の暴行は，被害者を死に致す可能性のある危険な行為であったとして，「被告人について中止未遂の成立が認められるためには，更に既に加えた前記暴行に基づく死の結果の発生を積極的に防止する行為に出で，現実に結果の発生を防止し得たことが必要である」とするもの（東京地判昭和40・4・28判時410号16頁），被告人が殺意をもって日本刀で切りつけたが，二の太刀を加えるのを止めて，被害者を病院に連れて行くよう指示した事案について，被害者が「受けた傷害の程度も右肩部の長さ約22センチメートルの切創で，その傷の深さは骨に達しない程度のものであった」として，出血多量による死亡の危険もなかったことから，次の攻撃を加えようとすれば容易にこれをなしえたのに，次の攻撃を自ら止めたことを中止行為としたもの（東京高判昭和51・7・14判時834号106頁），殺意をもって妻の首を力任せに締め，妻が失神した後も，約30秒間締め続け，被害者が30分ないし1時間ほど意識を失った状態になった事案について，「客観的にみて，既に被害者の生命に対する現実的な危険が生じていたと認められる」上，被告人もその危険を生じさせた自己の行為を認識していたとみうるから，中止犯の成立に，「被害者の救護等結果発生を防止するための積極的な行為が必要とされる」というもの（福岡高判平成11・9・7判時1691号156頁）がある。そこで，物理的な因果の進行だけで結果の発生する危険性の存否を基準として，中止行為として作為が必要か否かを判断しているということができる。

3　中止行為と危険消滅（による結果不発生）の因果関係

　中止行為として，結果発生防止のための作為が必要である場合，具体的にどのような作為が必要であろうか。

　行為者が単独で結果発生防止を行ったことまでは必要でない。もっとも，大審院判例は，被告人は，家屋に火を放ってその場を立ち去ったが，炎が燃え上がる

のをみて恐怖心を生じ、隣人Aに「放火したからよろしく頼む」と叫びながら走り去ったところ、Aらの消火行為により家屋は損傷を免れた事案について、行為者が単独で結果発生防止を行うことまでは必要ないが、行為者自身が結果発生防止にあたったと同視するに足りる程度の努力を払う必要があり、被告人の行為はそれにあたらないとしている（大判昭和12・6・25刑集16巻998頁）。これについては、既遂結果に至る可能性を、不十分に減少させたにすぎないから、危険を消滅させたとはいえないと説明するか、あるいは、中止行為と危険消滅（による結果不発生）との間に、条件関係はあるが、たまたまAらが適切な消火活動をしたにすぎず、（相当）因果関係はないと説明することができよう。この事案では、少なくとも、放火の現場に引き返してAらとともに自ら消火活動をする等のことが必要となろう。

Case 31
Xは、殺意をもってAを刺し負傷させた後、思い直して傷の手当てをしたところ、止血をすることができなかったが、たまたま通りかかった医師が止血をしたことによって、Aが死亡することは免れた。

> 行為者の行為とは独立の事情によって危険が消滅し、結果発生が防止されたときに、中止犯の成立は認められない。判例は、自らつけた麻縄の火をもみ消そうとしたが、うまくいかず、やってきた第三者の行為によってやっと消火した場合について、被告人は自らが犯罪の完成を現実に妨害したことが必要であり、この場合はあたらないとして、中止犯の成立を否定した（大判昭和4・9・17刑集8巻446頁）。*Case 31* やこのような場合には、行為者は、危険を消滅させようとしたが、消滅させていない、あるいは、（たまたま第三者の行為が介在することによって）危険が消滅したにすぎず、中止行為と危険消滅（による結果不発生）との間に因果関係を肯定することができないと解することができよう。

下級審裁判例には、中止行為には、「真摯な努力」が必要であるという表現を用いるものがある。殺意をもって睡眠薬を飲ませたが、「大変なことをしたと悟り」、警察官に通報し、その手により被害者は病院に収容され、一命を取り留めた場合、駆けつけた警察官に対しても、被告人は、率直に自己の犯行を告げる等、救護措置が講じられるよう必死になって協力し、その前後の被告人の態度もまた極めて真摯なものであった等から、「犯人自身が防止に当たったと同視するに足る程度の真摯な努力が払われた」として、中止犯の成立を肯定したものがある（東

京地判昭和37・3・17判時298号32頁)。その一方，被告人が，包丁で腹部を刺し，深さ約12センチメートルの傷を負わせた後，被害者を自ら病院に運んだが，自己の犯跡を隠蔽しようとし，医師に対し，犯人が自分であり，いつどこでどのような凶器でどのように刺したかをいわなかったり，自分が治療等に対する経済的負担を約したりせず，救助のための万全の行動をとったものとはいえないとして，この程度の行動では，結果発生防止のため，真摯な努力をしたとはいえないとしたものがある（大阪高判昭和44・10・17判タ244号290頁)。

　責任減少に着目し，厳格に倫理的な行動をとったときにのみ，中止犯の成立を肯定する見解によれば，このような裁判例の態度は理解することが可能である。しかし，学説の多くは，中止犯の成立にとって，「真摯な努力」は過度の要求であり，いわば「積極的な努力」，ないしは，「適切な努力」で足りると解すべきであるとし，あるいは，「真摯な努力」を要求するとしても，少なくとも，自己が犯人であることを告げなかったならば，真摯な努力があったとはいえないと解することには反対する（なお，妻を殺害すべく左胸部を数回突き刺すなどした後，迅速に病院へ搬送して医師による治療を受けさせない限りは死の結果が発生してしまったと認められる場合に，出血をみて驚愕するとともに悔悟し，自身で止血措置をとる等はしなかったが，犯行後数分の間に，119番通報および110番通報して救助を依頼した事案について，他の止血措置等をとる時間的余裕はほとんどなかったとし，真摯な努力を払ったとして，中止犯の成立を肯定した東京地判平成8・3・28判時1596号125頁等もある)。

3　既遂結果発生と中止犯

　異常な因果経過によって既遂結果が発生し，行為と既遂結果との間に因果関係が認められないときは，未遂犯が成立するにとどまっているから，中止犯規定の適用可能性は否定されない。

　それでは，未遂行為から既遂結果が発生した場合，中止犯規定の適用可能性はおよそなくなるのだろうか。責任減少説の立場から，行為者が非難可能性を減少させるような行為をすれば足りるとして，中止犯の成立を認める見解があるが，通説は，現行法上，中止犯は未遂犯の一種であるから，既遂結果が発生し，既遂犯となる以上は，中止犯の成立可能性はないとする。

4　中止故意（中止事実の認識）

　中止行為によって，危険を消滅させて結果を発生させないこと（中止事実）の

認識・意思，すなわち，中止故意が必要である。そこで，p.83 の**2**の第1の場合も，第2の場合も，既遂結果発生に至る可能性を，作為または不作為によって消滅させることを行為者が認識することが必要である。Xが，Aを殺害する意思で，Aに毒薬を飲ませたところ，Aが苦しみ悶えるのをみて，さらに追い打ちをかけて，別の毒薬を飲ませたつもりで，その場を立ち去ったが，後に飲ませたのは，毒薬ではなく，解毒剤であったため，Aは，その効果によって一命を取り留めたという場合，Xは，解毒剤を飲ませるという作為によって危険を消滅させたが，解毒剤を飲ませるという中止事実を認識していないから，中止故意が存在せず，中止犯は成立しないことになる。

Case 32
　Xは，Aを殺害する意思でAに対して発砲し，1発目の銃弾は命中しなかったのに，命中した（よって，そのまま何もしなくてもAは死亡する）と思って，2発目の銃弾を発射せずに，その場を立ち去った。しかし，実際には，1発目の銃弾がAには命中しておらず，Aは死亡しなかった。

　Case 32 の場合，客観的には，p.83 の**2**の第2の場合にあたり，行為を続行する可能性があるのに，行為を続行しなかったこと（不作為）により，中止行為と危険消滅は認められるが，行為者には，その認識・意思はない（行為者は認識なく中止行為によって危険を消滅させただけである）ので，行為者の内心（意思）に働きかけて刑の減免を与える意味はないから，中止犯の成立は認められないと解すべきである。

5　任 意 性

1　任意性の意義

　刑法43条ただし書によると，犯罪を中止することは，「自己の意思によ」るのでなければならない。この自己意思性の要件は，任意によるのでなければならないといい換えられ，任意性の要件であると呼ばれている。任意性は，これを中止故意と同様に理解する学説もあるが，これに対して，任意性は，犯罪における責任（適法行為の期待可能性）の裏返しの要件であるという理解がある。では，Aを殺害する意思で，けん銃の引き金に手の指をかけたところ，警察官が近づいてきたため，ここでけん銃を発射しAを殺害しても，自己の犯行が発覚するが，それは嫌だと思って，銃弾を発射するのをやめて，立ち去ったという場合，中止行為は自己の意思による，すなわち，任意性はあるといえるのであろうか。

任意性の意義について，これまで主張されてきた学説は多岐にわたるが，類型的にみると，主観説，限定主観説，客観説という見解に分かれる。主観説によると，行為者の主観において，「（なし遂げることを欲せば）なし遂げることができるにもかかわらず，（なし遂げることを欲せず）なし遂げなかった」場合に，任意性が肯定され，「（なし遂げることを欲しても）なし遂げることができないため，なし遂げなかった」場合に，任意性が否定される。すなわち，行為者本人が基準となり，その認識した事情に従って「なし遂げることができる」と判断したか否かが問題となり，「なし遂げることができる」と判断した場合に，任意性が肯定され，「なし遂げることができない」と判断した場合に，任意性が否定されることになる。さらに，広義の後悔（悔悟，憐憫，同情等）に基づいて，犯罪を中止したときに，任意性が肯定されるというのが，限定主観説である。

　これに対して，客観説によると，行為者の認識した事情を一般人が認識したとき，一般人ならば犯罪を遂げたであろう（行為者の認識した事情が一般人にとっては犯罪の完成を妨げるものではないであろう）ということができる場合に，任意性が肯定され，行為者の認識した事情を一般人が認識したとき，一般人であっても犯罪を遂げなかったであろう（行為者の認識した事情が一般人にとっても犯罪の完成を妨げるものであろう）ということができる場合に，任意性が否定される。すなわち，行為者の認識した事情に従って，一般人が基準となり，「なし遂げることができる」か否かを判断することによって任意性の有無を決するのである。

　冒頭の例については，広義の後悔に基づいて犯罪を中止したわけではないから，限定主観説によると，任意性は否定される。客観説によっても，警察官が近づいてきたという行為者の認識した事情は，経験則上一般に犯罪の障害となるものであるといえるであろうから，任意性は否定される。これに対して，主観説によると，犯罪を続けることが可能であったといえるであろうから，任意性は肯定される（これに対して，恐怖心のため犯罪を続けることができなかったようなときには，任意性は否定される）。

2　判例の理解

　実務がどのような理解に従っているのかは必ずしも明らかではない。判例は，客観説的な説示を行っており，犯行の発覚を恐れることは，経験上一般に犯罪の遂行を妨げる事情足りうるものであるから，中止犯は成立しないとし（大判昭和12・9・21刑集16巻1303頁），母を殺害しようとバットで強打したところ，母が頭

部から流血し，痛苦しているのをみて，事の重大性に驚愕，恐怖し，殺害続行，犯行完成の意力を抑圧されて中止したことについて，「犯罪の完成を妨害するに足る性質の障がいに基くものと認むべきであ」るとして，任意性を否定した（最決昭和32・9・10刑集11巻9号2202頁。他に，東京高判昭和39・8・5判タ166号145頁，浦和地判平成4・2・27判タ795号263頁等）。

　下級審裁判例には，客観説的な考え方を基礎として，限定主観説的な考慮をあわせて行うようにみえるものが少なくない。たとえば，被害者の頸部をナイフで突き刺した被告人が，被害者が大量の血を吐きだしたのをみて，驚愕したことが契機となり，大変なことをしたとの思いから中止行為に至った場合について，その思いには，反省，悔悟の情が込められており，「外部的事実の表象が中止行為の契機となっている場合であっても，犯人がその表象によって必ずしも中止行為に出るとは限らない場合に敢えて中止行為に出たときには，任意の意思によるものとみるべきである」とし，中止行為は，「流血という外部的事実の表象を契機としつつも，犯行に対する反省，悔悟の情などから，任意の意思に基づいてなされた」とする裁判例（福岡高判昭和61・3・6判時1193号152頁）もそのような例であるということができよう（他に，東京地判平成8・3・28判時1596号125頁，大阪地判平成9・6・18判時1610号155頁等）。

6　予備段階における中止

　予備罪が成立した後，実行に着手することを中止した場合には，中止犯規定の準用はあるか。殺人予備罪（201条）や放火予備罪（113条）等には，情状による刑の免除が規定されているから，実質的には，これが規定されていない強盗予備罪（237条）のような類型について問題となる。

　判例は，「予備罪には中止未遂の観念を容れる余地のないものである」として，中止犯規定の準用を否定している（最大判昭和29・1・20刑集8巻1号41頁）。しかし，より大きな法益侵害の危険が生じる段階に至っている未遂犯について刑の減免の余地が認められているのに，その前段階である予備罪について，刑の減免の余地がないのは不合理であることから，中止犯の規定を準用して刑の減免を認めるのが多数説である（ただ，予備罪の法定刑は，すでに既遂犯の法定刑に比して減軽されたものであり，これ以上減軽することは，刑法68条の趣旨に反し，妥当でないとして，刑の免除のみを認める見解が有力である）。

5 故意犯と事実の錯誤

1 罪を犯す意思（故意）

1 38条1項の意義

　刑法上は，故意犯を処罰するのが原則である。これは，いわゆる責任主義の見地から説明されてきた（⇒ p. 25 の **3**）。たとえば，地震のためブロック塀が崩れて通行人が負傷したことで，その塀の管理者が他人を傷つけたとしても，偶然の事故による傷害であれば，およそ刑法上の犯罪にはならない。また，老朽化したブロック塀を放置した過失があったとしても，管理者に人を傷害する意思がなかった以上，故意の傷害罪は成立しない。このことは，刑法38条1項の「罪を犯す意思がない行為は，罰しない」という表現に示されている。

　なるほど，殺人罪（199条）や窃盗罪（235条）の構成要件では，故意が必要であると明記していない。しかし，すべての犯罪には，刑法典総則が適用されるため，たとえ明文の規定がなくても，故意犯が原則となる。これに対して，過失犯を処罰する場合には，構成要件上，過失に基づく犯罪であることを明記しなければならない。その意味で，刑法38条1項ただし書は，「法律に特別の規定がある場合は，この限りでない」と規定したのである。

　刑法上「罪を犯す意思がない行為」とは，犯人に故意がなかった場合をいう。しかし，故意の内容については，法律上これを定義した規定がない。そこで，刑法でいう故意が認められる範囲をめぐって，複数の見解が対立してきた。故意の要素としては，まず，犯罪事実の認識が挙げられるが，そのほかにも，どのような主観的要素を取り込むかをめぐって争いがある（表象説と認容説の対立）。つぎに，認識の対象となる犯罪事実の内容についても，犯人がどこまで詳細な事実を認識するべきかは，それほど明らかではない。たとえば，行政刑罰法規の違反では，犯人の認識した事実の意味をめぐって，微妙な判断を迫られることがある（行政刑罰法規における事実認識）。さらに，犯罪の客観的要素と主観的要素のいずれを重視するかの理論的対立が，故意の内容である事実認識の内容に反映される

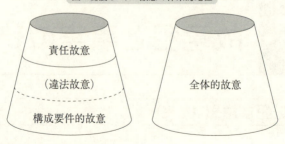

図 総論5-1 故意の体系的地位

場合もある（法定的符合説と具体的符合説）。

2 故意の体系的地位

旧来の「違法は客観的に，責任は主観的に」という分類法では，故意のような主観的要素は，もっぱら責任の段階で考慮されることになる（責任要素としての故意）。しかし，殺人罪（199条）や傷害致死罪（205条），さらに過失致死罪（210条）は，いずれも人の死亡という結果をもたらすところ，刑法上は，まったく別個の構成要件になっている。その意味で，故意と過失は，解釈論上も，刑法の各犯罪を特殊化ないし個別化する要素であるといえよう。現在の多数説は，主観的構成要件要素としての故意を認めているが，構成要件で問題となる故意の内容は，責任要素としての故意とは異なり，個別具体的な行為事情を捨象した定型的な犯罪事実に向けられたものである。

これに対して，故意の地位を，もっぱら責任段階にとどめる見解も有力である。およそ主観的違法要素の存在を否定するならば，客観的にみて同一の事象である限り，構成要件該当性ないし違法性の段階では，故意犯と過失犯を区別できない。それどころか，偶然の事故でさえも，責任論以前の段階では，まったく同一の刑法的評価を受けるという不都合が生じる。しかし，およそ主観的構成要件要素の存在を否定する見解はごく少数説であって，目的犯における目的や未遂犯における故意のように，特殊な主観的要素であれば，大多数の論者が構成要件要素に含めてきた。その意味で，構成要件該当性と違法性は，純粋に客観的な事実だけで決まるわけではない。

補論　故意・過失の地位
　　なぜ，故意・過失は，構成要件の要素となるのか。まず，故意犯と過失犯は，社会生活上異なった評価を受けるため，犯罪論の第1段階（構成要件該当性）から，両者を区

別しなければならない。もちろん，理論上は，責任段階に至ってから，故意犯と過失犯を分離することも可能である。最近では，危険かつ悪質な運転行為による死傷事故を「社会的な殺人」とみる見地から（危険運転致死傷罪），故意犯と過失犯の違いを，量的な差異に還元する少数説もみられる。しかし，現行刑法は，過失犯の処罰を例外的なものとする一方（38条1項ただし書），法文上は，故意犯であることが原則とされるため，故意犯と過失犯は，すでに構成要件の段階から異なる類型となるのである。

2 故意の内容

1 犯罪事実の認識

　刑法上の故意は，客観的な犯罪事実の認識・認容である（通説）。そこでいう「犯罪事実」とは，犯罪構成事実のことであって，各構成要件にあてはまる客観的な諸事情をいう。したがって，行為者は，こうした事実が現に存在すること，すなわち，自分の行為が構成要件に該当することを知りつつ，あえて外部的行動に出たとき，刑法上の故意があったものと評価される。その意味で，故意における事実認識の中には，現在または過去に存在する（した）事実の了知と，将来の事実に対する予見が含まれている。しかし，犯人の認識内容やその程度をめぐっては，さまざまな濃淡の差が生じることがある。たとえば，犯罪事実の発生を確実であると考えた場合（確定的故意），反対に，犯罪事実の発生を不確実なものと認識した場合（不確定的故意）にも，刑法上の故意が認められる。

　つぎに，不確定的故意の中には，概括的故意，択一的故意，未必的故意と呼ばれる3種類のものがある。①概括的故意とは，群衆の中の誰かを殺すつもりで，満員の通勤列車内に時限爆弾を仕掛けるなど，一定の範囲内で死傷結果を発生させるが，個々の被害者が誰であるかについて，あるいは，これらの結果が発生する日時・場所について不明である場合をいう。②択一的故意とは，AとBの一方を殺害する意思で1回だけ発砲する場合のように，いずれかの客体に死傷結果が生じるであろうと予見した場合をいう。

　さらに，③未必的故意とは，犯罪事実の発生を積極的には希望しなかったが，その結果について無関心ないし投げやりな態度から，「あえて」危険な行為を選択することで，犯罪事実の発生を「認容」していた場合をいう。具体的には，歩道上の子供が突然車道に飛び出す危険性を認識しながら，緊急の用件で急いでいたため，子供をひき殺しても仕方がないと思ったならば，未必の殺意があったことになる。こうした未必的故意は，後述する認識のある過失と境界を接するため，

これらを区別する基準が問題となる。

> **Case 33**
> Xは，自分の父親を自殺に追いやった金融業者のAを殺害する意思で，帰宅途中のAを追いかけて，人通りが途絶えた場所で，後ろからAに襲いかかり，Aの心臓にナイフを突き刺した。
>
> **Case 34**
> Yは，かつて自分を捨てた恋人（元カレ）のBに復讐する目的で，彼の自宅宛に，多量のヒ素を混入したケーキを宅配便で送った。その際，元カレのBだけでなく，これを食べたBの家族が死んでも仕方がないと考えていた。
>
> **Case 35**
> トラック運転手であるZは，道路を走行中に，後方から来たスポーツカーが何度もクラクションを鳴らしたことに腹を立て，わざと急ブレーキをかけて追突させた。この衝突事故により，スポーツカーを運転していたCは重傷を負って，数日後に死亡した。

> **Case 33** では，犯人Xの動機や犯行に至る経緯からして，被害者の死を強く望んでおり，殺人罪の確定的故意があった。他方，**Case 34** では，Yが積極的にBの家族を殺害しようとしたわけではない。しかし，Bの家族が死んでも構わないと思っており，未必の故意（殺意）があったといえる。さらに，**Case 35** のZは，わざとCの車に追突させた点で，暴行罪または傷害罪の未必的故意があった。しかし，Cに対する殺意まではなかったならば，せいぜい傷害致死罪が成立するにすぎない。その意味では，まさしく構成要件ごとに故意の内容を考えてゆく必要がある。

【発展学習】 **条件付き故意**
　条件付き故意とは，犯人が，一定の条件下で犯罪行為に出ようと考えていた場合をいう。たとえば，殺人犯が相手方の出方次第で殺害する決意を固めた例のように，殺人の実行を一定の条件に依存させる場合である（最判昭和59・3・6刑集38巻5号1961頁）。これも，広い意味では不確定的故意の一種であり，故意犯の成立を妨げない（最決昭和56・12・21刑集35巻9号911頁など参照）。

2　事実認識の対象と認容の必要性

1 故意犯と結果的加重犯

　すでに **1**（⇒ p.93）で述べたように，故意に必要な事実認識の範囲は，犯罪類型ごとに異なる。殺人罪の構成要件（199条）では，人の生命を奪うだけの現実的危険がある行為により，被害者が死亡すると認識したことが必要とされる。たと

えば，ひそかに自動車運転者に睡眠導入剤を摂取させて，走行中に仮睡状態等にすることで，交通事故の相手方に傷害を負わせたとき，犯人が当該行為の危険性を十分に認識しており，交通事故の態様次第では，被害者が死亡することも想定していた以上，自動車運転者を利用した間接正犯等の未必の殺意があるとされた（最判令和3・1・29刑集75巻1号1頁）。他方，傷害罪の構成要件（204条）では，暴行や毒物の投与など，人体の安全を脅かす行為によって，他人の健康を損なうことを認識していれば足りる。

　これに対して，その中間に位置する傷害致死罪の構成要件（205条）では，傷害罪の限度で故意が必要とされる反面，被害者の死亡結果については，故意（殺意）がない場合を予定している。その際，判例では，すでに基本犯が成立した以上，加重結果に対する因果関係さえあればよいとする（最判昭和26・9・20刑集5巻10号1937頁，最判昭和32・2・26刑集11巻2号906頁など参照）。たとえば，夫婦げんかの末，夫が妻を殴り倒してその頸部を圧迫するなどした際，特異体質である妻がショック死したとき，致死の結果を予見する可能性がなかったとしても，傷害致死罪にあたるとされた（前掲最判昭和32・2・26）。しかし，責任主義を徹底する学説によれば，因果関係だけでは不十分であって，重大な結果を生じさせたことの過失が必要となる。その意味で，傷害致死罪に代表される結果的加重犯は，基本犯（傷害罪）の故意に加えて，加重結果（被害者の死亡）に対する過失を組み合わせた複合形態である。

2 因果関係の認識

　ある種の財産犯では，法益侵害に至る因果経過の認識が重視される。たとえば，詐欺罪では，犯人の欺く行為により相手方が錯誤に陥って財産的処分を行うこと，そこから財産的損害に至るというプロセスが，重要な構成要件要素となる。また，恐喝の意思で強盗になってしまった場合のように，事前に犯人が認識した因果経過と実際の因果経過がくい違うなど，当初の犯行計画からの逸脱が構成要件の枠を超える場合には，相互の構成要件が重なり合う限度で，軽い罪である恐喝罪の故意が認められることになる（因果関係の錯誤）。

3 認識と認容

　つぎに，こうした客観的事実の認識（予見）だけで，ただちに故意を認めてよいであろうか。なるほど，犯人が構成要件に該当する事実を知った上で，あえて

危険な行動を選択したならば，通常は，刑法上の故意があったといえる。この意味で，故意の実質を犯罪事実の表象・認識とみる認識主義が，学説上も支持されてきた。しかし，責任主義の見地からみたとき，故意犯として処罰するためには，単に客観的事実を認識しただけでは足りない。すなわち，刑法規範に違反する積極的な態度があってこそ，故意犯としての責任非難が可能となるからである。しかも，上述した認識主義では，犯人が当該行為の危険性を認識したにもかかわらず，「認識のある過失」が，過失犯に分類されることを十分に説明できない。

これに対して，故意の本質を犯人の意思的要素に求める意思主義を徹底するならば，侵害結果を意欲・希望しなかった未必的故意の場合が，故意犯の領域から除外されてしまう。そこで，現在では，犯人の意欲・希望までは不要だが，構成要件該当事実を「認識」した点に加えて，これを「認容」していたならば，故意があったとする認容説が，通説・判例になっている。

Case 36
古物商を営む X は，A が持ち込んだ物品の数量・性質などから，盗品ではないかと疑ったが，そのまま買い入れた。

Case 37
自動車検問中に飲酒運転が発覚した Y は，Y の逃走を制止しようとした警察官 B が，自車のボンネット上にしがみついているのを認識しながら，B を振るい落とそうとして，高速度で蛇行運転を繰り返した。

Case 38
ベテランドライバーの Z は，前方の対向車が蛇行運転をしているのに気づいたが，かりに対向車が中央線を超えてきた場合にも，自分の運転技量からすればハンドル操作で衝突を避けられると信じて，そのまま漫然と走行した結果，前方に進入してきた上記車両と正面衝突をして，相手方を即死させただけでなく，同乗者も死亡させた。

(*Case 36*) では，X が，売渡人の A から盗品であると告げられなくても，A の日頃の言動などにより，当該物品が盗品である可能性を認識しつつ，これを買い受けたのであれば，盗品等有償譲受け罪の未必的故意があったといえる（最判昭和23・3・16刑集2巻3号227頁）。また，(*Case 37*) では，高速度で蛇行運転をしたとき，被害者が転落して死亡する危険性を認識したにもかかわらず，自分の逃走を優先して被害者を犠牲にしようとしており，未必的な殺意があったことになる（東京高判昭和41・4・18判夕193号181頁）。これに対して，(*Case 38*) では，せいぜい，認識のある過失にとどまる。すなわち，Z は，被害者に危害が及ぶ可能性を認識していたが，軽率にも衝突・死亡は避けられると考えたからである。もっとも，上述した

*Case 37*のように，ドライバーが被害者の死亡もやむを得ないと考えたならば，未必的な殺意があったことになる。

> **補論　意思主義（認容説）と認識主義（蓋然性説）**
> 　主観的構成要件要素の中でも，事実の認識という知的要素と比較して，「意図」や「認容」などの意思的要素は，より行為者の内心に立ち入る必要があるため，外形的事実だけでは判別しがたい。この点で，認識主義の論者は，主観面に傾きすぎると批判してきたが，認識主義の中でも，単なる表象説を修正して，犯罪事実が発生する高度な蓋然性を要求する立場がある。これが，蓋然性説と呼ばれる見解である。しかし，責任主義を徹底する限り，たとえ「蓋然性」の認識があっても，なお犯人が犯罪事実の実現を避けようとしたならば，故意犯にあたる主観的態度が欠けている。また，どの程度の確率があれば，蓋然性の程度に達するかも不明確である。たとえば，殺人の目的で毒薬を飲ませる場合，せいぜい10％の致死率でも，故意の殺人罪が成立する反面，成功率が5％（致死率95％）の極めて危険な手術であっても，過失犯が成立するにすぎない。したがって，故意犯と過失犯の区別は，単なる数値では決まらないのである。犯罪事実の実現する可能性は乏しくても，あえて侵害結果に向けた積極的な行動を選択したならば，刑法上は故意犯に相当する意思態度があったといえよう。いい換えれば，かりに犯罪事実を認識したとき，通常人であれば当該行為を抑制するべきところ，犯人がそうした警告を無視して，あえて犯罪行為に及んだことが，未必の故意と認識のある過失を分けるのである（認容説・意思主義）。

> **発展学習　侵害故意と危険故意**
> 　侵害犯とは，現実に法益の侵害ないし危険の発生を成立要件とする犯罪類型であるが，この類型の中でも，結果犯においては，構成要件的結果の発生を表象（認容）することが必要となる。これを侵害故意と呼ぶ。これに対して，侵害犯の中でも，危険犯であれば，法益に対する危険を表象（認容）すれば足りるため，危険故意と呼ばれる。また，危険犯の中でも，後述する放火罪（⇒ p.412の**3**）にあって，抽象的危険犯（たとえば，108条・109条1項）と具体的危険犯（たとえば，109条2項・110条1項）では，危険性をめぐる認識の程度に差異がある。すなわち，抽象的危険犯では，漠然と危険の発生を予見すれば足りるが，具体的危険犯では，個別的場面における具体的な危険の発生を認識しなければならない。

故意の認識対象

1 規範的事実の認識

　故意の認識対象となる犯罪事実には，犯罪構成要件の主体・客体はもちろん，犯人の行為それ自体や，犯行の状況などの客観的要素にあたる事実のすべてが含まれる。また，殺人罪や傷害罪のような結果犯では，構成要件に該当する侵害結果（死亡・傷害）の認識に加えて，当該行為から結果発生に至る因果関係の認識

も必要となる。これとは反対に，主観的要素それ自体は，犯人の認識対象とはなりえない。なぜならば，故意・目的などは，すでに行為者の内心に存在しており，別途，これらを意識したかどうかを検討する必要はないからである。また，人間がすべての事象を正確に予見・予知することは不可能であって，構成要件の段階では，定型的な因果経過を認識したことで足りる。すなわち，因果関係という客観的要素が主観面である故意に反映される場合にも，社会的に相当な（大まかな）因果経過を認識すればよいのである（大判大正14・7・3刑集4巻470頁）。

　本来，犯罪構成要件に該当する客観的事実は，社会侵害的な行為を定型化したものである。したがって，当初から否定的評価を受ける場合が少なくない。ただし，一部の犯罪類型では，行為者の価値判断を伴う規範的構成要件要素が含まれている。たとえば，わいせつ物頒布等罪（175条）では，犯人が当該表現の「わいせつ」性を認識しなければならず，これは「意味の認識」と呼ばれる。「意味の認識」では，一般人からみて「わいせつ」物と分かる程度の事実認識があればよいので，刑事裁判における厳格な法的評価とは異なる。すなわち，通常人からみて「わいせつな物」と評価できるかの問題であって，刑法上の「わいせつ」性をめぐる厳密な認識まで要求するものではない。この点は，後述する錯誤論にあって，犯人がいずれの構成要件にあたるかを誤解した「あてはめの錯誤」が，何ら故意を阻却しないのと同様である。

2　特殊な主観的構成要件要素

　特別刑法である道路交通法や麻薬及び向精神薬取締法などでは，当該法令に固有の用語が使用されており，故意犯の事実認識をめぐる判断が難しい場合がある。たとえば，*Case 39* では，特定の場所で追越しが禁止されるなど，犯罪の成立が一定の事実と関連しているため，こうした限定のない殺人罪などの伝統的犯罪とはまったく異なる。これらの犯罪では，かりにドライバーが客観的な追越し行為を認識した際にも，それが禁止区域内であることを知らなかったとき，およそ故意が否定されるのである。しかし，行政取締法規中の細かな事実認識を厳格に求めるならば，故意犯の成立範囲を不当に狭める結果となり，その立法目的を達成できない。

Case 39
　　Xは，道路交通法により追越しを禁止された区域内で他の自動車を追い越したが，

その場所が追越し禁止区域であることを認識していなかった。

 Case 39 では，当該刑罰法規が前提とする「追越し禁止区域内で追い越した」という事実それ自体を知らなかった以上，犯人には犯罪事実の認識が欠けており，道路交通法に違反する故意がないことになる（禁止区域内追越し事件。東京高判昭和30・4・18高刑集8巻3号325頁）。

発展学習 薬物犯罪と実質的故意
　麻薬及び向精神薬取締法違反などの薬物事犯については，概括的な認識で足りるとして，「日本に持ち込むことを禁止された違法な薬物である」という認識さえあれば，薬物の属性や正式名称を誤解した場合にも，故意犯の成立を認める見解がある（実質的故意論）。ただ，こうした見解は，目的物の形状・毒性などが類似するとき，法令の違いを捨象した一般的な「薬物輸入罪」の構成要件を認めることになる。そのため，構成要件の犯罪個別化機能を弱めるだけでなく，構成要件が故意の内容を規制するという機能（故意規制機能）も軽んじていると批判されてきた。

　また，上述した故意とは別に，行使の目的や一定の主観的態度が，構成要件の要素となる場合がある。たとえば，通貨偽造罪（148条以下）や文書偽造罪（154条以下）では，「行使の目的」があった場合にのみ，各種偽造罪の構成要件にあてはまる。また，強制わいせつ罪（176条）では，従来，犯人の性的欲求を満足させる意図があったかどうかが重視されてきた（最判昭和45・1・29刑集24巻1号1頁）。前者は，目的犯における目的であり，後者は，傾向犯における性的傾向として，いずれも故意（犯罪事実の認識・認容）を超える「超過的内心傾向」と呼ばれた。しかし，最近の判例によれば，他人の性的自由を侵害する上で，犯人のわいせつ意図は必要条件でないとされるに至った（最大判平成29・11・29刑集71巻9号467頁）。他方，目的については，当該行為の違法性を左右する特殊な主観的違法要素として，さまざまな条文に定型化（明記）されており，なお主観的構成要件要素となっている。

 主観的構成要件要素と主観的違法要素
　特殊な主観的構成要件要素は認められるか。構成要件と違法で主観的要素を完全に排除するならば，貨幣のコレクターがニセ物を作って楽しむ場合も，通貨偽造罪の構成要件に該当する違法行為となる。そこで，一部少数説は，真正の通貨として使用される可能性を認識していれば，「行使の目的」があったと説明する。しかし，遠い将来において誰かが利用するおそれを僅かでも認識したとき，ただちに未必的故意があったというならば，やはり，通貨偽造罪の成立範囲は不当に拡大する。もっとも，偽証罪（169条）における主観的認識は，証人の記憶に反する証言が「虚偽」にあたるとしても（表現

犯)，行為者の心理状態は自己の証言する事実（客観的要素）の認識を超過しておらず，上述した超過的内心傾向とは異なる。また，防衛の意思や避難の意思は，いわゆる主観的違法（正当化）要素であっても，主観的構成要件要素にあたらないのは当然である。

4 故意を「阻却」する場合

1 事実の錯誤と法律の錯誤

1 故意論と錯誤論の関係

1 事実の錯誤は故意を阻却する 犯人が認識・予見した事実と実際に生じた事実がくい違う場合は，事実の錯誤と呼ばれる。これに対して，法律の錯誤は，犯人の認識した内容と客観的事実が合致したにもかかわらず，犯人が法的な意味を誤解した場合であり，法的評価の誤りにすぎない。したがって，故意を阻却する事実の錯誤とは異なり，故意犯の成否とは無関係とされる。この事理は，「事実の錯誤は故意を阻却するが，法律の錯誤は阻却しない」という法諺（ことわざ）で示される。

すなわち，犯罪事実の認識は，刑罰法規に違反するという反規範的意識を呼び起こすための前提条件となるため，これが欠けていた場合には，故意犯の成立が否定される。ところが，法律の錯誤では，犯罪事実を正しく認識しており，すでに事実の認識に伴う反規範的態度が存在するため，たとえ法的評価を誤ったとしても，故意犯の成立を妨げる理由は存しない。その意味で，事実の錯誤・法律の錯誤の区分は，故意犯の成否を決定する際の重要な指針となる。

2 法律的事実の錯誤 もっとも，事実の錯誤と法律の錯誤の区分は，一義的に明白ではない。たとえば，法律的事実の錯誤は，事実の錯誤として故意を阻却するところ，どの点が法律の錯誤と違うのかについては，若干の説明が必要となる。具体的には，わいせつ物頒布等罪（175条）の規範的構成要件要素にあって，たまたま書店主が入手した外国語文献を読めなかったため，その内容が性的なものと無縁であると信じていた場合，その販売行為には，およそ意味の認識がないことになる。これに対して，わいせつな表現物であると知っていたが，この程度であれば刑法上も許されると誤信したならば，わいせつ物頒布等罪の故意は否定されない。

3 錯誤の種別 各種の行政刑罰法規では，どの部分が純然たる事実的要素であり，反対に，何が当該事実の法的評価にあたるかは，不明確であることが多

い。また，事実の錯誤であっても，およそ故意がなくなる場合と異なり，故意の未遂犯は成立するが，予想外の結果に対する故意が否定される場合がある。以下に説明する事実の錯誤は，後者における事実の錯誤であり，当該事実に対する故意（既遂）犯の成否が問題となる。

> *Case 40*
> 　Xは，仇敵のAを殺すつもりで発砲したが，Aから逸れた弾丸がBに命中して，Bが死亡した。
> *Case 41*
> 　Yは，鳴き声のうるさい隣家の犬を殺すつもりで，毒入りの菓子を庭においたところ，隣家の子供Cがそれを拾って食べたため，その毒物により中毒死した。

> (*Case 40*)の場合，犯人の意図した結果と実際に生じた結果は，いずれも殺人罪の構成要件に該当するため，Xは，故意の殺人既遂罪で処罰される。しかし，(*Case 41*)では，犬を殺す（他人の物を損壊する）意思はあったが，人を殺す意思はなかったので，過失致死罪にしかならない。

2　具体的事実の錯誤と抽象的事実の錯誤

　事実の錯誤が「故意を阻却する」場合は，いくつかの類型に分けられる。まず，*Case 40* では，Aを殺そうと思ってBを殺しており，具体的事実の錯誤と呼ばれる。ここでは，行為者の認識と客観的な事実の不一致が，殺人罪という同一構成要件の範囲内にとどまっており，その意味で「具体的な事実」がくい違ったにすぎないので，このように呼ばれてきた。つぎに，*Case 41* では，他人の財産である犬（器物）を殺すつもりで，誤って人である子供Cを殺害しており，抽象的事実の錯誤と呼ばれる。主観と客観の不一致が，殺人罪（199条）と器物損壊罪（261条）という異なる構成要件間にまたがっており，構成要件の枠を超えた（抽象的）符合が問題となるため，このように呼ばれている。これらの処理をめぐっては，法定的符合説，具体的符合説，抽象的符合説，罪質符合説などが主張されてきた。

　まず，①具体的事実の錯誤では，同じく「人」を殺しているが，②抽象的事実の錯誤では，「犬（器物）」のつもりで「人」を殺している。そこで，①では，（抽象的）法定符合説と具体的（法定）符合説が対立する。すなわち，具体的事実の錯誤は同一構成要件内の軽微なくい違いであるため，現に発生した結果も含めて

4　故意を「阻却」する場合

故意既遂罪とみるか（法定的符合説），それとも，意図した犯罪の故意未遂と現に生じた事実の過失犯が成立して，両者の観念的競合と理解するか（具体的符合説）の対立である。

他方，②抽象的事実の錯誤では，上述した法定的符合説および具体的符合説のいずれも，各構成要件の枠組みを重視する見地から，故意の「符合」を否定して，故意の未遂と過失の結果犯の成立にとどめる。しかし，抽象的符合説や罪質符合説などは，およそ犯罪行為として抽象的に重なり合う以上，少なくとも，軽い罪の故意既遂犯が成立するという。以下の図総論5-2では，①具体的事実の錯誤と②抽象的事実の錯誤における各学説の違いが示されている。また，「客体の錯誤」，「方法の錯誤」および「因果関係の錯誤」の意味は，下記の**1**を参照して頂きたい。

図 総論5-2　具体的符合説・法定的符合説・抽象的符合説の「符合」

具体的事実の錯誤	客体の錯誤	方法の錯誤	因果関係の錯誤
具体的符合説	符合する	符合しない	符合する・しない
法定的符合説	符合する	符合する	符合する

抽象的事実の錯誤	客体の錯誤	方法の錯誤	因果関係の錯誤
具体的符合説	符合しない	符合しない	ありえない？
法定的符合説	符合しない	符合しない	ありえない？
抽象的符合説	符合する	符合する	符合する

2　犯罪事実が一部「重なる」場合 ── 法定的符合説

1　客体の錯誤・方法の錯誤・因果関係の錯誤

同一構成要件内で生じる具体的事実の錯誤でも，客体の錯誤，方法の錯誤，因果関係の錯誤という3通りのものが考えられる。①客体の錯誤とは，暗闇の中で前方にいるAを仇敵のBだと誤信して殺害するなど，目の前の客体を取り違えた場合である。また，②方法の錯誤とは，標的のCを射殺するつもりで発砲したが，狙いを誤って通行人のDに命中，Dを死亡させた場合であり，打撃の齟齬とも呼ばれる。さらに，③因果関係の錯誤では，邪魔になった恋人Eを溺死させるつもりで，橋の上から突き落としたところ，その途中で橋脚にぶつかって死亡した場合が考えられる。

通説・判例である法定的符合説によれば，認識と事実が同一構成要件の枠内で「符合」している限り，いずれも殺人既遂罪（故意既遂犯）が成立する。これに対して，具体的符合説では，具体的な事実の不一致を問題にするため，少なくとも方法の錯誤では，狙った客体と異なる客体に結果が生じた以上，主観と客観の不一致を無視できないとする。したがって，上述した②の設例では，Cに対する殺人未遂罪（故意の未遂犯）とDの死亡に対する過失致死罪（過失の結果犯）が成立することになる。

> *Case 42*
> Xは，土砂降りの雨の中，前方から傘を差して近づいてくる者が，仇敵のAであると信じて，よく顔がみえないまま，実際には別人であるBを日本刀で刺し殺した。
>
> *Case 43*
> 暴力団員のYは，対立する暴力団の組長Cを狙って発砲したところ，その弾丸が逸れて，近くを通りかかった無関係の通行人Dに命中して死亡させた。
>
> *Case 44*
> Zは，Eを殺そうとして首を絞めた後，Eが身動きをしなくなったので，すでに「死亡した」ものと誤信して，Eの身体を海岸に運んで放置した結果，うつ伏せになったEが砂末を吸い込んで窒息死した。

Case 42 〜 Case 44 では，いずれも具体的事実の錯誤が問題となっている。したがって，法定的符合説によれば，殺人罪の構成要件内部の軽微なくい違いにすぎず，殺人（既遂）罪の故意を阻却しない。たとえば，客体の錯誤にあたる Case 42 では，行為者は，まさしく「人（A）を殺すつもりで人（B）を死亡させた」といえるからである。また，Case 43 と Case 44 についても，同様に処理される。これに対して，具体的符合説では，客体の錯誤や因果関係の錯誤は，「目的物が刑法上同一の価値を有する」または「狙ったその人を殺した」として，故意の（殺人）既遂犯を認めるが，方法の錯誤については，殺人既遂罪の故意を阻却しようとする（殺人未遂と過失致死）。なお，Case 44 は，ヴェーバーの概括的故意と呼ばれる事例であって，判例によれば，この場合にも殺人既遂罪が成立する（砂末吸引事件。大判大正12・4・30刑集2巻378頁）。すなわち，第1の殺人行為とその後の死体遺棄を一体のものとみる限り，犯人の認識と実際の因果経過の不一致は，因果関係の錯誤にあたる。したがって，殺害行為からE死亡に至る因果の流れが相当因果関係の枠内にあれば，故意の符合を認めてよいからである。

2 故意の符合と客体の個数

事実の錯誤にあっても，故意の阻却をめぐって判断に迷う場合がある。たとえ

ば，背後者が他人（道具）を利用して殺害行為に及んだが，道具となった者が客体を間違えていた場合である。ここでは，被利用者が予想外の客体を侵害したものの，そのくい違いについて，利用者にとって客体の錯誤と方法の錯誤のいずれにあたるかが明確ではない。たとえば，宅配便で時限爆弾を送ったとき，荷物が到達する時点で，その場所にいる人間が行為の客体になったとみるならば，予想外のBが死亡した事実は，客体の取違えでしかない（具体的符合説でも，殺人既遂となる）。しかし，爆弾の送付先が攻撃の目標から逸れて，予想外のBに到達し，これを死亡させたとみるならば，方法の錯誤にあたるからである（具体的符合説では，せいぜい過失致死罪となる）。したがって，具体的符合説では，故意犯の成否を決定するための基準があいまいになってしまう。

同様にして，犯人が電話口の相手方を脅迫する場合，接続ミスで別人につながったことに気づかず，そのまま相手方を脅迫したとき，いずれの錯誤に分類されるであろうか。その際，犯人が狙いを誤って電話口に出た人間を脅迫したとみるならば（方法の錯誤），脅迫未遂と過失による脅迫となってしまい，いずれも不可罰であるが，客体の取違え（客体の錯誤）とみるならば，犯人の実行行為と構成要件的結果が同一構成要件内にある限り，実際に脅迫した被害者に対する脅迫（既遂）罪が成立する。かりに具体的符合説の論者が，当該犯人による客体の特定方法で区別するとしても，そうした微妙な差異により有罪と無罪が決まるのは不合理である。

> **Case 45**
> Xは，別居中の夫Aを殺すつもりで，実家から毒入りの酒を宅配便で送付したが，これをAが受け取った翌日，息子のBがA宅を訪ねてきて，Aと一緒に飲んだため，数時間後にAとBが死亡した。
>
> **Case 46**
> Yは，強盗の手段としてCを殺害する意思で，建築用びょう打銃を発射したところ，びょうがCの身体を貫通して，通行人のDにも命中し，CとDに重傷を負わせた。

> **Case 45**では，因果経過の逸脱はあるものの，人（A）を殺すつもりで，最終的に人（AおよびB）を殺害しており，殺人の故意を阻却しない（法定的符合説）。これに対して，**Case 46**では，（強盗）殺人未遂にあたる複数の事実が生じており，故意の個数をめぐって学説が対立してきたが，最高裁は，2個の強盗殺人未遂罪が成立するとした（びょう打銃事件。最判昭和53・7・28刑集32巻5号1068頁）。

つぎに，方法の錯誤においては，1個の犯罪行為から，複数の構成要件的結果が発生することがあり，こうした併発結果をどのように取り扱うかという問題が生じる。Case 45 では，実際に発生した事実は，殺人罪という同一構成要件内にとどまるため，法定的符合説では，およそ故意を阻却しないことになる。その際，現在の通説・判例は，たとえ複数の侵害結果が生じても，およそ客体の個数を問題にしないため，実際に引き起こした限度で，複数の故意既遂犯を成立させる（数故意犯説）。しかし，Case 46 では，いずれも傷害結果にとどまるため，最終的には，2個の強盗殺人未遂罪が成立することになった。これに対して，複数の結果が発生した場合には，意思と事実の不一致が1個の構成要件の枠を超えており，行為者が認識した部分を超えて故意犯は成立しないとする見解がある（一故意犯説）。この見解によれば，Case 46 についても，1個の強盗殺人未遂と1個の過失致傷罪が成立することになる。

もっとも，複数の結果が併発する事例は，方法の錯誤だけでなく，客体の錯誤の場合にも生じうる。たとえば，仇敵のS女を殺害するつもりで，コートを着たS女を日本刀で突き刺したが，予想外にもS女が背負っていた子供のTも刺し殺したとき，SとTの2名に対する殺人既遂罪を認めるかどうかである。過去の判例では，類似の事案に対して，複数の故意犯を成立させたものがある（大判昭和8・8・30刑集12巻1445頁）。したがって，具体的符合説においても，客体の錯誤では故意既遂罪の成立を認める以上，客体の錯誤で併発結果になったとき，同じく故意の個数をどうするかの問題から逃れられない。

3 異なる構成要件間の「重なり合い」

異なる構成要件間にまたがる抽象的事実の錯誤では，原則として故意の符合はありえない。したがって，現に発生した結果に対する故意が阻却されて，故意の未遂と過失結果犯の観念的競合となる。しかし，通説・判例は，構成要件相互の「重なり合い」に着目しつつ，一定の場合には「故意の符合」を認めてきた。その場合には，両者が重なり合う限度で，軽い罪の故意既遂犯が成立することになる。

たとえば，窃盗を共謀した犯人の1人が見張りをした場合，かりに他の共犯者が強盗に及んだときにも，単なる見張り行為については，窃盗既遂罪の共犯が成立する（最判昭和23・5・1刑集2巻5号435頁）。また，恐喝の共謀をした仲間が実際には強盗をした場合には，刑法38条2項によって恐喝罪の限度で共犯が成立す

る（最判昭和25・4・11集刑17号87頁）。38条2項は,「重い罪に当たるべき行為をしたのに,行為の時にその重い罪に当たることとなる事実を知らなかった者は,その重い罪によって処断することはできない」と規定しており,軽い罪の限度であれば,故意犯の成立を認めうるからである。いずれの事案でも,構成要件相互の「重なり合い」を決定する際には,保護法益の種類や侵害行為の態様のほか,実際の因果経過が犯行計画から逸れた度合いなどが考慮されてきた。

> **Case 47**
> Xは,Yに対し,A宅に侵入して窃盗をするように教唆したところ,Yは,B宅に侵入し強盗を実行した。
>
> **Case 48**
> XとYは,暴行・傷害を共謀したが,被害者Cの反抗的な態度に激高したYが,殺意を生じてナイフでCを刺し殺した。
>
> **Case 49**
> 末期のガン患者Dが,死の恐怖からノイローゼ状態になり,担当医のXに対して「早く死なせてくれ」と懇願したが,Dの真意は「何とか痛みを取り除いて欲しい」というものであった。しかし,Xは,真意に基づく殺害の嘱託があったと信じて,多量のモルヒネを投与して死亡させた。
>
> **Case 50**
> XとYは,公務員を買収して虚偽公文書を作成させるように共謀したが,買収が困難であると知ったYが,Xに相談することなく,第三者であるZに公文書偽造を教唆することで,最終的に偽造文書を調達した。

> **Case 47** では,住居侵入強盗を認識しなかった教唆者も,38条2項により,住居侵入窃盗の限度で教唆犯にあたるとされた（最判昭和25・7・11刑集4巻7号1261頁）。他方,**Case 48** では,殺意のなかったXにも,殺人罪の構成要件と傷害致死罪の構成要件が重なり合う限度で,軽い傷害致死罪の共同正犯が成立することになる（最判昭和54・4・13刑集33巻3号179頁）。また,**Case 49** では,殺人罪と嘱託殺人罪にまたがる抽象的事実の錯誤が生じており,いずれも人の生命に対する侵害として,軽い嘱託殺人罪の限度で故意既遂犯が成立する（なお,大判明治43・4・28刑録16輯760頁は,嘱託殺人罪の未遂とした）。さらに,**Case 50** では,虚偽公文書作成罪（の教唆）と公文書偽造罪（の教唆）が重なり合うため,Xには,Yと同様,公文書偽造罪の教唆犯が成立するとされた（最判昭和23・10・23刑集2巻11号1386頁）。

4 特別刑法上の「重なり合い」と実質的故意の理論

特別刑法上で異なる構成要件間の錯誤が生じた場合,いわゆる実質的故意の理

論が主張される。たとえば，薬物犯罪では，麻薬と覚醒剤の類似性にかんがみて，両罪の構成要件が実質的に重なり合う部分がある。したがって，後述する *Case 51* のように，法令上の麻薬を「覚醒剤である」と誤信した場合にも，その錯誤は，同一の法定刑である麻薬輸入罪の故意を阻却しない。しかし，*Case 52* では，所持した薬物が覚醒剤である旨の認識を有しておらず，より重い罪（犯行当時）である覚醒剤所持罪は成立しない。したがって，覚醒剤所持罪と麻薬所持罪の構成要件が実質的に重なり合う限度で，軽い麻薬所持罪の故意があったことになる。いずれの場合にも，行為者の意図した内容とは異なる構成要件が実現されているが，犯人の認識した範囲を超えて処罰できないという原則（38条2項）は，なお維持されている（なお，p.105の❸を参照）。

> *Case 51*
> Xは，営利の目的で，客観的には麻薬にあたるモルヒネ類（ヘロイン）の粉末を，覚醒剤であると誤認して輸入した。
>
> *Case 52*
> Yは，覚醒剤にあたる薬剤の粉末を，法令上は麻薬に分類されるコカインであると誤認して所持した。

> *Case 51* のXについては，営利目的の麻薬輸入罪が成立する（ヘロイン・覚醒剤輸入事件。最決昭54・3・27刑集33巻2号140頁）。これに対して，*Case 52* のYについては，麻薬所持罪が成立する（覚醒剤・コカイン所持事件。最決昭61・6・9刑集40巻4号269頁）。

なお，過去の判例では，*Case 52* における犯人の罪名は，旧麻薬取締法66条1項および28条1項の麻薬所持罪になったが，犯人が所持した覚醒剤の没収については，覚醒剤取締法41条の6（現41条の8）によるとした。ここでは，成立する罪名と没収の根拠規定が一致しないという問題が生じている。すなわち，成立する犯罪は，犯人の認識した限度で麻薬所持罪になるところ，没収の適条については，客観的に生じた事実に着目しつつ，覚醒剤取締法の規定を適用したからである。しかし，同一犯人の処罰において，罪名と没収の適条が異なるのは，理論上も問題があると批判されている。

早すぎた結果発生

　近年，早すぎた結果発生という事例が問題になった。たとえば，クロロホルム殺人事件（最決平成16・3・22刑集58巻3号187頁）では，被害者の妻Aから，保険金殺人の目的で夫を殺すように依頼されたBが，被害者である夫にクロロホルムを嗅がせて失神させた上，別の場所まで運んで自動車ごと海に沈めて溺死させるという計画を立てた。しかし，犯行当日，Bと仲間のCらが，被害者に多量のクロロホルムを嗅がせ，近くの港まで移動させた後，自動車ごと海中に転落させたが，鑑定結果によれば，被害者の死亡原因は溺死でなく，クロロホルム吸引による心肺機能停止による可能性があるとされた。すなわち，犯行計画によれば，まだ殺人予備の段階で被害者が死んでおり，犯人らは，この事実に気づかないまま，犯罪完成に必要な殺害行為に出たため，早すぎた結果発生（構成要件実現）と呼ばれる。

　この事例で問題となるのは，被害者の死亡結果に対して故意があったか否かである。なるほど，客観的には人の生命を奪うに足りる第1行為がなされており，ここで実行の着手を認めるならば，たとえ犯人の主観的計画では準備的行為にあたるとしても，全体を1個の犯行とみる限り，因果関係の錯誤があったにすぎない。そこで，裁判所は，第1行為のもつ法益侵害の現実的危険性に着目しつつ，第1行為と第2行為が密接に関連しており，最終的には被害者が死亡した以上，殺人既遂罪を肯定できるとした。すなわち，第1行為が開始された時点で，すでに殺人罪の実行行為が始まっており，たとえ犯人の主観から逸脱した因果経過があっても，犯行全体に殺意が及ぶと解している。ただし，学説上は，故意と実行の同時存在を要求しつつ，「早すぎた結果発生」について，殺人予備罪と過失致死罪にしたり，殺人未遂にとどまるという見解もみられる。

6 過失犯と危険の分配

1 過失理論の進展 —— 旧過失論から新過失論へ

1 危険社会と過失犯

　過失犯は，総論 *5*「故意犯と事実の錯誤」（⇒ p.91）と総論 *10*「故意犯と違法性の錯誤」（⇒ p.187）でいう故意がない場合であり，しかも「法律に特別の規定がある場合」にあたる（38条1項ただし書）。刑法学では，故意犯が原則であるため，過失犯を処罰するのは例外とされるが，実際の社会生活では，過失犯の占める割合が非常に大きい。具体的には，自動車事故による死傷，経済活動に伴う企業災害，各種の医療過誤において，加害者の過失責任が問題となることがある。これらの事例のように，過失犯の多様化と被害領域の拡大は，社会全体に大きな影響を及ぼしてきた。その意味で，過失犯をめぐる理論上の対立も激しい。また，刑法38条は，原則として，他の刑罰法令にも妥当するため，特別刑法の罰則でも，過失犯を処罰する場合には，その旨を明記する必要がある。しかし，確立した判例は，必ずしも明文の規定がある場合に限っていない。

> *Case 53*
> 　Xは，自宅に運転免許証を忘れたまま自家用車を運転したが，当時の道路交通法規には，過失による運転免許証の不携帯を処罰する規定がなかった。

> 　*Case 53*)では，行政刑罰法規にあたる旧道路交通取締法9条3項（現行の道交95条1項）の運転免許証不携帯罪が問題となった。同条によれば，「自動車の運転者は，運転中，運転免許証を携帯しなければならない」とされる。しかし，裁判所は，過失犯を処罰する明文の規定がなくても，法律の趣旨や目的に照らして過失犯を処罰できるので，この場合も，刑法38条1項ただし書の「特別の規定がある場合」にあたるとした（免許証不携帯事件。東京高判昭和34・6・16判時195号24頁）。

　現行の道路交通法95条1項は，「免許を受けた者は，自動車等を運転するとき

は，当該自動車等に係る免許証を携帯していなければなら」ず，これに違反した者については，同法121条1項10号および同条2項が過失犯も含むことを明言している。しかし，旧法下にあっても，運転免許証の携帯義務は，警察官から免許証の提示を求められた際，その運転者が正規の運転免許者であることを確認する方法で，無免許者による危険な運転を防止し，自動車交通の安全を図ろうとしていた（道路交通法95条2項参照）。したがって，上記の立法目的から判断する限り，同法95条1項の規定に違反する者は，故意に運転免許証を携帯しなかった者だけでなく，過失により携帯しなかった者を含むことになる。こうした裁判所の解釈は，第二次世界大戦前の飲食物用具取締規則違反（大判大正2・11・5刑録19輯1121頁），新聞紙法違反（大判大正11・6・24刑集1巻354頁），要塞地帯法違反（大決昭和12・3・31刑集16巻447頁）などでもみられた。

> **Case 54**
> Ｘらは，税法違反による取調べで検察庁に出頭する際，たまたま外国人登録証を自宅に忘れたまま，検察庁に出向いた。

> **Case 54** では，犯行当時の外国人登録令10条1項が，「外国人は，常に登録証明書を携帯し，内務大臣の定める官公吏の請求があるときは，これを呈示しなければならない。」と規定していた。最高裁は，外国人登録令10条の規定に違反して登録証明書を携帯しない罪には，過失犯も包含されるとした（外国人登録証明書事件。最決昭和28・3・5刑集7巻3号506頁）。

　裁判所は，大審院の時代から，明文の規定は必要ないとする態度を維持してきた（そのほか，最判昭和37・5・4刑集16巻5号510頁，最決昭和57・4・2刑集36巻4号503頁参照）。実際，取締目的を達成しようとすれば，常に明文の過失犯処罰規定を要求するべきではなかろう。しかし，学説の多数は，こうした判例の態度は，故意のない場合を無限定に処罰するおそれがあるため，罪刑法定主義に反すると批判してきた（なお，大判大正5・6・8刑録22輯919頁参照）。他方，現在のリスク社会では，危険な運転を繰り返す悪質ドライバーや，有害な産業廃棄物をたれ流す悪質事業者など，生命・身体にとって「凶器」に等しいものを取り扱う人々のモラルハザードがみられる。その意味で，伝統的な過失理論に固執するだけでは，深刻な社会問題を放置する結果となり，刑事司法に対する国民の信頼を損なうこともある。

2 過失犯における注意義務

　戦後の日本では，交通事故の多発や大規模災害を契機として，伝統的な過失理論が，しだいに修正されてきた。すなわち，過失の体系的地位をめぐって，古い過失理論は，主観的な不注意を過失とするのに対して（旧過失論），新しい過失理論では，客観的な注意義務違反の側面を重視するようになった（新過失論）。すなわち，かつて過失犯の本質とされた「不注意」は，犯人の軽率な態度を定型化することで，外部的な結果回避措置の懈怠と結びつく。その結果として，客観的な構成要件要素に高められるのである。これに対して，過失をもっぱら責任要素とみる旧過失論によれば，構成要件論や違法論の次元では，故意犯の場合や自然災害の場合と区別されない。そのため，構成要件該当性や違法性の段階では，過失の内実を検討することができない。他方，過失犯は，「（裁判官の解釈により）補充を必要とする構成要件」である以上，犯罪の成否についても，裁判官の事実認定に負うべき部分が少なくない。以下では，過失犯の理論的構造を明らかにするとともに，各犯罪構成要件に必要とされる「注意義務違反」の要素を説明することにしたい。

> *Case 55*
> 　Ｘは，自家用車を運転して国道を進行していたが，反対方向から来たＡの自動車が交通ルールに違反して右側にハンドルを切ったので，路面電車の軌道内に入らざるをえない状況になった。しかし，Ｘは，同軌道上を走行するのを嫌って，そのまま直進した結果，Ａの自動車と衝突して，Ａらに傷害を負わせた。

> (*Case 55*) では，Ｘがいったん軌道内に入った後，再び軌道外に出る方法もとりえたところ，こうした回避措置を怠っており，刑法上も注意義務違反があるとされた（大判昭和8・12・6刑集12巻2221頁）。また，緊急事態においては，対向車との正面衝突を避けるため，通常は自動車が侵入できない歩道内に乗り上げることも，刑法上の注意義務を遵守したことになる（なお，大阪高判昭和45・2・26判時608号173頁など）。

　通説（新過失論）によれば，過失犯の場合，侵害結果の惹起について，客観的に不注意な態度が認められねばならない。不注意とは，法律上要求される注意義務に違反したことをいう。かりに構成要件に該当する結果が生じたときも，上記

の注意義務さえ守っていれば、過失犯は成立しない。もっとも、刑法は、「失火により」客体を焼損（116条）、「過失により」人を死傷（209条以下）させたと述べるにとどまり、不注意の内容を何ら示していない。こうした「開かれた構成要件」ないし「補充を必要とする構成要件」では、刑法上の注意義務の内容は、条文の解釈を通じて、個々の刑罰法令から導き出されることになる。また、行政取締法規が定める命令・禁止に違反したことが、刑法上の過失を推定させる場合もある。ただし、これらの命令・禁止が、ただちに刑法上の注意義務となるわけではない。緊急事態では、これらの行政取締法規に違反することが、かえって、刑法上の注意義務に沿う事例も考えられるからである。

Case 56
　A鉄道の機関手であるXは、操車係の指示に従って機関車を運転するように義務づけられていた。ある日、漫然と操車係Bの指示に従ったところ、貨物列車を別の路線に引き込む切り替えポイントが作動していないのに気づかず、そのまま進行した結果、逆方向から進行してきた他の列車と衝突させ、これを転覆させた。

　Case 56 では、一定の業務に従事する者は、業務の性質に応じて危害の発生を予防しなければならず、法令上は明文の規定がない場合にも、そのために必要な注意義務を逃れることはできない。したがって、たとえ操車係の指示に従ったとしても、X自身が、十分に前方注視義務を尽さなかったとすれば、過失犯の責任を免れないとした（大判大正12・3・31刑集2巻287頁）。

　たとえ犯人が業務規則を遵守したときにも、それだけで、刑法上の注意義務違反が否定されるわけではない（大判大正3・4・24刑録20輯619頁、大判昭和11・5・12刑集15巻617頁）。たとえば、*Case 56* では、危険な業務に従事する者は、行政取締規則などによる命令・禁止のほかにも、当該業務に伴う侵害結果の発生を防止すべき一般的な注意義務を負うことになる。したがって、これらの業務を執行する者は、行政取締規則に基づく注意義務を履行しただけでは、業務上の注意義務を尽くしたことにはならない。そもそも、刑法上の注意義務は、法令上明文の規定がなくても認められるし（前掲大判大正12・3・31）、現代の複雑な社会環境では、それぞれの場面に応じて、慣習ないし条理なども考慮しつつ、個別的な注意義務が決定されることになる（大判大正7・4・10刑録24輯317頁参照）。

2 過失の構成要素

1 過失の種類

　過失犯は，事実認識の有無や注意義務の程度に応じて，いくつかのカテゴリーに分かれる。まず，およそ犯罪事実を予見しなかった場合は「認識のない過失」と呼ばれる。つぎに，あらかじめ犯罪事実を予見していたが，軽率にも結果の不発生を期待して，危険な行動を選択した場合が「認識のある過失」である。通常，認識のある過失では，より高度な注意義務が課せられる。また，故意論でも述べたように，認識のある過失は，未必の故意と境界を接するため，意思主義と認識主義のいずれを採用するかに応じて，故意と過失を区別する基準が異なってくる（⇒ p.93 の *1*〔未必の故意〕）。

　そのほか，刑法上は，通常の過失とは別に，重大な過失（重過失）と業務上の過失が規定されている。通常の過失とは，法文上，単に「過失により」と表現される場合であり，重大な過失とは，行為者に著しい注意義務違反が認められる場合である。すなわち，わずかでも注意を払ったならば，重大な結果の発生を避けえたところ，軽率な行動に出て当該結果を引き起こした場合である。通常の過失よりも違法性・責任の量が大きいため，過失犯の加重類型とされる（117条の2後段・211条後段）。

　なお，業務上の過失も，広義における重過失の一種である。すなわち，業務上の過失とは，業務者に要求される特別な注意義務を履行しなかったため，犯罪結果をもたらした場合である（117条の2前段・129条2項・211条前段）。刑法上の「業務」は，社会生活上反復・継続されれば足りるため，犯人にとって本業である必要はない。また，それによって，報酬・利益を得ているかも問わないとされる（大判大正8・11・13刑録25輯1081頁）。

> *Case 57*
> 　狩猟を趣味とするXは，猟銃の使用許可を得ていたが，ある日，会社の同僚であるAを伴って野鳥撃ちに出かけた。その際，周囲の状況を十分に確かめないまま，物音がした後方の草むらに向かって発砲したため，Xに付いてきたAに弾丸を命中させ，重傷を負わせた。

> *Case 57* のXは，趣味で狩猟をする者であり，プロのハンターではなかったが，反復・継続して猟銃を使用していた。その意味で，他人の生命・身体に対する危険な行為を繰り返しており，たとえ娯楽の目的であっても，刑法211条にいう業務者にあたるとされた（最判昭和33・4・18刑集12巻6号1090頁）。

刑法でいう「業務」の内容は，過失犯の種類によって異なる。たとえば，業務上過失致死傷罪では，人の生命・身体に危険を及ぼすような業務に限られる（前掲最判昭和33・4・18）。他方，業務上失火罪の業務は，職務として火気の安全に配慮すべき社会生活上の地位を前提とする（京都駅焼失事件。最判昭和33・7・25刑集12巻12号2746頁）。たとえば，当直として夜警を担当した従業員が，不注意にも見回りを怠って，電源が入ったままの電気アイロンを見過ごした結果，アイロンの過熱により駅舎を全焼させたとき，業務上失火にあたるとされた（前掲最判昭和33・7・25）。判例によれば，刑法117条の2前段にいう「業務」とは，当該火災の原因となった火気を取り扱う場合だけでなく，夜間警備員のように火災を防止する任務も含まれるからである。ただし，こうした判例の態度は，業務上失火罪における「業務」の範囲を不当に拡張するものとして，学説から批判されている。

Case 58
Xは，ウレタンフォームの加工販売を営むA社の工場部門の責任者として，易燃物の管理について火災防止の職務に従事していた。ところが，工場内で溶接作業があったとき，その火花を易燃物から遠ざける注意義務があったにもかかわらず，これを怠って，火花をウレタンフォームに接触・着火させ，上記工場を全焼させるとともに，工場内の従業員7名を焼死させた。

> *Case 58* では，刑法211条の業務が，人命に対する危険防止を含む業務であって，刑法117条の2の業務が，職務として火気の安全に配慮すべき社会生活上の地位を指すとされた。したがって，易燃物の管理責任者であるXには，火災による死傷結果を防ぐ責任もあり，業務上失火罪および業務上過失致死罪の両罪が成立することになった（最決昭60・10・21刑集39巻6号362頁）。

今日，業務上の過失が重く処罰される理由として，①業務者には，通常人と異なった高度な注意義務が課せられるため，その違反に対する非難の度合いが高いとするほか（大判大正3・4・24刑録20輯619頁，最判昭和26・6・7刑集5巻7号1236

頁），②業務者に対する一般予防的見地から，法定刑を加重したとされる。さらに，③業務者には，通常人よりも高度な注意能力が備わっており，そうした能力を発揮して危険な行為を抑制しなかった点で，違法性または責任が重いとみる見解もある。これに対して，結果無価値論の立場からは，④業務上の過失が問われる場合，その被害法益が重大であったり，多数の被害者が生じうるため，単純過失よりも違法性の程度が大きいと説明される。

| 補論 | **業務上の過失と行為者類型**
業務上の過失となる場合にも，同一の行為態様や侵害結果であれば，犯人に要求される注意義務の内容・程度は，通常人のものと異ならないはずである（上述の①説に対する批判）。また，構成要件上の加重類型を，単なる刑事政策的な要請でかたづけるのも困難である（②説に対する批判）。さらに，業務者の過失に伴う法益侵害が，類型的にみて通常人の過失よりも常に大きいとはいえない（④説に対する批判）。むしろ，業務者は，行為の反復継続性やその社会的地位から，通常人よりも高度の注意能力があるにもかかわらず，これを十分に発揮することなく，安易に危険な行動に出たという点で，通常の過失よりも反社会性が強いといえよう（③説）。こうした意味で，業務上の過失は，違法評価の違いに加えて，責任面でも，行為者の地位・能力に応じた重い責任非難が加えられる。すなわち，業務上の過失は，行為類型であると同時に，行為者類型でもある。

2 結果予見義務と結果回避義務

過失の内容は，結果予見義務の違反と結果回避義務の違反の2つに分けられる（最決昭和42・5・25刑集21巻4号584頁）。刑法上，結果予見義務の前提条件としては，侵害結果の予見可能性が必要となり，結果回避義務の前提条件としては，その回避可能性が求められる。また，これらの要素の体系的位置づけをめぐっては，①結果回避義務を違法要素とみた上で，結果予見義務を責任要素とみるほか，②いずれも違法要素とみる見解や，③両方の要素が構成要件，違法および責任の要素であるという見解がある。しかし，過失の内容を定型化することで構成要件的要素とみる通説的見地からは，上述した結果予見義務と結果回避義務の双方が，すでに構成要件の段階から検討されることになる。

なるほど，論理的には，行為者が内心の意識を緊張させることにより，侵害結果を予見・認識して初めて，これを回避できるという意味で，結果予見義務が結果回避義務よりも先行する。しかし，犯罪論上は，まず，一般人を基準とした客観的な注意義務違反が問題となるため（最判昭和27・6・24集刑65号321頁），こうした思考を，過失犯の認定にも反映させた見解が，いわゆる客観説（新過失論）である。これに対して，過失を責任段階にとどめる主観説（旧過失論）では，責

任非難に直結する犯人自身の注意能力が標準となる。しかし，犯人の注意能力が通常人よりも著しく低い場合には，そもそも，客観的な危険行為をしないという注意義務が課せられるし，反対に，（業務者でない）犯人の注意能力が通常人より高い場合には，注意義務の上限を通常人のレベルまで引き下げることになる。

| 補論 | **結果回避を動機づける義務と結果回避行動**

行為者の内心の態度に由来する結果予見義務は，客観的な結果回避行動の前提となる。しかし，実際に侵害結果の発生を予見できたかどうかは，事後的な推測によるものであって，過失犯の成否を考えるにあたっては，むしろ，一定の作為・不作為に出る際の意思的態度が問題となる。それは，故意における「認容」に対応する要素であり，結果回避行動を動機づける際の義務違反とみることができよう。また，結果回避義務の中には，およそ危険な行為を避けるという注意義務も含まれている。したがって，あえて危険な行為を選択した場合には（たとえば，許された危険など），十分な結果回避手段を用意するなどの注意義務が課せられる。また，これらの客観的な注意義務は，過失犯の実行行為にあたるため，通常の生活危険を想定した慎重さがあればよく，「社会生活上必要な注意」を尽くしたかどうかが過失の判断基準となる。たとえば，多数の客を宿泊させる旅館経営者が，十分な防火設備を備えないまま営業するのであれば，それだけ重い注意義務を負うことになる。

3　過失の標準

　過失犯では，侵害結果の発生が，犯人にとって予見可能でなければならない。過失犯の予見可能性をめぐっては，新・新過失論（危惧感説）と旧過失論（具体的認識説）の間で厳しい論争があった。まず，危惧感説とは，予見可能性の程度をかなり緩やかに捉えるため，犯人が漠然とした「危惧感（不安感）」をもっていればよいとする。こうした考え方は，1960年代以降，公害事件や企業災害が社会問題になったとき，具体的な予見可能性が欠ける事例を過失犯として処罰するため，客観的な結果回避措置の比重を高めるとともに，国民一般の処罰感情にも合致する解釈方法として提唱された。なるほど，構成要件と違法の段階では，一定の水準から逸脱した外部的行動が問題となるため，客観的注意義務にあたる結果防止措置の是非が問われることが多い。しかし，危惧感説に対しては，予見可能性の要素を軽視しているという批判が加えられた。他方，旧過失論が予定する責任過失についても，主観的な結果予見義務と具体的な予見可能性が要求されるため，新しい過失事例には対応できないという問題点がある。

Case 59
　心臓手術の執刀医となったXは，看護師Yが電気メス器のケーブルを誤接続したことに気づかず，そのまま電気メスを用いて手術を続行したため，電極を装着した患者の下肢に重度の火傷を負わせた。

　Case 59 では，Xが，経験を積んだ看護師Yの準備作業を信頼して，そのまま手術を続けており，当時の具体的状況に照らせば，やむをえないものであった。すなわち，過失犯における注意義務違反の前提として，当該結果の発生は予見可能でなければならず，Xにとって，電気ケーブルの誤接続による傷害事故を予見できる可能性は，それほど高度ではなかった。したがって，手術の開始前にケーブル接続の適否を点検しなかったとしても，通常，執刀医が払うべき注意義務に違反しないとされた（北大電気メス事件。札幌高判昭和51・3・18判時820号36頁）。

　Case 59 で示されたように，過失犯でいう予見可能性は，一般的・抽象的な危惧感や不安感の程度では足りない。行為者が認識すべき内容をあいまいにした状態で，結果予見義務や結果回避義務を論じることは，過失犯の成立範囲を無限定にしかねないからである。また，責任主義の見地からも疑問が生じる。少なくとも，実際に発生した結果とこれに至る因果関係の大部分を予見できたこと，しかも，その予見可能性は，当該具体的状況を前提として判断されねばならない。

　したがって，通常人であれば，犯行当時に予見できた行為事情に加えて，とくに行為者が認識していた事実を基礎としつつ，一般人として十分な注意を尽くしたかどうかで決まる（大判昭和4・9・3裁判例3巻刑27頁）。すなわち，通常の思慮分別を備えた人間が犯罪事実を予見できたこと，しかも，当該状況下で適切な結果回避措置をとりえたことが必要となる。今日では，一般人を標準とした客観説が支持されている（前掲最判昭和27・6・24）。

Case 60
　貨物自動車を運転するXは，法定速度の2倍を超える高速度で走行した際，ハンドル操作を誤って同自動車を信号柱に激突させたため，たまたま同車の後部荷台に隠れていたAとBが，衝突の衝撃によって放り出されて死亡した。

　Case 60 の場合，Xが，そのような無謀運転をすれば，人の死傷結果を伴う交通事故を引き起こすかもしれないことは，当然に認識できた。そうである以上，運転者が後部荷台にいる同乗者の存在を認識していなかったとしても，その者に対す

2 過失の構成要素

> る業務上過失致死罪の成立を妨げないとされた（最決平成1・3・14刑集43巻3号262頁）。

　学説上，*Case 60* の場合，およそ具体的な予見可能性がないとして，最高裁の態度を批判する見解がある。その際，個々の被害者の特定をめぐって，故意犯における法定的符合説と具体的符合説の対立をもちだす論者さえみられる。過失犯でも客体ごとの個別的予見可能性を論じることは，故意犯で「具体的な」符合を論じる立場と似ているからである。しかし，事実の錯誤論は，実際に生じた侵害結果を故意既遂犯とみるための法的評価であるのに対して，過失犯における予見可能性は，注意義務違反を認定するための前提条件にすぎない。また，反対説の主張するように，個別具体的な客体ごとに予見可能性を追求するならば，過失行為のもつ重大な危険が十分に分かっていたにもかかわらず，たまたま，当該の個別的被害者を認識しなかったことで，およそ過失犯が成立しなくなってしまう。

3　危険の分配と管理・監督過失

1　過失理論の現代的展開

1　過失行為と因果関係

　過失犯は，過失行為に含まれた定型的な危険が現実化したものである。したがって，まず，客観的な注意義務違反を重視して，事前の結果回避措置が十分であったかを問うことになる。すなわち，行為それ自体の危険性や犯人の義務違反性から，過失犯の実行行為が決定される。こうした過失行為と侵害結果の結びつきは，過失犯における相当因果関係の問題でもある。なぜならば，抽象的な注意義務違反だけで，侵害結果が生じるわけでなく，客観的には，犯人の危険な過失行為を通じて，社会的にも有害な結果に至るからである。

　また，犯行時における行為事情は，過失犯の義務違反性を左右する場合もあるが，事後的な因果経過の相当性は，もっぱら因果関係の存否にかかわる。たとえば，行為後の介在事情や被害者の異常な行動が，因果関係の存否を左右することがある。これらは，実行行為以外の事情として，後述する「許された危険」の取扱いにもかかわってくる。すなわち，注意義務違反の前提となる具体的予見可能性は，過失行為それ自体に内包される主観的要素であるのに対して，過失犯の因果関係は，過失犯の実行行為とその後に生じた侵害結果を，刑法上も結びつける

客観的要素となるのである。

> **Case 61**
> 　Xは，自動車の無免許運転をしていた際，過失により自転車のAを跳ね上げたことに気づかず，被害者のAを自車の屋根に載せたまま，運転を続けていた。ところが，Aの腕が屋根から垂れているのをみた同乗者のBが，Aの腕を引っ張って引きずり落としたため，逆さまの状態で道路に激突したAが，頭部外傷などにより死亡した。
>
> **Case 62**
> 　ドライバーのYは，反対車線の路側帯に駐車する目的で，自車を減速しながら方向転換を試みたが，幅の狭い道路であったため，いったん自車を左側に寄せた上で，改めて右折を始めた。しかし，後方から高速度で接近してきたオートバイのCが，交通法規に違反して右側からY車を追い越そうとした際，Cが急制動をかけて転倒した状態のままY車に衝突したので，Cと同乗者のDが死傷することになった。

> 　**Case 61** では，直接の死因となった頭部外傷が，最初の衝突時に生じたものか，被害者が屋根から落ちた際に生じたかを特定できなかった。こうした場合には，Xの過失行為からAを死亡させることが，経験則上，当然には予想できないとして，事後にBの行為が介入した点を捉えて，Xの行為とAの死亡には因果関係が欠けるとした（米兵ひき逃げ事件。最決昭和42・10・24刑集21巻8号1116頁）。また，**Case 62** のYについては，右折転回を再開した際，後方の安全確認義務を怠った過失があるところ，かりに注意義務を遵守した場合にも，高速度で接近するC車を認識するのは困難であるとされた。したがって，C車が交通法規に従って適切な回避行動をとるものと信頼していた以上，Yの過失行為とCらの死傷結果の間には，相当因果関係がないとされた（福岡高那覇支判昭和61・2・6判時1184号158頁）。

　過失犯では，Xの過失とYの過失が競合して，ある構成要件的結果を引き起こす場合も考えられる。たとえば，深夜トラック便の運転手Xが，過失により歩行者Aをひいた後，数分後に走行してきたY運転のタクシーが，再度，倒れていたAをひいたため，Aが即死したような場合である。双方の過失行為とA死亡の因果関係が認められる以上，XとYの刑事責任は，それぞれの過失の程度に応じて決まることになる。また，犯人が複数の注意義務に違反した場合には，段階的過失論（直近過失論）に従い，当該結果の発生に直結する注意義務違反を過失とみることになる。もっとも，直近の時点で侵害結果を回避できなかったときは，順次それ以前の時点に遡って過失の有無を検討しなければならない（札幌高判昭和40・3・20判時423号55頁，東京高判昭和46・10・25判タ276号371頁など）。他方，

伝統的な過失併存論では，飲酒による無謀運転から死亡事故が発生したとき，運転開始時の飲酒抑制義務の違反も含めて，広く危険な運転を回避する義務に違反したことになる（東京高判昭和44・8・4判タ242号313頁，東京高判昭和47・7・25判タ288号396頁など）。

2　社会生活上必要な注意と信頼の原則

　過失犯においては，しばしば，「社会生活上必要な注意」という言葉が用いられる。また，加害者と被害者の間で，どのように社会生活上の危険を分配するかも議論されてきた。こうした「危険分配の法理」から，交通事故では，相手方のルールに沿った行動を信頼すればよいという「信頼の原則」が生み出された。すなわち，当該行為者が社会生活上必要な注意を尽くしたのであれば，たとえ相手方のルール違反から侵害結果が生じたとしても，たまたま加害者となった者の刑事責任は，制限されることになる。また，「許された危険」とは，客観的にみて法益侵害の危険を伴う行為であっても，現代社会で必要不可欠な活動であれば，法が要求するルールに従って行動する限り，刑法上も許容されるというものである。

Case 63
　Xは，自動車を運転中，交差点で右折するべく，センターラインの左側より右折の合図をしながら，方向転換を始めようとした。その直後，X車の後方から高速度で進行してきたAのオートバイが，交通法規に違反し，センターラインの右側にはみ出してX車を追い越そうとしたため，X車と衝突した結果，Aだけが死亡した。

　（Case 63）の場合，Xは，後方から接近するAのオートバイが，速度を落とした上，自車の右折を待って進行するなど，交通法規に従った安全な速度と方法で進行することを信頼して運転すれば足りるとされた（最判昭42・10・13刑集21巻8号1097頁）。すなわち，交通法規に違反して高速度で右側から追い越そうとする事態まで予想して，後方の安全確認をしたり，衝突事故を未然に防止する業務上の注意義務は生じないのである。

　信頼の原則とは，社会生活上も許容された危険な活動について，行為者が負担する注意義務の範囲を狭めることで，国民の自由な行動を保障するために唱えられた。たとえば，Case 63 のように，Aの異常な行動が交通事故を引き起こした場合，X自身が交通ルールを遵守していた以上，たとえ最終的には加害者に

なったとしても，刑事責任は問われない。昭和40年代にはじめて信頼の原則が適用されてから（最判昭和41・12・20刑集20巻10号1212頁，最判昭和43・6・13判時520号82頁，最判昭和45・11・17刑集24巻12号1622頁など），こうした過失限定の法理は，実務上も次第に普及することとなった。現在では，交通事故だけでなく，医療過誤や企業災害などにも，信頼の原則が用いられる。ただ，注意すべき点は，民法上の過失相殺と異なり，被害者側の落ち度を理由として，加害者の責任を軽減するものではないことである。したがって，被害者側に重大な落ち度があっても，ただちに加害者の過失が消失するわけではない（大判大正3・5・23刑録20輯1018頁）。

Case 64
　この事件は，*Case 59*（⇒ p.117）と同じものである。すなわち，看護師のYが誤接続した電気メス器の異常に気づかないまま，執刀医のXが手術を続けたため，患者Aが重度の火傷を負うことにより，Aの下肢を切断せざるをえなくなったのである。

Case 64 において，チーム医療の一員であるXが，電気メス器のケーブル接続という単純な補助作業に関して，ベテランの看護師Yを信頼して手術を続行したことは，当時の具体的状況からみてやむをえないものであった。したがって，ケーブルの誤接続による傷害事故の発生を予見した上で，適切な結果回避措置をとらなかったとしても，Xには，業務上の過失がないとされた（札幌高判昭和51・3・18判時820号36頁）。

Case 63 では，後方から来るオートバイが，道路交通法規に違反して追い越そうとしたとき，こうした違反者が交通事故の被害者になった場合にも，いわゆる信頼の原則を適用して，加害者の注意義務違反が否定された。また，*Case 64* では，チームを指揮・監督する立場にあった医師が，執刀医としての立場を超えて，チーム構成員の行う全作業に対する監督責任は負わないとされた。もっとも，信頼の原則を適用できない場合もある。たとえば，地震・火事などの緊急事態には，通常のルールに従った適切な行動を期待できない。したがって，こうした状況で対向車の異常運転を察知した際には，速やかに自車を脇に寄せて正面衝突を避ける義務がある。また，老人や子供のように，交通関与者として適切な行動を期待できない人々もいる（東京高判昭和42・9・21判時508号76頁）。他方，行為者に免許証不携帯などの軽微な違反行為があっても，それだけで，信頼の原則の適用が妨げられるわけではない（最判昭和42・10・13刑集21巻8号1097頁など参

照)。

> **発展学習** 危険の引受け
>
> 　被害者が，社会生活上の高度な危険を認識しながら，あえてその行動を選んだとき，侵害結果の発生が「危険の引受け」により正当化されることがある。たとえば，飲酒運転であると知っていた場合，その同乗者が死傷事故に遭ったとしても，過失犯の違法性が否定されるであろう。個人の自己決定権からみて，「危険の引受け」では，被害者の同意により保護法益が放棄されたともいえるからである。ただし，被害者の同意では，故意犯の成否が問題となるのに対して（なお，p.138の**5**を参照），危険の引受けでは，一定の危険を予見した場合にも，当事者が侵害結果を認識・認容していない点で，故意犯における侵害結果の同意や自傷行為にあたる場合とは異なる。
>
> 　かようにして，危険の引受けが，将来の危険を引き受けたにすぎず，加害者と被害者がともに，侵害結果を認識・認容しなかったとすれば，もっぱら過失犯の成立可能性が残るだけである。すでに下級審では，ダートトライアル競技による同乗者の死亡事故をめぐって，業務上過失致死罪の成立を否定した判例がある（千葉地判平成7・12・13判時1565号144頁）。すなわち，ダートトライアル競技は，未舗装道路を自動車で疾走するスポーツであり，転倒・衝突の危険を避けられず，たとえ所定のルールを守っていたとしても，運転者の生命・身体に重大な危険が生じうる。したがって，ベテランの同乗者が，初心者のドライバーに指示して，高速度で急カーブに突入させたならば，転倒事故により同乗者が死亡した場合にも，社会的相当性や危険の引受けを理由として，刑事責任が生じないとされた。

2 企業災害と管理・監督過失

1 危険な事業活動と過失犯

　現代社会では，人身に被害を及ぼす危険な行為が氾濫している。たとえば，化学工場の従業員がバルブ操作を誤って，大気中に有毒ガスを流出させたため，多数の近隣住民が呼吸器障害になったとき，その従業員には，業務上過失致死傷罪が成立することになる。しかし，従業員を指導・監督する立場にある工場長は，バルブ操作の単純ミスという些細なことで，重大な健康被害が生じないように配慮するべき注意義務があった。こうした事例では，当該結果に直結する現場担当者の過失だけでなく，上司である工場長の指導・監督上の過失責任が問題となる。管理・監督過失の理論とは，危険な事業活動を統括する人間に対して，より高度の注意義務を課するものである。およそ人間の行動が何らかのミスを伴うものである以上，管理体制の不備が重大な結果を招いたとき，十分な予防措置をとらなかった管理責任を問うことで，同種の事故発生を予防できるであろう。伝統的な過失理論が，個人の主観的注意義務に着目するのに対して，管理・監督過失は，企業組織体の過失責任を認める根拠にも用いられてきた。

> *Case 65*
> 　A化学工場の従業員として，液体塩素の受入れ作業に従事した見習いのＸは，タンクローリーで運び込まれた液体塩素を貯蔵タンクに注入する際，同タンクの受入れバルブを閉めようとして，誤って別のバルブを開けてしまった。そのため，大量の塩素ガスが大気中に放出され，これを吸い込んだ多数の住民が塩素中毒になった。

　　*Case 65*では，化学工場から有害物質が排出されたとはいえ，当該行為が事業活動の一環にあたらないため，「人の健康に係る公害犯罪の処罰に関する法律（＝公害罪法）」3条の適用が見送られた。しかし，未熟練の見習い従業員を配置した直属の上司と製造課長については，この者が単独でバルブ操作をしないよう留意すべき安全教育を怠っていたとした。裁判所は，かような意味で管理・監督過失があるとして，業務上過失傷害罪の成立を認めている（日本アエロジル塩素ガス流出事件。最判昭和63・10・27刑集42巻8号1109頁）。

　管理・監督過失における注意義務は，現場担当者が過失で侵害結果を惹起することの予見義務と，こうした過失行為を回避する防止措置の徹底という「間接的な」結果回避義務からできている。たとえば，*Case 65*のように，およそ健康被害をもたらす危険な業種は別として，デパートやホテルの営業のような，通常は人身の危険を伴わない事業活動についても，かりに火災によって利用客が死傷したならば，経営者の管理・監督責任が発生することもある。およそ集客施設の管理者には，その場所が不特定多数人の出入りを予定すること，漏電や類焼などの火災原因が無数にありうるため，いったん火災が発生したとき，利用客に対して十分な安全措置を施しておく注意義務が課せられるからである（建物管理者の安全配慮義務）。

　たとえば，デパートビルの管理課長が，十分な防火措置を施さず，出火の際にも迅速な火災の通報を怠ったため，一酸化炭素中毒で多数の死傷者を出した事件にあって，複合ビルの防火管理者として安全体制の整備義務を怠った過失があるとされた（千日デパートビル火災事件。最決平成2・11・29刑集44巻8号871頁参照）。なるほど，社会生活上，およそ出火それ自体を阻止するのは困難である。そこで，直接の出火原因が自然現象または第三者の放火によるかを問わず（川治プリンスホテル火災事件。最決平成2・11・16刑集44巻8号744頁），こうした施設管理者には，出火した場合を想定して，大規模火災を阻止するための安全措置が義務づけられるのである。

❷ 管理・監督過失の理論に対する批判

1 予見可能性の存否 管理・監督過失の理論は，一部の論者から，被害者救済思想に基づく処罰権の不当な拡大であり，その限界が不明確であると批判されてきた。また，管理・監督者には，具体的予見可能性が欠けるという指摘もある。実際，管理・監督者の予見可能性は，現場担当者の過失を介した間接的・抽象的なものにとどまる。その意味で，個別的な因果経過を含む十分な予見可能性があったとはいえない。しかし，管理・監督者が，客観的に必要な結果防止措置を怠り，危険な状態を放置していたならば，侵害結果を予測させるだけの重要事実（危険構成事実）の認識があったというべきである。

通説・判例は，こうした危険構成事実の認識にかんがみて，定型的な構成要件事実の予見可能性があったと説明する。たとえば，旅館やホテルの経営者には，防火扉および防火区画を設置するなどの注意義務がある。実際，経営効率を優先した経営者が，これらの義務を怠ったことで，火災の際に煙・ガスの流入・拡大を防止できず，短時間で建物内に煙等が充満した結果，宿泊客や従業員らが一酸化中毒により死傷した事件があった。裁判所は，この経営者には，事前に防火扉や防火区画を設置するほか，作成した消防計画に基づく避難誘導訓練などを実施すべき注意義務があったとして，業務上過失致死傷罪の成立を認めた（前掲最決平成2・11・16）。このようにして，判例上は，法益侵害の程度（被害の重大性）とそれに対する結果予見・回避義務の範囲に応じて，組織内の人間関係や職務権限を考慮しながら，具体的な予見可能性の存否が決定されている。その意味で，管理・監督過失の理論を採用しただけで，ただちに注意義務の範囲が広がるわけではない。

2 大規模火災事故の刑事責任 過去，大規模火災事故で管理・監督責任が問われた判例は，客観的な防災設備の不備を重視する一方，結果予見義務違反については，「抽象的危険の認識」で足りるとした。この種の集客施設では，不特定多数人の出入りがあるため，ひとたび火災が発生したとき，建物内にいる多数の人間が死傷するおそれがある点では，直接の出火原因が何であれ，出火後の重大事故に至る因果経過の予見は十分にあったとされる。これに対して，旧過失論では，個別的客体ごとの予見可能性を要求するため，実際の出火原因やその後の詳細な因果経過に加えて，具体的な被害者の数までが予見可能性の対象となりかねない。

しかし，直接的な出火原因の予見可能性は，むしろ，（業務上）失火罪を認定す

る要素にあたる。その意味で，個別具体的な予見可能性を強調する立場は，失火罪の過失と業務上過失致死傷罪の過失を混同している。また，大規模火災事故では，出火後の死傷事故を防ぐ予防措置に関連する限度で因果経過の予見可能性が問題になっている。したがって，防火管理者が，防災設備の欠陥による死傷結果を認識していたならば，具体的な予見可能性を含む，刑法上の過失も認定できるのである。

> *Case 66*
> Xは，Nホテルを経営する会社の代表取締役社長として，Nホテルの経営全般や管理事務を統括する地位にあった。しかし，ある晩，宿泊客の寝たばこから，ホテルの客室で出火した際，スプリンクラー設備や防火区画などが設置されておらず，しかも，従業員の適切な初期消火活動や宿泊客らに対する避難誘導もなかったため，多数の宿泊客らが死傷した。

> *Case 66* では，経営者のXには，あらかじめ消防署の指導に従って各種の消火設備を整えたり，現場の防火管理者を指揮・監督して消防計画を作成するほか，これを従業員らに周知徹底させるなどの，防火管理体制を確立する注意義務があった。Xは，こうした注意義務を怠っており，業務上過失致死傷罪が成立するとされた（ホテルニュージャパン火災事件。最決平成5・11・25刑集47巻9号242頁）。

3 管理・監督過失の限界　*Case 66* では，不十分な防災管理体制のまま，ひとたび出火すれば大惨事になる状態で営業を継続していた。したがって，すでに危険のある場所（ホテル）内に宿泊客を招じ入れた点では，作為による過失犯さえ成立しうる。もっとも，従業員が故意に避難誘導をしないなど，第三者の故意・過失行為が介入した場合には，それにより拡大した被害について，当該結果に対する因果関係の存否が問題となる。また，刑罰による事後的救済には限界があるとはいえ，刑法は，犯罪の事後的処理だけでなく，同種の過失事件を防止するという使命を担っている。すなわち，刑法の犯罪予防機能（規制的機能など）に着目するならば，営業利益を優先して有害物質をたれ流した工場経営者や，重大な副作用を知りつつ人体に有害な医薬品を販売した製薬会社の責任者についても，民事法上の損害賠償だけでなく，過失犯の成立を認めることがある。

なお，管理・監督過失では，刑事責任を負うべき上位者に実質的な管理・監督権限がなければならない。したがって，営業中のデパートで火災が起きた際，多

数の買い物客が逃げ場を失って死傷した場合にも，ずさんな管理体制を放置した経営者が包括的な防火管理者であった以上，下位者である取締役人事部長には，取締役会の一員であるというだけで，管理・監督過失が認められるわけではない（大洋デパート火災事件。最決平成 3・11・14 刑集 45 巻 8 号 221 頁）。そのほか，温泉施設のガス爆発事故をめぐって，同施設の設計担当者が，温泉水から分離したメタンガス排出装置の設計変更に関する注意事項を，同施設の運営・管理会社に伝達しなかったことから，業務上の注意義務違反を認めた判例もある（最決平成 28・5・25 刑集 70 巻 5 号 117 頁）。

3 過失の競合と製造物責任

1 薬害エイズ事件と三菱自動車ハブ破損事件

　組織体内部の管理・監督過失と異なり，独立した複数の過失が競合する場合がある。すでに薬害エイズ事件では，危険な非加熱血液製剤を製造・販売した製薬会社幹部の責任とは別に，これを流通させた厚生省薬務局生物製剤課長（当時）の過失責任が問題となった（最決平成 20・3・3 刑集 62 巻 4 号 567 頁）。そこでは，薬務行政および社会生活上，薬品の使用に伴う公衆の危害を防止すべき注意義務があるにもかかわらず，HIV（ヒト免疫不全ウイルス）に汚染された血液製剤の流通を放置して，多数の患者らを HIV に感染させ，エイズ（後天性免疫不全症候群）の発症により死亡させた事実が，不作為の過失と認定されたのである（業務上過失致死罪）。

　また，自動車メーカーの製造物責任が問われた例として，トラックの走行中にハブが輪切り破損し，脱落したタイヤが歩行者に激突して死亡させた三菱自動車ハブ破損事件がある。同会社の担当者は，リコール実施のために必要な措置をとらないまま，運輸省（当時）に対して虚偽の報告をするなどして，強度不足のハブを装備した車両を放置していた。したがって，上記の死亡事故は，品質管理を担当する被告人らの過失に基づく危険の現実化にあたり，業務上過失致死傷罪が成立するとされた（最決平成 24・2・8 刑集 66 巻 4 号 200 頁）。

2 指導・監督責任と設置・管理責任

　そのほか，日航機ニアミス事件は，管制官の過失と乗客の傷害の間に第三者（機長）の過失が介在したため，因果関係の存否も問われるなど，複数の過失が競合した場合にあたる。具体的には，実地訓練中の航空管制官が便名を言い間違

えて降下指示を出した結果，異常接近状態（ニアミス）になった航空機の機長が機体を急降下させたところ，機内の搭乗客らが跳ね上げられて負傷したのである。ここでは，見習い管制官の誤った指示と衝突回避装置の警告に従わなかった機長の判断ミスが問題視された。裁判所によれば，上記機長が航空機衝突防止装置の上昇指示に従わなかった過誤があるとしても，管制官には適切な降下指示を与えて接触や衝突等を未然に防止する業務上の注意義務があり，しかも，部下の不適切な指示に気付かないまま是正しなかった上司にも，指導監督者として業務上の注意義務違反があったとする。そして，これらの過失が競合して本件事故に至った以上，両名に業務上過失傷害罪が成立するとされた（最決平成22・10・26刑集64巻7号1019頁）。

> *Case 67*
> 　人工砂浜の管理者であるXは，砂が海中に吸い出されるのを防ぐゴム製防砂板の破損により，各所で陥没が生じたのを認識していたが，何らの対策も講じなかったため，砂浜に遊びに来た子供が，砂層内にある空洞に生じた陥没孔に転落・埋没して死亡した。
>
> *Case 68*
> 　Yは，花火大会における雑踏警備の警察官を指揮する警察署地域官であり，Zは，民間の警備員を統括する警備会社支社長であったが，会場近くにある歩道橋で行き交う参集者らがつぎつぎと転倒した結果，いわゆる「群衆なだれ（雪崩）」によって多数の死傷者が発生した。

> 　*Case 67* では，人工砂浜の設置者および管理者の過失責任が問題になったところ，Xには，同じゴム製防砂板を設置した砂浜内に陥没があることを予想できた以上，本件死亡事故の予見可能性があったとした（明石市人工砂浜陥没事件。最決平成21・12・7刑集63巻11号2641頁）。また，同砂浜を管理する国土交通省の職員（姫路工事事務所工務第一課課長）についても，本件事故の発生を未然に防止すべき業務上の注意義務違反が認められた（最決平成26・7・22刑集68巻6号775頁）。
> 　他方，*Case 68* では，花火大会の企画担当者らと警備責任者の過失責任が問われた際，YとZはともに，死傷事故の発生を予見できたこと，機動隊に出動を要請するなどして本件事故を回避できた以上，当該結果の発生を未然に防止すべき業務上の注意義務を怠ったとして，各人が業務上過失致死傷罪にあたるとされた（明石市花火大会歩道橋事件。最決平成22・5・31刑集64巻4号447頁）。

その後，*Case 68* については，上記のY（地域官）と市警察署副署長の共犯関係が問題になった。強制起訴における指定弁護士は，副署長には，Yと共同し

て適切な警備計画を策定する義務があったと主張したが，最高裁は，それぞれが分担する役割が異なっており，共同の注意義務を負っていない以上，共同正犯は成立しないとした（最決平成28・7・12刑集70巻6号411頁）。

　さらに，JR西日本福知山線で起きた列車脱線転覆事故では，同社の歴代社長の刑事責任が問われたが，当該曲線で脱線転覆事故が生じる危険性を認識できなかったとして，業務上過失致死傷罪の成立が否定された（最決平成29・6・12刑集71巻5号315頁）。最高裁によれば，本件事故当時，他の鉄道会社でも，ATS（自動列車停止装置）未設置の曲線が多く，JR西日本のATS整備に関しては，鉄道本部長の判断に委ねられていた事情などが挙げられた。

7 違法性阻却

1 構成要件と違法性阻却

　犯罪は，構成要件に該当する違法で有責な行為である。したがって，構成要件（ある犯罪を規定する行為の類型⇒p.43の**1**）に該当する行為であっても，個別具体的に違法ではない場合には，犯罪とはならない。たとえば，人を負傷させることは，傷害罪（204条）の構成要件に該当する行為であるが，ナイフで切りかかってきた者を，一瞬早く蹴り倒し，負傷させた場合に，傷害罪が成立するわけではない（正当防衛となる）。このように，構成要件該当行為について原則的に肯定される違法性の存在を否定する特別な事情がある場合には，違法性がなくなり（違法性が阻却され），犯罪は成立しない。このような特別の事情を違法性阻却事由という。

　「犯罪の不成立及び刑の減免」の章（刑法典第1編第7章）に定められた刑法35条は，法令行為・正当業務行為を，36条（1項）は，正当防衛行為を，37条（1項）は，緊急避難行為を，それぞれ「罰しない」としているが，これらは，違法性阻却事由を定めたものであると一般に理解されている（これに対し，同じ「罰しない」とするものでも，38条〜41条は，〔主に〕責任に関する規定であると理解されている）。

2 違法性の実質

1 客観的違法論 —— 違法性と責任の区別

　それでは，違法性と何か。形式的には，法規範に反することである（形式的違法性）。

　法規範の論理構造をどのように解するかについては，主観的違法論と客観的違法論が存在する。まず，法規範を，個別具体的な人に対する命令規範であるとし，命令に違反することが違法となるという立場（主観的違法論）によると，命令に

従って行動する能力がない（責任能力がない）者に，違法な行為は存在しない。違法であるのに，責任がない行為は存在しないことになる。これに対して，命令するためには，その対象となる行為についての評価が明らかであることが前提となるという立場は，法規範は，命令規範（命令機能）と，すべての人に共通して妥当する評価規範（評価機能）を含み，評価規範は，命令規範の前提となる（論理的に先行する）とする。そして，評価規範に違反することが違法性であり，命令規範に反することが責任であるとする。このような見解によると，評価規範に違反する違法な行為をしても，命令に従って行動する能力がない者については，責任がないことになる。このように違法性と責任の区別を認める立場（客観的違法論）が，現在の通説的立場である。

2 結果無価値論と行為無価値論

1 法益侵害と規範違反

　違法性の実質（実質的違法性）がどのようなものであるかについては，法益（法的に保護に値する〔生活〕利益）を侵害することであるとする見方と，法規範の背後に存在するのは，国家・社会的倫理，道徳秩序，あるいは，社会生活秩序等の規範であるとして，このような規範に違反することであるとする見方とがありうる。

　刑法上の違法性は，刑法規範が事実に対して行っている否定的な評価の性質であり，刑法の目的・任務（刑法が何を目的としているか，その目的に従ってどのような行為を禁止しようとしているか）によって決められるとし，刑法の目的・任務は，法益の保護であり，法益を侵害する行為を禁止しようとする点にあると考える立場から，違法性の実質は，法益の侵害および（法益侵害の）危険という結果無価値であると解する見解を，結果無価値論という（物的違法論ともいう。人の行為とは結びつかない一定の物事そのものに対して違法評価を行う見解である）。これに対して，（刑法の目的・任務が，法益の保護にあることは否定しないとしても）違法性の実質を，規範違反に求める見解を，行為無価値論という（人的違法論ともいう。人の行為の規範違反性を違法評価の基礎とする見解である）。行為無価値とは必ずしも一義的ではないが，法益侵害またはその危険に還元しえない行為の動機，目的，態様（異常性や残虐性）等により判断される人的な行為の違法等をさす。もっとも，行為無価値論には，結果無価値に独立の意義を認めることなく，行為無価値だけが違法性の実質であるとする見解（行為無価値一元論）もあるが，少数であり，行為無

価値論の一般は，行為無価値と結果無価値の両方を考慮しようとする見解（折衷的行為無価値論，違法二元論等と呼ばれる）である。

2　判断の構造

　結果無価値論は，違法性を，基本的に客観的要素を対象として事後的に（裁判時を基準として，その時点において明らかになっている事実を基礎として）判断しようとするのに対し，行為無価値論は，違法性を，（客観的要素に限ることなく）主観的要素をも対象として事前的に（行為時を基準として，その時点において外形上認められる事実を基礎として）判断しようとする。結果無価値論は，主観的要素である故意（犯罪事実の認識）・過失（犯罪事実の認識可能性）が違法性に影響を与えることを基本的に否定するが，行為無価値論は，主観的要素である故意・過失が違法要素であることを認めるだけでなく，行為の目的，動機，態様等が一般に違法性に影響を与えることを認める。

　これまでの行為無価値論の多くは，結果無価値に加えて行為無価値を要求することによって，処罰が限定されることを強調しながら，実際はそうではなかった。結果無価値がなくなる（止揚される，あるいは，中性化される等とも表現される）だけでは違法性阻却を認めず，さらに行為無価値がなくなることをも要求することにより，行為無価値のみを理由に違法性が認められ，結果無価値だけを考慮するよりも違法性阻却が限定される，すなわち，処罰が拡張されることになると評価される。

　結果無価値論と行為無価値論の背景
　　行為無価値論に対して，結果無価値論は，刑法と倫理・道徳の峻別を説き，刑法における違法性を機能的・分析的に把握し，違法性判断の明確性を重視し，違法性と責任の区別の明確化を図る。ただ，現在の行為無価値論においては，必ずしも，違法の本質において倫理違反・道徳違反が強調されるわけではない。その有力な見解は，違法性は，行為時において国民に対して違法と適法の限界を明らかにすべきであるという提示機能・告知機能をもつべきであるから，行為時の判断が決定的であり，また，故意による行為は，そうでない行為に比べてより強く禁止する必要があることから，これを禁止する規範は，法益保護の見地から，過失による行為を禁止する規範とは区別されるべきである，よって，故意や過失は，違法性に影響を与える要素であるとする。

> **用語解説** 「無価値」の語義
>
> 　以上のように，結果無価値とは，結果を基礎とした違法のことをいう。行為無価値とは，（結果に還元されない）行為を基礎とした違法のことをいう。違法判断において，それぞれ，結果または行為に価値がない（意味がない）ことを指すわけではない。むしろ，結果または行為が規範が前提とする価値に反することを意味するのである。そこで，結果無価値，行為無価値ではなく，（必ずしも一般的ではないが）それぞれ結果反価値，行為反価値とも呼ばれる。

3　違法性阻却の原理

1　社会的相当性

　それでは，どのような考え方に従って，違法性阻却がなされるのであろうか。違法性阻却の一般原理（一般的な考え方）として，大別すると，行為が社会的に相当であることとする考え方と，法益性が欠如することと優越的利益が保全されることであるとする考え方とがこれまで主張されてきている。

　行為無価値論の立場からは，前者の考え方が採用される（後者の見解を併用することを認める見解もある）。これは，社会的相当性説と呼ばれる。もっとも，社会的相当性といっても，その内容が不明確で，また，抽象的にすぎることが問題である。これは，社会的に通常である（異常でない）ということを意味するわけではない。社会生活上たびたび行われることであるからといって，違法性がないことにはならない（制限速度を超過した自動車の運転等）。社会的に是認されることである（最決昭和53・5・31刑集32巻3号457頁参照⇒p.133の**1**）ということはできるであろうが，何が社会的に是認される行為であるのかが明らかでない。また，歴史的に形成された社会倫理秩序の枠内にあることをいうと表現されることがあるが，過去に例のない新しい行為については，違法性が阻却されることはないことになりかねない。

2　優越的・均衡的利益の保全

　結果無価値論の立場からは，後者の考え方が採用される。法益性が欠如するとは，行為によって侵害された法益が保護に値しない，すなわち，法益の要保護性

が失われることである。人の顔面を平手で殴打することは，暴行罪（208条）の構成要件に該当する行為であるが，たとえば，お金を払うことを条件に，相手の同意を得て，その顔面を平手で殴打した場合に，暴行罪が成立するわけではない。このような被害者の同意がある場合は，法益性が欠如するとして，違法性が阻却される（⇒ p. 138 の **5**）。もっとも，法益性が欠如する場合は，そもそも法益侵害自体が存在しないと解することが可能であり，そうすると行為の構成要件該当性それ自体が否定される。

また，優越的利益が保全されるとは，侵害された法益の要保護性（生じた法益侵害）を保全された法益の要保護性（回避された法益侵害）が上回ることである。しかし，違法性が阻却されるとは，違法性がなくなれば足りる（否定的評価がなくなればよく，積極的評価までなされる必要はない）から，侵害された法益の要保護性と保全された法益の要保護性が同等である（均衡する）ときには，違法性阻却を認めてよい。したがって，違法性阻却の原理としては，優越的利益の保全というよりは，優越的・均衡的利益の保全という方がよいであろう。このような理解は，優越的利益説と呼ばれるが，その意味で，優越的・均衡的利益説と表現することが可能であろう。緊急状況において，他に適切な方法が存在しなかったという要件の下で，ある法益を侵害したとき，生じた害が避けようとした害の程度を超えなかった場合に限り，違法性はないことを規定した緊急避難が，このような違法性阻却事由の典型である。

3 判例の考え方

1 社会的相当性

違法性阻却の枠組みとして，行為が正当な目的のための相当な手段であるか否かを問題とする見解があり，判例も基本的にこれを採用する。ただ，これは，手段を社会倫理観念に従って独立に評価の対象とすれば，*1* に述べた社会的相当性説と結びつき，手段となる法益侵害と目的となる法益保全との比較衡量を行うのであれば，*2* に述べた優越的・均衡的利益説と結びつきうる。

①最高裁判例は，新聞記者が女性の外務事務官との肉体関係を手段として秘密文書を持ち出させた場合について，「報道機関が取材の目的で公務員に対し秘密を漏示するようにそそのかしたからといつて，そのことだけで，直ちに当該行為の違法性が推定されるものと解するのは相当ではなく，報道機関が公務員に対し根気強く執拗に説得ないし要請を続けることは，それが真に報道の目的からでた

ものであり，その手段・方法が法秩序全体の精神に照らし相当なものとして社会観念上是認されるものである限りは，実質的に違法性を欠き正当な業務行為というべきである」が，取材の手段・方法が，「取材対象者の個人としての人格の尊厳を著しく蹂躙(じゅうりん)する等法秩序全体の精神に照らし社会観念上是認することのできない態様のものである場合」には正当な取材活動の範囲を逸脱し違法性を帯びるとし，国家公務員法上の秘密漏示のそそのかし罪の成立を肯定している（外務省秘密漏洩事件。最決昭和53・5・31刑集32巻3号457頁）。これは，社会的相当性を根拠として違法性が判断されることを示したものとされる。

また，②被害者の承諾（同意）がある場合の傷害罪の成否に関して，最高裁判例（最決昭和55・11・13刑集34巻6号396頁⇒p.139の**2**）は，違法性の有無は，承諾に基づく行為の全体を社会的相当性の見地から判断して，決すべきであるとしたものとされた。

2 判例に対する評価

違法性の実質を法益侵害またはその危険であるとする結果無価値論を基礎とし，法益性の欠如と優越的・均衡的利益の保全を違法性阻却の一般原理とする立場は，上のような判例の基本的な考え方に否定的である。

1に掲げた①の判例におけるような倫理的判断は，優越的・均衡的利益説からは疑問視される。また，公務上の秘密の保護を目的とする罪の違法性が，人格の尊厳の侵害によって基礎づけられることになっているが，人格の尊厳を保護するために秘密漏示のそそのかし罪を用いるのは妥当でない，違法性阻却の段階で問題とされるのは，構成要件該当性によって肯定された構成要件的不法（すなわち，法益の侵害・危殆化）がなくなるか否かであり，人権の尊厳の侵害は問題とされるべきでないと批判され，処罰を基礎づけえないはずの事実のみに基づいて処罰が基礎づけられることにより，罪刑法定主義の観点から問題があることが指摘される（また，②の判例に対する評価については，p.139の**2**参照）。

これに対して，社会倫理規範に違反することを違法性の実質とみる行為無価値論の立場からは，上のような判例の基本的な考え方が肯定されうる。

|発展学習| **行為無価値論からの評価**
行為無価値論には，同意による傷害行為は，その違法性が阻却されるには，国家・社会倫理規範に照らして相当でなければならず，同意を得たことの動機，目的の意味が考慮される必要があるとして，②の判例の判示をも基本的に支持しうるとする見解がある。

その一方，行為無価値論にも，法益侵害行為が，社会倫理秩序の枠内にあるという意味での社会的相当性を有する限り違法性は阻却されるとしつつ，法益侵害結果を惹起していない限り違法性がないとして，結果の法益侵害性から独立した行為の無価値を問うものではなく，優越的利益説と矛盾するものではないという見解もある。これは，被害者の同意による行為は，保護すべき法益が存在しないことから違法性が阻却され，同意による傷害については，生命に危険のある重大な傷害を除いて違法性が阻却されるとする。

4 実質的違法性阻却

1 刑法上の違法性

　刑法における違法性とは，犯罪の成立要件として，処罰するに足りるだけの性質・程度（処罰に値する質・量）のものでなければならない。これを可罰的違法性という。刑罰は，最も峻厳な制裁であるから，他の法領域において違法でないとされる行為は，基本的に刑法においても違法とされるべきではない。また，他の法領域において違法とされる行為であっても，刑法においてただちに違法とされるわけではない。その意味において違法性は相対的なものである。

　最高裁は，かつて，当時の公労法（公共企業体等労働関係法）17条1項に違反する争議行為に際して行われた構成要件該当行為について，「争議行為を禁止され争議権自体を否定されている以上，その争議行為について正当性の限界如何を論ずる余地はな」いとしていた（国労檜山丸事件。最判昭和38・3・15刑集17巻2号23頁）。これは，他の法領域において違法とされる行為は，刑法上も違法であるという，違法の相対性を否定する見解（違法一元論と呼ばれる）に立つものであったが，その後，公労法違反の争議行為についても，労組法1条1項の目的を達成するためのものであり，不当性を伴わない場合には，刑事制裁の対象とならないとした（東京中郵事件。最大判昭和41・10・26刑集20巻8号901頁。国労檜山丸事件判決を変更した）。もっとも，最高裁は，これをまた変更した。すなわち，「公労法17条1項違反の争議行為についても労組法1条2項の適用があり，原則としてその刑事法上の違法性が阻却されるとした点において」変更を免れないとの判断を示すこととなったのである（名古屋中郵事件。最大判昭和52・5・4刑集31巻3号182頁）。しかし，当初のような見解に戻ったわけではなく，この判決は，「刑罰は国家が科する最も峻厳な制裁であるから，それにふさわしい違法性の存在が要求されることは当然であろう」と述べている。

　また，違法の相対性は，他の法領域と刑法の間において肯定されるだけではな

く，刑法の領域の内部においてもみられる。医師の資格を有しない者が，患者の同意を得て患者に適切な内容の手術を行った場合，医師法違反の罪を構成しても，傷害罪の違法性は阻却されることがありえよう。

> **用語解説　違法一元論と違法多元論**
>
> 　法秩序の統一性により，違法の相対性を否定する違法一元論に対して，行為が違法か否かは法領域ごとに異なるわけではない（そうでなければ，他の法領域において許容される行為が，刑法において違法であるとして処罰される可能性が生じる）が，違法であっても，犯罪が予定する質量の違法性（可罰的違法性）はないことがあるとするやわらかな違法一元論と呼ばれる見解と，違法か否かは法領域ごとに異なることを正面から認めて違法の相対性を肯定する違法多元論と呼ばれる見解がある。違法多元論が，他の法領域において許容される行為は，刑法においても違法であるとされるべきでないことを認めるのであれば，やわらかな違法一元論との間の実際的な相違は大きくないといえよう。

2　可罰的違法性

1　実践的意味

　処罰するに足りるだけの性質・程度の違法性である可罰的違法性がなければならないとする考え方は，一定の実践的な意味をもっている（これは，狭義の可罰的違法性と呼ばれる）。行為が，（形式的には）構成要件に該当し，違法性阻却事由も存在しない場合でも，可罰的違法性を欠くとして犯罪の成立を否定するのである。これには，違法性が軽微なため，構成要件該当性自体を否定する場合（絶対的軽微型）と，構成要件該当性は否定できないが，行為によって保全される利益等を勘案すれば処罰するには足りない程度に違法性が減少する場合（相対的軽微型）の2つの類型がある。

2　絶対的軽微型

　行為の違法性（規範違反性や法益侵害性）が，極めて軽微な場合には，構成要件該当性自体が否定される。たとえば，他人のティッシュペーパー1枚を盗んだ場合，窃盗罪が成立するようにみえるが，これは，財産上の価値が小さいから，窃盗罪における財物にあたらず，窃盗罪は成立しないと解される。判例でもこのよ

うな考え方は認められていると思われる。基本的には，適用の可否が問題となる刑罰法規の法定刑（の下限）の軽重に応じて，当該構成要件が予定している違法性の軽重を観念することができ，法定刑（の下限）が軽いと，構成要件該当性が否定される範囲も狭くなるとされやすい。

> **発展学習** 　一厘事件
> 　判例は，たとえば，煙草耕作人が，当時の価格で1厘（1円の1,000分の1）相当の葉煙草を国に納付することなく，自ら消費したというたばこ専売法違反事件（一厘事件）について，「零細ナル反法行為」は，「共同生活上ノ観念ニ於テ刑罰ノ制裁ノ下ニ法律ノ保護ヲ要求スヘキ法益ノ侵害ト認メサル以上」刑罰を加える必要がないとして，犯罪の成立を否定した（大判明治43・10・11刑録16輯1620頁）。旅館業を営む者が，宿泊客のために煙草を買い置き，客の求めに応じて交付し，定価を受け取ったというたばこ専売法違反事件（旅館たばこ買置き事件）についても，「法制定の趣旨，目的に反するものではなく，社会共同生活の上において許容さるべき行為」であるから，販売または販売の準備にあたらないとした（最判昭和32・3・28刑集11巻3号1275頁）。

Case 69
Xは，Aの手さげ袋内から，パンフレット2通在中の封筒を抜き取った。

> *Case 69*について，この物は，広告用のもので，誰でも自由に入手することができるものであり，被害者もさほど価値を認めていなかったことから，「窃盗罪の客体である財物として保護するに値しないと解する」とした裁判例がある（東京高判昭和54・3・29判時977号136頁）。

Case 70
Xは，相手方が電話を無料でかけることを可能とするマジックホンという機器を加入電話回線に取り付けたが，ただ1回通話を試みただけでこれを取り外した。

> *Case 70*については，最高裁は，ただ1回通話を試みただけでこの機器を取り外した等の事情があったにせよ，行為の違法性が否定されるものではないとした原判決の判断を相当として，偽計業務妨害罪の成立を肯定した（マジックホン事件。最決昭和61・6・24刑集40巻4号292頁）。偽計業務妨害罪を抽象的危険犯と理解することによって，被害の軽微性を理由とした可罰的違法性の否定がなされなかったとはいえようが，最高裁決定には反対意見があった。

3 相対的軽微型

可罰的違法性までは認められない程度に違法性が減少する（したがって実質的違法性阻却が認められる）か否かをどのように判断するかが問題である。

最高裁は，違法性阻却事由があるか，あるいは，刑法上の違法性があるか（可罰的違法性があるか）の判断にあたって，行為の動機目的，具体的態様，周囲の客観的状況その他諸般の事情を考慮に入れ，それが「法秩序全体の見地から」許容されるべきものであるか否かを判定するという枠組みを採用している（最大判昭和48・4・25刑集27巻3号418頁，最判昭和50・8・27刑集29巻7号442頁，最判昭和50・11・25刑集29巻10号928頁）。このような枠組みに従って，労働事件において犯罪の成立を否定することに消極的な態度を示した。

学説においては，優越的・均衡的利益説から，保全された法益と侵害された法益の要保護性を比較衡量することによって判断すべきことが主張される。優越的・均衡的利益の保全という観点からその典型であるとされる緊急避難は，緊急状況において保全された法益と侵害された法益の均衡と行為の補充性を要件として，その正当性が肯定されることにかんがみると，具体的には，このような要件をみたさない行為が，どの程度緊急的な状況においてなされたのか，法益を保全するためどの程度必要であったのか，また，相当であったのかが考慮要素とされることになろう。

5 被害者の同意

1 違法性阻却と構成要件該当性不存在

被害者の同意（ないし承諾）は，犯罪の成立を否定する効果を有しうる。法益侵害に対して法益主体である被害者が有効な同意を与え，法益保護を放棄することにより，当該法益の法益性ないし要保護性が失われ，犯罪の成立が否定される。法益は，法益主体のために保護されているのであるから，法益主体の意思に反してまでその法益を保護する必要はない。被害者の同意は，自己決定の自由の尊重に支えられているものであるということができる。法益性の欠如を理由とする違法性阻却事由ではあるが，そもそも法益侵害の存在が否定され，構成要件該当性自体が否定されると解してよい。

> **補論** 違法性阻却事由の一要素
> 　行為無価値論の立場から，被害者の同意を違法性阻却事由の一要素と解し，被害者の同意があっても，国家・社会的倫理規範に照らして，あるいは，社会的に相当である場合にのみ，違法性が阻却されるとする見解が主張される。しかし，法益は，法益主体のために保護されているのであるから，法益主体が自由に処分した以上，法益を保護する必要がなくなると考えると，結果無価値は存在しないのに，行為無価値だけで処罰することとなり，妥当でないと思われる。

　法益主体である被害者の同意の有無は，基本的には個人的法益に対する罪の場合に問題となる（社会・国家の構成員すべてが同意することはありえないため，社会的法益・国家的法益に対する罪の場合，同意によって違法性が阻却されることは，基本的にはない）。個人的法益のうち自由，財産を客体とする犯罪では，被害者の同意は，構成要件該当性自体を否定する（住居侵入罪〔130条〕，強制わいせつ罪〔176条前段〕，強制性交等罪〔177条前段〕，逮捕監禁罪〔220条〕，窃盗罪〔235条〕等）。一方，生命を客体とするときには，違法性を完全に阻却することはなく，同意があってもなお犯罪が成立する（同意殺人罪〔202条〕）。

2　傷害罪と同意

　個人的法益のうち，生命と自由・財産のいわば中間に位置する身体を客体とする傷害罪（204条）の成否にとって，同意はどのような意味をもつのだろうか（同意に基づく暴行の場合は，実際には，それにより死亡結果が生じた場合，傷害致死罪が成立するか，過失致死罪の成立にとどまるかが問題とされている）。

　同意に基づく傷害について，学説上は，①国家・社会的倫理規範に照らして，あるいは，社会的に相当である場合にのみ，違法性が阻却される（たとえば，やくざの指つめは，公序良俗に反するものであり，違法性は阻却されない。仙台地石巻支判昭和62・2・18判時1249号145頁参照）とする見解のほかに，②結果無価値論の立場から，法益主体の自己決定権を最大限に尊重し，身体は，個人の処分しうる法益であるから常に違法性が阻却される（構成要件該当性が否定される）とする見解，さらに，③生命の危険を生じるような重大な傷害のときは違法性が阻却されないとする見解，④手足の切断のような身体の重要部分についての回復不可能な傷害のときは違法性は阻却されないとする見解等が主張される。

Case 71
　Xは，Yと共謀の上，自動車衝突事故であるかのように装って保険金を詐取する

目的で，Yの同意を得てYに傷害を与えた。

最高裁は，同意（承諾）がある場合の傷害罪の成否は，「単に承諾が存在するという事実だけでなく，右承諾を得た動機，目的，身体傷害の手段，方法，損傷の部位，程度など諸般の事情を照らし合せて決すべきものである」とし，*Case 71*のような場合について，承諾は，「違法な目的に利用するために得られた違法なものであって，これによって当該傷害行為の違法性を阻却するものではない」とした（最決昭和55・11・13刑集34巻6号396頁⇒p. 134の）。これは，違法性の有無を，承諾に基づく行為の全体を社会的相当性の見地から判断して，決すべきであるとしたものと解された。しかし，同意の意義を違法性阻却判断の一要素として相対化し，人の身体を保護する傷害罪の違法性を詐欺罪の目的により基礎づけており，財産権を保護するために傷害罪を用いているが，それは妥当でないという批判がなされている。

発展学習　同意に基づく傷害についての各見解の意義

②は，結果無価値論の立場を徹底するものである。ⓐ生命を客体とする同意殺人罪があるのとは異なり，同意傷害罪の処罰規定は存在しない上，ⓑ同意殺人罪の法定刑の上限が拘禁刑（懲役）7年であるのに対し，同意傷害を処罰するとすれば，傷害罪の規定によることとなり，法定刑の上限が拘禁刑（懲役）15年であるから，より重く処罰されうるのは，不均衡であるという理由による。しかし，このように徹底する見解は少数にとどまる。③は，刑法は，同意殺人未遂を処罰の対象としており（202条・203条），生命侵害の危険について同意が違法性を阻却しないものとしているから，生命に危険のある重大な傷害についても同意が違法性を阻却しないと解する。さらに，④は，生命は，自己決定の不可欠の存立基盤であるから，（意思決定の自由と行動の自由から構成される）自己決定の自由を絶対的に回復不可能とする生命侵害については，同意が違法性を阻却することはないという理解を基礎として，自己決定の自由のうちの行動の自由を回復不可能にする重大な傷害についても，同意が違法性を阻却しないとするものであり，このような見解によると，精神に回復不可能な異常を及ぼすような傷害についても，意思決定の自由を回復不可能にするとして，同意が違法性を阻却しないことになる。③や④の見解は，同意がそのような傷害の違法性を阻却するまでには至らないが，減少させることは肯定してよいため，同意傷害は，同意殺人罪との均衡上，その法定刑の範囲（7年以下の拘禁刑〔懲役〕）を超えて処罰することはできないと解釈する。

3　同意の要件

1　同意能力と対象

同意が有効であるためには，同意能力を有する法益主体による，真意に基づく自由な同意であることが必要である。

同意能力について，どの程度の精神能力が必要であるかは，法益侵害の種類・程度等によって異なって解する必要がある。判例においては，被害者が，5歳11

か月の幼児で、いまだ自殺の何たるかを理解する能力を有せず、よって自己を殺害することに同意する適格がないとされた例（大判昭和9・8・27刑集13巻1086頁）、被害者が、通常の意思能力もなく、自殺の何たるかを理解しない者であるとされた例（最決昭和27・2・21刑集6巻2号275頁）について、刑法202条の罪ではなく、殺人罪の成立が肯定されている。

　同意は、法益侵害行為と結果を対象とすることが必要であるとされる。法益侵害の危険のある行為に同意していても、結果発生の認識がなかった場合には、同意があったとはいえない（酩酊した友人が運転する自動車に同乗することに同意したとしても、通常は、飲酒運転による事故によって傷害を負うことについてまで同意しているとはいえない。このような場合は、危険の引受けと呼ばれる問題領域において扱われる。なお、p.122の 発展学習 を参照）。

　同意があるというためには、対象について認識がなければならない。単に認識しているだけでは足りないが、結果発生を希望・意欲していたことまでは必要でない（大阪高判平成10・7・16判時1647号156頁）。意思的要素として結果発生をやむをえない、仕方がないとして受け入れる消極的容認・甘受とも表現すべきものが必要であろう。

2　同意の存在

　同意は、一般には、行為の時点において存在することが必要であるとされる。しかし、結果無価値論の立場からは、法益侵害結果発生の時点において存在することが必要であり、それで足りる。法益が保護されることを放棄するのが同意であるから、法益が侵害される時点において必要である。

　同意は、法益保護を放棄する意思が存在するだけでは足りず、表示される必要があるという見解（意思表示説＝意思表示必要説）と、その意思が存在すれば足り、表示される必要はないという見解（意思方向説＝意思表示不要説）がある。では、違法性が阻却されるためには、行為者が同意を認識している必要があるか。偶然防衛についてその要否が問われる防衛の意思（⇒p.157 の 3）と同様に、行為無価値論の立場からは、主観的正当化要素として、同意の認識が必要であり、存在しない限り既遂犯が成立するとされることが多い。結果無価値論の立場からは、客観的に同意が存在すれば、違法性は阻却されるとし、同意について認識は不要である（法益侵害結果について既遂犯は成立しない）。しかし、（法益侵害結果が発生する可能性があったことを理由として）未遂犯の成立は認める余地があるとされる。

4 瑕疵ある同意

1 抑圧された意思による同意

同意に瑕疵があるとき，どのような場合に無効となるのであろうか。

暴行・脅迫によって被害者がその意思を抑圧された状態でした同意は無効となりうる。どの程度抑圧されると無効となるかが問題となるが，強制されて自由な意思決定を欠く場合には同意は無効となる（広島高判昭和29・6・30判時33号23頁は，「自殺者の意思決定の自由を阻却する程度の」威迫を加えて他人を自殺せしめたときは，もはや自殺関与罪でなく殺人罪が成立するとする）。もっとも，同意が無効となるには，意思決定の自由を完全に失うことまでは必要でないものと解される。

> *Case 72*
> Xは，事故を装いAを自殺させて保険金を取得する目的で，極度に畏怖していたAに対し，暴行・脅迫を交えつつ執ように要求して，Xの命令に応じて車ごと海中に飛び込む以外の行為を選択することができない精神状態に陥らせて，岸壁から車ごと海に転落させた。しかし，Aは水没する自動車から脱出して死亡を免れた。

> *Case 72*について，最高裁は，殺人未遂罪の成立を肯定した（最決平成16・1・20刑集58巻1号1頁）。これは，（被害者に自殺する気持ちはなかったが）被告人がその気持ちがあると認識していたときにも，被害者に対し死亡の現実的危険性の高い行為を強いたこと自体については，何ら認識に欠けるところはなかったのであるから，殺人罪の故意は否定されないとする。このことは，かりに被害者に自殺の意思があったとしても，（自殺関与罪ではなく）なお殺人罪が成立することを意味するから，自殺の意思が無効であったことを認めるものであり，本件事案における程度の抑圧があれば足りるとの考え方が示されている。そこで，被害者が絶対的強制下に陥ったり，意思決定の自由を完全に失ったりしていなくても，被害者が自殺する以外の行為を選択することができない精神状態にされた場合にも同意は無効となるということができる。

2 錯誤による同意

被害者が欺罔によって（欺かれて）錯誤に基づいて同意をした場合はどうであろうか。

判例は，被告人は，被害者の女性が自己を熱愛し，追死してくれるものと信じていることを奇貨として，追死する意思がないのに，あるかのように装い，同女

を誤信させ，毒薬を与えて飲ませ，中毒死させた事案について，被害者は，被告人の欺罔の結果被告人の追死を予期して死を決意したものであり，その決意は「真意に添わない重大な瑕疵ある意思」であるとして，殺人罪の成立を認めた（最判昭和33・11・21刑集12巻15号3519頁。福岡高宮崎支判平成1・3・24判タ718号226頁参照）。これは，もし錯誤がなければ同意はなされなかったであろう（という条件関係が認められる）場合には，その同意は真意に添わない重大な瑕疵のある意思であり，無効であるという考え方を明らかにしたものである。従来からの有力説もこうした判例の立場によっている。さらに，判例は，住居侵入罪（130条），監禁罪（220条）等の場合も含めて，広く，欺罔による錯誤の結果得られた同意は，欺罔・錯誤の性質を問うことなく，無効であるとすることが指摘される。

　しかし，行為の法益侵害性そのものに誤認はなく，単にその動機に関して錯誤があるにすぎない場合には同意は有効であるとする考え方から，上のような事案について自殺関与罪のみを認める見解が主張された。さらに，法益に関係ない錯誤によって同意の有効性は失われず，同意を無効とする錯誤は，法益に関係した錯誤だけであるとする法益関係的錯誤説が主張され，支持を広げている。

> *Case 73*
> Xは，金を払うからと偽ってAの同意を得て，その頭を殴った。

> *Case 73* について，法益関係的錯誤説によると，身体に対して有形力が行使されることについてはAに錯誤がなかった以上，殴られることへの同意は有効で，金を受け取ることができないのであれば頭を殴られることに同意をしなかったという場合であったとしても，暴行罪は成立せず，詐欺罪の成否しか問題とならないとする。

　この見解は，もし，ある構成要件の保護法益と無関係な利益についての欺罔行為を，錯誤に基づく同意を無効にすることを通じて当該構成要件で処罰するならば，実質的にはその法益を錯誤が関係する別の法益に変換することになる（これは，刑法が構成要件ごとに保護法益を区別して規定している趣旨に反する），あるいは，欺かれない（だまされない）という意思の自由一般を保護することになってしまうというのである。法益関係的錯誤説によると，侵害の内容を認識していなかった場合と，法益の価値・要保護性について認識していなかった場合には，同意は，法益関係的錯誤に基づくもので無効である（たとえば，患者が医師によって〔単なる

胃潰瘍であるのに〕胃がんであると欺かれ，同意の上，胃の不必要な切除手術を受けたような場合，医師の行為は傷害罪となる）。

　緊急状況に関する錯誤
　ライオンが檻から逃げ出して人に危害を加えそうになっているとライオンの飼い主を欺罔して，その同意を得て，ライオンを殺した場合（器物損壊罪〔261条〕の成否が問題となる），あるいは，偽造された捜索令状を適法なものであるかのように装って示し，住居権者の同意を得てその住居に立ち入った場合（住居侵入罪の成否が問題となる）は，かりに，そのような事実が真実であったとすれば，同意の有無にかかわりなく，法益を侵害することが正当化される（正当防衛か緊急避難，あるいは，法令行為），すなわち，法益の価値・要保護性が減少することとなるのであり，その意味において被害者の錯誤は，法益関係的であるとされる。一方，子供の命を救うためには腎臓移植が必要であると親を欺罔して，その同意を得て，腎臓を摘出した場合（傷害罪の成否が問題となる）は，法益関係的錯誤であるとはいえない（しかし，腎臓を提供しないと子供を殺すと脅迫して親から摘出の同意を得たような場合と同様に，本来制約されていない自由を制約して同意を得たのであるから，同意を得た過程の客観的評価により，自由でないとして同意を無効とすることができる）とされる。

5　推定的同意

　法益主体である被害者が法益侵害について現実に同意を与えていないが，もし事態を認識していたならば，同意をしたであろうということが違法性阻却事由となるか。これが，推定的同意と呼ばれる問題であり，被害者の同意の延長線上に位置する問題である。事前に被害者の包括的同意があるときには，（現実の同意があるとして）推定的同意を問題とすることなく違法性阻却を肯定することができる。一方，現実の同意を得ることができるときには，推定的同意による違法性阻却事由は認められないとして，違法性阻却の要件として，現実の同意を得ることが実際上不可能であること（補充性）が求められるというのが一般である。推定的同意による法益侵害行為の違法性が阻却されるのは，社会的相当性があるからだとされるほかに，被害者の意思方向に合致する事前の高度の客観的蓋然性の存在によって，事後的に明らかになるであろう法益主体の意思に反する行為をする危険を冒すことが許される（一種の許された危険），あるいは，（少なくとも中長期的には）法益主体の利益となり，ひいては，社会連帯，相互扶助の精神の発展により，社会全体の利益になるから，優越的・均衡的利益説に基づいて行為の違法性が阻却されると説明されたりする。

　推定的同意がある場合として，①法益主体の利益のために法益侵害行為をする

場合(たとえば，水道の蛇口から溢れ出る水を止めるため，留守中の隣家に立ち入る場合に住居侵入罪が成立するか，医師が，意識を喪失した患者の救命のため緊急手術を行う場合に傷害罪が成立するか)と，②法益主体以外(自己または第三者)の利益のために法益侵害行為をする場合(たとえば，友人の不在の間に，たばこを吸うために一本もらう場合に窃盗罪が成立するか)が挙げられる。

当該事態を客観的・合理的に判断して，被害者が同意を与えたであろうということができるときには，違法性阻却が肯定される。ここでは，被害者の立場，被害者の意思方向に従ってこのような推定をすることができるか否かが問われる(一般人がどのように考えるかではなく，被害者がどのように考えるかが問われる)。事後的に，法益侵害行為が被害者の意思に反していたことが明らかになった場合であっても，違法性阻却は認められるとするのが一般である(これに対して，法益主体の意思に関する行為者の判断の誤りのリスクは，現実の同意に基づかずに行為をする行為者側が負担すべきものであるとして，このような場合には，違法性阻却は認められないという見解も存在する)。

6 正当行為

1 法令行為

刑法35条は，「法令又は正当な業務による行為は，罰しない」と規定し，法令による行為，または，正当な業務による行為は，違法性が阻却されるものであることを定めている。前者の法令行為と後者の正当業務行為をあわせて，正当行為という。

法令行為とは，法令により許され，または，命じられている行為である。他の法令によって適法とされる行為は刑法上も違法でないとされたものであるということができる。死刑・自由刑の執行(11条～13条等)，裁判官の発した逮捕状による逮捕(刑訴199条)，私人による現行犯逮捕(刑訴213条)，人工妊娠中絶(母体保護14条)，勝馬投票券(馬券)の発売(競馬法)等がその例である。

法令の規定の要件の明確さが乏しくなると，違法性阻却の一般原理に照らして，行為の違法性が阻却されるかが具体的に問題となる。たとえば，親権者あるいは教員による懲戒(民822条，学校教育11条参照)のような場合である(違法性阻却を肯定したものとして，東京高判昭56・4・1判時1007号133頁，否定したものとして，最判昭和33・4・3集刑124号31頁，東京高判昭和35・2・13下刑集2巻2号113頁)。

2 正当業務行為

1 業務の意義

業務とは，社会生活上反復継続して行われる事務のことをいうとされる。ただ，正当な業務と因果関係のある行為すべての違法性が阻却されるわけではない。

> *Case 74*
> 医師Xは，誤った治療をして患者Aを死亡させた。

免許を受けた医師の治療行為がすべて違法性を阻却されるわけではないのである。*Case 74* の場合，Xには，業務上過失致死罪が成立する。

むしろ，違法性が阻却されるのは，業務上正当な行為であるというべきことになる。業務については，行為準則が確立しており，これに従った行為は，類型的にその正当性を判断することができるという点に，35条が業務上の行為に限定する意味はあるとされる。

正当業務行為にあたることが肯定される類型として，従来から医療行為，スポーツ競技，取材活動，労働争議等が挙げられている。もっとも，業務であるから違法性が阻却されるのではないから，業務としてなされるか否かは，違法性阻却にとって重要な意味をもたないということもできる。そうだとすると，正当業務行為の規定は，正当な行為は違法性が阻却されることを規定したものとなり，この適用に際して，正面から行為の違法性が阻却されるか否かが問われる。広く違法性が阻却される場合に条文上の根拠を与えたものとなるから，超法規的な違法性阻却を認める必要はなくなるのである。被害者の同意により違法性が阻却される場合も，ここに位置づけることが可能となる。

2 医療行為

医療行為は，患者の利益のために行われる。医師が行う治療行為は，患者の身体への侵襲（侵害）を伴うものであり，暴行罪や傷害罪の構成要件に該当しうる。行為が，医学的適応性（治療行為が，患者の生命の維持，健康の回復・増進にとって必要であること）と医術的正当性（治療行為が，医術の水準に従ってなされること）を有するものでなければならないが，それでも，医師が患者の意思に反する治療を行

った場合（専断的治療行為）には，違法性が阻却されない。治療行為が，医学的適応性と医術的正当性をもつため，患者の利益となると考えられる選択肢の1つであっても，これによって保全される利益と侵害される利益は，同一の法益主体である患者の利益であり，患者がこれらの利益の優劣を決するから，患者の健康の回復という利益があっても，患者がその身体への侵襲に同意しない限り，基本的には違法性は阻却されないのである（ただ，学説は，やくざの指つめ等一般の同意の有無が問われる場合とは異なり，健康の改善という客観的な利益が一方で存在している場合であるから，同意の要件を緩やかに考えてよいとする）。患者が自己決定権を行使し，その同意（インフォームド・コンセント。十分な説明とこれに基づく同意）の下に，治療行為がなされれば，違法性が阻却される。

 患者の推定的同意
　患者が意識を失っているため現実の同意をすることができないときや，詳しい病状や治療・手術・回復可能性の説明をすることが患者の病状をかえって悪化させると判断されるときには，その事情を知ったならば拒絶をしなかったであろうという患者の推定的同意が認められる場合に，これによって治療行為の違法性が阻却される。

3　尊厳死と安楽死

　人を殺害することは，同意を得ていてもなお同意殺人罪として可罰的である。しかし，死期が迫り，回復する見込みがない患者に対して，人としての尊厳を維持するために治療（延命措置）を中止すること（尊厳死），あるいは，耐えられない苦痛を緩和・除去するためにその生命を短縮すること（安楽死）について，違法性が阻却されるであろうか（または，期待可能性がないとして責任が阻却されるであろうか）。安楽死は，治療行為を中止するもの（消極的安楽死），（鎮静剤の投与等）苦痛を除去・緩和するための措置が，死期を早める可能性があるもの（間接的安楽死），（筋弛緩剤の投与等）苦痛を除去するため生命を絶つこと（積極的安楽死）に一応分けて議論されている。

 治療行為中止の正当化根拠と要件
　尊厳死については，意味のない治療を打ち切って人間としての尊厳を保って自然な死を迎えたいという患者の自己決定権の理論と，意味のない治療行為を行うことは義務ではないという医師の治療義務の限界を根拠として，①治癒不可能な病気に冒され，回復の見込みがなく，死が避けられない末期状態にあることと，②治療行為の中止を求める患者の意思表示がある（または推定的意思がある）ことが違法性阻却の要件であるとする裁判例がある（横浜地判平成7・3・28判時1530号28頁。横浜地判平成17・3・25判時1909号130頁〔川崎協同病院事件〕，東京高判平成19・2・28判タ1237号153頁〔同事件〕参

照)。また，最高裁は，こん睡状態にあった患者である被害者から，気道確保のため挿入されていた気管内チューブを抜管した医師の行為について，被害者の回復可能性や余命について的確な判断を下せる状況にはなかったもので，被害者の推定的意思に基づくということもできないから，許容される治療中止にはあたらないとして，この行為を，筋弛緩剤を投与した行為と併せ殺人行為を構成すると判断した（川崎協同病院事件。最決平成21・12・7刑集63巻11号1899頁）。なお，書面等の形で記録化された患者の事前の意思（リビング・ウィル）も，患者の意思の確認のための手がかりとなる。消極的安楽死，間接的安楽死も，患者の意思に従う限り違法性が阻却されると解するのが一般である。

積極的安楽死に関しては，父親に毒入り牛乳を飲ませて死亡させた事案について，名古屋高裁判決がある。①不治の病で死が目前に迫っていること，②病者の苦痛が甚だしく，何人もみるに忍びない程度であること，③もっぱら病者の死苦の緩和の目的でなされたこと，④病者が意思を表明できる場合は本人の真摯な嘱託または承諾があること，⑤原則として医師の手によること，⑥その方法が倫理的にも妥当なものとして容認しうるものであることという6つの要件を示した（名古屋高判昭和37・12・22判時324号11頁。事案について，⑤と⑥が欠けるとして同意殺人罪の成立を肯定した）。

医師の手による安楽死をはじめてとりあげた東海大学病院事件判決は，苦痛から免れるため他に代替手段がなく生命を犠牲にすることの選択も許されてよいという緊急避難の法理と，その選択を患者の自己決定に委ねるという自己決定権の理論を根拠として，①耐えがたい激しい肉体的苦痛に苦しんでいること，②死が避けられず，死期が迫っていること，③肉体的苦痛を除去・緩和するために方法を尽くし他に代替手段がないこと，④生命の短縮を承諾する患者の明示の意思表示がある（間接的安楽死と異なり，患者の推定的意思では足りない）ことを要件として挙げている（前掲横浜地判平成7・3・28。医師が，患者の長男から強く要求され，心停止をひき起こす作用のある塩化カリウム等を注射した事案について，①，③，④の要件がなかったとし，殺人罪の成立を肯定した）。方法の倫理的妥当性を要件に挙げていないこと（名古屋高裁判決⑥参照），患者の明示の意思表示（横浜地裁判決④参照）を要求していることが名古屋高裁判決と異なる。もっとも，後者の点については，医師が代替手段を尽くした最後の段階では，患者が明示の意思表示をすることは不可能であり，事実上積極的安楽死の違法性が阻却されることはないという評価も受けている。

4 スポーツ競技

一定の競技ルールに従ってなされる限り，基本的には被害者の同意によって違法性の阻却が認められる。ボクシング，レスリング等において，暴行罪や傷害罪は成立しない。

5 労働争議

勤労者の争議権は，憲法上保障され（憲28条），正当な争議行為については，刑法35条の規定が適用されると労組法（1条2項）が定める。争議行為が，威力業務妨害罪（刑234条），建造物侵入罪等の構成要件に該当しても，違法性が阻却されうる。

なお，労組法は，同時に，「いかなる場合においても，暴力の行使は，労働組合の正当な行為と解釈されてはならない」と定める（1条2項ただし書）。これは，行為が暴行罪の構成要件に該当する以上，刑法35条の適用が排除され，違法性が阻却される余地はないとする規定であるかのようにみえるが，そうではない。争議行為が，一定の不法な「暴力の行使」であると認められる場合には，違法性は阻却されないことを注意的に規定したものであろう。

最高裁は，「争議行為に際して行なわれた犯罪構成要件該当行為について刑法上の違法性阻却事由の有無を判断するにあたっては，その行為が争議行為に際して行われたものであるという事実をも含めて，当該行為の具体的状況その他諸般の事情を考慮に入れ，それが法秩序全体の見地から許容されるべきものであるか否かを判定しなければならない」としている（前掲最大判昭和48・4・25⇒p.138の**3**）。

6 取材活動

新聞やラジオ・テレビ等の報道機関による取材活動は，国民の知る権利に資するものであるから，憲法の保障する表現の自由（21条）の一部として保護を受ける。そこで，一定の場合には，違法性が阻却されうる（前掲最決昭和53・5・31⇒p.133の**3**）。

緊急行為

1 緊急行為の特質

　法の世界には「自力救済の禁止」という原則がある。すなわち，法治国家では，権利や利益の保全・回復は，自らの実力によって実現するのではなく，法に基づく救済を国家に求める形で実現されなければならない。しかし，そのような暇がない場合，現在只今なら容易に保全できる法益なのに，手続を踏んでいては回復困難・不可能になってしまうというときに，例外を許さないわけではない。また，法益侵害の危険に直面して自己防衛の行動に出るのはやむをえないことが多い。違法性阻却事由として緊急場面の行為が規定されているのも自然なことといえる。このような行為を「緊急行為」といい，伝統的に正当防衛・緊急避難・自救行為などが考慮されてきた。

用語解説　　　　　　　　　　**自救行為**

　正当防衛や緊急避難が，まさに法益が侵害されようとしているときに行われる行為であるのに対して，不正の侵害の終了後に公権力の保護を待たずに侵害を回復する場合を自救行為という。明文規定はないが，例外的に正当化が肯定される場合だと考えられている。自救行為としての正当化要件は解釈に委ねられることになるが，緊急行為の一種として正当防衛や緊急避難に準じて考えるのが妥当であろう。超法規的な例外であるから，要件は厳格でなければならない。したがって，不法な権利侵害があり，即時に救済しなければ回復不可能か著しく困難である状況を前提に，権利利益保全の目的があり，かつその目的達成に相応する限度の手段が用いられた場合に違法性阻却が認められるであろう。緊急避難で必要とされる補充性・法益均衡の考慮は，ここでも基本的に同様とするべきである。

　なお，事後強盗罪（238条）において，盗まれた財物の取戻しを防ぐために行われる暴行・脅迫が強盗として違法と評価されるので，被害者の取戻しの方は正当であることになる。このような強窃盗犯人からの即時の取戻し行為は，典型的な自救行為である（最大判昭和24・5・18刑集3巻6号722頁参照）。

緊急行為にあたる違法性阻却事由として刑法に規定があるのは，「正当防衛」と「緊急避難」である。正当防衛（36条）は，急迫不正の侵害に対して行われる法益侵害行為について，緊急避難（37条）は，現在の危難を避けるために行われる法益侵害行為について，それぞれ構成要件に該当しても，違法性がないとされる場合だと解されている（後述のように異論もないわけではない）。

　侵害の危険に直面している法益保全のために必要な行為を正当とするのは当然かもしれない。しかし，緊急状態なら何でも許されるわけではなく，法益保全のために最小限必要な行為に限られる。何が最小限かを判断する方法については，違法性阻却の基本的な態度によって考え方が分かれる。「目的説」は，法秩序全体の観点から，正当な権利保全の目的によって是非を判断しようとする。ある行為の正当性は行為のもつ主観的・客観的方向性に大きく影響されると考え，結果は偶然であってそれほど重視しない。これに対し「利益衡量説」は，危機にさらされている（結果的に保護される）法益と犠牲にされる法益との比較衡量で判断しようとする。結果の均衡こそが行為を正当と評価する根拠であり，違法・適法が行為の客観的側面の評価である以上，行為者の主観的事情によって評価が分かれるのはおかしいと考える。いうまでもなく，目的説は行為無価値論的思考，利益衡量説は結果無価値論的思考として位置づけられる。

2　正当防衛（36条）

1　正当化の根拠とその限界

　正当防衛の正当化根拠（その反面としての限界）については，大きく分けて2つの要素が考慮されている。1つは「利益衡量・優越的利益原理」であり，もう1つは「法確証の利益」である。「利益衡量・優越的利益」というのは，防衛される法益と犠牲にされる法益との比較衡量を行って，防衛される法益の方が上回るときに，その限りで，防衛行為は正当化されるという考え方である。ただし，正当防衛に関する刑法36条の規定と緊急避難に関する37条の規定とを比較すると，36条には「これによって生じた害が避けようとした害の程度を超えなかった場合に限り」という要件がない。つまり，外形的な法益均衡がなくても違法性阻却を認める趣旨である。そこで，正当防衛においては，単純な法益衡量だけではなく，防衛される法益に加えて「法秩序の維持・保全」といったみえざる利益をも考慮した上，その和が侵害法益より優越すると判断されるときに正当化が認められる

のだ，という説も主張される。

　ただ，そのみえざる利益は，結局「法確証の利益」とあまり違わないことになるとも思われる。法確証の利益とは，ある権利・利益の保全行為を正当であると評価することによって，正当な権利・利益の不可侵性を広く法が公示し，法秩序の維持・安定に資するという利益である。特定の法益が守られたことを利益だと考えるのではなく，法の適正なあり方が確認され強化されることに意味を見出すのである。そこには法秩序の全体から防衛の意味合いを考えるという観点が持ち込まれており，不正な攻撃をしかけてくる側の法益は保護の与え方を低くして然るべきだという考え方に根拠が与えられる。

| 補論 | **法確証の利益**
正当防衛の成立要件解釈において「不正」対「正」の関係に言及されるのは究極的には法確証の利益と関連するものであろう。したがって，現行刑法の規定を前提にする限り，法確証の利益を無視することはできないように思われる。 |

2　正当防衛を認めるための条件

　刑法36条1項によれば，正当防衛として処罰されない（違法性が阻却される）のは，①急迫，②不正の侵害に対し，③自己または他人の権利を防衛するため，④やむを得ずにした場合である（なお，盗犯等防止1条に特別規定がある）。以下，それぞれについて解釈論上の問題を検討しよう。

1　急迫の侵害

　「急迫」とは，法益の侵害が切迫していることで，学説は一般にこれを客観的要件として把握している。つまり，事実としての「状況」であって，防衛者側がその侵害を予期しているかという主観的事情とは関係がない。たとえば，誰かが殴りかかって来たという事実，今まさに自分が傷つきそうになっているその状況が「急迫」である。これは条文からの自然な解釈であり，判例も，その侵害が当然またはほとんど確実に予期されていたものであるとしても，そのことからただちに急迫性を失うものと解すべきではないとしている（最判昭和46・11・16刑集25巻8号996頁）。もっとも，判例は，急迫性が防衛者の主観的事情によって失われる場合を認めている。

Case 75
Xは，その所属する集団と対立する集団に属するYらの襲撃を受けたが撃退したものの，再びYらが襲撃してくることを予期して鉄パイプ等を準備していた。そこにYらが再度攻撃してきたので，準備した鉄パイプを投げつけるなどしてYらに暴行を加えた。

Case 75に類似した事例において，最高裁判所は，一般的な「予期」では急迫性は失われないが，防衛者側に「積極的加害意思」という主観的要素が認められるときは急迫性の要件が欠けるという判断を示し，その点で正当防衛の成立を否定した（最決昭和52・7・21刑集31巻4号747頁）。

　通説・判例ともに，「積極的加害意思」がある場合には正当防衛の成立を否定する。積極的加害意思とは，防衛に名をかりて，その機会を利用して相手方を加害しようとする意思である。判例は，積極的加害意思の存在により「急迫性」の要件が欠けるとしているが，学説には，急迫性は客観的事実であるから攻撃者の主観によって左右されるものではなく，積極的加害意思はつぎに述べる「防衛意思」ないしは「防衛するため」という要件を否定するものだと解する見解が多い。もっとも，積極的加害意思は，相手からの攻撃の機会をとらえて自らが攻撃に出ることを予定することを意味するにすぎない。防衛意思を攻撃があることを前提にこれに対応しようとする意思であると解する限り，両者は排斥しあうものではない。ただ，他方，積極的加害意思を有しているときは，相手からの攻撃を待ち構えていることになるから，「急迫性」の文言が有している「不意打ち」の意味合いが薄れるのは確かである。最高裁は，攻撃を予期したうえで，あえて武器を用意して相手の待つ場所に出向いた事案で，先行行為（相手に挑発的発言をした）を含む行為全体の状況に照らすと，被告人の行為は，「刑法36条の趣旨に照らし許容されるものとはいえない」として，急迫性の要件を満たさないと判断した（最決平成29・4・26刑集71巻4号275頁）。

補論　**攻撃を予期していても「急迫」か**
　急迫性が，緊急行為性を基礎づける事情である限りにおいて，侵害に対応する準備をする余裕があったときに急迫性を否定するのは，納得できないことではない。しかし，法確証の利益にも現れている正当防衛の基本思想は，不正なるものには譲歩する必要がない，というものであろう。一般に退避義務を認める見解もあるが，不正の侵害が予想されるときに退避すべき義務はないと解するべきだと思われる。それなのに「余裕がある」ときには防衛行為が許されないのだとすると，侵害以前に退避せよと命じているの

と同じである。このように考えると，現に侵害が迫っている以上，意思の如何により急迫性が欠けるとすることには疑問がある。

2 不正の侵害

1 「不正」対「正」　「不正」とは違法のことである。正当防衛は，「不正に対して正」の関係になる。したがって，適法な攻撃に対する反撃は許されない。たとえば，正当防衛行為は不正な侵害ではないから，正当防衛に対してさらに正当防衛は成立しない。議論になるのは，対物防衛の可否である。物による侵害の危険を避けるために物を侵害する行為が正当防衛となるかという問題である。法益侵害があればすなわち違法であると把握する純粋な客観的違法論・結果無価値一元論によれば，物による侵害も違法でありうるから，これに対する正当防衛は可能である。しかし，違法評価は規範に違反する人間の行為に対してしかありえないとすれば，対物防衛は認められず，緊急避難（⇒ p.165 の 3）のみが許されることになろう。

もっとも，対物防衛を否定する立場からも，物の背後に人間の故意・過失行為が存在する場合は不正の侵害と評価される。たとえば，襲いかかってきた他人の犬（刑法上は「物」である）を殴り殺すことは，器物損壊罪（261条）の構成要件に該当する。このとき，飼い犬が飼い主にけしかけられて襲ってきた，あるいは飼い主がしっかり繋いでおかなかったために襲ってきたなどの事情があれば，飼い主の故意・過失に基づく不正な行為に起因する侵害として，人による不正な侵害になる。倒れかかってきた塀を避けるためこれを破壊するような場合も，所有者の管理不十分などの過失があれば，不正の侵害に対する正当防衛になりうる。なお，無主物である野犬が山の中で襲ってきたような場合には，客体が「他人の財物」ではなく，そもそも器物損壊罪の構成要件に該当しないので，対物防衛の可否を論ずるまでもなく不可罰である。

侵害は，結果ではなく法益侵害に向けられた攻撃そのものを意味する。不作為によるものであってもよい（最決昭和57・5・26刑集36巻5号609頁）。「自己または他人の権利を守るため」とされているから，国家的法益に対する侵害も正当防衛の対象になる（最判昭和24・8・18刑集3巻9号1465頁）。

2 自ら招いた侵害　自ら侵害を招いた場合にも当然には正当防衛は否定されない。しかし，正当防衛が不正に対する防衛を正と認める法確証の利益とも無関係でないとすると，それにも限界はある。判例には，相手方の攻撃に先立って

暴行を加え，相手方の攻撃が，自己の暴行に触発されたその直後の近接した場所での一連・一体の事態ということができる場合は，相手方の攻撃が自己の暴行の程度を大きく超えるものでないなどの事情の下では，反撃行為に出ることが正当とされる状況における行為とはいえないとしたもの（最決平成20・5・20刑集62巻6号1786頁）がある。

学説としては，正当防衛の形式的要件は充足するようにみえてもその正当化根拠が欠けるとする立場から，①正当防衛権の濫用にあたるので正当防衛を援用することは許されないとするもの，②違法性阻却の根拠として社会的相当性を基準とし，防衛行為が全体としての法秩序に反し社会的相当性を欠くとするもの，③このような防衛者には急迫不正の侵害に対抗せず退避すべき義務があるとするもの，④侵害の原因設定時において，将来の侵害が起きないように回避すべき義務があるのにそれを怠ったという意味で原因行為が違法であるから，それ自体は適法な防衛行為を介したとしても法益侵害は違法になるとする「原因において違法な行為」という考え方がある。

また，正当防衛の個別要件が欠けるので違法性阻却が否定されるとする見解として，⑤侵害が防衛者によってことさらに引き起こされた以上は急迫性の要件が充足されないとするもの，⑥挑発してことさらに攻撃するような場合は防衛の意思が欠けるとするもの，⑦このような場合は全体として「防衛するため」の行為にはあたらないとするもの，⑧防衛行為として「相当性」が欠けるとするものなどが主張されている。

| 補論 | **自招侵害の処理** |

判例は，相手方からの攻撃が予期できるような場合には，急迫性の要件が欠けるとする傾向がある。しかし，「自ら招いた侵害」といっても種々の場合がある。脱法行為的に相手に攻撃を加えるためにことさら相手からの侵害を引き出すときなどは，まさに正当防衛を利用した加害といえるのである。これと意図せずに相手を怒らせてしまったような場合とでは評価が異ならざるをえない。結局は，全体としての法秩序の観点からみて実質的に相当といえるかどうかによって判断するほかないように思われる。

なお，喧嘩闘争については，一部だけを捉えて，どちらかが一方的に不正である，あるいは侵害したなどといえるわけではないとして，いわゆる喧嘩両成敗，すなわちどちらにも正当防衛を認めることはできないとするのが伝統的な考え方であった。しかし，最高裁判所は，喧嘩闘争の場合にも，その進展状況によっては正当防衛の成立の余地があるとするに至った（最判昭和32・1・22刑集11巻1号

31頁)。

3 自己または他人の権利を防衛するため

1 「防衛するため」 「権利の防衛」といわれているが，権利とは法益のことである。私益に限らず公益も含まれる。国家法益に対する防衛も可能である。「防衛」としては，侵害者の法益を侵害する防衛行為のみが許されると考えられる。侵害に無関係な第三者の法益の侵害については，緊急避難の成否が問題となるにとどまる。

「防衛するため」でなければならないから，法益保全に役立つ手段がとられる必要がある。このとき，主観的要件として防衛の意思を要求するのが通説・判例である。防衛の意思は，行為の正当性を基礎づける主観的要素であって，主観的正当化要素と呼ばれる。これは，防衛行為を行うことの認識（防衛行為の認識）を超えて，利益を守ることに役立てようとする意思である。具体的には，「急迫不正の侵害を認識しつつこれを避けようとする単純な心理状態」などと定義される。緊急状態での防衛の意思としてそれほど厳格な要件を設けるのは現実的でないことから，防衛の意思としては「防衛の認識」で足りるとする見解もあるが，通説・判例はそれよりは強い意思を要求していることになる。しかし，それでも防衛の意思の内容はかなり希薄化せざるをえない。一般には，攻撃の意思と防衛の意思とが共存することもありうると考えられている（最判昭和50・11・28刑集29巻10号983頁）。そうすると，学説では「積極的加害意思」があるときにはもはや防衛の意思がなくなると解する立場が有力であるものの，積極的加害意思と防衛の意思とが両立不可能であるといい切ることもできないように思われる。

2 「防衛の意思」不要説 防衛の意思を正当防衛の要件としない防衛の意思不要説も有力である。結果的に不正な侵害から守られるべき法益が保全されたときには，その行為は結果の無価値を引き起こしたとは評価されないので違法ではない，とする考え方である。この問題をめぐっては，講壇事例として，偶然に防衛的効果が実現したことになる偶然防衛がよくとりあげられる。XがAを射殺しようとして銃を構えているときに，それに気づかず，Aとは無関係にYがたまたまXを殺害したために，Aが射殺されずにすみ，Aの法益が守られたという場合である。このときYにはAを防衛する意思はないが，防衛意思不要説からは正当防衛になる。防衛の意思必要説からは，偶然防衛は正当防衛ではなく違法性は阻却されない。

|補論| **防衛の意思の要否**
　　違法性において行為の無価値をも考慮する立場からは，防衛のために行ったという事情は主観的にも基礎づけられる必要がある。防衛の趣旨でない行為は禁止しておかなければ法益保護は図れないし，防衛のための行為は，法益の均衡がそれを補えないほどに大きく失われているのでない限り，行為規範の段階で処罰行為から排除される，という思考が基本になるからである。

4　やむを得ずにした

　「やむを得ず」とは，必要性・相当性があることだと説明される。必要性は，侵害を排除するために必要な措置であって，かつその限度に収まっていること，相当性は，侵害排除のために相当な程度・範囲であることを意味する。およそ防衛に役立たない対応が正当防衛にならないことは当然であるから，問題は必要性より相当性である。相当性の有無は，諸事情を考慮して実質的に判断することになるが，いくつか留意点がある。まず，緊急避難の場合には，後述のように「やむを得ず」は，とりうる唯一の手段であること（補充性）の意味に解されるが，正当防衛は，不正の侵害に対するものであるから，防衛者はそこまで譲歩しなくても正当化が認められる。また，37条とは違い，犠牲になる法益が守ろうとする法益の程度を超えない（法益の均衡）という要件は存在しない。そうすると，防衛手段として必要最小限度で相当性があれば，「反撃行為により生じた結果がたまたま侵害されようとした法益より大であつても」正当防衛たりうる（最判昭和44・12・4刑集23巻12号1573頁）ことになる。いわば，相当性は防衛結果ではなく防衛行為の問題として判断されるということである。そうはいっても，均衡を大きく失する場合，たとえば，器物損壊を避けるために攻撃者を刺殺するような場合は，やはり相当性がないといわなければならない。

　なお，防衛行為が相当性の範囲にあることの要請は，「武器対等の原則」と表現されることがある。これは，上で述べたように，「結果」でなく「手段」に重点があるという趣旨に理解すべきであり，素手での攻撃に対しては素手で反撃しなければならないといった文字通りの武器対等を要求するものではない。

5　第三者と防衛行為

　防衛行為が防衛の相手に対して行われた場合であっても第三者の法益侵害を来たすことがある。第三者の法益が関係する事例としては，①侵害者自身による攻撃の際，第三者の物を手段として用い，防衛行為によって第三者の物が損傷した

ような場合，②防衛者側が防衛行為の際に第三者の物を用い，侵害者側からの攻撃にあって破壊されるなどの侵害が生じた場合，③防衛行為の作用が第三者に及び，侵害結果が第三者に（も）生じた場合，が論じられている。このうち，①②は，広義では先に述べた対物防衛の問題に属する。③は一種の方法の錯誤であるが，元来，違法性阻却される行為として行われたことが問題になる。

> *Case 76*
> XがYの犬をAにけしかけたところ，Aが防衛行為としてYの犬をA所有の杖で殴りつけたのでYの犬が死亡した。
> *Case 77*
> Xが自分の犬をAにけしかけたところ，Aが防衛行為としてそばにあったY所有の杖でこれを殴りつけたのでYの杖が折れた。
> *Case 78*
> XがYに刃物で切りつけてきたので，防衛行為としてYがXに向けてピストルを発射したところ，弾丸がAに当たってAが死亡した。

Case 76 が①の例である。Aの行為は器物損壊罪（261条）の構成要件に該当するが，Xの暴行に対する防衛であるから正当防衛として違法性を阻却すべきであろう。このとき，Yとの関係では正対正の関係であるとしても，不正側に包摂される法益は刑法上保護の程度が低くなってもやむをえない。その点はXY間の民事的解決に委ねるほかはない。

もっとも，XがY本人をAに向かって突き飛ばし，安定を失ったYがAに倒れかかってきたためこれを払いのけてYにけがをさせたような，人に対する反撃の場合も*Case 76*と同様に扱うことには躊躇がある。そこで，原則緊急避難と解し，防衛が危険源である物の損壊によって実現される場合に限り特殊の緊急避難（防衛的緊急避難）として，緊急避難で必要とされる法益均衡・補充性の要件は不要だ（その限りでこの場合にも正当防衛的な扱いをする）と解する説もある。

Case 77 は，②に相当する。①とは異なり攻撃側に属する法益の侵害ではないから，Yは落ち度のないAの法益侵害に転嫁することによって自己の法益を保全した形になる。したがって，緊急避難の問題として処理すべきであろう。

Case 78 が③の例である。弾丸がXに命中せずにAに当たったとすると，当初の意図は正当防衛であったが，結果的には防衛に役立たない行為を行ってしまったことになる。この場合の処理について見解は分かれ，正当防衛説，緊急避難説，誤想防衛説，違法行為説などが説かれている。弾丸がXに命中するとともにAにも当たったとすると，結果的に正当防衛が成功した上で過剰な結果が生じたことになるから，過剰防衛（⇒p.161の**1**）も考慮に入るであろう。

1　違法性阻却を認める見解　③の類型において，正当防衛の成立を認める見解に対しては，正当化されるのは「不正」に対する防衛のみであるはずだとの批判が向けられる。Ａの法益侵害が防衛効果とは無関係であることも難点である。緊急避難とする見解は，第三者の法益が「正対正」の関係にあることを考慮するものであるが，緊急避難の要件である「補充性」を厳密に解すると，Ａの法益侵害はＹの法益保全にとって選択可能な唯一の手段とはいいがたい。加えて，Ａの死亡が避難効果とは無関係だという事情は本説においても同様である。

2　その他の見解　誤想防衛説は，侵害の及んだ客体との関係では違法性阻却状況が存在しないところから，違法性阻却事由の錯誤の問題になり，事実の錯誤として故意が阻却されて過失責任を問うとする（⇒ p.200 の**2**）。しかし，Ａに対しては非故意の行為であるとしても，Ｘとの関係で現実に正当防衛状況が存在するにもかかわらず誤想防衛とするのはいかにも技巧的である。違法行為説は，Ａに対する過失行為として違法性を認め，後は過失・因果関係の存否の問題とする。しかし，このように，正当防衛として行う行為も処罰対象になりうるという結論をとれば，そもそも侵害源の周辺に生じる法益侵害結果発生が不確実である以上，正当防衛権を事実上不当に制約する効果をもちかねない。

Case 79
　Ｘとその兄Ａは，Ｙから木刀等で殴りかかられ，Ｘは自動車に逃げ込んだが逃げ遅れたＡがＹから木刀で殴られてＡとＹとの間でもみ合いになった。Ｘは，Ａを助けるため，Ｙを追い払おうとして，自動車を急発進して後退させ，Ｙの手に自動車後部を衝突させたが，この際にＡをひいてしまい，死亡させるに至った。

　Case 79は，③の類型に属するが，防衛されるべき法益主体に侵害が及んだという特殊事情がある。この事例は，傷害致死罪の結果が予定外のＡに生じ，行為が向けられたＹも侵害の生じたＡも「人」であって構成要件的に符合するので，Ｙに対する傷害致死罪だけでなくＡに対する傷害致死罪も問題となる。
　Ｙとの関係では正当防衛行為を行ったＸに，同一の行為で死亡したＡとの関係で傷害致死罪の責任を問うことができるかというのは，かなりの難問である。**Case 79**に似た事例に関する大阪高判平成14・9・4判夕1114号293頁は，Ａに対する防衛行為は，侵害者でない者を侵害者として攻撃した点で誤想防衛（⇒ p.163の**2**）の一種として扱うのが相当であり，誤想防衛は事実の錯誤であって故意を阻却するので傷害致死罪の責任を負わない（本件では過失も認められない）として処理した。しかし，急迫不正の侵害があり，それに対して防衛行為が行われた場合を，

> 急迫不正の侵害がないのにあると思った場合を典型とする誤想防衛の一種として扱うこと（もちろん，誤想防衛に含めるというのではなく，誤想防衛と同様の法的評価が妥当だとする趣旨ではあろうが）には不自然さが否めない。
> 　発生事実を全体としてみれば，法が防衛行為として相当と判断する行為が結果として防衛に必要な法益侵害の程度を大きく超えてしまった場合だといえるから，過剰防衛になるとするのも１つの解答であろう。

3 過剰防衛・誤想防衛

1 過剰防衛（36条2項）

　1　**行き過ぎた防衛行為**　防衛の程度を超えた場合には，正当防衛の要件をみたさないので正当防衛ではなく違法性を阻却しない。しかし，緊急状態であるがゆえにとっさの行動が防衛の程度を超えてしまうのはままあることであり，違法性の阻却・減少はともかく責任が軽いと認められる場合があろう。そこで，36条2項は，防衛の程度を超えた場合には任意的な刑の減軽・免除を認めている。このような類型を過剰防衛という。もっとも，刑の減免根拠としては，法益保全の利益などを考慮すると，責任が軽減される前提として違法性減少が存在するとの評価も可能であり，過剰防衛が違法性減少事由であるとする見解，違法・責任減少事由であるとする見解などがある。しかし，緊急状態の行為であるとはいえ違法性阻却事由である正当防衛要件を充足しない行為について，その他特段の事情が付加されているわけでもないのに，なお違法性減少を認めるのは妥当でないように思われる。

　「防衛の程度をこえた」とは，相当性を欠いたことである。正当防衛の要件充足の裏返しであるから，相当性の判断は防衛行為者の主観によるのではなく客観的に行われる。すでに述べたように，相当性は形式的な法益の均衡だけで判断されるものではないので実質的考慮をせざるをえず，明確な基準を設定することは難しい。相当性を欠いたかどうかの判断は争いの対象になりやすい。

> *Case 80*
> 　Xは，鉄パイプでAを殴打した後，逃げ出したAを追いかけて殴りかかろうとしてAともみ合ううち，勢い余って2階手すりの外側に上半身を乗り出した姿勢となった。そこで，Aは，Xの片足を持ち上げて約4メートル下のコンクリート道路上に転落させて，Xに傷害を負わせた。

Case 81
　ＸＹは，Ａとの交渉に際し，事前に共謀して，相手が実力行使してきたときにはナイフで対抗するのもやむをえない旨意思を通じ，それに基づいてＸがナイフを携帯してＡのもとに赴き，Ｙはこれを離れてみていたところ，Ａが暴行に及んだためＸは自らの身体への危険を避けるため所携のナイフでＡに切りつけた。

　Case 80 で防衛行為にあたるのは，相手の片足を持ち上げた行為であるが，たまたま相手方が不安定な状態になったのに乗じ，かなりの高さから硬い道路上に転落させることになった。最高裁判所は，防衛行為が重大な侵害を引き起こす危険性が大きいものであったことを理由に正当防衛行為としての相当性を超えたものと評価し，過剰防衛とした（最判平成9・6・16刑集51巻5号435頁）。
　Case 81 は，相手方からの攻撃に対し，防衛行為が共謀共同正犯（⇒ p. 211の用語解説）として行われた場合で，最高裁は，過剰防衛の成否は人により個別に判断すべきだと述べ，Ｘに過剰防衛を認めてＹには認めなかった原審判断を是認した。Ｘにとっては急迫不正の侵害となる事情があったが，Ｙには積極的加害意思が認められるのでＹにとっては急迫性の要件が欠けるとして過剰防衛を認めなかったのである（フィリピンパブ事件。最決平成4・6・5刑集46巻4号245頁）。積極的加害意思が急迫性を失わせ，共犯者相互においても過剰防衛の成否は個別的に判断されるとの結論は，従前の判例に従ったものといえる。もっとも，過剰防衛が責任減少・阻却事由であるとすれば，共犯者であってもそれぞれについて過剰防衛となるかを個別に判断すべきことは当然だということになる。なお，共同正犯と正当防衛の取扱いについては，p. 243の **5** で改めて検討する。

　2　量的過剰と質的過剰　　過剰には，量的過剰と質的過剰があるとされる。量的過剰は，防衛が奏功し，もはや防衛の必要がなくなった後に引き続き防衛行為が行われた場合であり，質的過剰は，防衛するための必要最小限の手段ではなく不必要に強力な反撃が行われた場合である。いずれも過剰防衛とされ，法的な区別はないが，量的過剰の場合には，防衛の必要が失われた後の行為をそれ以前の行為と切り離して評価対象とすべきかどうかという問題がある。
　最決平成20・6・25刑集62巻6号1859頁の事案は，急迫不正の侵害に対し正当防衛にあたる暴行を加えて相手を転倒させ，これと時間的・場所的に連続して暴行を加えた場合であるが，相手方がさらに侵害行為に出る可能性のないことを認識した上，防衛の意思ではなくもっぱら攻撃の意思に基づき相当に激しい態様の暴行を加えたなどの事情により，両暴行行為に断絶を認めた。つまり，両暴行を全体的に考察して量的過剰として1個の過剰防衛の成立を認めるのは相当ではな

く，侵害が生じた経緯については有利な情状として考慮すれば足りる，とされた。これに対し，後述の *Case 82* では，一体的評価がなされた。

一体的評価をすべきかどうかは，時間的・場所的接着性を中心とする社会的実体としての一体性や，共犯の場合には共謀の及ぶ範囲などによって実質的に判断するほかはないであろう。

> *Case 82*
> 　拘置所に勾留されていたＸは，同室のＡがＸに向けて机を押し倒してきたのに対しこれを押し返したところ，Ａはこれにより押し倒されて反撃・抵抗が困難になったが，ＸはさらにＡに対し顔面を手拳で数回殴打するなどの暴行を行った。

> 　*Case 82* においてＸの第１暴行だけをみれば正当防衛であり，第２暴行は暴行罪が過剰防衛になるとみられるが，全体を一連一体とみれば，急迫不正の侵害がやんだ後にも暴行を継続した量的過剰にあたる事例と解される。最高裁は，後者の見解をとり，全体として傷害罪について過剰防衛となる旨の判断をした（最決平成21・2・24刑集63巻2号1頁）。

2　誤想防衛

　急迫不正の侵害がないのにあると認識していた場合，相当な防衛行為ではないのに相当な防衛行為であると思っていた場合などは，誤想防衛と呼ばれる。この場合，客観的に正当防衛の事実が存在しないので正当防衛の要件を充足せず，違法性阻却は認められない。しかし，防衛者の主観においては正当防衛であることから，正当防衛に準じた扱いがなされるべきかどうかが問題となる。

　正当防衛などの違法性阻却事由の錯誤（⇒ p. 200 の **2**）には，急迫不正の侵害や防衛行為の相当性といった事実に関する錯誤といえる部分と，自己の反撃行為が正当防衛として違法性阻却されるかという違法性に関する錯誤と思われる部分とがある。諸説あるが，違法性を基礎づける事実の錯誤は罪を犯す意思がないことを意味するから，事実の錯誤として故意が欠けることになるとする見解が有力である。判例は違法性の意識は故意の成立のために不要だとするが，違法性の前提事実についての錯誤は事実の錯誤とされていると思われる。

　なお，棒様のもので襲ってきた74歳の父親に対し，棒様のものだと思ってとっさに斧を摑んで頭を数回殴打して死亡させたという事案で，斧の重さをもった棒様のもので頭部を乱打した事実は，たとえ斧と気づかなかったとしても過剰防衛

となるとした最高裁判例（最判昭和24・4・5刑集3巻4号421頁）がある。棒様のものに対する斧での反撃が過剰であるとされたわけであるが、「斧だけの重量のある棒様のもの」との認識があれば過剰性の認識は欠けていないとされて誤想防衛は認められなかった。

3　誤想過剰防衛

　誤想に基づいて防衛行為に出たところ、それが防衛行為として過剰であった場合は、誤想過剰防衛と呼ばれる。上述の判例の事案は、誤想過剰防衛ではなく、単純な過剰防衛として処理されたが、誤想過剰防衛にあたるとされた例もある。

　誤想過剰防衛は、これを過剰防衛の一場合として、誤想の点をどう扱うかの問題として処理する見解や、誤想のあったことをどう処理するかを決定し、つぎにその上で過剰だった防衛をどう扱うかの問題とする見解などがある。しかし、有力なのは二分説で、過剰性の認識がある場合は故意犯であるが過剰性の認識を欠く場合は故意を否定し過失犯として処理する。過剰性の認識があるときには違法な事実の認識があると解されるからである。

Case 83
　Xは、自己の長男AがBと喧嘩中追い詰められて悲鳴を上げたのを聞いて猟銃をつかんで飛び出し、包丁を擬してAと対峙しているBをみてAがBから一方的に攻撃を受けていると誤信し、Bに対し猟銃を発砲して傷害を負わせた。

Case 84
　空手3段の腕前のYは、夜間に酩酊し大声を上げているA女をなだめて帰宅させようとしてもみ合っているBを、Aに暴行を加えている者と誤解し、Aを助けるため両手を差し出して近づいたところ、Bがボクシングのファイティングポーズのような姿勢をとったのを自分に殴りかかってくるものと誤信し、とっさにBの顔面に空手の回し蹴りをしてBを路上に転倒させて傷害を与え、死亡させた。

　Case 83 では、「誤想防衛であるがその防衛の程度を超えたものであるとし、刑法36条2項により処断したのは相当である」（殺人未遂罪の成立を肯定した上刑を減軽）とされた（最決昭和41・7・7刑集20巻6号554頁）。誤想防衛が故意を阻却するのであれば、殺人未遂罪の成立を肯定することはできないはずであるから、事実の錯誤はなく、故意を肯定するものと解される。*Case 84* は、最決昭和62・3・26刑集41巻2号182頁（勘違い騎士道事件）の事案で、この場合も傷害致死罪の成立が認められた。

3 緊急避難（37条1項本文）

1 緊急避難の性質

1 緊急避難とは何か

　緊急避難の例は，火災にあった自宅から逃げるために隣家の塀を壊したような場合や，海中に投げ出された2人が一枚の板に泳ぎ着いたが2人同時につかまると沈んでしまうため自分のみが助かるために相手を水中に引き込んで溺死させる場合（いわゆる「カルネアデスの板」の事例）などである。正当防衛が「不正」に対する防衛として「正」になるのに対して，緊急避難は，侵害利益と保全利益との関係が「正対正」になっている。不利益を甘受すべき立場にあるわけではない人の法益が犠牲にされるわけである。そこで，緊急避難が違法性阻却事由であるとしてよいか，吟味が必要である。正当防衛の場合に重視した法確証の利益は後退せざるをえないし，侵害された法益より守られた法益の方が明らかに優越するとはいえないからである。

2 違法性阻却事由説

　とはいえ，緊急避難が不可罰であるのは違法性が阻却されるからだとするのが通説である。違法性阻却事由でないとすれば，責任阻却事由であると解することになるが，それに対しては次のような問題を指摘しうる。第1に，「他人」の法益を守るための緊急避難の場合，適法行為を選ぶ（違法行為を避ける）ことが期待できないとまではいえず，責任はあるというべきである。第2に，37条1項本文にある「法益の均衡」の要件は，責任阻却を根拠とするなら不要なはずである。行為者を非難可能であるかどうかが個人のレベルで判断される以上，たまたま客観的に均衡を失する法益侵害が生じても責任阻却が否定されるわけではないと考えられるからである。第3に，「緊急避難行為」の違法性を肯定すると，緊急避難に対する正当防衛が可能となってしまう。そうなれば，緊急避難を不可罰としたことの意義は大きく損なわれるであろう。第4に，緊急避難行為が違法であるとすると，避難行為者自身は罰せられないとしても，避難行為を勧めたり（教唆），避難を手伝ったり（幇助）する行為は可罰的になってしまう（⇒ p.208 の **4**）。責任の有無は個別事情であり，共犯に当然に効果が及ぶことはないからである。

3 二分説

　責任阻却事由説にはこのような問題があるが，違法性阻却事由説も，積極的な根拠といえるのはせいぜい法文の「法益均衡」要件に限られ，消去法的な主張であることは否めない。そこで，学説では，二分説も有力である。これは，緊急避難の中で違法性阻却類型と責任阻却類型を区別しようとするものである。とくに，正当な（不正の侵害を仕掛けてくるのではない）第三者の生命を犠牲にする行為の正当化は肯定しがたいので，生命と生命が対比されるような場合の緊急避難は責任阻却にとどまると解するべきであると主張される。二分説には，原則として違法性阻却事由であるが，保全法益と侵害法益とが同価値（たとえば，生命を守るために生命を犠牲にする）の場合は違法阻却はできず責任阻却事由となるとする説，原則として責任阻却事由であるが，保全法益が侵害法益に著しく優越する場合には違法性阻却となるとする説などがある。

　二分説は傾聴すべき見解であるが，実定法上区別のないところに差を認めることは，場合によっては条文をそのまま適用する場合に比べて被告人に不利な取扱いをする類型を解釈の名において立法することになる。罪刑法定主義の観点からは，慎重であるべきであろう。

2 要　　件

　緊急避難が認められるための要件は，①自己または他人の生命・身体・自由または財産に対する現在の危難（客観的事情）の存在，②その危難を避けるための行為であること，③やむをえずにしたこと，そして，④行為によって生じた害が避けようとした害の程度を超えないことである。ある者に生じた危難が正対正の関係にある他者に転嫁され，その法益が侵害される状況であるから，緊急避難の成立要件は正当防衛より厳格になる。なお，業務上の特別の義務負担者に関しては緊急避難は認められない（37条2項）。ここにも，正当防衛と緊急避難の違いが現れている。

　37条1項では，保全対象法益が列挙されている。文言からは，生命・身体・自由・財産に限定される（限定列挙）趣旨と解されるが，これに該当する限りにおいては，たとえば，法益主体が国家である場合や不特定または多数人の生命に対する危難なども除外する必要はないであろう。名誉は，広義の自由に含まれるとする説が有力であり，たとえ類推解釈だとしても処罰縮小方向であるから許されるであろう。かつては貞操が保全対象になるかも論じられたが，今日では性的自

由の問題として捉えられるので，包含されると考えるべきである。

1 現在の危難

「現在」とは，正当防衛の場合の「急迫」と同義で，侵害の危険が切迫していることを意味する。「危難」とは法益侵害の危険のことである。不正（違法）でないことを想定して「侵害」とは異なる用語になっていると思われるので，自然現象・動物・物が危険源の場合を含む。

> *Case 85*
> 　村所有のつり橋が古くなり通行が危険になっていたが架け替えの費用がなく，雪害を装い人工的に爆破・落下させ，補助金の支給を受けるつもりで，橋をダイナマイトで爆破・落下させた。

> 　「現在の危難」は，切迫した危険でなければならないとされる。*Case 85*の事例について最高裁は，重い車馬が通行するときには極めて危険であったとしても人の通行にはさしつかえがなく，重量の重い荷馬車の通行もまれである状況では，いまだ切迫した危険があったとはいえないとした（最判昭和35・2・4刑集14巻1号61頁）。なお，本件では，補充性についても否定的な判断がなされている。

　これとの関連で，自ら危難を引き起こした自招危難の場合にも緊急避難が認められるかが問題になる。判例には，前方に駐車しているトラックの横をスピードを落とすことなく漫然と通過しようとした際，背後から飛び出してきたXを避けようとして急にハンドルを切ったため，別のYをひいて死亡させた例で，緊急避難が認められなかったものがある（大判大正13・12・12刑集3巻867頁）。しかし，この判例においても，自招危難からの緊急避難が全面的に否定されるのではなく，肯定できる場合もあることが前提とされている。理論的には，自招危難の場合も，緊急避難の法的性格に応じ，違法性ないし責任阻却の有無を要件に即して判断することになるであろう。

　なお，現に自ら銃を突きつけられているとか，殺されそうになってる自分の子を救うために強要に応じたような事例では緊急避難の要件が充足されるであろう（東京高判平成24・12・18判時2212号123頁）。ただし，単に自己または親族の生命等の重大な法益侵害を内容とする「脅迫」により法益侵害が強要されたような場合（強要緊急避難）は，緊急避難の要件に直接合致しないから違法性が阻却されるこ

とはなく，責任が阻却されると考えるべきである。そうすると，このような事例では，違法な侵害であるから，これに対しさらに正当防衛が可能となる。

2 危難を避けるため

基本的には，客観的に危難回避に効果のある避難行為がなされる必要がある。正当防衛の場合の議論に対応して，「避難の意思」という主観的正当化要素を必要とするのが通説である。避難意思は現在の危難に対応する意思であって法益侵害の認識を条件とはしないので，過失犯の構成要件に該当する行為についても緊急避難を問題にしうる。また，避難意思は避難行為者の意思であるから，他人のためにする緊急避難の場合に，守られる法益主体の同意（本人の意思）は不要である。

3 やむを得ずにした──補充性

「やむを得ず」とは必要性・相当性のことであり，避難の手段として相当な手段が用いられる必要がある。また，正当防衛の場合とは異なり，他の方法では危難を避けることができなかったこと，法益保全のためにとりうる唯一の手段であることが含意されている。いわゆる「補充性」の原則である。

4 法益均衡

36条との大きな相違が「生じた害が避けようとした害の程度を超えなかった」という要件である。これを法益均衡（権衡）の要件という。財産対財産が問題になるような場合は比較的単純であるが，形式的な法益衡量が問題なのではなく，実質的利益衡量が問題だと解される。数量的なものに限らず「避難行為」自体の正当性と侵害・保全利益相互の優劣を比較することになる。

なお，防御的緊急避難（危険源自体に対する避難行為）の場合と，攻撃的緊急避難（第三者に対する避難行為）とを分け，前者は相対的に緩やかに，後者は比較的厳格に判断することで，この実質的衡量のための妥当な基準を見出そうとする見解があり，傾聴すべきであると思われる。

3 過剰避難・誤想避難

1 過剰避難（37条1項ただし書）

緊急避難の程度を超えた場合には，任意的な刑の減免が定められており，過剰

避難と呼ばれる。過剰防衛と同様，法的性質についての議論があるが，緊急避難ではない以上違法性は阻却されないものの，責任が減少することを理由に刑の減免が認められるものだと解される。過剰避難には，①補充性を欠く場合（狩勝トンネル事件。最判昭和28・12・25刑集7巻13号2671頁），②法益均衡を欠く場合（大判昭和12・11・6裁判例11巻刑87頁）のいずれも含まれる。

2 誤想避難・誤想過剰避難

　緊急避難の客観的要件がないのに，それがあると誤想して避難行為に出た場合が誤想避難である。さらに，誤想に基づいて避難の程度を超えた場合は誤想過剰避難と呼ばれる。これらの扱いは，誤想防衛・誤想過剰防衛と同様である。基本的には，緊急避難を違法性阻却事由とする通説的見解からは違法性阻却事由に関する錯誤として扱われることになる。

> **発展学習　義務の衝突**
> 　両立しない複数の法律上の義務が同時に課され，かつ義務違背が処罰対象である場合は「義務の衝突」と呼ばれる。自分の子供が2人溺れているが1人しか救助不可能な状況における親の場合，事故の際に1人の医師が瀕死の複数の患者を前にしている状況などが典型的である。法的義務としてはいずれをも救助しなければならないにもかかわらず，現実にはどちらかの義務を怠らざるをえない。そして，その義務懈怠は不作為による殺人罪になる可能性がある（医師の場合には医師法上の診療義務違反も問題になりうる）。
> 　不可能を要求する規範は不合理であるから，義務の衝突の場合の処理の基本は次のようになるであろう。すなわち，①義務の質ないし保全・侵害対象利益に優劣がある場合には優先的な義務の方を履行すべきであり，その限り，他の義務の不履行は違法でない。義務の優劣の判断を誤った場合は違法とするほかないであろう。②同等の義務については，いずれか一方の義務を履行すれば違法とはされない。
> 　義務の衝突は，法的には違法性阻却事由と理解されるが，義務履行が強制されていない場合である緊急避難とは異なる。もっとも，医師が業務上知りえた患者の疾病について守秘すべき義務（不作為義務）と伝染病から同居人を守るためにその疾病についての情報を告知すべき義務（作為義務）とが衝突するような場合や，回復の見込みの薄い患者の治療にあたっている医師のもとに回復の可能性の高い患者が運ばれてきたときに治療を中断してはならない義務（不作為義務）と治療を開始すべき義務（作為義務）とが衝突する場合などは，作為に出ることが緊急避難にあたるかという問題に接近する。

責 任

1 責任の本質と責任能力

1 責任の理論

1 故意・過失と期待可能性

1 **責任の概念** 構成要件に該当する違法行為があっても，行為者に責任がないとき，犯罪は成立しない。責任主義の原則は，罪刑法定主義と並ぶ近代刑法の基本原理である（なお，p.25 の **3** を参照）。通常，「刑事責任」や「罪責」という言葉は，広義の可罰性や当罰性として用いられることもある。しかし，本章の「責任」は，第三の犯罪成立要件として，犯人の非難可能性を意味する。犯人を「非難できる」とは，その者が適法な行為を選択できた状況で，あえて違法な行為に出たことに対する否定的評価である。これに対して，精神病で正常な判断力を失った人間が，被害妄想に駆られて他人を傷つけたり（39条・204条参照），小さな子供がコンビニで駄菓子を万引するなどの行為は（41条・235条参照），刑法上の非難可能性が欠けることになる。そもそも，精神障害者や幼児に通常の刑罰を加えても，改善の効果が見込めないという点では，上述した責任の実質は，可罰性の概念とも結びつくのである（可罰的責任論）。

Case 86
沿海フェリーの船長であるＸは，乗船定員を大幅に超えた状態で運行したため，横波を受けてフェリーを転覆させ，多数の乗客を溺死させた。しかし，Ｘは，以前から，船主のＹに対して，フェリーの乗船定員を遵守するように進言してきたが，それがまったく聞き入れられず，むしろ，Ｙからクビにすると脅されたため，やむなく運行を続けていた。

Case 87
工場長であるＺは，旧失業保険法の規定に従って，従業員の賃金から控除された保険料を納付しなければならなかったが，終戦直後の経済的混乱や本社の経営難もあって，納付する資金が本社からＺに送付されなかった。そのため，所定の納付期日

までに失業保険料を納付できなかった。

> (Case 86) のXは，事故の防止をYに訴えていたが，なお船長として，転覆などを回避する刑法上の注意義務があった。ただし，Xが失職を恐れて，Yのいうがままに運行していたため，裁判所は，Xが別罪で執行猶予中であった事情も考慮しつつ，Xの量刑を軽減した（第五柏島丸事件。大判昭和8・11・21刑集12巻2072頁）。つぎに，(Case 87) では，外形上，旧失業保険法に違反する不納付があったものの，犯行当時のZには，納付義務の履行を期待できない状況にあった。したがって，法は不可能を強いるものでない以上，Zには責任がないとされた（なお，失業保険料不納付事件。東京高判昭28・10・29刑集12巻11号2489頁）。ただし，上告審では，納付期日に保険料を納付しうる状態にあった場合にのみ，同法の不納付罪にあたるとして，Zの行為は，およそ構成要件に該当しないとされた（同事件上告審。最判昭和33・7・10刑集12巻11号2471頁）。

2　非難可能性と期待可能性　つぎに，犯人のおかれた客観的な状況からして，適法行為を期待できない場合には，非難可能性がなくなる。期待可能性の理論とは，違法行為を避けられない異常事態がある場合，行為者の責任を否定する考え方である。現在の支配的見解である規範的責任論は，こうした期待可能性の理論から生まれた（なお，p.173の**2**を参照）。たとえば，Case 86 や Case 87 では，船長のXまたは工場長のZを，刑法上も非難できるであろうか。規範的責任論によれば，犯人に故意または過失があったとしても，ただちに責任が認められるわけではない。過失犯だけでなく，故意犯においても，「犯罪事実を認識すべきであるにもかかわらず，その実現可能性を認識しなかった」という義務違反的側面が重視されるからである。すなわち，「犯罪事実の認識から反対動機を形成して，違法行為を思い止まるべきであった」ところ，あえて犯人が当該行為に及んだとき，はじめて刑法上の責任が生じる。同様にして，規範的責任論では，犯人の責任能力や故意・過失と並んで，「周囲の事情が正常である〔異常でない〕こと」が第三の責任要素となる。

3　超法規的責任阻却事由　Case 86 では，業務上艦船沈没罪（129条2項）と業務上過失致死傷罪（211条）が成立し，刑法上の責任も肯定された。ただし，期待可能性の理論を用いることで，犯人の刑罰を軽減している。他方，Case 87 では，およそ保険料不納付罪の構成要件にあたらないとしており，最高裁は，期待可能性の理論を正面から認めたわけではない。むしろ，適法行為の期待不可能性は，せいぜい，超法規的な責任阻却事由にすぎないとされる（最判昭和31・12・

11刑集10巻12号1605頁)。同様にして，後述の *Case 88* でも，裁判所は，被告人側の期待不可能であったという主張を認めていない。

　また，期待可能性の理論を採用した下級審判例にあっても，通常人を基準として，期待可能性の有無を判断してきた（東京高判昭和23・10・16高刑集1巻追録18頁)。したがって，当該犯人の個別事情を基礎としつつ，適法行為の期待可能性を論じようとした学説の傾向とは，かなり異なるであろう。そのほか，刑法典各則の犯罪の中にも，適法行為の期待不可能性に配慮した規定が散見される（なお，p.506の**2**とp.508の**2**を参照)。

> *Case 88*
> 　A国人であるXは，昭和24年6月ころ，不法に日本国内に入ったが，その後も，法定の期間内に居住地を定めず，居住市町村の長に外国人登録の申請をしないまま過ごしていた。

> 　*Case 88* におけるXは，不法入国者であるため，外国人登録を申請しにくい客観的状況があった。しかし，旧外国人登録令の登録申請義務は，外国人に対する適正な取扱いの目的で，その居住関係や身分関係を明確にしようとするものである。したがって，不法入国の外国人に対して，登録申請義務を課すことが，ただちに不法入国を供述させることになるわけではない。その意味で，不法入国者にも，登録申請義務があり，その履行を期待できるとされた（最大判昭和31・12・26刑集10巻12号1769頁)。

2　責任の要素から責任の本質へ

　1　責任の要素　　責任論では，①責任能力のある者が（責任能力)，②故意または過失により違法行為をしたこと（主観的責任要素）に加えて，犯行時の客観的状況として，③適法行為を期待できたにもかかわらず，あえて犯行に及んだことで，刑法上の非難可能性が生じる（期待可能性の理論)。また，当該犯人に科せられる刑罰は，その者の責任の量を超えてはならず（個人の行為責任)，まさしく責任の概念によって，犯罪の成立と刑罰権の行使が制限されることになる（消極的責任主義)。こうした責任主義の思想は，旧時代の団体責任や結果責任の考え方を克服して確立されたものである。

　これに関連して，結果的加重犯の規定は，判例上，基本犯と加重結果の因果関係（条件関係）で足りるため，責任主義に反すると批判されてきた。また，学説

の多数は，結果的加重犯における重大な結果の発生について過失を必要とするが，加重結果に結びつく危険性を認識した犯人が，あえて基本犯を実行するに及んだならば，故意に重大な危険を招来した点から特別に重く処罰することも可能である。その意味で，結果的加重犯の規定が，ただちに責任主義の原則と矛盾するわけではない（危険性説）。

2 責任の本質 責任の本質をめぐっては，かつて，①道義的責任論と社会的責任論が対立した。道義的責任論は，行為者には意思の自由がある（非決定論）という立場から，その者が自由意思で犯行に及んだ点を道義的に非難しようとする。他方，社会的責任論は，もっぱら社会を防衛する手段である刑罰を，当該犯人に科するべきか否かの点を重視する（刑罰適応性）。なるほど，生来の素質から必然的に犯罪行動をする生来犯罪人については，刑法上も非難できないことが多い。その意味で，社会的責任論の主張にも正しい側面はあるが，上述した責任主義の思想とは相容れない。他方，実際に生活する生身の人間は，素質と環境によって支配されるため，完全な自由意思があるわけではない。したがって，完全な自由意思を前提とする道義的責任論も，一部で修正されることになる。

> *Case 89*
> Ｘは，モーターボート競走法違反（ノミ行為）の罪で実刑判決を受けて処罰されたにもかかわらず，刑務所を満期で出所した直後から，ふたたび賭博場の開張者となって，数百回も賭博場を開張して巨額の不法収益を得ていた。

> （*Case 89*）におけるＸの行為は，反社会性が著しく，極めて悪質な犯行であって，賭博に関するＸの規範意識の欠如と常習性が顕著であることから，むしろ，常習犯人として重く処罰されるとした（組織的犯罪処罰法違反。大阪地判平成18・11・17判例集未登載）。

つぎに，②行為責任論と性格責任論が対立している。行為責任論は，犯人の意思内容に責任の基礎を求めることで（意思責任論），故意・過失に対する非難可能性と結びつく。これに対して，性格責任論は，犯人の危険な性格それ自体に着目する。しかし，性格責任論では，社会的責任論と同様，近代学派が主張する決定論（いわば宿命論）を前提とするため，責任主義に反するという批判がある。他方，行為責任論も，もっぱら犯行時の心理状態に着目する結果として，たとえば，*Case 89* では，常習犯人の規範意識がすでに鈍麻しており，かえって責任非難

が低下してしまう。政治犯などの確信犯でも、規範違反の意識が欠けることがあり、犯人の行為責任（意思責任）を問いえないおそれがある。

また、③行為責任論と人格責任論（または行状責任論）が対立してきた。上述した行為責任論と異なり、人格責任論は、個別的な犯罪行為の背後にある犯人の主体的人格に着目する。たとえば、*Case 89* の常習犯人のように、違法行為の誘惑に対して無抵抗な人間性は、自らの素質と周囲の環境によって規律されつつ、次第にその人格として形成されたものである。そこで、人格責任論は、こうした行為者人格を形成した責任を捉えて、犯人をより強く非難できるというのである。また、違法事実に対する認識がない過失犯や、不作為の過失犯にあたる忘却犯のような場合にも、犯人の不注意な態度から重大な結果が生じたこと自体が、責任非難の対象となるのである。

図 総論9-1 責任論における諸見解の対立

	古典学派 （自由意思を肯定）	近代学派 （自由意思を否定）	
責任の本質	道義的責任論	社会的責任論	→人格責任論
評価の対象	行為（意思）責任論	性格責任論	
評価の方法	心理的責任論（故意・過失のみ） 規範的責任論（客観的責任要素も含む）		→規範的責任論

最後に、④心理的責任論と規範的責任論の対立にも触れておこう。心理的責任論は、責任評価の対象を行為者の心理状態に求めるため、犯罪事実を認識・認容していた故意犯と、それ以外の場合（過失犯）が、まったく別の責任形式とみなされる。しかし、現在の支配的見解である規範的責任論は、故意と過失を統合して責任を捉えようとする。すなわち、過失犯では、「犯罪事実を認識すべきであるにもかかわらず、これを認識しなかった」ことが責任非難の対象となり、故意犯では、「犯罪事実の認識から反対動機を形成して、違法行為を思い止まるべきであった」という反規範的態度が責任非難の対象となるのである。

3 責任論における故意・過失

構成要件と違法性の結びつきと比べて、構成要件と責任の関係は、それほど緊密なものではない。したがって、構成要件該当性が、一応、犯人の責任を推定さ

せるとはいえ，各人の責任能力や故意・過失は，慎重に吟味されねばならない。また，個別的な犯人を非難できるかどうかの検討は，一般人を想定した違法性の評価と異なる。したがって，すでに犯罪事実の認識・認容（事実的故意）があった場合にも，責任段階では，違法事実の認識や違法性の意識（可能性）があったかどうかについて，独自に論じることになる。また，過失責任では，通常人を前提とした客観的な注意義務違反でなく，犯人自身の注意能力を前提としつつ，その者の不注意な行動を非難できるかが刑法的評価の中心となる。さらに，客観的な責任事情として，犯行当時に適法行為の期待可能性が存在しなければならない。なお，期待可能性を基礎づける事実は，責任評価を左右する客観的事情であるため，客観的責任要素とも呼ばれる（そのほか，故意犯における違法性の意識については，p.187の総論10「故意犯と違法性の錯誤」を参照）。

　それでは，これらの責任要素の中で，責任能力と期待可能性は，故意・過失とどのような関係に立つのであろうか。まず，構成要件該当性や違法性の判断において，事実的な故意・過失が認められた場合でも，それだけが当該犯人の反規範的態度を左右する責任要素となるわけではない。むしろ，責任における非難可能性の前提となるべき犯人の責任能力は，上述した故意・過失から独立した犯人の属性である。また，規範的責任論にあっても，その基礎となった期待可能性の理論は，犯人の動機づけをめぐる非難可能性の一種として，主観的な故意・過失と異なる要素を含んでいる。そのため，今日，責任能力制度と期待可能性の理論は，故意・過失とは別個に論じることが多い。

| 補論 | **構成要件的故意と責任故意** |

　刑法上の犯罪では，原則として故意犯だけが処罰される。したがって，故意犯になるのか，それとも，過失犯にとどまるかは，犯罪論において重要な差異となる。その際，①故意犯と過失犯を責任段階ではじめて区別する見解は，故意の内容も，こうした責任非難にふさわしい具体的内容でなければならない（具体的符合説）。ところが，これらの見解は，しばしば責任説を併用するため，理論上は，構成要件的故意ないし事実的故意の概念も併用されている。他方，②構成要件の段階から故意犯と過失犯を区別する通説的見解では，構成要件的故意と責任段階の故意との違いが問題になってくる。その際，構成要件的故意の内容は，定型的な犯罪事実の認識・認容とされるため，法定的符合説が採用される一方，責任故意では，個人の内心的事情が責任非難の対象となるため，犯人の反規範的人格態度を重視することになる。

2 責任能力

1 責任能力の構成要素

　責任能力とは，責任非難の出発点となる行為者の是非弁別能力と行為制御能力である。単なる自由意思を意味するものでなく，また，犯人の主観的態度にとどまらないことは，すでに述べたとおりである（規範的責任論）。むしろ，責任能力は，規範的な見地から行為者を非難するための前提条件であって，刑法上も適法に行動できたという法的評価につながる。すなわち，責任能力の内容は，当該行為の刑法的な意味を理解した上で（是非弁別能力），それに従って自己の行動を制御しうることである（行為制御能力）。

　この2つの能力からなる責任能力は，①異常な精神状態に基づく心神喪失の場合（39条1項）と，②年齢上の未成熟を理由とする刑事未成年の場合（41条），完全に否定される（責任無能力）。また，心神喪失の原因としては，狭義の精神病のほか，飲酒・薬物による一時的な酩酊・錯乱などが考えられる。しかし，刑事未成年は，「14歳に満たない者の行為」となっており，形式的な年齢で区別される。なお，責任無能力状態ではないが，著しく責任能力が低下したとき，心神耗弱として，その刑を減軽する規定がある（限定責任能力とも呼ばれる。39条2項）。

> *Case 90*
> 　Xは，土地の境界をめぐって争っていた隣家のAが，不法に自分の敷地内に侵入したものと誤信して，憤激の念を爆発させ，手持ちの草刈り鎌でAに斬りつけて傷害を負わせた。しかし，Xは，以前から統合失調症（精神分裂病）による被害妄想があったため，心神耗弱または心神喪失のいずれにあたるかが争点になった。

　　Case 90 について，裁判所は，心神喪失が「精神ノ障害ニ因リ事物ノ理非善悪ヲ弁識スルノ能力ナク又ハ此ノ弁識ニ従テ行動スル能力ナキ状態」であり，心神耗弱が「精神ノ障害未タ上述ノ能力ヲ欠如スル程度ニ達セサルモ其ノ能力著シク減退セル状態」をいうところ，Xの精神状態は，せいぜい，心神耗弱にとどまるとした（大判昭和6・12・3刑集10巻682頁）。

　刑法39条は，責任阻却事由として「心神喪失者」，責任減少事由として「心神耗弱者」を規定したが，その内容を何ら明示していない。したがって，責任能力の存否や程度は，もっぱら裁判官の判断に委ねられてきた（最決昭和59・7・3刑

集38巻8号2783頁参照）。その際，裁判官は，医学および心理学の知見をもとにしつつ，最終的には規範的な見地から決定することになる。すなわち，責任能力の判断は，裁判官による規範的評価の産物である。また，*Case 90* では，心神喪失と心神耗弱を区別する基準を「精神作用」に求めているが，責任能力が知・情・意の三要素からなるとすれば，是非弁別能力という知的要素（生物学的要素）だけでなく，当該行為者が具体的行動の意味を理解した上で，自己の行為を適切に制御できたかという意思的要素（心理学的要素）が重視されねばならない。

> **発展学習　部分的責任能力は認められるか**
> たとえば，特定の刺激に反応して異常な行動をする精神障害者のように，ある種類の犯罪では，およそ責任能力が欠けるのに対して，その他の犯罪では，十分に責任能力があることも考えられる。これが，部分的責任能力ないし一部責任能力と呼ばれる場合である。具体的には，異常性欲者による性犯罪，暴力的傾向のある突発性精神障害のほか，いわゆるクレプトマニア（窃盗症）などで，部分的責任能力の概念を認める見解も少なくない。そもそも，責任能力が個々の犯罪行為と結びついて問題となる以上，責任能力の判定も，何らかの意味で犯罪類型の違いと関係してくる。その意味で，責任能力の有無は，刑法上の非難から切り離された生物学的・心理学的な要因だけで定まるものではない。

2 責任能力の判断方法

　刑法上の心神喪失・心神耗弱は，医学および心理学の知見に基づき，最終的には，裁判官の規範的評価により決定される。責任能力の判断方法については，精神病の症状などを重視する①生物学的方法に加えて，行為の是非善悪を評価できたかという②心理学的方法も併用することで，③混合的方法が採用されてきた。

> ***Case 91***
> 統合失調症であるXは，友人Aの妹Bに好意を抱いて結婚を申し込んだところ，Aの家族から拒否されたため，A家の人々を殺害する目的で鉄棒を携えて被害者宅に向かった。しかし，その途中で，憤激のあまり，近所の親子や就寝中の女児3名を含む被害者らを殴打して，5名を死亡させ，2名に重傷を負わせた。

> *Case 91* では，犯行当時における，Xの統合失調症と殺傷行為の関連をどうみるかで，裁判所の判断が分かれた。しかし，最高裁は，犯人が精神疾患の影響下にあったとはいえ，普通に社会生活を営んでいた以上，心神耗弱にすぎないとした（前掲最決昭和59・7・3）。

Case 91 では，事物の是非善悪を判断する能力がなく，または，是非弁別能力に従って自己の行動を制御する能力がなかったことが，刑法上の心神喪失であると定義された。しかし，精神病に罹患した者であっても，通常は逸脱行動を抑制するだけの判断力があるならば，責任能力が認められる。そして，こうした能力が著しく減退した状態が，心神耗弱にあたることになる。その意味で，過去の判例も，生物学的方法と心理学的方法を併用してきた。かりに精神鑑定にあたる専門家が，医学上および心理学上の見地から「心神喪失」または「心神耗弱」を主張しても，裁判所は，その所見に拘束されることなく，被告人の犯行当時の状況を考慮して総合的に判断すればよいのである（最決平成21・12・8刑集63巻11号2829頁）。

　すなわち，「責任能力の有無・程度の判断は，法律判断であって，専ら裁判所にゆだねられるべき問題であり，その前提となる生物学的，心理学的要素についても，上記法律判断との関係で究極的には裁判所の評価にゆだねられる」。したがって，「専門家たる精神医学者の精神鑑定等が証拠となっている場合においても，鑑定の前提条件に問題があるなど，合理的な事情が認められれば，裁判所は，その意見を採用せずに，責任能力の有無・程度について，被告人の犯行当時の病状，犯行前の生活状態，犯行の動機・態様等を総合して判定することができる」のである（前掲最決平成21・12・8）。

　もちろん，専門家の鑑定結果が合理的な根拠に基づく場合，裁判官はこれを尊重しなければならない（最判平成20・4・25刑集62巻5号1559頁）。他方，精神鑑定の精度が，鑑定者の能力や資質によって左右される以上，鑑定結果からただちに責任能力の有無が決まるわけではない。従来，精神疾患が犯行の契機となっただけでなく，病気による被害妄想や幻覚などに支配されたとき，大体は心神喪失と認定されたのに対して（高松高判昭和28・6・11判特36号15頁，広島高判昭和45・11・24判タ261号358頁，東京高判昭和50・2・20東高刑時報26巻2号36頁など），脳障害などの生物学的要因や人格障害にあたる心理学的要因は，裁判官による規範的評価の一資料にとどまるとされた。

3　触法行為と保安処分

　刑法は，異常な精神状態により是非弁別能力や行為制御能力がなかったならば，「心神喪失者の行為は，罰しない」（39条1項）とする。また，犯行時に責任能力が著しく低下した場合は，心神耗弱者として「その刑を減軽する」（39条2項）と

いう。いずれも，学説上は，責任阻却（減少）事由である。心神喪失者による加害行為は，刑法上の犯罪とならないため，現行法上「触法行為」と呼ばれており，刑罰を科する対象に含まれない。しかし，同種の事件が起きるのを防いで，将来の被害者となる国民を保護するために，保安処分や治療処分が必要となる。

わが国では，長らく，精神保健福祉法29条や，麻薬及び向精神薬取締法58条の8などによる措置入院制度が活用されてきた。しかし，これらは，患者の治療を目的とした行政処分にすぎない。また，犯行後の治療経過に応じた再犯の可能性を厳格に審査する機会がないため，現場の医師による診断次第で，危険な触法精神障害者が退院することも少なくなかった。そこで，平成15（2003）年には，「心神喪失等の状態で重大な他害行為を行った者の医療及び観察等に関する法律」が制定された。同法33条・42条によれば，責任無能力者として不起訴処分や無罪判決を受けた場合（減軽判決を受けた場合も含む），検察官の申立てにより，裁判所が措置入院命令などにより入退院を決定することになる。

2 原因において自由な行為

1 行為・責任同時存在の原則

1 責任主義からみた自招の責任無能力

責任主義によれば，犯行時には責任能力が備わっていなければならない。もし是非弁別能力と行為制御能力のいずれかが欠けたならば，行為者の責任が阻却される（行為・責任同時存在の原則）。しかし，犯行時には責任能力がなかったが，それに先立って意図的に責任無能力状態を引き起こすことで，いわば心神喪失または心神耗弱状態を利用した場合には，責任主義を形式的に適用するべきでない。むしろ，責任無能力制度を悪用して処罰を免れようとする者には，およそ刑法39条の適用を排除して，犯人を厳格に処罰することが，責任主義の本意に沿うものである。そこで，責任無能力を招来した行為の開始時には，犯人に十分な責任能力があったことから，心神喪失（耗弱）下の侵害行為にも刑事責任を認める考え方が，「原因において自由な行為の理論」である。すなわち，「原因行為の時点では自由な意思があった」とき，同条の適用範囲から除外することで，むしろ責任主義の原理が貫徹されるのである。

Case 92
　Xは、生来の遺伝的素質から、飲酒により精神病の症状が激化することがあった。ところが、飲食店で多量に飲酒した際、ウェイトレスのAに対する暴行を制止した従業員のBの態度に憤慨し、とっさに殺意を生じて、近くにあった包丁でBを突き刺して死亡させた。しかし、犯行時には、病的酩酊のため心神喪失の状態にあった。

Case 93
　Yは、覚せい剤（ヒロポン）中毒による幻覚妄想などを治療するべく、いったん覚せい剤の使用を中止していた。しかし、姉Cの嫁ぎ先に身を寄せた際、また覚せい剤を注射すれば、手持ちの短刀で他人に危害を加えるかも知れないと予想しながら、覚せい剤を使用したため、過去の施用後遺症と一時的な中毒症状から、Cを刺殺した。

　*Case 92*では、犯人であるXは、多量に飲酒するとき、病的酩酊に陥って心神喪失の状態で他人に危害を及ぼす性癖があった。またXは、こうした自己の素質を自覚していた以上、心神喪失の原因となる飲酒を抑制して、他者に対する危険の発生を未然に防止する義務があった。裁判では、これらの注意義務を怠った以上、過失致死罪が成立するとした（最大判昭和26・1・17刑集5巻1号20頁）。これに対して、*Case 93*では、覚せい剤を使用するとき、自らの精神異常を招いて他人に暴行を加えることを知りながら、あえてその事態を容認しつつ、覚せい剤を注射したのであるから、暴行の未必的故意に基づく傷害致死罪が成立するとされた（名古屋高判昭和31・4・19高刑集9巻5号411頁）。

　*Case 92*と*Case 93*の結論は、過失致死と傷害致死に分かれたが、それは、以下の理由による。まず、病的酩酊に陥りやすい犯人が、飲酒を開始した時点では正常な判断力を備えていた以上、直接的な侵害行為時に責任無能力の状態で殺意や傷害の故意があれば、殺人罪（199条）や傷害致死罪（205条）の成立を妨げない。しかし、*Case 92*のXは、原因行為である飲酒の時点では殺人（または暴行・傷害）の故意がなかった以上、もっぱら過失犯の成否が問題となる。すなわち、病的酩酊による他者加害の可能性を自覚する者には、正常な判断力のある時点で、過度の飲酒を抑制すべき注意義務があったからである。そうである以上、たとえ殺傷に及んだ時点では責任無能力であっても、原因において自由な行為の理論を用いて、刑法39条1項の適用が排除されることになる。

　他方、*Case 93*にあっては、犯人が事前に短刀まで用意しており、原因行為の時点でも、暴行・傷害の（少なくとも未必的）故意はあったところ、侵害行為の時点では未必の殺意さえ認定できた事案であった。しかし、原因行為時の意思内

容を基準とする限り，心神喪失時に殺意が認定されたとしても，被害者の死亡については，結果的加重犯である傷害致死罪（205条）を適用することになる。すなわち，いずれも原因行為時の主観的態度が基準となるため，たとえ結果行為（殺傷行為）の時点では明白な殺意があっても，それが原因行為の延長とみられないとき，結果行為時の主観面を考慮することはできない。したがって，せいぜい，原因行為時の主観的態度から判断するほかはないのである。こうした考え方は，故意犯で原因において自由な行為を認めるとき，原因行為および結果行為の双方に故意を要求することから，二重の故意の理論と呼ばれる。

2 間接正犯類似説と責任原則緩和説

　原因において自由な行為の処罰根拠をめぐって，いくつかの見解が対立してきた。まず，①犯人が，自らの責任無能力状態を利用して，当初予定した犯罪を行った点で，いわば自分の身体を道具とした間接正犯の場合に近いとみる見解がある（間接正犯類似説）。その場合，犯人の実行行為は，責任能力時の原因行為になる（大阪地判昭和51・3・4判時822号109頁）。しかし，この見解では，異常酩酊の性癖をもつ者が，責任無能力状態で他人を傷つける意図で飲酒を始めたところ，泥酔して寝入ってしまった場合にも，すでに実行行為が始まっており，傷害未遂罪（暴行罪）が成立してしまう。実行の着手後に生じた予想外の事情は，単なる因果経過の逸脱にとどまるからである。これでは，未遂犯の成立時期が早すぎると批判されてきた。

　そこで，学説の中には，②責任能力がない時点の侵害行為も含めた全体について，犯人による最終的な意思決定が及んでいるとき，最初の意思決定の時点で責任能力があればよいとする見解がある（責任原則緩和説）。すなわち，責任能力の中でも，是非弁別能力を重視しつつ，責任能力時に原因行為から侵害行為に至る意思決定がなされたならば，行為・責任同時存在の原則がみたされるというのである。この点で，行為・責任同時存在の原則を徹底していないが，未遂処罰が早くなりすぎるという批判は避けられる。そのほか，近年では，③実行行為を認めるのに必要な危険性と，未遂犯の成立に必要な結果実現の危険性（ないし危険結果）を区別する見解がみられる（未遂結果説）。責任能力のある時点の原因行為が実行行為にあたるとしても，未遂処罰の時期を直接的な侵害行為の時点まで遅らせようとするのである。

行為制御能力と責任原則

上述した②責任原則緩和説と③未遂結果説は、理論上、行為・責任同時存在の原則を緩和するため、心神耗弱（限定責任能力）状態を利用するなど、完全な道具性が認められない場合にも、原因において自由な行為の理論を適用できるという利点がある。しかし、これらの見解は、原因行為時の意思決定やその前提となる是非弁別能力を重視するが、結果行為時の行為制御能力を軽視するという問題がある。また、具体的には妥当な結論を導くことができるものの、どこまで責任原則を緩和するかが明らかでない。したがって、原因において自由な行為の理論が無制限に拡張されるおそれもある。しかも、②責任原則緩和説のように、心神喪失時の侵害行為を実行行為とみるならば、責任無能力下で生じた犯人の殺意を無視できないであろう。その結果として、たとえば、*Case 92* の事案では、故意の殺人罪が成立することになる。

2 原因において自由な行為の理論とその限界

1 限定責任能力と原因において自由な行為

つぎに、心神耗弱状態を利用した犯罪でも、原因において自由な行為の理論を適用する見解が多数説である。しかし、間接正犯類似説による道具理論を貫くならば、限定責任能力下では完全な道具性がない以上、同法理を適用できないとする指摘がみられる。その場合、心神喪失では、原因において自由な行為の理論が適用され、責任無能力下の犯行にも完全責任能力が認められる一方、心神耗弱では、（限定）責任能力が残っていたにもかかわらず、通常の犯罪と同様、刑法39条2項により刑が減軽されるのは、不均衡だとする批判がある。そこで、間接正犯類似説でも、間接正犯における「故意のある幇助的道具」に準じて、心神耗弱下の行為にも同法理を適用するものが少なくない。

> *Case 94*
> Xは、自動車で営業した帰りに飲み屋で飲酒した上、付近に駐車中の軽自動車を窃取して、病的酩酊のため正常な運転ができない状態で、同自動車の運転を始めた。

Case 94 では、先行する飲酒行為の時点で、犯人に酒酔い運転の故意があった以上、たとえ運転時に心神耗弱の状態になったとしても、刑法39条2項により、刑を減軽すべきではないとされた（最決昭和43・2・27刑集22巻2号67頁）。

これに対して、行為・責任同時存在の原則を緩和する立場では、先行した意思決定時に責任能力が存在すれば、その後の因果経過が心神喪失・心神耗弱のいずれかを問わないため、原因において自由な行為の理論を容易に適用できる。その

意味で，*Case 94* の X には，飲酒を開始した時点で酒酔い運転の意思があった以上，刑法39条2項を適用しないと述べた裁判所は，こうした見解に依拠したようにもみえる。しかし，通常は，犯人が限定責任能力の状態にとどまったとき，いったんは実行に着手しても，途中で引き返すことが可能である。したがって，心神喪失状態を利用した場合と比べたとき，当然に客観的危険性が高くなるわけではない。そもそも，責任原則緩和説については，結果行為時の同時的コントロール（行為制御能力）を考慮していないという批判があることは，上述したとおりである。

2 実行行為開始後の責任能力の低下

原因において自由な行為の場合には，心神喪失または心神耗弱の違いだけでなく，どの時点の故意・過失を捉えるかで，およそ処理の仕方が異なってくる。最近では，これらの組合せを考えて，連続型・非連続型に区分する見解もみられる。また，下級審判例の中には，実行行為を開始した時点で責任能力があったものの，犯行の途中で心神喪失（または心神耗弱）の状態になったとき，刑法39条を適用しないとしたものがある（いわゆる承継的責任無能力）。

> *Case 95*
> X は，自宅で焼酎を飲み始めた際，保険金の件で妻 A と口論になった。X は，当初，手拳で A を殴打したり足蹴りを加えていたが，さらに A が反論するため，腹立ち紛れに焼酎を飲んで，次第に酩酊の度を深めた結果，最後には，複雑酩酊の状態に陥って，A を踏みつけたり肩たたき棒で滅多打ちにしたため，外傷性ショックにより A を死亡させた。X は，肩叩き棒などで A を殴打した時点では，多量の飲酒・酩酊による心神耗弱の状態にあった。

> （*Case 95*）の X は，同一機会に同一の意思を実現しており，しかも，その実行行為は，継続的ないし断続的に行われていた。したがって，心神耗弱下で暴行を開始したのでなく，当初の暴行時には完全責任能力が備わっていた以上，X について，刑を減軽すべき実質的根拠がないとされた（長崎地判平成4・1・14判時1415号142頁）。

たとえば，*Case 95* では，犯人が自分の妻に対する暴行を開始した後，徐々に飲酒による複雑酩酊で心神耗弱に陥ったため，この場合にも，刑の必要的減軽を認めうるかが争われた。ここでは，すでに実行の着手時に責任能力があった以上，原因において自由な行為の理論を適用する余地がないともいえる。また，犯

行の全過程にわたって，責任能力を具備するべきかについては，争いがある。たとえば，監禁罪（220条後段）のような継続犯では，監禁行為の開始時に責任能力があれば足りる。したがって，犯人が実行行為の途中で心神耗弱に陥ったとしても，刑法39条2項を適用して刑の減軽をする必要はない（最決昭和43・2・27刑集22巻2号67頁，大阪高判昭和56・9・30判時1028号133頁）。

しかし，こうした捉え方が，もっぱら継続犯の場合に限られるかは，理論上も明らかでない。たとえば，*Case 95* では，責任能力がある時点で始まった実行行為の連続・発展であることを理由としたのか（大阪地判昭和58・3・18判時1086号158頁），それとも，実行の着手から犯罪の完成に至るまでの，いずれかの時点で犯人の責任能力があれば足りるとする趣旨であるかについて，なお不明である。もっとも，*Case 95* のように，長時間の暴行が行われた事案にあって，完全責任能力がある時点で致命的な暴行がみられず，むしろ，心神耗弱下で加えた暴行が致死の原因となったからこそ，原因において自由な行為の理論を適用したとみる見解が有力である。

故意犯と違法性の錯誤

1 法律的事実の錯誤と違法性の錯誤

1 責任要素としての故意

1 構成要件的故意と責任故意

　総論 *5*「故意犯と事実の錯誤」の故意は，構成要件的事実の認識・認容であった（⇒p.95 の **3**）。しかし，刑法38条 1 項の「罪を犯す意思」には，それ以外の犯罪事実に対する認識・認容も含まれる。たとえば，殺人罪では，「人を殺す」ことの認識に加えて，「自分の行為は正当防衛にあたる」と認識しなかったことが，故意犯として必要である（⇒誤想防衛）。ただ，違法性にかかわる事実の認識は，すでに構成要件の段階で論じた故意（事実的故意）の内容には含まれない。なぜならば，事実的故意の内容は，構成要件該当性を基礎づける定型的な事実の認識・認容に限られるため，違法性阻却事由である正当防衛に関する事実の認識を含まないからである。そこで，①刑法上の故意を 2 つに分けて，構成要件段階の故意（事実的故意）と，違法ないし責任段階の故意（責任故意）を考える立場がある。これに対して，②故意を責任要素に限定する見解では，構成要件該当事実および違法（正当化）事実の認識が，すべて責任要素である故意の中に取り込まれることになる。

　故意犯としての責任は，犯人が悪いことだと知りつつ，違法な行為を選択したことに対する非難可能性に求められる（なお，p.171 の総論 *9*「責任」を参照）。かつては，行為者の受刑能力に応じた社会的責任論も主張されたが，今日では，責任主義の見地から，当該犯人を故意犯として非難できることが，故意責任の基礎となっている。そこでは，犯人が違法な事実を認識したため，その実現を思いとどまるべきであったところ，あえて当該行為に及んだ点で，故意犯としての責任を問われるのである。これに対して，ある人が強盗に襲撃されたと誤信して，防衛の意思で無関係の通行人を殴った場合（誤想防衛），犯人の認識した内容は，まさしく正当防衛にあたるため，違法な事実の認識が欠ける。したがって，故意犯

としての責任を追及することはできない。このことから，責任論における故意の内容として，違法性に関する事実を認識したかどうかが問題となる。

2 法律的事実の認識と違法性に関する認識

すでに総論 **5**（⇒p.97の **1**）の故意・錯誤では，規範的構成要件要素に関する事実の認識が問題となった。また，一定の犯罪構成要件では，法律的事実の認識が必要となるため，これも構成要件的故意の内容に含まれる。たとえば，窃盗罪（235条）では，行為の客体が他人の所有物に限られており，自己所有物に対する放火罪（109条2項）では，誰が建造物の所有者であるかが構成要件該当性を左右する。したがって，自己の所有物であると信じて，客観的には他人の所有物を「窃取」または「放火」した場合には，事実の錯誤として，窃盗の故意または他人所有物に対する放火（109条1項）の故意が阻却される。しかし，客体の所有者が誰であるかは，ある種の法的判断を含むため，本来は，客観的事実の認識にとどまる故意概念の中に，一種の規範的評価が入り込んでくる。そこでは，事実の認識と法的評価が交錯するのである。このような規範的事実の認識・認容（その錯誤）にあっては，構成要件故意の要素である「意味の認識」が問題となる。

Case 96
Xは，警察規則（当時）を誤解し，他人の所有する飼い犬であっても，鑑札をつけていなければ，その犬は無主物とみなされると誤信して，自分の畑を荒らしたA所有の無鑑札犬を撲殺した。

Case 97
Yは，強制執行をめぐる民事訴訟法の規定を誤解したため，有効な差押えを受けたにもかかわらず，差押えを無効であると信じて封印等を破棄した。

Case 98
古本屋の店主であるZは，知人のBから買い取った外国語のエロ本を判読できなかったため，およそ「わいせつな文書」にあたらないと誤信して，常連客のCらに販売した。

Case 96 では，およそ「他人の」所有物を破壊した（犬を殺した）という事実を認識しておらず，Xには，器物損壊罪（261条）の故意がない（飼い犬撲殺事件。最判昭和26・8・17刑集5巻9号1789頁）。また，Case 97 でも，構成要件にあたる事実の認識がないとして，Yには，封印等破棄罪（96条）の故意が欠けることになる（封印破棄事件。大決大正15・2・22刑集5巻97頁）。同様にして，Case 98 でも，販売者

> のZは，わいせつ物であると認識しなかったため，わいせつ物頒布等罪（175条）の故意が否定される。ただし，日本語のエロ本を，刑法上の「わいせつ物」にあたらないと誤解して販売したならば，わいせつ文書販売罪の成立を妨げないとした最高裁判例がある（最大判昭和32・3・13刑集11巻3号997頁）。この判決では，「刑法175条のわいせつ文書販売罪の故意があるとするためには，当該記載の存在の認識とこれを頒布・販売することの認識があれば足り，かかる記載のある文書が同条所定のわいせつ性を具備するかどうかの認識まで必要とするものではない」と述べている。

まず，*Case 96* で，犯人が無主物であると誤信したことは，他人の財産権を侵害する犯罪類型において，重要な犯罪事実（他人の所有物であること）を認識していない。しかし，*Case 97* で民事訴訟法規を誤解したことは，果たして故意を阻却するほどの錯誤であろうか。すでに総論 **5**（⇒ p.100 の **1**）でも言及したように，「事実の錯誤は故意を阻却するが，法律の錯誤は故意を阻却しない」といわれる。したがって，法律的事実の錯誤であっても，犯人の錯誤が故意を阻却するのであれば，事実の錯誤に分類されることになる。

それでは，事実の錯誤と法律の錯誤の違いは，一義的に明確であろうか。たとえば，所有者が誰であるか，刑法上の「わいせつ」物にあたるかは，法律的事実の認識にほかならない。ただ，こうした規範的構成要件要素にかかる意味の認識は，犯人の法的評価にあたる違法性の意識と似ている面もあり，法律的事実の錯誤と法律の錯誤の違いをめぐっては，学説と判例が対立してきた。たとえば，*Case 98* で「わいせつ」性を誤認したことは，学説上，事実の錯誤とみられるが，判例では，単なる法律の錯誤にすぎないとされる。さらに，法令による禁止が一定の関連事実と密接に結びついた行政刑罰法規では，犯人が刑罰法規の内容を知らなかったとき，事実の錯誤と法律の錯誤のいずれにあたるかが争われる（なお，p.97 の **3**，p.106 の **4** を参照）。

3 事実の錯誤と法律の錯誤の区別

故意犯の場合には，犯人が客観的な犯罪事実を認識した以上，「反対動機を形成して，違法行為を思い止まるべきであった」にもかかわらず，あえて犯罪行動を選択したことで，故意犯としての責任が肯定される。いい換えれば，行為時の具体的状況下で，適法な行為に出ることを期待された犯人が（いわゆる他行為可能性があった），法の期待に反して違法な事実を実現した主観面を捉えて，故意責任があると判断するのである。こうした捉え方は，規範的責任論と呼ばれるが，そ

の詳細については，総論 *9*「責任」(⇒ p. 173 の **2**) を参照して頂きたい。以下では，もっぱら故意責任における責任の実質をみておこう。そこで問題となるのは，客観的事実の認識・認容からなる事実的故意とそうした事実に対する法的評価を，どのように区分するかである。また，故意における認識の問題を錯誤論におき換えたとき，事実の錯誤と法律の錯誤は，どのような基準で区別されるかである。

> *Case 99*
> Xは，その地方で「もま」と俗称されている動物を，旧狩猟法で禁猟獣にあたる「むささび」とは別の動物であると信じて，客観的には「むささび」と同一物である「もま」を捕獲した。
>
> *Case 100*
> Yは，「むじな」と呼ばれる動物を，旧狩猟法で捕獲を禁じられた「たぬき」とは別物であると信じて，実際には「たぬき」にあたる「むじな」を捕獲した。

(*Case 99*)では，Xが「むささび」とは別の「もま」であると誤信したことは，単なる法律の不知であって，およそ故意（犯意）を阻却しないとされる（むささび・もま事件。大判大正13・4・25刑集3巻364頁）。しかし，(*Case 100*)では，旧狩猟法の禁猟獣にあたる「たぬき」を捕獲する旨の事実認識が欠けるとして，Yの故意（犯意）が否定されている（たぬき・むじな事件。大判大正14・6・9刑集4巻378頁）。いずれも大審院時代の判例であるが，前者は法律の錯誤にあたるところ，後者は事実の錯誤とされたため，両判決は矛盾・対立していないかが問題になった。

上述した「むささび・もま事件」と「たぬき・むじな事件」では，同種の事案をめぐって異なる態度が示されている。かりに，犯罪事実の認識として「禁猟獣を捕獲することの認識」が必要であるならば，「たぬき・むじな事件」では，禁猟獣である「たぬき」を捕獲する際，「この動物は〔禁猟獣でない〕むじなである」と信じていた以上，故意の内容としては不十分である。ところが，「むささび・もま事件」では，客体を捕獲するとき「この動物は〔禁猟獣の〕むささびである」という認識は必要でなく，動物学上は同一物である「もま」を「もま」と知って捕獲すれば，故意を認めるのに十分としている。なるほど，犯人がプロの猟師であるならば，「たぬき・むじな事件」のように，単なる知識不足から禁止の内容を誤解した場合にも，ただちに事実の錯誤として，故意が否定されるわけでない。むしろ，学説上は，いずれの場合も法律の錯誤とみた上で，「たぬき・むじな事件」では，古来から両者が別物と誤解された事情にも配慮しつつ，犯人

の錯誤には相当な理由があったとして，故意責任を否定したものと説明される。

2　38条3項の解釈

1　刑罰法規の認識と法令の不知

1　**故意責任の内容**　従来，法律的事実を含む構成要件該当事実を認識していれば，行為者には，規範違反の意識を呼び起こすだけの前提事実の認識があるとされてきた。したがって，犯人による法的判断の誤りは，ただちに故意を阻却しない。いい換えれば，犯人が構成要件該当事実を認識したことで，通常は規範の問題に直面しており，それにもかかわらず，あえて違法行為に及んだならば，犯人には，故意にふさわしい反規範的態度が認められるのである。その意味で，ローマ時代の法格言でも，「法の不知は許さない」とされた。すなわち，故意責任を認めるためには，犯人が法律を知っている必要はないし，すでに反対動機を形成する機会が十分にあった以上，たとえ具体的な刑罰法規を知らなくても，法秩序に敵対する主観的態度が存在したからである。刑法38条3項は，「法律を知らなかったとしても，そのことによって，罪を犯す意思がなかったとすることはできない」と規定する。ただし，同条でいう「法律」の内容が，文字どおり，法文ないし罰条の意味であるならば，刑罰法規それ自体を知ることが，故意犯の成立要件にならないのは当然である。

> *Case 101*
> Xは，Yらと共謀の上，老朽化したつり橋を建て替える資金を作るため，雪による重みで落橋したように装って，災害補償金の交付を受けようと計画した。その上で，ダイナマイトを用いて，このつり橋を爆破・落下させたが，自己の行為に適用される具体的な刑罰法令や法定刑の重さを知らなかった。
>
> *Case 102*
> Zは，その液体がメチルアルコールであると知って，飲用に供する目的でこの液体を所持・譲渡したが，法律上は，メチルアルコールが所持・譲渡を禁じられたメタノールと同一物であることを知らなかった。

> *Case 101* の事案において，最高裁は，自己の行為が違法であると認識した以上，これに適用される具体的な刑罰法規や法定刑の程度を知らなかったとしても，刑法38条3項ただし書の適用はなく，犯人が違法性の意識を欠いたことは，量刑上も考慮する必要はないとした（つり橋爆破事件。最判昭和32・10・18刑集11巻10号2663頁）。また，*Case 102* の事案でも，犯人の錯誤は，法律の不知にすぎないとして，犯罪

事実の認識があったと判示している（メタノール販売事件。最大判昭和23・7・14刑集2巻8号889頁）。

2 刑罰法規の錯誤　*Case 101* で問題となったように，法定刑の重さや可罰的違法性の程度をめぐる行為者の錯誤は，せいぜい「情状により，その刑を減軽する」にすぎない（38条3項ただし書）。したがって，犯罪者は，法令の禁止や罰条を知らなかったことを理由に，故意犯の罪責を免れることはできない。同様にして，あてはめの錯誤（包摂の錯誤）と呼ばれる場合は，犯人自身がどの罰条にあたるかを見誤った場合であり，やはり，故意犯の成否とは無関係である。実際の適用法条を含む正確な法律知識をもたない犯人が，自分に適用されるべき条文や刑罰の種類を誤解したとしても，それによって故意が阻却されるわけではない。

同様にして，現在の情報化社会では，法定犯・行政犯についても，かなりの程度まで禁止行為の内容が周知徹底されており，犯人が例外的に適法性を誤信した場合を除いて，通常は，違法性の意識があったとみられる。たとえば，木製品の製造販売業者が，自己の製造する物品を遊戯具にあたると認識したとき，たまたま，副業として幼児用ブランコの製造を思い立ったため，同じく課税物品として製造申告が必要であると認識しなかった場合にも，物品税法に関する法令の不知にとどまるとされた（最判昭和34・2・27刑集13巻2号250頁）。

> ### *Case 103*
> Xは，特殊公衆浴場を経営する会社の代表取締役であったが，有限会社から株式会社に組織変更をする際，旧経営者のAからXに営業許可申請者を変更する旨の届出が受理された。しかし，客観的には無許可営業の状態であったところ，Xは，正式の営業許可があったものと誤解して，同浴場の営業を続けていた。

> *Case 103* のXは，県の担当係官の示唆を得て，県知事宛てに営業許可申請事項変更届を提出した後，県議会議員を通じて変更届が受理された旨の連絡を受けており，裁判所は，これらの事情を考慮して，犯人には，公衆浴場法8条1号にあたる無許可営業罪の故意がなかったとした（無許可浴場営業事件。最判平成1・7・18刑集43巻7号752頁）。

今日，法律が専門・分化することに伴い，法律知識が乏しい一般人には，各法

律で犯罪成立要件となる事実の内容をめぐって，正しく判断できない場合も増えてきた。たとえば，覚せい剤を密輸・所持した人間が，人体に有害な薬物であると知りつつも，法律が定めた禁制品にあたることを認識しなかったとき，それが事実の認識（錯誤）と法律の認識（錯誤）のいずれであるかの問題は，すでに規範的事実の認識をめぐって争いになった。その際，学説の一部は，実質的故意の理論を採用して，違法性を意識しうる程度の具体的事実を認識すれば足りると主張したが，こうした見解を採用するならば，形式的な犯罪構成事実の認識・認容とは別に，違法性の意識を論じる実益が乏しくなる。そこで，反対説からは，事実の錯誤と法律の錯誤の違いさえ，不明確になってしまうと批判されている。

2 事実の法的評価が問題となる場合

　1　**厳格故意説とこれに対する批判**　伝統的な責任論によれば，犯人が当該行為の違法性を意識しながら，あえて犯行に及んだ場合が故意犯となるため，違法性の意識が欠けるときには，故意犯としての責任を追及できない（道義的責任論）。その意味で，違法の意識は「故意と過失とを分つ分水嶺」とされてきた。学説上，違法性の意識を故意責任の要素とする立場は，厳格故意説と呼ばれる。まさしく厳格な意味で，違法性の意識を必要とするからである（違法性の意識必要説と呼ぶこともある）。

　しかし，こうした見解は，いわゆる確信犯や激情犯のように，犯人の特異な政治思想や犯行時の異常な精神状態から，自分の行為を正当なものであると誤信した場合，違法性の意識を否定することで，故意犯の成立範囲を不当に狭めてしまう。また，法定犯・行政犯でも，常に違法性の意識を故意の要素とするならば，およそ故意犯が成立しなかったり，過失犯の規定もないところでは，行政取締目的を達成できないおそれがある。これに対して，違法性の意識不要説は，違法性の意識を故意の要素に含めず，すでに犯罪事実を認識・認容した以上，犯人は自己の行為が法律違反であることを知るべきであったとする。そして，違法性の意識を欠いたことがやむをえないときは，せいぜい，量刑で考慮すれば足りるというのである。違法性の意識不要説が，わが国の確立した判例である。

Case 104
　Xは，犯行当時，その運搬・所持が禁じられた進駐軍物資であると知りながら，これを運搬・所持した。しかし，進駐軍の関係者であるAから依頼されたこともあ

り，自分の行為は法律上許されると誤信していた。

Case 105
　Yは，以前から塩酸モルヒネ等を所持・使用していたが，昭和21年になって麻薬取締規則が公布されたため，当該麻薬の所持・使用等が処罰されるに至った。しかし，Yは，行為当時，同取締規則の存在を知らなかった。

　Case 104は，たまたま，犯人であるXが進駐軍物資の運搬・所持を許されたと誤信しても，そのような事情は，故意を阻却する事由にあたらないとされた（進駐軍物資運搬事件。最判昭和25・11・28刑集4巻12号2463頁）。ここでは，自然犯の場合はもちろん，行政犯にあたる場合にも，故意犯が成立するためには違法性の意識を不要とする態度が，明確に示されている。また，***Case 105***では，旧麻薬取締規則が公布と同時に施行された事情もあって，犯人のYが刑罰法令に基づく行為の違法性を認識できなかったとしても，故意犯の成立を妨げないとされた（モルヒネ所持事件。最判昭和26・1・30刑集5巻2号374頁）。

2　違法性の意識不要説とこれに対する批判　裁判所の見解によれば，違法性の意識は故意犯の成立要件でない。したがって，刑罰法令が公布と同時に施行され，刑法規範の名宛人である国民の側で，その法令に基づく行為の違法性を知る時間的余裕がなかったとしても，故意犯の成否に影響しないことになる。なるほど，一般国民であっても，客観的な犯罪事実を認識したならば，何らかの意味で反社会的な事実を知っており，その場合には，いかなる行為が法令によって禁止されるかを調査すべきであった。その限度で，違法性の意識不要説は，国家の側からみた権威主義的な思想を体現したものである。

　しかし，犯人がおよそ刑罰法令の存在を知りえない状況におかれる場合もある。また，不可抗力により違法性の意識を欠いた場合が考えられる。たとえば，関東大震災によって交通機関が途絶したため，法令の発布を知りえなかったとき（なお，大判大正13・8・5刑集3巻611頁参照），それが新しい罰則であったならば，いきなり違反者を故意犯として処罰するのは責任主義に反する。これに対して，広く反社会的行為と認められた犯罪類型について，刑罰法令の細部を変更しただけであれば，法令の変更を知らなかった場合にも，当該行為の違法性を意識する可能性があったといえよう。

3　違法性の意識の内容と制限故意説

1　反社会性の認識　いわゆる法定犯や行政犯では，当該犯人に対して，厳

格な意味で違法性の意識を要求した場合，各法令の予定する取締目的を達成できないおそれがある。そこで，違法性の意識の内容を「反社会性の自覚」にまで広げることが考えられる。こうした見解によれば，たとえ確信犯人であっても，自分の行為が現行法体系からみて許されないと認識するであろうし，法定犯や行政犯を処罰する際にも，犯人のもつ「生の事実認識」から「反社会性の自覚」を導くことができれば，それほど実際上の不都合は生じないであろう。

また，学説上も，違法性の意識の内容をめぐって，「前法的規範違反の認識」とする見解だけでなく，「一般的違法性の認識」で足りるとする見解がみられる。かりに厳格故意説を採用しても，違法性の意識を反社会性の自覚にまで希薄化するならば，他説からの批判を免れることができる。そもそも，違法性の意識必要説の中で，具体的な刑罰法規に抵触する旨の認識まで要求する見解は，まれだからである。

2　一般的違法性の意識　　すでに規範的構成要件要素の認識では，単なる外形的事実を了知するだけでは足りず，当該行為の社会的意味を認識したことが犯罪成立要件となっていた。しかし，行為者の認識対象となる違法性の内容は，理論上も共通でなければならない。かりに違法性の概念が，「生活利益を侵害・危殆化すること（法益侵害性）」であるならば，違法性の意識も，単純な反社会性の認識だけでなく，「一般的違法性の認識」ないし「法律上許されないことの認識」が含まれねばならない。学説の多数も，「法秩序に反することの意識」または「法的に許されないことの意識」を違法性の意識の内容としてきた。

その意味で，違法性の意識必要説ないし厳格故意説を徹底するときには，やはり，確信犯や法定犯などで不都合な結果が生じることもある。そこで，厳格故意説と違法性の意識不要説の中間的な見解として，違法性の意識可能性説（制限故意説）と呼ばれる見解が主張されるに至った。それによれば，実際に違法性の意識を生じなくても，犯行時に当該行為の違法性を認識できた事情があれば，故意犯でいう反規範的人格態度を認めうるのである。ここでは，違法性の意識それ自体でなく，違法性の意識の可能性により，故意犯が成立することになる。

Case 106

　Xが上映した映画は，刑法上のわいせつ図画にあたるものであったが，すでに映倫管理委員会の審査を通過していたため，その上映が法律上許されると誤解していた。なお，映倫制度が発足して以来，審査を通過した映画で公訴が提起されたのは，はじ

めてであった。

Case 107
　Yらは、仲間と共謀の上、空港ビル内で行われた無許可の集団示威運動を指導したが、集団示威運動の際、担当職員から警察官に対して警備要請などが出されておらず、警察官も何ら警告や制止をしなかったため、Xらは、従来の慣例からして、法律上許されたものと考えていた。

　*Case 106*では、映倫管理委員会の審査を通過した映画であることから、犯人が法律上許されたと信ずるにつき相当の理由があったため、わいせつ図画公然陳列罪の故意を欠くとされた（黒い雪事件。東京高判昭和44・9・17判時571号19頁）。また、*Case 107*では、過去にも、空港ビル内で同種の示威行動が黙認されており、犯行当日も現場にいた警察官から何らの警告や制止がなかった事情もあり、Yらが法律上許されない示威行動と考えなかったことについて、相当の理由があるとして、違法性の錯誤が犯罪の成立を否定するとした（羽田空港デモ事件。東京高判昭和51・6・1判時815号114頁）。

　3　制限故意説とこれに対する批判　上述した2つの判例では、違法性の錯誤について相当の理由の有無を吟味しており、従来から判例がとってきた違法性の意識不要説と異なる記述がみられる。また、学説における違法性の意識可能性説が示す基準と重なるところもある。しかし、違法性の意識可能性説に対しては、違法性を意識できたか否かという過失的な要素をもって、故意犯の成否を決するため、現に違法性を意識した場合の故意犯と同視できないとか、故意と過失を厳格に区別する現在の犯罪論体系と矛盾するという指摘がある。

　こうした批判に対して、まさしく規範的責任論では、違法性の意識をめぐる単純な心理状態と異なり、反対動機の形成可能性が重視されるため、現に違法性の意識があった場合とその可能性があった場合では、責任非難として決定的な差異にならないという反論がある。また、犯人に違法性を意識する判断力とこれを認識しうる客観的状況がそなわっていた以上、常習犯や確信犯の場合にも、反対動機を形成する可能性があったとされる。その意味で、反対説による批判は、積極的な違法性の意識がなくても、故意犯に相当する責任を認めうるとした制限故意説と対比して、過去の心理的責任論に囚われたものといえよう。

　4　自然犯・法定犯区別説　そのほか、いわゆる法定犯でのみ違法性の意識を要求する見解がみられる。こうした自然犯・法定犯区別説は、法定犯と自然犯で同じく違法性の意識を要求した場合、故意犯の成立範囲が不当に狭くなるのを

回避するために，主として主観主義の立場から提唱された。すなわち，自然犯の場合には，犯罪事実を認識・認容した以上，犯人は当然に違法性を意識するべきであり，かりに欠如した場合にも，そこには犯人の反社会的性格が示されている。これに対して，法定犯では，違法性の意識があった場合にのみ，犯人の反社会的性格を認めうるというのである。

　しかし，理論上は，そもそも，自然犯と法定犯を明確に区分できるかという問題がある。また，自然犯（ないし刑事犯）の領域でも，犯人がやむをえない事情から違法性の意識を欠く場合があり，それをまったく無視することは妥当でない。さらに，法定犯（ないし行政犯）の領域では，違法性の意識必要説が採用されるため，たまたま違法性を意識しなかった者については，故意犯の成立範囲が不当に狭まるという意味では，やはり行政取締目的を達成できず，厳格故意説と同じ問題を含んでいる。

2　違法性に関する錯誤 ── 故意説と責任説

1　違法性の意識と法律の錯誤

■1　故意説と責任説

　1　**事実的故意と責任**　　以上の諸見解は，いずれも，違法性の意識（またはその可能性）を故意の要素とみている。そこで，これらの見解を「故意説」と命名した上で，自らを「責任説」と呼ぶ見解が有力となった。責任説によれば，違法性の錯誤では，すでに構成要件的事実の認識・認容があるため，違法性をめぐる行為者の認識は，故意とは別個の独立した責任要素になる。したがって，責任説では，犯人が違法性を認識したとき，重い責任非難が加えられる反面，違法性を認識できなかったときには，責任非難が軽減され，かりに違法性を意識する可能性がなかったならば，およそ責任が阻却される。責任が阻却される例としては，暴利取締令に違反した犯人が，関東大震災に伴う交通機関の途絶などにより，禁止法令の発布を知りえなかった場合が考えられる（しかし，大判大正13・8・5刑集 3 巻611頁は，故意犯の成立を認めた）。また，上述した *Case 105* （⇒ p. 194）・*Case 106* または *Case 107* （⇒ p. 195〜196）の場合も，責任の量が軽減されるであろう。

　しかし，学説上，責任説のいう事実的故意だけでは，故意犯の成立を基礎づけるのは難しいとする批判がある。また，故意の内容である事実の認識とその法的

評価を，機械的に区分するのは困難であると指摘されてきた。そこで，責任説の中でも，違法性の意識とは別個に，責任故意の概念を認める見解も少なくない。さらに，違法性を意識することが不可能であった場合，責任それ自体が否定されるならば，もはや過失責任も成立しないことになるが，それでは，かつて責任説を創唱した目的的行為論が，故意行為と過失行為を峻別した態度と矛盾するのではないかといわれる。

2 違法性の錯誤 同様なことは，違法性の意識を裏返した違法性の錯誤（ないし禁止の錯誤）でも妥当する。違法性の錯誤とは，犯人が自分の行為は許されると誤信した場合であるが，結局のところ，違法性の意識を欠如するため，違法性の意識をめぐる諸見解の対立が，そのまま反映される。たとえば，①厳格故意説では，違法性の錯誤によって常に故意が阻却される。反対に，②違法性の意識不要説では，違法性の錯誤があっても，故意犯の成否とは無関係となる（最判昭和25・12・26刑集4巻12号2627頁）。また，③制限故意説では，違法性の意識の可能性があるかどうかで異なるし，④責任説では，その錯誤について相当な理由があったかどうかで，責任それ自体が左右されることになる。

なお，学説上，違法性の錯誤と法律の錯誤は表裏一体とされてきたが，およそ国民一般が法令の存在を認識しえなかった場合（前掲大判大正13・8・5 ⇒ p. 194の Case 105）と，それ以外の理由から犯人が法令を誤解した Case 106 や Case 107 の場合は，理論上も区別する必要がある。

2 違法性の意識の可能性と相当な理由

犯人が警察官の助言や新聞記事を信用した結果，自己の行為を違法でないと誤信したときは，個人的な事情から例外的に許容されると信じたにすぎない。したがって，「法律の錯誤は故意を阻却しない」ことになる。たとえば，弁護士の意見を信じて他人の住居に侵入した場合（大判昭和9・9・28刑集13巻1230頁），一流の衣料品問屋の常務取締役の言葉から，統制品である織物を統制外だと考えて取引した場合には（最判昭和25・12・26刑集4巻12号2627頁），違法性の錯誤にとどまるため，故意犯が成立するとされた。むしろ，上述した犯人には，漠然とした内容であるにせよ，反社会性（および違法性）の意識があったといえなくもない。

これに対して，当該刑罰法規の運用をめぐって公的権限のある監督官庁や裁判所などの，助言・指示や判例に従った場合には（大判昭和14・3・29刑集18巻158頁〔商工省〕，名古屋高判昭和24・9・27判特3号42頁〔検察庁〕），行為者の誤信について

相当な理由があったといえる。したがって，責任主義の原則からしても，犯人には故意責任を問いえないことになる（札幌高判昭和60・3・12判タ554号304頁）。

> **Case 108**
> Xは，自分の経営する飲食店の宣伝に使うため，日本銀行が発行する百円札を模したサービス券を製造したが，事前に相談した警察官の助言を軽くみたこともあり，同サービス券を製造しても許されると考えた。Xの行為は，百円札と「紛ハシキ外観ヲ有スルモノ」を製造した点で，通貨及証券模造取締法1条に違反するとされた。

> Case 108 では，Xが，自ら作成したサービス券を警察署に持参したとき，警察官が格別の注意や警告を与えず，同僚の警察官らに配付したという事情があった。しかし，これだけで許されると誤信したならば，違法性の意識を欠いたことに相当の理由があるとはいえない（百円札サービス券事件。最決昭和62・7・16刑集41巻5号237頁）。むしろ，法令に違反する旨の疑念があった以上，独自に関係の諸機関（日本銀行や検察庁など）に照会して確認するなどして，はじめて違法性を意識する可能性が消失することになる。

なお，Case 108 の百円札サービス券事件の原審（前掲札幌高判昭和60・3・12）も，同サービス券の製造前に警察署を訪ねて助言などを受けた結果，同サービス券を製造しても処罰されないと信じただけでは，例外的に犯罪の成立を否定するだけの特別事情があったとはいえないとした。また，犯人が許されると誤信したのがやむをえない事情としては，当該刑罰法規に関する裁判所の確立した判例や，所管官庁の公式見解のほか，刑罰法規の解釈・運用について職責のある公務員の公式の言明に従った場合や，これに準ずる場合に限って，犯罪が成立しないとされる。

補論　事実の過失と法律の過失
　上述した制限故意説に対しては，実際には違法性の意識がなかったにもかかわらず，故意責任を問う理論的根拠が不明であると批判されてきた。また，違法性の錯誤では，犯罪事実の認識があったにもかかわらず，違法性の意識が欠如しており，故意犯としての反規範的態度が否定されることもある。ただし，この場合の法律上の過失と，犯人の不注意（事実上の過失）に基づく過失犯の成立は，理論的には異なる問題である。そもそも，過失犯における回避可能性の判断と違法性の錯誤における相当性の判断は同一でないし，構成要件または違法段階の過失と責任段階の過失は，明確に区別されてきたからである。他方，犯人が違法性を認識すべきであったという規範的判断は，故意犯と過失犯で同じである。したがって，過失犯と故意犯を混同するという批判こそ，犯罪事実の誤認に基づく事実上の過失と，違法性評価を間違った法律上の過失を混同している。

2　違法性に関する錯誤

2 違法性阻却事由に関する錯誤

1 いわゆる違法性阻却事由の錯誤

　犯人が，何らかの違法性阻却事由にあたると誤信したとき，一般的な法秩序に違反する旨の認識（違法性の意識）がなくなることがある。学説上，こうした場合は，違法性阻却事由の錯誤と呼ばれてきた。たとえば，行為者は急迫不正の侵害があると考えたが，客観的には侵害が存在しなかった場合（誤想防衛）や，緊急状況があると思い込んで，誤想上の危難を避けるため，第三者の法益を侵害した場合（誤想避難）などが考えられる。そこでは，違法性の有無をめぐって客観的事実と犯人の主観的認識の間に齟齬が生じており，旧来のルールによれば，「事実の錯誤」の一種として，故意が阻却されることになる。

　他方，犯人が，刑法上も認められない違法性阻却事由を「認められる」と誤信した場合や，客観的には違法な過剰防衛も適法な防衛行為になると誤解した場合のように，違法性の評価それ自体を誤った場合には，違法性阻却事由における「法律の錯誤」として，故意犯の成立を妨げない。その意味で，事実の錯誤にあたる違法性阻却事由の錯誤は，正当化事情の錯誤として，法律の錯誤にあたる場合から区別する必要がある。

2 事実の錯誤と法律の錯誤のいずれか

　違法性阻却事由の錯誤は，事実の錯誤の一種であるが，すでに犯人が構成要件該当事実を正しく認識・認容しているため，構成要件的錯誤のカテゴリーに入らない。他方，単なる法的評価の誤りでもない。したがって，構成要件的錯誤と違法性の錯誤（法律の錯誤・禁止の錯誤）の境界線上に位置することになろう。その際，多数説である事実の錯誤説は，事実の錯誤と法律の錯誤の分類を維持しつつ，当該行為者には違法性に関する事実の認識がないので，責任段階の故意が阻却されるという。

　これに対して，法律の錯誤説では，すでに構成要件該当事実の認識があるため，むしろ，違法性評価に関する錯誤にとどまるという。したがって，法律の錯誤に準じて取り扱うことになる。もっとも，大審院判例は，傍論としてではあるが，違法性阻却事由の錯誤が故意を阻却するとした（大判昭和8・6・29刑集12巻1001頁）。また，そこで阻却される故意をめぐっては，責任段階の故意とみる通説・判例に対して，消極的構成要件要素の理論を採用しつつ，構成要件的故意が阻却

されるという見解もある。

> **Case 109**
> Xは、暴行・傷害の前科者であるAが、Xの自宅に押しかけて、「今日は日本刀でも何でも持ってこい、1発で射ち殺すぞ」などと怒鳴りつつ、ポケットに手を突っ込んだため、Aが凶器を取り出して襲ってくるものと誤信した。実際には、右手のケガを隠しただけのAに対して、Xは、あり合わせの木刀でAの手首などを殴打して負傷させた。
>
> **Case 110**
> Yは、乱暴者のBが「いわしてもうたる」といいながら立ち上ろうとした際、その態度に憤激するとともに恐怖にかられて、Bから激しい暴行を受けるものと誤信した。そこで、Bの攻撃から自己を守るためには、機先を制して脇差し（刀）で攻撃するほかないと考えて、脇差しでBの大腿部を突き刺して死亡させた。

> Case 109 におけるXの行為は、講学上、誤想防衛と呼ばれる。また、本件の錯誤では犯人に過失も認められないため、「錯誤により犯罪の消極的構成要件事実即ち正当防衛を認識したもので、故意の内容たる犯罪事実の認識を欠くことになり、従って犯意の成立が阻却される」ことになった（広島高判昭和35・6・9判時236号34頁）。また、Case 110 では、「急迫不正の侵害」における（規範的な）違法事実の判断を誤っており、「急迫不正の侵害がないのにあると誤信した場合」にあたる。しかし、素手のBに対して刃物で攻撃しているから、防衛行為としての相当性がなく、誤想防衛は成立しないとされた（大阪高判昭和62・10・28判夕662号243頁）。なお、ここでは、いわゆる誤想過剰防衛が問題となるが、その詳細については、正当防衛の項目に譲ることとする（なお、p.151の総論 *8*「緊急行為」参照）。

　裁判所は、Case 109 の場合、いわゆる誤想防衛の取扱いをめぐって、犯人の誤信が過失に基づくかどうかを問題にした。しかし、もし過失があるとき、故意を阻却しないのであれば、事実の錯誤であるにもかかわらず、なぜ無過失を前提条件とするかが不明である。しかも、この錯誤は、正当防衛という「犯罪の消極的構成要件事実」を誤認した場合と説明されており、あたかも構成要件的故意を阻却するかのように読み取れる。他方、Case 110 では、予想される攻撃から自己の身体を守るために先制攻撃を加えた場合にも、誤想防衛として故意が阻却されるとした。ただ、実在しない急迫不正の侵害があると誤信したわけでなく、目前に迫った侵害から予測できる攻撃内容を見誤った結果、過大な反撃行為に出た場合も、急迫性を見誤った誤想防衛に含まれるとした。しかも、裁判所は、侵害

2　違法性に関する錯誤　201

者の行動を正しく予測しながら，単に刑罰法規へのあてはめを誤ったため，自己の防衛行為が許されると誤信した場合（法律の錯誤）とは，明確に区別されると付言している。

制限責任説と第3の錯誤説
　構成要件的錯誤と違法性の錯誤の違いを強調する責任説の見地からは，すでに事実的故意がある以上，違法性阻却事由の錯誤は禁止の錯誤に属することになる。したがって，その錯誤を避けえなかった場合にのみ，責任それ自体が阻却される。しかし，制限責任説によれば，違法性阻却事由の事実的前提を誤認した場合は，構成要件的錯誤のカテゴリーに含めることで，常に事実的故意が阻却されるという。後者の制限責任説に対しては，構成要件該当事実と違法性に関する事実が別個のものである以上，正当化事情の錯誤を構成要件的錯誤の中に含めるのは，構成要件該当性と違法性の区別を無視するものと批判される。
　そもそも，故意犯の構成要件は，正当化事情の積極的認識を必要としていないし，行為者が認識した客観的事実が実際に存在したならば，それは適法な行為にほかならない。むしろ，理論上は，犯人が正当化事情を誤認した場合にのみ，故意犯の違法性と責任を評価する上で，正当防衛や故意責任の要素として考慮すれば足りるであろう。また，正当化事情の錯誤により自分の行為が法的に許されると信じた場合は，法規範である違法性を誤解した法律の錯誤とは異なるため，犯人に直接的な反規範的態度を認めることはできない。
　これらの指摘を踏まえて，学説上は，正当化事情の錯誤を，構成要件的錯誤と違法性の錯誤のいずれにも属しない第3の錯誤とみる見解が現れた（独自の錯誤説）。この見解によれば，当該行為者には，故意責任の前提となるべき違法事実の認識が欠けており，違法性の意識を喚起する前提が欠ける。しかし，独自の錯誤説が，違法性阻却事由の錯誤で過失があったとき，過失犯の成立可能性を認めるならば，構成要件該当性と違法性の段階では，故意犯と認定された行為が，責任の段階ではじめて過失犯に転化することになる。こうした現象は，故意のブーメラン現象として批判されてきた。
　そこで，急迫不正の侵害の誤信が当該行為者にとって不可避であったならば，むしろ，本来の正当防衛と同視することで，違法性阻却を認める見解が主張された（準正当防衛説および二元的厳格責任説）。しかし，準正当防衛説によれば，客観的には急迫不正の侵害がないにもかかわらず，これを誤想して他人に攻撃を加えた犯人に対して，その相手方は緊急避難で対抗するほかはない。そこでは，いずれも客観的な正当化要件がない状況で，一方が正当防衛，他方が緊急避難として，誤想防衛者がより保護されるという不均衡が生じる。その意味では，正当化事情の錯誤が回避不可能であったとしても，客観的には違法な行為とみた上で，もっぱら責任の問題として処理するべきであろう。

11　正犯と共犯

1　正犯と共犯の基礎理論

1　正犯の種類

1　犯罪関与の諸形態

　刑法各則の構成要件は，そのほとんどが1人で構成要件事実を実現することを前提にしているが，実際には同じ構成要件該当事実に複数人が関与することも多い。1つの犯罪事実を2人以上の者が関与して実現する場合を共犯といい，刑法典第1編第11章「共犯」の章（60条以下）に規定がある。

> **用語解説　必要的共犯**
>
> 　構成要件そのものが複数人の関与を予定しているものもある。たとえば，騒乱罪（106条）や，凶器準備集合罪（208条の2）などは，いずれも複数人が集団として行動することを構成要件的行為としている。また，197条以下の収賄罪のうち賄賂の収受・約束といった行為類型は相手がいなければ成り立たないから，198条の贈賄罪に規定される賄賂の供与・約束と必ず対となって構成要件該当性が認められることになる。これらの場合を必要的共犯という。必要的共犯についてさらに刑法総則の共犯規定の適用があるかには議論があるが，少なくとも内乱罪・騒乱罪など，関与形式による処罰の相違を規定している部分については，総則の共犯規定は適用されない。しかし，贈賄の教唆や収賄の幇助，凶器準備集合の教唆・幇助などは認められるであろう。必要的共犯のうち，同一方向にある行為を共同にする内乱罪（77条）・騒乱罪・凶器準備集合罪などを集合犯（集合的犯罪・集団犯）といい，相対抗する関係にある贈収賄のような類型を対向犯という。

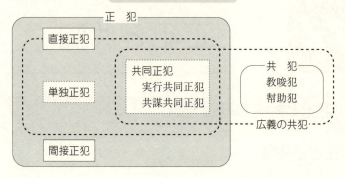

図 総論11-1 正犯と共犯

条文に規定されている共犯には、関与者がほぼ対等の立場で実行に協力する共同正犯（60条）と、正犯に対して従属的な教唆犯（61条）と幇助犯（62条。従犯）がある。共同正犯は、刑法の「共犯」の章におかれているだけでなく、複数人の関与という共犯的性格を有しているのは事実であるので、共同正犯を含めて「広義の共犯」とも呼ばれる。

共同正犯を除く教唆犯・幇助犯が「狭義の共犯」である。狭義の共犯は、それぞれ「正犯を教唆」したり、「正犯を幇助」したりするものであるから、別に正犯が存在することが前提である。また、正犯が第一次的処罰対象である（⇒ p. 207 の **3**）以上、論理的には正犯概念が先行するはずでもある。そこで、まず正犯概念を明らかにしておくことにしよう。

2 正犯としての関与

正犯の種類としては、直接正犯と間接正犯とを分類することができる。

構成要件該当事実を直接実現する者が直接正犯である。事実を1人で実現しようとする場合、実行行為を直接に自分で行うほかはない。これが単独正犯である。単独正犯は、各構成要件が直接規定する犯罪遂行形態であるから、正犯とされるかどうかは各論の解釈論で明らかにされる。

つぎに、共同正犯も正犯の一形態である。共同正犯を「共犯」の一種として理解する見解もあるが、刑法60条の「全て正犯とする」というのは、概念上、正犯であることの確認の趣旨であると解される。

さらに、通説は正犯形態の1つとして間接正犯を肯定する。間接正犯とは、自ら手を下して犯罪事実を実現するのではなく、直接の実現行為を行う者の背後に

いる者が正犯とされる場合である。つまり、正犯とは、自らの手で直接に構成要件を実現する場合に限られないと考えられている。

3 正犯性の根拠

　これらの形態が法的評価において同じく正犯とされる根拠は、単に理論上の関心事であるだけでなく、正犯性判断の基準を提供するものとして重要である。

　現行法が共犯形態を正犯とは別に正犯を前提とする形で定める以上、犯罪に関与した者を等しく扱うのではなく、正犯を共犯と区別された形態とするのが妥当である。このような正犯の定義のしかたを限縮的正犯概念という。

　このとき正犯の典型は単独直接正犯であり、そこでは実行行為を行うことが正犯とされるための必要十分条件であるように思われる。ここから「正犯とは実行行為を行う者である」という定義が帰結する。これが正犯概念における形式的客観説である。自然かつ明晰な定義だといえるであろう。

　しかし、正犯形態の1つとして間接正犯を認めるとき、形式的客観説ではその正犯性を根拠づけることが難しい。少なくとも外形的には直接正犯と同様の実行行為を行ってはいないからである。ここからの道筋は2つ考えられる。1つは、構成要件的結果に因果的に関与した者をすべて正犯とする拡張的正犯概念である。拡張的正犯概念を採用すれば、間接正犯も正犯であることは明らかだということになるが、上述のとおり現行法の解釈論として拡張的正犯概念を採用することは困難である。もう1つの方向は、実行行為を実質的な要素によって定義する方法である。実行行為は「構成要件的結果発生の現実的危険性を含む行為」であり、間接正犯もそのような意味の実行行為を行っているというのである。これが正犯概念における実質的客観説である。広義の実質的客観説に基づき、限縮的正犯概念を採用するのが通説・判例だといってよい。

行為支配説
　実質的客観説の1つに位置づけられる考え方として行為支配説がある。ドイツの通説であり、日本でも注目されつつある。この見解は、正犯とは実行行為に限らず正犯的寄与に基づいて構成要件該当事実を支配（制御）する者が正犯であるとする。結論としては本文で述べた実質的客観説と同様になるが、単独直接正犯・共同正犯・間接正犯の3正犯形態の正犯性根拠を、統一的に行為支配によって基礎づけるものである。

　行為支配説によると、単独正犯は、直接実行行為を行うことによって事象を支配する（行為による支配）。共同正犯では、構成要件実現にとって本質的で不可欠の寄与という機能に基づき事象を手の中に収めている者が支配を有する（機能的行為支配）。間接正犯の場合にも、媒介者によって実現されているようにみえる犯罪事実は、背後者による支

配下で実現したのであり，そのような支配を有していた者が構成要件該当事実の実現者として正犯となると解するのである（意思による支配）。なお，どの正犯形態でも，支配の対象として捉えられているのは構成要件的事実であり，間接正犯の場合にも媒介者（道具）に対する支配自体が問題とされるわけではない。

2 共犯の種類

1 狭義の共犯

　正犯に対比されるのは，共犯（狭義の共犯）である。

　刑法が規定している共犯類型は，教唆犯（61条）と幇助犯（62条）とである。幇助犯は，条文が定義しているとおり「従犯」ともいわれるが，講学上は，教唆と同様，行為の内容を示し「幇助犯」といわれることが多い。共同正犯と異なり，拘留または科料のみに処すべき罪の教唆犯・幇助犯は，特別の規定がなければ処罰されない（64条）。

　これらの共犯は，各則の構成要件が規定する実行行為以外の行為を行う者を処罰対象にする。たとえば，殺人罪を「教唆する」ことを処罰するのは，殺人罪の実行を構成要件とする199条の規定からすれば，処罰対象を拡張するものである。この意味で共犯は刑罰拡張事由であるといわれる。他方，共犯規定は，殺人罪の構成要件を修正して，たとえば「人を殺す」行為ではなく「人を殺すのを幇助する」行為を処罰対象とすることになるので，各則の構成要件を修正する機能をもつと理解することができる。この側面から，共犯規定は「構成要件の修正形式」であるといわれる。したがって，教唆や幇助は修正された構成要件に該当する行為であり，共犯の成否は構成要件該当性判断の一場面であることになる。なお，構成要件の修正形式という性質は共同正犯規定の場合も同様である。

2 構成要件論と間接正犯

　このように，共犯論は本来，構成要件論の一部をなすものである。とくに，間接正犯は共犯規定という「修正形式」とは別次元で認められる正犯であるから，間接正犯は，間接正犯の行う行為の実行行為性や，その行為と構成要件的結果との因果関係ないし帰属関係そのものとして説明されることも多く，それは理論的にも筋の通った説明である。ただ，犯罪事実への関与者が複数になるという現象面の共通性があるので，間接正犯の正犯性を他の正犯形式と統一的に理解するという趣旨から，本書では，正犯概念をまとめて論じる共犯の章で間接正犯につい

てもあわせて説明することとした。

3 共犯の処罰根拠

　共犯は，正犯という第一次的な処罰対象範囲を拡張して，派生的な行為も処罰することを意味する。この拡張の正当化根拠をめぐる議論が共犯の処罰根拠論である。その際，法益侵害結果との関係で，正犯という中心人物を介して間接的に関与するにすぎない者の処罰の是非，および処罰のあり方（とくに教唆犯は正犯と同じ刑が科される）を説明できる根拠が求められる。

　議論状況は複雑な様相をみせているが，現在の通説的見解は広義の「惹起説」である。惹起説とは，共犯も正犯と同じく，構成要件（的結果）を惹起したから処罰されると考える見解である。共犯の結果実現に対する因果的寄与を処罰根拠として重視する考え方であるので，因果的共犯論として説明されることも多い。これに対し，結果との関係ではなく正犯者を犯罪に引き込んだ（正犯を堕落させた）ことを根拠とする見解は，堕落説（責任共犯論）と呼ばれる。さらに，共犯は，正犯による不法（違法な行為）を惹起したことを処罰根拠とするのだという見解もあり，これを不法共犯論という。不法共犯論には，「不法」の実質を正犯行為の遂行自体とみて正犯による結果惹起との因果性を重視しない立場や，正犯による結果惹起を含めて正犯による不法惹起であると解するものなどがあり，後者の見解は惹起説に接近する。

> **発展学習**　**惹起説に属する諸説**
> 　惹起説内部にも立場の相違があるので，その概略を述べておこう。①純粋惹起説は，惹起説の思考を純粋に貫き，正犯と共犯とはそれぞれの不法惹起に基づいて処罰されると理解する。正犯と共犯とは独立した不法評価が可能だと考えることになる。ところが，現在の日本の刑法は，狭義の共犯の成立を正犯に従属させている部分があり，これらを正犯と共犯とを独立させる傾向が強い処罰根拠から説明するのは難しい。②修正惹起説は，同じ結果が対象となる以上，正犯と共犯との不法評価は同じであると解するものであるが，正犯と共犯の関与形式が独立した別の態様であることを軽視する点が批判される。③混合惹起説は，共犯不法と正犯不法を合わせたものを惹起することが根拠だと考える。共犯は，それ自体，法益侵害に影響する関与として不法の評価を受ける。他方，現行法が正犯の成立を前提として共犯を規定しているのは，共犯者自身ではなく正犯の実現する不法も共犯処罰の根拠であると考える必要を示す。現行刑法に整合するのは混合惹起説であるように思われる。

4 共犯の従属性

　共犯の成立を認めるためには正犯の存在が前提となる。正犯のない共犯は考えられないというのが原則である。とくに、教唆犯の成立については、明文で「正犯に実行させる」ことが要件となっており、正犯が「実行したこと」が必要である。共犯のこのような性質を実行従属性という。ここにいう「実行」とは、正犯が構成要件に該当する行為を行うことである。

　もっとも、共犯の処罰根拠論における惹起説の立場からは、正犯が違法事実を惹起しない場合には、共犯の成立を肯定することができないとも考えられる。これは、正犯側が犯罪を構成する要素または処罰を基礎づける要素（構成要件該当性・違法性・有責性・処罰条件）をどこまで充足していれば共犯が成立するかという問題である。これが要素従属性または従属性の程度の問題である。

　従属性の程度は、図総論11-2に示すように、①最小限従属形式、②制限従属形式、③極端従属形式、④誇張従属形式に分類できる。現在では、判例・学説ともに、正犯が構成要件該当性・違法性を備えていること（制限従属形式）を妥当とする見解（制限従属性説）が有力となっている。そうすると、正犯が責任無能力者であったとしても共犯の成立は否定されないが、正犯に正当防衛が成立して違法でなくなれば共犯の成立も否定されることになる。

図　総論11-2　要素従属性と従属形式

正犯に必要な要素	構成要件該当性	違法性	責任	処罰条件
①最小限従属形式	○			
②制限従属形式	○	○		
③極端従属形式	○	○	○	
④誇張従属形式	○	○	○	○

2 間接正犯

1 間接正犯の正犯性とその諸類型

　複数人が犯罪に関わる類型として間接正犯がある。間接正犯は、自己以外の直接行為者の行為を利用して自己の意図する構成要件を実現する正犯である。した

がって，間接正犯は構成要件の実現方法の１つにほかならない。

間接正犯が正犯とされるのは，直接行為者は何らかの意味で背後の者によって利用される道具とみなすことができ，背後の道具利用者の方が犯罪を行った張本人だと評価できるからである。このような把握は道具理論といわれ，現在の間接正犯理解の基本になっている。

直接行為者が道具となる類型として一般に受け入れられているのは，①故意のない道具，②強制された道具，③身分のない故意ある道具の場合である。

> **Case 111**
> 医師Ｘは，Ａを殺害する意図で，事実を知らない看護師Ｙに指示し，有毒な薬物を治療薬として患者Ａに投与させた。
>
> **Case 112**
> 公務員Ｘは，公務員でないＡの妻Ｙに指示して，職務上の取引がある会社の役員からの賄賂を受け取らせた。
>
> **Case 113**
> 父親Ｘは，ふだんから自分を恐れていうことをきいていた12歳の娘Ｙに指示して，窃盗を行わせた。
>
> **Case 114**
> Ｘは，Ａに対し脅迫するなどして強制し，厳寒時に川に転落させた。

> **Case 111** は，Ｘが，故意を欠くＹを利用してＡに対する殺人罪を実現したことになり，**Case 112** では，公務員という身分を有するＸが，身分を欠くＹを利用して収賄罪を実現した形になる。また，**Case 113** は刑事責任能力のない者を利用する場合（最決昭和58・9・21刑集37巻7号1070頁）であり，**Case 114** は被害者自身の行為（自殺行為）を利用して殺害したといえる場合（最決昭和59・3・27刑集38巻5号2064頁）である。いずれも，Ａに間接正犯が成立すると考えられている。なお，**Case 111** が故意のない道具，**Case 112** が身分のない道具，**Case 113** が強制された道具を利用した事例にあたる。**Case 113** は，責任のない故意ある道具という位置づけがなされることもあるが，判例は被利用者が責任を欠くだけで道具と認めるわけではなく，むしろ強制という要素を重視している。この事例も強制された道具の一場合と理解するのが妥当である。

2 「道具理論」から正犯理論へ

間接正犯における被利用者は物ではなく人間であり，とくに故意ある道具の場合には道具の行為も道具自身の主体的活動とみられる部分が大きいため，もはや

道具とはいえないとみることもできる。したがって、どこまでを間接正犯とするかについては議論がある。判例には幇助的に関わる者を故意ある道具と認めたと解する余地のあるもの（最判昭和25・7・6刑集4巻7号1178頁）もある。他方、共謀共同正犯において「正犯として関わる意思」を事実上の要件としていることの反面として「正犯として関わる意思」のない場合は正犯ではなくなるという事情もある。このような理由で、「故意ある幇助的道具」を利用する間接正犯を肯定する見解も有力である。いずれにせよ学説は、規範的観点から正犯性を吟味した上で、間接正犯を肯定してよい場合を類型化して記述する。故意ある道具を利用する場合の間接正犯性もそのような形で根拠づけられている。しかし、道具理論を土台とする議論だけでは不十分なところも残るから、利用行為の実行行為性や事象支配の観点から基礎づける必要があるだろう。すなわち、間接正犯は、それ自体において正犯性が検討されるべきである。

　母親が12歳10か月の長男に方法を指示して強盗を行わせた事例に関し、長男には是非弁別の能力があり、母親の指示命令は長男の意思を抑圧するに足りる程度のものではなく、長男は自らの意思により強盗の実行を決意した上、臨機応変に対処して本件強盗を完遂したことなどが明らかであるとして、母親が強盗の間接正犯にはならず、かつ、教唆犯にもならないとして、強盗の共同正犯が成立すると判断した例（最決平成13・10・25刑集55巻6号519頁）がある。ここでは、間接正犯が、本来的に単独犯（犯行遂行過程で他人を利用するのみ）であることから、間接正犯の成否を検討した上でこれを否定し、母親と長男とが共同して支配した事実であると評価されたのだと考えられる。なお、被害者を利用した間接正犯の事例として最決平成16・1・20刑集58巻1号1頁（事案については、p.142の *Case 72* を参照）があり、裁判所は、それ自体死亡の現実的危険性のある自殺行為に出させることについての意思制圧があれば、自らは殺害行為を行わないときでも殺人罪の実行行為にあたるとした。

3 共同正犯

1 共同正犯の意義

❶「共同実行」の要件

　「2人以上共同して犯罪を実行した者は、すべて正犯とする」ことになっている（60条）。共同正犯は、大まかにいえば、客観的には共同実行の事実、主観的

には共同実行の意思を要件とする。

　共同実行の事実として具体的に何を要求するかについては、見解が分かれている。裁判所は「共謀共同正犯」という考え方を採用し、判例として確立している。犯罪を遂行することの共謀があり、共謀に参加した者の一部が共謀内容に従って実行すれば、共謀のみに参加しただけで実行行為を行わない者も共同正犯となるというのである。これに対し、かつては多数の学説が、刑法の文言からしても「実行」が共同正犯の要件となるべきであり、少なくとも「実行行為の一部の分担」が必要であるとして、この意味のいわゆる実行共同正犯のみが共同正犯であると批判してきた。ただ、共謀共同正犯を共同正犯とすることには、実行行為を行わない犯罪遂行集団の中核的人物を正犯として処罰する必要性や訴訟上の証明の便宜など、合理的と思われる側面がある。また、判例が変わることも、もはや想定しがたい。こうして、共謀共同正犯という共同正犯を容認した上で、その成立範囲を合理的かつ明確にすることを旨とする学説が増えた。現在では純粋な実行共同正犯説（共謀共同正犯否定説）は少数といえる。

> **用語解説　共謀共同正犯**
>
> 　複数人が共謀し、その共謀者のうちの誰かが共謀に基づいて実行に及んだとき、実行行為を自ら行わない共謀者も共同正犯とされる。このような共同正犯を共謀共同正犯という。60条の共同正犯が共謀共同正犯を含むと解する以上、概念としての共同正犯は統一的に共謀共同正犯を含むとして把握されるから、実行共同正犯も共謀共同正犯の一形態にほかならない。ただし、個々の関与者（共同正犯者）としては、実行共同正犯と実行行為に出ない共謀共同正犯とを分けることができる。

2　共謀による正犯

　共謀に参加したことのみを理由として共同正犯になるとすると、犯罪遂行に際して補助的な役割を演じたにすぎない者も共同正犯に含まれることになる。とくに、いわゆる見張り行為は犯罪の核心部分を構成する行為とはいえないであろうから、見張りを行ったにすぎない者が共同正犯とされるならば、幇助犯との区別がなし崩しになってしまう。実際の裁判例をみると、共謀への関与だけでなく、自己の犯罪として遂行する意思（正犯意思）や利益を得る意思などが付加的な共同正犯要件とされることにより、客観的にもそれに対応する実質的関与が求めら

れているといえる。たとえば，中核的犯罪計画に関わった共謀者を共同正犯とする一方，犯罪遂行上周辺的な部分にのみ関わった者，犯罪から得られる利益の分配に与っていない者などを，正犯から排除するのである。

2 共同正犯の構造

1 分業形成

　共同正犯は，関与者が実行行為の全部を行うのではなく一部を分業の形で担当する場合が多い。たとえば，2人で銀行強盗を行う際，2人とも暴行・脅迫を行い2人とも財物を奪えば，両者ともに強盗罪の実行行為を行った以上，いずれも強盗罪の正犯になる。しかし，一方が武器で窓口係員等を威嚇し，他方が現金を要求してカバンに詰めた場合は，事実をそのままみれば，それぞれ脅迫行為，財物奪取行為を行ったにとどまり「脅迫して財物を取得した」わけではない。それにもかかわらず，共同正犯規定によって2人とも「強盗罪」の正犯とされるのである。このような処理は「一部実行の全部責任」と表現されてきたが，共謀共同正犯のように実行を担当しない正犯を認める場合には，いわば「無実行の全部責任」となり，より先鋭な形で問題となる。

　真に「一部実行」にとどまるのなら，個人責任の原則からいって「全部責任」を肯定することはできない。したがって，いかなる意味で実行しない部分についても実行したと同等の評価を受けるのかを明らかにし，共同正犯が「全部実行の全部責任」規定であることを示さなければならない。これは「共同正犯の正犯性」の一側面として，正犯概念一般と関連させて考える必要がある問題である。

2 共同意思主体説

　この観点からみて判例の理論的基礎を形成したと思われるのは，共同意思主体説である。これは，共謀共同正犯を含む共同正犯を，「複数の者が集まり相互に助ける形で超個人的な一個の犯罪遂行主体（共同意思主体）が構成され，その主体の意思のもとで個々の関与者が手足となって犯罪を実行するもの」だと構成する。このような把握のしかたには，上に述べたような共同正犯の分業的本質を反映しているという点で正当性がある。しかし，もし共同意思主体が犯罪主体であるなら，処罰も共同意思主体が受けるべきであるにもかかわらず，集まった個人が処罰される。共同意思主体説は，この部分に，かなり重大な理論的弱点を抱えていることが否めない。共同意思主体は観念上の超個人的人格とは異なるもので

あると構成すればこの難点を避けることはできるが，そうすると，共同意思主体そのものの実体が不明確になる。

3 共同正犯の成立範囲の限定

1 間接正犯的説明

学説では，共謀共同正犯否定説はもちろん，共謀共同正犯の成立範囲が拡大しすぎることを警戒する主張が相次いだ。これに対応するものの1つが，間接正犯に類似した根拠づけである。共同正犯とは，自己の分担しない他人によって実行される部分を自己の犯罪として利用する形で全体としての犯罪を遂行するものだと捉える。実行しない部分も，（もちろん間接正犯と同じではないが）間接正犯が肯定されるのと共通した「利用」という契機によって帰属させられる結果，全体について正犯となるというのである。この説は，逆にそのような利用の意思・実態という根拠を欠く場合には，たとえ共謀に関与したとしても共同正犯とすることはできないとする結論を導く余地を作り出した。

ただし，共謀共同正犯という犯罪遂行現象の説明としては「利用」にもそれなりの説得力があるが，成立範囲限定との関係は必ずしも明らかではない。その意味では，端的に間接正犯と類比できる程度の利用関係がある場合を優越支配共同正犯として限定的に共同正犯に含める考え方に説得力がある。もっとも，この見解によると非実行共同正犯の範囲は極めて限られたものになる。

2 実質的正犯

他方，共同正犯も共犯の1つとして，関与者が自らの寄与によって構成要件的結果を引き起こしたから処罰されるのだとする因果的共犯論（惹起説）の思考から，実行担当者により実現された事実に対する因果的寄与の度合が大きく重要なものであれば，その関与者を共同正犯とすることができるという主張もある。この立場は，狭義の共犯との区別を念頭に共同正犯の要件を考慮するのであるが，必ずしもまとまった正犯概念が念頭におかれているわけではなく，共犯形式相互の区別が量的なものに相対化される点で，理論的な評価は分かれる。

3 機能的行為支配

このほか，ドイツ刑法学の議論を参考に，機能的行為支配説も有力になっている。これは，正犯の一般理論である行為支配説（⇒ p.205 の 発展学習 ）に基づく。共

同正犯の場合には，各関与者はそれぞれの寄与によって犯罪事実実現のために本質的な機能を果たしている。そして，その寄与の有無・程度・態様によって実現される犯罪の重要部分が変更される。このような事情が，実現された構成要件該当事実の全体に対する「支配」として把握されるのである。この考え方は，共謀とは別の原理で共同正犯の範囲を画するものであるが，実行しない関与者であっても，行為支配のある者は，共同正犯に包含することになる。ただし，支配の内容や支配を認めるための要件などには，いまだ十分明確でないところも残っており，広い支持を得るには至っていない。

4 犯罪共同説と行為共同説

　共同正犯の本質をめぐって，犯罪共同説と行為共同説という2つの考え方がある。共同正犯を，規範的に把握された事実である犯罪を共同するものと捉えるか，即物的な事実としての行為共同と考えるかという問題である。

> **発展学習**　**両説のかつての対立点**
> 　この両説は，もともと客観主義刑法学と主観主義刑法学との対立を反映していた。すなわち，共同は客観的に観念される犯罪の共同として理解されるべきであるとする犯罪共同説と，共同者はそれぞれの意図する犯罪を実現することでその悪性を示すもので，共同はそれを表わす犯罪遂行形式以上のものではなく，共同正犯とは自然的行為を共同するものだと考える行為共同説との対立であった。しかし，主観主義刑法学の退潮に伴って行為共同説の根拠は変化し，現在の両説は上述のような対抗軸で理解される。

　犯罪共同説の立場を一貫させれば，外界に形成された同一の犯罪事実に関与することが共同正犯の本質である以上，共同正犯は同一の犯罪を実現するものである。したがって，共同正犯者には同一罪の構成要件該当性が認められる。共同正犯となる以上はその罪名は同一であり，別罪の間で共同正犯が成立することはない（これを「罪名従属性」ということもある）。これに対し，行為共同説によれば，行為を共通にする構成要件なら別罪であっても共同して実行することができ，その限りで異なった罪名どうしの共同正犯がありうることになる。
　もっとも，現在有力な犯罪共同説は，犯罪（構成要件該当性）とは法的評価を受ける以前の生の事実を法的評価に基づいて切り取った結果であると考える。したがって，連続している事実の一部についてだけ構成要件該当性を認めることもできる。生の事実のうち，別の構成要件該当事実として切り取ることが可能な部分については，その部分について共同正犯とするのである。これを一般に「部分的

犯罪共同説」という。共通事実を含む構成要件は，共通部分についての共同正犯となり，最終的に個々の関与者に成立するのが別罪名の犯罪であっても共同正犯となりうるのである。共通性の判断基準としては，事実の錯誤における符合論と同様の「構成要件の重なり合い」という基準が用いられる（⇒ p. 105 の**3**）。

5 共同正犯の要件

1 共同実行の事実

　共同正犯となるための要件は「共同実行の事実」と「共同実行の意思」だといわれてきた。このうち，客観面である共同実行の事実については，もちろん，実行共同正犯が実行行為を自ら行う場合には，これに該当する。しかし，非実行共同正犯の場合には，実行行為分担以外のどのような寄与が必要かが問題である。判例の思考をあえて簡単にまとめるならば，共謀の核心部分に関わることと，共謀に基づいて共謀者の一部による実行行為が行われることが必要とされている。

　共謀は，罪となるべき事実の一部であるが，実務上は，独立した共謀行為がない場合にも共謀が肯定されるのが一般的で，むしろ「共同実行の意思の存在を基礎づける事実」に近づいている。たとえば，現場共謀，順次共謀なども共謀である。現場共謀とは，犯罪の実行前には共謀がなく，現場においてとっさに意思連絡が成立したような場合である。順次共謀は，関与者全員が一度に共謀したのではなく，順次意思連絡が成立していく場合である。たとえば，AとBの間に共謀が成立した後，BとCの間でも同内容の共謀が成立したとき，A・B・Cの全体に共謀が成立したと認められる。ただし，この場合でも，関与者のうちいずれかの者による実行行為が必要とされ，共謀共同正犯における実行の着手時期も，この実行行為によって決せられる。また，共謀は，お互いの行為を認識していることそのものではなく，犯罪計画の核心部分について相互理解があることを要する。アイコンタクトの以心伝心でお互いの意思を了解する場合でも相互理解を認めうる。ただし，実行の主要部分の理解でなければならず，たとえば，銀行強盗の際，逃げる手段を用意しろという意図を察知してとっさに扉を開けたとしても，それだけでは強盗行為の主要部分についての相互理解が成立したわけではないから，幇助犯はともかく共謀共同正犯になるわけではない。もっとも，危険運転行為（自動車運転致死傷行為等処罰法）をする「意思を暗黙に相通じた」場合に共同正犯を認めた判例（最決平成30・10・23刑集72巻5号471頁）もある。

2 共同実行の意思

　共同実行の意思とは，これも判例の思考からいえば，共同実行事実の認識である。一般に，共同実行の意思の核心は関与者相互の意思連絡である。意思連絡なしに同じ事実に関与することになった場合は，同時犯という。つまり単独犯が時と場所を同じくして複数成立するにすぎない。たとえば，ＸＹの２名がＡに対し同時にピストルを発射したとき，ＸＹがＡを殺す意思を通じていれば共同正犯であるが，そうでなければ同時犯である。共同正犯が成立すると共同実現した事実の全体について正犯となるから，Ａに弾丸が当たってＡが死亡したときには，ＸＹは殺人既遂罪の共同正犯となる。これに対し，同時犯の場合には，ＸＹそれぞれの行為について独立して構成要件該当性判断がなされるから，どちらの発射した弾丸が当たったかが不明なときには，ＸＹのいずれもせいぜい殺人未遂罪の責めを負うにとどまる。このように，共同正犯は，その効果において因果関係の拡張を帰結する。

　また，一方には相手に協力する認識があるが相手方にはその認識が欠ける場合も共同正犯とはならない。このような類型を片面的共同正犯というが，共同正犯は成立しないのである。なぜなら，共同正犯の本質を相互に助け合い，お互いの寄与を利用しあって，犯罪実現の蓋然性・容易性を高めることに求める通常の理解によれば，一方的な支援にとどまり，本来の意味で協業による効果を生じていない以上は，共同正犯にはあたらないとすべきだからである。

発展学習　共同正犯の主観的要素
　共同正犯における認識対象事実の捉え方，認識を超える心情要素の要否については見解が分かれる。分業的犯罪実現過程全体を共同実行の事実とすれば，これを認識することは共同的実現の認識という形ですでに共同意思を含むということができる。したがって，共同実行の意思は，共同正犯形態による構成要件該当事実実現の認識，すなわち共同正犯における故意に一致する。他方，相互的利用意思の機能を重視すれば，共同正犯における共同意思は，相互的認識を超え，他者の寄与を自己の寄与を補うものとして利用する意思でなければならない。もっとも，主観的要件の細かな相違にとらわれる必要はない。学習上は，さしあたり犯罪事実の認識と相互の意思連絡という理解をしておけば足りるであろう。

6　共謀共同正犯

　共謀共同正犯を刑法60条の共同正犯に含むというのが確立した判例であるが，その理論的根拠，共同正犯と狭義の共犯との区別の基準（共同正犯の要件充足判

断）は，依然として議論の対象となっている。なお，判例においては主観的要件として「自己の犯罪として遂行する意思」（正犯意思）が重視されている。ただ，その意思は，利益の分配を受けることや犯罪の核心部分の計画に関与するなど，客観的な事情によって認定されることになる。一般市民が理解しにくい難解な概念を裁判員に説明する方法を検討した研究では，「自己の犯罪を犯したといえる程度に，その遂行に重要な役割を果たしたかどうかによって判断する」という説明が提案されている。

> *Case 115*
> 　組織委員長Xは，Yほか1名と練馬警察署巡査Aを襲撃すること，Yが現実の実行を指導することを共謀し，後日，Yの指示の下にZら数名がAに傷害を負わせAは死亡した。
>
> *Case 116*
> 　Xは，Yから大麻密輸入の依頼を受け，大麻入手への欲求から自分の身代わりとしてZをYに引き合わせ，大麻の一部を買い受ける約束をしてYに大麻購入資金を提供した。
>
> *Case 117*
> 　暴力団組長Xは，スワットと称するボディガードとともに数台の車に分乗して列を組んで行動していたが，その際，スワットがけん銃等を所持していた。Xはスワットがけん銃を所持することを暗黙のうちに了解していた。

　Case 115 は，典型的な共謀共同正犯事例で，犯行の中心人物は，背後で主導的に実行を計画指導している者であるといえる。実行を担当しない者も，他人の行為を自己の犯罪実現に利用するものであるから共同正犯となるという根拠づけが行われた代表的判例（練馬事件。最大判昭和33・5・28刑集12巻8号1718頁）の事案である。*Case 115* や *Case 116* （最決昭和57・7・16刑集36巻6号695頁）は，教唆型ないし支配型という分類がなされることがある類型で，実行者に比して非実行者の方が何らかの意味で優越する関係がある場合である。このような類型では，利用・補充による根拠づけに相応の妥当性がある。しかし，実行行為ではなく周辺的な援助行為を行う者の場合（幇助型）でも同じようにいえるかは疑問である。裁判例でも，計画の核心部分を認識していないとか，自己の犯罪として遂行する意思が欠けるなどの理由で共同正犯の成立を否定するものが存在する。なお，*Case 117* （スワット事件。最決平成15・5・1刑集57巻5号507頁）も形式的には支配型に属するが，①けん銃所持について何ら明示的な意思連絡がない場合にも共同実行の意思を肯定してよいか，②スワットが進んでけん銃を所持して随行していたにもかかわらず，非所持者に共同実行の事実を肯定してよいか，などの複雑な問題が存在する。とくに①の点につ

いては，かなり希薄な相互認識で足りるとしている。なお，最判平成21・10・19判時2063号155頁の事案では，さらにその点が問題視され，批判がある。また，最決令和3・2・1刑集75巻2号123頁は，インターネット上の動画投稿サイト・配信サイトを管理・運営していた被告人が，サイトに掲出されたわいせつ電磁的記録記録媒体陳列罪，サイトにアクセスして行われた公然わいせつ罪について，共同正犯の成立を認めた。

補論　**正犯概念の基礎理論と共謀共同正犯**
　正犯概念における実質的客観説からは，正犯的関与であれば実質的意義の実行行為を行う者として実行共同正犯に位置づけることも可能かもしれない。しかし，間接正犯においても実行行為性が問題となるとすれば，共謀共同正犯の場合はなおさら疑問であろう。正犯の統一的把握という観点からみると，正犯形式ごとにそのつど正犯要件を設定するのではなく，共謀共同正犯を含む正犯根拠があることが望ましい。先に述べた行為支配説は，この点を重視した見解である。ただし，この説は，共謀や正犯者の意思それ自体が正犯性を基礎づけるのではなく，事実に対する支配の有無が正犯性を左右すると考える。犯罪遂行にとって本質的で不可欠の寄与が重要なのである。

4　教唆犯

1　教唆の意義

1　教唆行為

　教唆犯は，正犯をそそのかして実行させる関与形態である（61条1項）。たとえば，金がないと嘆いている友人に，「それならあの家に入って金を盗んだらどうだ」と勧め，相手の友人が「そうだな」と犯行を決意して実行すれば，窃盗教唆になる。教唆行為は，正犯による法益侵害につながる連鎖の発端という意味で犯罪の因果的出発点であることから，教唆犯には正犯の刑が科されるのだと考えられる。したがって，教唆行為の核心は犯行を決意していない者に犯行の決意を生じさせるという原初的意義にある。すでに犯行の決意を有する者の意思をより強固にする場合は幇助である。ただし，証拠隠滅行為を行う意思自体は有している者に対し，具体的な方法を提案してその方法をとって実行する決意を確定させた場合には，証拠隠滅罪の教唆犯となるとした判例（最決平成18・11・21刑集60巻9号770頁）がある。いわば「最後の一押し」が教唆として重視されたのである。
　また，教唆により正犯が実行に出ることが必要である（実行従属性）。
　教唆の手段には限定がなく，明示的でなくてもよいが，漠然と犯罪をせよとい

うのでは足りず，ある程度特定した犯罪を行うようにそそのかすことが必要である。教唆犯も特別の規定があるわけではないので故意犯であり，過失による教唆は不可罰である。他方，過失犯の教唆は，教唆行為が犯行の決意を生じさせるものであるところから，それが間接正犯となることはあっても教唆とはならないと解するのが通説である。もっとも，結果的加重犯において基本犯の決意を生じさせることができる以上，結果的加重犯の教唆はありうる。要件が充足される限り，正犯側に教唆されていることの認識がない片面的教唆も肯定しうるであろう。

2 間接教唆・連鎖的教唆

刑法61条2項によれば，教唆者を教唆した場合も処罰される。これを間接教唆という。典型的なものは，XがYに対し「Zに対し実行するよう教唆せよ」と教唆する場合であるが，このほか，XがYに実行させるつもりで教唆したところYは自分では実行せずさらにZに教唆したという場合もこれに含まれる。見解が分かれるのは，間接教唆者に対する教唆（再間接教唆，さらにはそれ以上の連鎖的教唆）の可罰性である。間接教唆者が教唆犯となる以上，再間接教唆は教唆犯に対する教唆にほかならないとする積極説と，そのような考え方は無限に連鎖する教唆を肯定することにつながるし，処罰範囲も不当に拡大するから，法が直接規定する間接教唆のみが可罰的であるとする消極説がある。ただし，因果関係の考慮などで無限後退は避けることができるので，消極説の批判は必ずしもあたらないとする積極説からの反論がある。

2 未遂の教唆

犯罪を教唆したところ，正犯が実行に出なかった場合は，教唆犯は成立しない。教唆の結果，正犯が実行に出たが，未遂に終わった場合は，共犯従属性の原則に従い，未遂罪の教唆犯が成立する。では，正犯が未遂に終わることを認識している場合，まして未遂に終わらせるつもりである場合，いい換えれば「未遂の教唆」の場合にも教唆犯が成立するか。

教唆犯の処罰根拠は，正犯に実行させ，法益侵害の類型的な危険性を惹起することであると考える立場（不法共犯論や修正惹起説），あるいは結果不法の不存在は既遂評価を否定するだけであると考える立場からは，未遂の教唆の場合にも未遂罪の教唆犯が成立すると考えられる。他方，惹起説の本来的思考からすれば，教唆犯は正犯の法益侵害を引き起こすことが必要である。教唆の故意には，教唆

行為すなわち「正犯に犯行の決意を生じさせること」の認識および「正犯に実行行為を行わせること」の認識のほかに,「正犯による完全な構成要件実現」についての認識,要するに正犯が既遂となることの認識がなければならない。そうすると未遂の教唆は不可罰との結論になるであろう。

> *Case 118*
> 　Xは,金庫内に何も入っていないことを知りながら,Yに対しその金庫からの窃盗を教唆し,これによりYは窃盗行為に出たが何も取ることができなかった。
>
> *Case 119*
> 　Xは,Aが防弾チョッキを着用していて死亡することはないことを知りながら,Yに対しAにけん銃を発砲して殺害することを教唆した。Yは教唆されたとおりAに発砲したがAは死亡しなかった。

> *Case 118*・*Case 119*の事例では,惹起説の基本思想からは,XにはYによる法益侵害を実現しようとする意思が欠けているので窃盗未遂罪・殺人未遂罪の教唆とはならない。しかし,惹起説を基本にしながらも,未遂の範囲では不法が実現されていると考える立場,正犯による実行自体の類型的不法実現で足りるとする立場などからは,窃盗未遂罪・殺人未遂罪の教唆犯が成立することになる。

発展学習　**アジャン・プロヴォカトゥール（教唆する捜査官）**
　未遂の教唆の例としては,現行犯逮捕でないと摘発が難しい薬物犯罪などで認められている,いわゆるおとり捜査の場合がある。たとえば,薬物の売人に対して捜査員が薬物を買いたいと申し向けて相手の犯罪を誘発し,実行行為に出たところで逮捕するつもりであったような場合である。捜査手法としての妥当性・適法性は別として,実体法上は未遂の教唆にあたる。

5　幇　助　犯

1　幇助の意義

　幇助は,正犯の実行を容易にする行為である（62条1項）。幇助犯の刑罰は,正犯の刑を必要的に減軽したものになる（63条）。幇助の場合にも,その手段には特段の限定はなく,正犯の実行を容易にするものである限り,物理的なものでも心理的なものでもよい。実行に際して側面から助けることはもちろん,実行前であっても正犯が犯行決意を生じた後に精神的に鼓舞する行為,犯行に使用する凶器や侵入先の見取図を提供したりする行為,事前に鍵を開けておくなどの行為も

含まれる。

ただし、犯罪事実が終了した後になってその実現を容易にすることはありえないから、「事後従犯」は幇助犯ではない。窃盗犯人から盗品を買い受けて盗品の現金化に協力してやったり、その犯人が警察につかまらないように自宅にかくまったりしても、窃盗幇助罪が成立することはない。このような行為は、別の犯罪（たとえば、256条2項の盗品等有償譲受罪や103条の犯人蔵匿罪）として処罰される。

幇助行為は、正犯の行為を容易にし法益侵害の危険性を高めるものをいい、そのような性質のものであれば足りる。片面的幇助も可能であり、判例も、賭場開張行為を幇助する意思で賭者を誘引し賭博をさせた行為は、賭場開張者本人がそれを認識していないときでも幇助にあたるとした（大判大正14・1・22刑集3巻921頁）。また、幇助行為の態様に限定はない（限定しようとしても困難である）。不作為によっても幇助が肯定される。法益侵害結果を防止するために法的な作為義務が認められるときにあえて不作為にとどまり、正犯の実行が妨げられなかった場合も、正犯の実行を容易にしたと評価できるからである（⇒ p. 242 の **2**）。

Case 120
Xは、飲酒して高度に酩酊した状態で自動車を運転しようとしたが、助手席に同乗していたXの先輩Yは、Xが正常な運転ができない状態であることを認識しつつ、車両発進に了解を与え、Xの運転を制止することなくそのまま同乗し続けた。Xは、時速100キロを超える速度で自動車を走行させたうえ、対向車線にはみ出して対向車2台に衝突させて2名を死亡させ、4名に傷害を負わせた。

Case 120 のXの行為は、危険運転致死傷罪（自動車運転致死傷行為等処罰法2条）にあたる。最高裁は、このような事例におけるYについて、了解と黙認という行為によりXの運転の意思をより強固にすることにより、Xの危険運転致死傷罪を容易にしたものとして、Yに同罪の幇助犯の成立を認めた（最決平成25・4・15刑集67巻4号437頁）。Xの犯罪行為を制止することなく同乗していただけで幇助となるわけではなく、Xにとって、了解を得なければ犯罪行為に出ることが困難であった先輩からの了解と黙認であったことが、Xの実行意思を強固にする効果をもっていたと評価されたものである。

なお、それ自体が犯罪的とはいえない、いわゆる中立的行為が幇助にあたるかという問題が論じられている。たとえば、殺害の凶器として用いられることを知りつつ金物屋が包丁を販売した場合、殺人幇助罪が成立するであろうか。判例で

は，ネット上のファイル交換のためのソフトを頒布した行為が，著作権法違反の幇助となるかが争点となった。いわゆる Winny 事件（最決平成23・12・19刑集65巻9号1380頁）であり，単に悪用されることを認識しているだけでは幇助犯における故意として不十分であるとして幇助犯の成立が否定された。

2 幇助の因果性

惹起説の立場から議論のある問題として幇助の因果性がある。幇助犯も正犯の実行による構成要件的結果の実現への因果関係が必要だとすると，結果が実現したとしてもそれが幇助行為による促進効果とは無関係であったときには，幇助行為と結果との間の因果関係がなく，幇助は未遂ということになる（未遂犯の幇助は処罰されるが，幇助犯の未遂は処罰されない）。他方，元来，幇助犯における因果性は，幇助行為と正犯結果実現との間の条件関係を意味するわけではない。幇助とは，幇助行為がなくても正犯が結果実現可能であることを前提に，その結果実現を容易にすることである。幇助行為が結果実現に促進的に働いたことが肯定されれば，幇助犯における因果関係が肯定されるのである。

> *Case 121*
> 　X は，Y が銃によって A を殺害する計画を有していた現場から音が漏れないように，あらかじめ窓の隙間に目張りをしていたが，結局 Y は別の場所で A を殺害したので，X の行為は A 殺害を直接に容易にする効果をもたなかった。

> 　*Case 121* に類似した板橋宝石商殺害事件（東京高判平成2・2・21判夕733号232頁）では，裁判所は X について殺人罪の幇助犯を否定した。正犯が結果への因果関係を決定的に支配している以上，幇助の因果性は幇助行為と法益侵害との間の因果関係である必要はなく，構成要件実現に対して促進効果をもつことで足りると考えられる。しかし，役立たなかった援助は，正犯の実行を容易にし促進効果を与えたとはいえず，法益侵害の危険を高めたともいえないので，幇助が否定されたものと理解される。

共犯の諸問題

1 共犯の成立範囲

1 承継的共同正犯

1 問題の所在

承継的共同正犯とは、先に実行行為を始めた者（先行者）に対し、その犯罪遂行の途中から先行者と意を通じて犯行に加わった者（後行者）が、先行者の実現した部分を含めた犯罪全体について共同正犯とされる場合をいう。このような事例でも、後行者が関与した後の事実について共同正犯が認められることは問題がない。しかし、Xによる暴行が継続している途中でYが加わって暴行した結果Aが傷害を負ったが、Yの関与前の暴行と関与後の暴行とのいずれが傷害の原因となったかが不明であるときは、「疑わしきは被告人の利益に」の原則により、Yには、Aに対する傷害罪の共同正犯は成立しない（Xは、結局全部の暴行に関与したので、Xには傷害罪が成立するといいうる）。これが原則である。

2 判例と学説

古い判例は、形式的な犯罪共同説を前提に、犯罪の一部に関与すれば犯罪全体を共同したことになるとして承継的共同正犯を肯定していた。もっとも、いわゆる部分的犯罪共同説の立場に立つとき、この結論は必然ではない。

そもそも、先行者という他人によって実現された過去の事実を、後行者が「受け継ぐ」罪責を認めることは、因果的に惹起したことを処罰の根拠とする因果的共犯論の基本思想に合わない。その意味では、承継的共同正犯はありえず、後行者の関与した事実についてのみ共同正犯が成立するという見解には理由がある。学説においても、一般的に承継的共同正犯を肯定する見解（積極説）の支持者は少ない。ただし、完全に否定する見解（消極説）も有力ではあるが、むしろ何らかの特定の場合に限って承継的共同正犯と同様の効果を肯定する見解（限定積極説）が相対的に多数であると思われる。

Case 122
　XがAから金員を脅し取ろうとしてAを脅迫していたところ，Yは，これを知って自らも分け前をもらいたいと考え，Aからの金員受領を買って出，AがXの脅迫により畏怖していることを知りつつ，これを積極的に利用して，Aから現金30万円の交付を受けた。

Case 123
　XがAに暴行を加えて傷害を負わせた後に，YがXに共謀加担して，Aに対し，さらに強度の暴行を加え，Xが生じさせた傷害を相当程度重篤化させた。

　*Case 122*に類似した事案について，大阪高判昭和62・7・10判時1261号132頁は，先行者の行為を積極的に利用する意思の下，現に積極的に利用して犯罪を実現した場合に承継的共同正犯の成立を肯定する態度を示して，Yを恐喝罪の承継的共同正犯とした（限定積極説）。他方，*Case 123*のような傷害罪事例において，最高裁は，共謀加担前にXがすでに生じさせていた傷害結果について，Yの共謀およびそれに基づく行為がこれと因果関係を有することはないから，それについて傷害罪の共同正犯として罪責を負うことはなく，共謀加担後の暴行によって傷害の発生に寄与した（相当程度重篤化させた）ことについてのみ，傷害罪の共同正犯としての責任を負うとした（最決平成24・11・6刑集66巻11号1281頁）。これは，因果関係の不存在を根拠として，関与前の暴行・傷害事実の「承継」を否定したものと解される。ただし，暴行の場合，部分をなす個々の殴打等が相対的に独立した性質をもつことを考えると，本決定が，それ以外の犯罪類型，とくに，強盗罪や詐欺罪のように，財産取得とその手段行為とが密接に関連している場合を含めて，一般論として，承継的共同正犯否定を明言したわけではない。

補論　**傷害罪の承継的共同正犯と同時傷害の特例**
　傷害罪について承継的共同正犯の成立を認めない場合，傷害の原因となる暴行が明らかでない場合に関する207条の同時傷害の特例との間で不均衡が生じる（上記大阪高判昭和62・7・10のほか，大阪地判平成9・8・20判夕995号286頁も参照）という問題がある。上記大阪高判は，承継的共同正犯が問題になる事例では，先行部分を含めて先行者の行為から結果が発生しており，先行者に結果帰属ができるので，仮に後行者に承継的共同正犯を認めなくても，誰にも結果帰属ができなくなる場合のような同時傷害の特例の想定する著しい不合理は生じないと述べている。
　ただし，先行者がその後の実行を後行者に委ねて実行しなかった（実行を交代した）事例において承継を否定すると，傷害や致死の結果が発生した原因となった暴行が不明な場合，どちらにも結果帰属ができず，同時傷害事例と同様の問題になる。
　207条に関し，最決平成28・3・24刑集70巻3号1頁は，検察官が，各暴行が当該傷害を生じさせ得る危険性を有するものであること及び各暴行が外形的には共同実行に等しいと評価できるような状況において行われたこと，すなわち，同一の機会に行われたものであることを証明した場合，各行為者は，自己の関与した暴行がその傷害を生じさせていないことを立証しない限り，傷害についての責任を免れない旨を判示した。

さらに、最決令和2・9・30刑集74巻6号669頁は、このような207条適用の前提となる事実関係が証明された場合、「他の者が先行して被害者に暴行を加え、これと同一の機会に、後行者が途中から共謀加担したが、被害者の負った傷害が共謀成立後の暴行により生じたものとまでは認められない場合であっても、その傷害を生じさせた者を知ることができないときは、同条の適用により後行者は当該傷害についての責任を免れないと解するのが相当である。」と述べた。ただし、207条は、「二人以上で暴行を加えて人を傷害した事案において、その傷害を生じさせ得る危険性を有する暴行を加えた者に対して適用される規定であること等に鑑みれば、上記の場合に同条の適用により後行者に対して当該傷害についての責任を問い得るのは、後行者の加えた暴行が当該傷害を生じさせ得る危険性を有するものであるときに限られると解するのが相当である。」ともしている。すなわち、判例は、207条の適用に共同正犯が成立する場合と同様の客観的事実を求める一方、途中から加わった者の行為と結果との因果関係が不明な場合に207条の適用を認めたのである。

3 詐欺罪における承継的共同正犯

> **Case 124**
> Xは、Aから現金をだまし取ろうと企て、Aに対し、電話で虚偽を告げて、指定の空き部屋に現金を発送するよう要求した。その後、Xに依頼されたYは、名宛人のふりをして配送業者から荷物を受け取ろうとしたが、Aが警察に相談してうそを見破り、現金入りでない箱を発送していたため、目的を遂げなかった。

> **Case 124** のような事案について、最高裁は、「共犯者による本件欺罔行為がされた後、だまされたふり作戦が開始されたことを認識せずに、共犯者らと共謀の上、本件詐欺を完遂する上で本件欺罔行為と一体のものとして予定されていた本件受領行為に関与している」ことを根拠に、Yに詐欺未遂罪の共同正犯が成立することを認めた（最決平成29・12・11刑集71巻10号535頁）。

嘘を告げる電話をかけ、これを信じた被害者から現金の送付を受けたり、預金口座に金を振り込ませたりする、特殊詐欺が社会問題となっている。これらの事案では、上の **Case 124** のように、詐欺グループが犯行計画を立てて欺く行為を行うが、相手がだまされてからグループ外の者に受取り役（受け子）を依頼することが少なくない。他方、受け子が受取りに来たところを捕らえるため、警察の指示のもと、詐欺に気づいた被害者に仮想荷物を発送させる等の捜査方法（だまされたふり作戦）がとられる例も増えた。

Case 124 では、Xにより欺く行為が行われた後に受け子としてのみ事件に関与したYについて、事前共謀がなく、欺く行為がなされた後の共謀に基づく受

領行為だけの分担であったが，先行する行為を含む一体としての詐欺罪の共同正犯の成立を肯定した。ただし，最高裁が「財物の受領行為が欺く行為と一体のものとして予定されている」とする趣旨は，詐欺罪の「だまし取る」という事実の一体性を考慮したものと思われる。そうだとすると，承継的共同正犯と同じ結論ではあるが，Xの欺く行為の「承継」を認めたわけではないと解することができるであろう（受け子に「欺く行為」を認めた例につき p.379 の **3** 参照）。

このほか，詐欺の被害者が送付した荷物を，依頼を受けて送付先のマンションに設置された宅配ボックスから取り出して受領するなどした者が，自己の行為が詐欺に関与するものかもしれないと認識していたという事例について，詐欺の故意・共犯者らとの共謀を認めた事例（最判令和1・9・27刑集73巻4号47頁）がある。

2 過失犯の共同正犯

1 過失の共同はありうるか

共同実行の意思という共同正犯の要件が，複数人が相互に助け合うことによって結果実現の危険性が高まることの基礎だとすると，共同正犯は故意犯の場合に限って論じられるものであるようにも思われる。過失犯においては，構成要件的結果の認識がないのであるから，それを実現しようとする意思の連絡も考えられず，共同正犯が成立するはずはないからである。実際，過失犯の共同正犯を否定する見解も有力であり，判例も古くは否定的であった。

過失共同正犯が共同実行の事実，とりわけ共同実行の意思という共同正犯の要件を充足するかどうかは，そもそも共同実行の事実・共同実行の意思としてどのような内実が要求されるかによって変わる。構成要件的結果惹起の意思を共有することを求めれば，上述のとおり過失犯の共同正犯はありえない。

このほか，過失共同正犯は故意犯処罰の原則（38条1項）に対する例外を明文なしに認めるものだ，あるいは，過失共同正犯は過失同時犯として処理すれば足りるので議論する実益がない，などの理由で過失犯の共同正犯を否定する見解も有力である。

2 過失共同正犯肯定論

しかし，最高裁は過失犯にも共同正犯を肯定しており（最判昭和28・1・23刑集7巻1号30頁），最近の下級審裁判例は，おおむね過失共同正犯を肯定する立場に立っている。行為共同説の立場からは，過失犯においても，その行為を共同する

ことができる以上，共同実行の事実があり，この行為共同の意思があれば，共同の実行の意思として，過失共同正犯を肯定することができる。

また，犯罪共同説を基礎にしても，新過失論の過失犯構造把握では，過失犯の共同正犯を考えることができる。すなわち，過失犯は注意義務違反の行為であって，非故意の行為とその遂行に際しての注意懈怠とによって過失犯構成要件該当性が肯定される。そうすると，法的には非故意の行為が共同の認識の下に行われ，その共同行為の際に「共同的に課される注意義務」の「共同的懈怠」，すなわち「共同義務の共同違反」がある場合には，過失犯の共同正犯が成立するということになる。要するに，2人で危険な行為を行う際には，2人協力して結果発生を回避すべき注意義務が課されていることがあり，その注意を怠って結果を発生させてしまったときには，このような過失協働現象を過失共同正犯として評価すべきであると解するのである。もっとも，この場合にも，結局は主観的要件として他の者の行為やその結果についてどのような認識・予見が必要かという問題に帰着し，「共同義務の共同違反」という標語はともかく，その意味するところは必ずしも明確でないとの批判もある。

> *Case 125*
> ＸＹは，屋根の上で古い瓦をはがして地上に落とす作業をしていたが，不注意で下を歩いていたＡに落とした瓦をぶつけてけがをさせた。
>
> *Case 126*
> ＸＹは，崖の上で2人がかりでないと動かない大きな石を移動させる作業をしていたが，不注意で石を崖下に転落させたため，下にいたＡがその石の下敷きになって死亡した。
>
> *Case 127*
> ＸＹは，事務室に素焼コンロを持ち込み木製の敷台の上において使用していたが，不注意にも，コンロの使用後，炭火が完全に消火したことを確認しないで帰宅したため，敷台が過熱して発火し，周囲に燃え広がって建物を焼損した。

Case 125 のように分業的に行為していた場合，共同作業の際には相手方の行為からも結果が発生しないように注意する義務（共同義務）があり，共同作業に際してその注意義務を怠ったのはその共同違反であるとすれば，過失犯の共同正犯を認めることができる。ただ，自分だけでなく共同作業中の他の者の行為により，下を通る人に危害が及ばないように注意する義務があるといえるので，必ずしも過失犯の共同正犯の成立を認めなくても，過失同時犯として処理すればよいかもしれない。しかし，*Case 126* の場合には，そもそも個別には結果の実現も注意義務の全うも

1 共犯の成立範囲

> できないから，両者の注意義務とその懈怠は不可分であると考えられる。Case 127 は，名古屋高判昭和31・10・22高刑特3巻21号1007頁の事例で，過失犯である失火罪の共同正犯の成立が認められた。

　過失共同正犯は，結果に対し重畳的に作用する行為において問題になることもある。現場責任者や製造責任者と会社幹部のような関係であるが，このような場合には，一方の過失が管理・監督過失（⇒p.122の **2**）としてその内容が異なることから，「共同義務」とは認めにくい場合が多い。たとえば，花火大会の際に歩道橋上で群衆なだれが発生し多数の死者を出した，いわゆる明石市歩道橋事件に関して，最高裁は，市警察署の副署長と同署地域官とでは，それぞれが分担する役割が基本的に異なっていたことなどから，具体的注意義務が共同のものであったとはいえないとして，業務上過失致死傷罪の共同正犯を否定した（最決平成28・7・12刑集70巻6号411頁）。このほか，市が管理していた人工の砂浜が破損して生じた陥没孔に落ちて死亡したという事故につき，国土交通省の現場事務所課長であった職員に市とは独立した業務上過失を認めた判例（最決平成26・7・22刑集68巻6号775頁）もある。なお，事故に関する鉄道会社の社長の業務上過失が争点となったが，過失が否定された福知山線列車脱線転覆事件（最決平成29・6・12刑集71巻5号315頁）も，経営幹部の管理過失の問題である。

3 共犯関係の消滅・解消

1 「共謀の射程」論

　共犯関係がいったん成立した後であっても，共犯の根拠たる要件・実質が存在しないのであれば，もはや共犯ではない。当初共謀された内容から外れた事実について共犯が成立することはない。したがって，共謀の及ぶ範囲を確定することが，共犯の成立範囲を確定するために必要になる。これが「共謀の射程」論の趣旨である。実際には，共謀関係が消滅・解消するような事情があることによって，共犯の限界が画されることが多いので，共犯関係からの離脱や中止といった問題が論じられる。しかし，本来は，共同的意思の内容がどのようなものかに従って判断されるべきものであり，特別の事情がなくとも，当初から共犯の成立範囲が然るべき限界を有していることはもちろんである。一方，判例は，「共謀に基づいて」行われる事情を重視しており，このような共謀の因果性に近い意味で「共謀の射程」が論じられることもある。

2 共犯関係からの離脱

　承継的共犯とは逆に，途中から一部の者が関係性を失う場合もある。これが共犯関係の解消である。狭義で共犯からの「離脱」というときには，現場から離れることを意味する。解消により一部の共犯者がさらに犯行を継続し結果が発生したものの，離脱者にはこの結果を帰属させない場合のことである。

　因果的共犯論の基本思考からすると，離脱が認められるのは，共犯を基礎づける事情が消滅し，以後の事実は，改めて別の事件として行われたと評価できる場合であり，それはとりもなおさず，自己の関与から生じる犯罪事実実現への因果性が切断された場合である。すなわち，自己の寄与による因果的効果を除去したときに離脱が認められる。

　狭義の共犯においては，正犯が実行に出ることを阻止すれば，共犯従属性に基づき，共犯が不成立になるので，離脱を論じるまでもない。正犯が実行に出た場合には，自己の共犯行為の因果的効力をなくせば離脱が可能である。ただし，正犯により構成要件該当事実の実現に向かう事象が経過しつつある以上，それは困難であることが多いであろう。実行開始以前の物理的共犯行為の場合，たとえば，強盗に使用するための凶器を提供したときには，その凶器を取り戻せば，因果性の除去が認められるであろうが，教唆行為や精神的な幇助行為の場合，離脱を認めるためには，正犯者が共犯関係解消を承諾し，正犯者の新たな自律的決意に基づく行為が行われたといえるだけの事実が必要である。

　共同正犯からの離脱も同様で，離脱のハードルは高めである。判例には，被告人が，格別それ以後の反抗を防止する措置を講ずることがなく立ち去ったのみであり，たとえ着手前に見張り役の電話内容を認識して離脱し，残りの共犯者らがそれを後になって知ったという事情があったとしても，当初の共謀関係が解消したわけではなく，その後の共犯者らの強盗も当初の共謀に基づいて行われたものだとして，被告人に住居侵入だけでなく強盗致傷の共同正犯を認めたものもある（最決平成21・6・30刑集63巻5号475頁）。

　ただし，因果的効果の除去は，いわゆる客観的帰属関係の否定のための根拠となれば足りると解されるので，純粋に物理的意味の因果性が遮断されなくとも離脱を認めてよい。そもそも，各自の寄与から生ずる因果的効果は，寄与の全体を総合的に判断する必要がある。たとえば，事前の働きかけが重大である場合には，着手前であっても，離脱の意思表示と他の共犯者の承諾のような表面的事象によってただちに離脱を肯定することはできない場合があろう。また，因果的効果が

除去しきれないとしても，もはや共同正犯の要件を充足しない犯罪実現であるときには，共同正犯の射程外の事実である。この場合は，共同正犯としての事実形成ではなく，共同正犯は否定され（結局，共同正犯からは離脱したことになる），残存する因果的効果についての教唆ないし幇助としての評価（共犯そのものの関係からは離脱が認められない）が妥当することもあるように思われる。

> **Case 128**
> ＸＹが共謀の上Ａ宅に侵入してＡを脅迫して金を要求したが，ＸはＡが気の毒になって現金奪取を断念し，Ｘに対し「帰ろう」といって１人で外へ出たが，後にＹが金を奪ってきたのを知り，２人でその金を費消した。
>
> **Case 129**
> ＸとＹは，Ａの態度に腹を立て，Ｙ宅屋内で意思を通じてＡに対し竹刀や木刀でＡの顔や背中などを１時間以上にわたり殴る暴行を加えた。Ｘは，「おれ帰る」といってＹ宅を立ち去った。その後Ｙは，Ａに対しさらに暴行を加え，Ａは死亡したが，死亡結果の原因がＸＹがこもごも加えた暴行によって生じたものか，その後のＹによる暴行によるものかは不明であった。

> **Case 128**・**Case 129**，いずれも最高裁はＸの共同正犯からの離脱を認めなかった（**Case 128**は最判昭和24・12・17刑集3巻12号2028頁，**Case 129**は最決平成1・6・26刑集43巻6号567頁）。**Case 129**について，裁判所は「Ｙのさらなる暴行を防止する措置を講じなかった」点を根拠としているので，逆に，「Ｙの暴行を防止する措置を講じた」ならば共同正犯からの離脱を肯定する余地がある。一般に，自らの寄与の因果的効果（自分が加わって引き起こした法益侵害の危険）を消滅させれば，共同正犯からの離脱を肯定することができると考えられている。ただし，そのような場合は極めて例外的にならざるをえない。この事例でも，因果的効果除去には至っていないので，離脱が認められなかった。

3 共犯の中止

「共同正犯の中止」を，共同正犯からの離脱とは別に考慮することができる。共同正犯で犯罪が遂行されたが結果が発生しなかった場合で，共同正犯のうちのある者が任意に真摯な中止行為を行ったのであれば，その者について共同正犯の中止を認め，43条ただし書による中止犯としてよい。なお，中止犯の有利な扱いの根拠として政策的考慮を考える限り，中止犯の効果は中止行為者のみに認められることになる（大判大正2・11・18刑録19輯1212頁）。

Case 130
　ＸＹは強盗を共謀してＡ方に押し入り，ＹがＡに包丁を突きつけて，あり金を出せと申し向けたところ，Ａの妻が現金900円を差し出したので，気の毒に思ったＸは金を取ることを断念し，Ｙに「帰ろう」といって表へ出たが，後から出てきたＹがその900円を奪ってきたことを知って，一緒に遊興に費消した。

　*Case 130*では，Ｙによって既遂に達していることから，共犯関係からの離脱が認められなければ，Ｘが既遂の罪責を負うことはやむをえない。しかし，Ｘが十分な中止行為を行った場合に中止犯とする余地を否定する必要はないであろう。Ｘは憐憫の情から独自の判断で犯罪実行を中止したようにみえるが，判例では共同正犯の場合にはＸのみを中止犯として論ずることはできないとされた（前掲最判昭和24・12・17）。たしかに，共犯として開始された実行行為の途中での中止行為として「帰ろう」といって退去するだけでは，共同実行から生じる結果発生の危険を除去するには足りず，中止とはいえないと思われる。

2　身分犯の共犯

1　身分の意義

　刑法には，身分犯の共犯に関する独特の規定が存在する。すなわち，65条によると，身分のある者とない者との間で共犯は基本的に成立するが，身分の有無によって刑に差があるときは，身分のない者には身分のある者について特別に定められた刑ではなく「通常の刑」を科することになっている。

　ここではまず，「身分」の意義が問題である。判例は，かなり広範なものを身分として捉えている。およそ行為者（主体）に限定が付される場合，そのような限定要因をすべて身分としている。たとえば，「身分は，男女の性別，内外国人の別，親族の関係，公務員たるの資格のような関係のみに限らず，総て一定の犯罪行為に関する犯人の人的関係である特殊の地位又は状態を指称するもの」として，物の占有者であることを252条に関する身分とした最判昭和27・9・19刑集6巻8号1083頁がある。また，一時的な行為者の心理状態も身分に含まれ，目的犯において目的を有している者は身分を有していることになるから，目的犯も身分犯の一種になる。目的を有しておらず単独正犯にはなりえない者も，65条1項によって身分犯の共犯としてなら目的犯の主体になりうるのである（「営利の目的」に関する最判昭和42・3・7刑集21巻2号417頁）。なお，強姦罪を身分犯とした

判例がある（最決昭和40・3・30刑集19巻2号125頁）が，現在の強制性交等の罪は，主体を男性に限らないので，身分犯とはいえない。背任罪の共犯については各論 *9*「横領・背任の罪」（⇒ p. 408 の **6**）を参照。

2 65条の解釈

65条1項は，「犯人の身分によって構成すべき犯罪行為に加功したときは，身分のない者であっても，共犯とする。」と規定し，2項では，「身分によって特に刑の軽重があるときは，身分のない者には通常の刑を科する。」とする。1項が身分の連帯的作用，2項は身分の有無が個別的に扱われることを含意するから，両者は少なくとも外形的には矛盾を含むようにみえる。つまり，同じく「身分」といっても，連帯的に働くものと，個別的な意味をもつものがあるということである。解釈論上，両者の区別基準を明らかにし，1項と2項との調和をとることが求められる。次のような説がある。

1 構成的身分と加減的身分

1　**文言に従う**　通説・判例は，65条各項の定める文言のとおりに身分を区別する（前掲最判昭和42・3・7）。何らかの区別論理から65条を理解するのではなく，端的に65条が区別の基準とされるのである。65条1項の身分は犯罪を構成する「構成的身分」，2項の身分は刑を加減する「加減的身分」である。構成的身分に基づく身分犯を「真正身分犯」，加減的身分に基づくものを「不真正身分犯」と呼ぶこともあるが，身分そのものは構成的身分・加減的身分ということが多い。

身分の有無が犯罪を構成するかどうかに関わるものであるときが1項の身分である。たとえば，収賄罪（197条以下）は，公務員の身分がある者が職務に関し不当な報酬としての利益を得ることによって成立し，公務員でない者が同じ行為をしても処罰対象にならないから，公務員たる地位は構成的身分である。これに対し，身分のない者も構成要件に該当し処罰されるが，身分のある者はそれに比べて刑が加重または減軽されるような性質の身分が2項の身分である。たとえば，過失致死罪（210条）は主体を限定しないが，業務者という主体の特性が付け加わると業務上過失致死罪（211条）として加重処罰されるから，業務者という主体限定因子は加減的身分だということになる。そして，構成的身分は連帯的効果をもち，加減的身分は個別的効果にとどまる。

2 **なぜそう解するか** この考え方は，条文のとおりに解し条文のとおりに効果を認めるのだから，解釈論としては至って自然・明快である。この説の難点は，「なぜ」そのように区別し，その区別が連帯的・個別的な効果と結びつくのかを理論的に説明しないことにある。1の例でいえば，収賄罪における公務員という身分はなぜ連帯的効果をもつのか，すなわち身分のない人にも身分犯の成立を認めることができるのか。それに対して業務者という身分はなぜ個別的な効果しかもたないのか，すなわち身分のない人に業務者につき定められた刑罰を科することはしないのか。条文に書いてあるからというのは，解釈論として形式的にはまったく正しいが，条文の背後にある論理を構築し，全体を整合的に位置づけることによって，恣意を避け，安定した公平な法運用に資することを目的とする刑法学としては，条文に理論的土台を提供したいのである。

2 共犯成立・科刑区別説

1項と2項の効果の違いを，1項を身分犯一般における共犯の「成立」についての問題として位置づけ，2項をとくに不真正身分犯（加減的身分犯）についての「科刑」の問題として，いわば両者の次元を変えることによって，1項身分の連帯性と2項身分の個別性の矛盾を解消しようとする説もある。次元が違えば効果も違うというのは，一応納得できる説明であるが，実は問題の存在する場所が移っただけだともいえる。

犯罪の成立と科刑とが分離することを認めることにも問題がある。この説は，身分犯一般，すなわち不真正身分犯（加減的身分犯）においても，身分のない者に身分犯が成立すると解した上で，不真正身分犯の場合には，身分のない者には通常の刑罰（非身分者につき定められた刑）が科せられると解する。しかし，成立する犯罪の刑罰が科せられるべきであることは疑いないであろう。共犯成立と科刑とを分ける根拠の説明を与えるのは難しい。

3 違法身分・責任身分区別説

1 **区別の基準** 現在のところ，65条1項の身分と2項の身分とを整合的に位置づけるという意味でもっとも成功していると思われるのは，「違法は連帯的・責任は個別的」というテーゼを基礎として，1項は「違法身分」の連帯作用を，2項は「責任身分」の個別作用を定めたものだと解する見解である。違法性に関わる身分だから連帯的な効果をもち，責任にのみ関わる身分だからそれぞれ

に個別的な効果が認められるというのである。これは1項・2項の身分を合理的な根拠から区別し、それぞれの効果の差を説明する点で、理論的にはすぐれている。

　この説に難点があるとすれば、65条にいう構成的身分を違法身分に、加減的身分を責任身分に読み替えるという点、および、ある構成要件の身分が違法身分であるか責任身分であるかを各論的に確定する必要があるという点であろう。前者については、いかに整合的な解釈でも、文言から離れることになれば、罪刑法定主義の見地から、行為者の処罰予測可能性が侵害される可能性も無視はできない。

　2　違法身分か責任身分か　身分が違法身分であるか責任身分であるかは、当該構成要件解釈において判断され、単独犯構成要件該当性の次元で明らかになることではある。たとえば、公務員の公務遂行の公正とそれに対する国民の信頼を保護する収賄罪において、収賄にあたる行為を行う者が公務員であるかどうかは、まさにそのような法益侵害の危険が存在するかどうかに関わるといえるから、行為の違法性を左右する身分、すなわち違法身分であるといえるであろう。ただ、業務者の身分のように、違法性に関する基本的考え方によって違法身分と解されるか責任身分と解されるかに見解の相違が出るものもあり、問題がないわけではない。

> **発展学習**　**消極的身分犯**
> 　身分は、その存在によって構成要件該当性が認められるようになる場合がほとんどであるが、身分によって構成要件該当性が否定される場合は消極的身分犯と呼ばれる。刑法典には例がないが、かりに、医師による外科手術は傷害罪の構成要件に該当しないが、医師でない者が同じことをすれば傷害罪が成立するとすれば、医師の身分は消極的身分だということになる。消極的身分を有する者は正犯にはなりえないが、狭義の共犯の成立は認められる。

3　65条1項における「共犯」の範囲

1　共同正犯を含むか

　65条1項が「身分のない者であっても、共犯とする」というときの共犯の範囲についても議論がある。前章で説明したように、「共犯」という用語は広狭の意味があるから、本条の「共犯」が共同正犯を含むか含まないかは、解釈によって確定しなければならない。たとえば、狭義の共犯としては身分が連帯的に働くとしても、正犯として違法事実を実現することが不可能だと解されることがあるのだとすると、共同正犯は除かれると理解しなければならない。

通説・判例は，共同正犯および教唆犯・幇助犯，要するに広義の共犯をすべて含むと解する（大判昭和9・11・20刑集13巻1514頁）。文言に限定がないことが第一の理由であるが，1項の身分を違法身分だと解する説からは，非身分者も身分者と共同すれば違法結果の惹起に因果的に関わることができるから，共同正犯の場合も含まれると考えられている。

2 真正身分犯と不真正身分犯とを区別する説

これに対し，犯罪成立・科刑分離説は，1項は真正身分犯の場合と不真正身分犯の場合の両方に関わると解し，真正身分犯の場合は正犯の一形態である共同正犯は除かれて教唆犯・幇助犯だけを意味し，不真正身分犯の場合には共同正犯を含む広義の共犯を意味すると解釈する。真正身分犯では非身分者は構成要件該当行為を行う（共同実行）ことができず，正犯たりえない，というのがその理由である。しかし，形式的な意味で構成的身分のない者の行為は構成要件該当行為にはならないことそれ自体は正しいが，実質的には正犯としての不法を惹起することが可能な限りでは共同正犯を含むと解する余地があるだろう。

 常習者の身分
186条1項の常習賭博罪が，単純賭博罪との関係で，常習者という身分によって加重する類型であるのか，「常習賭博」という行為態様ないし性質のゆえに加重処罰される類型なのかという問題がある。常習者身分による加重類型だとすると，形式的には加減的身分ということになるが，違法身分か責任身分かは自明ではない。保護法益とも関連して各論的に検討する必要がある。

4 65条2項における科刑

1 「通常の刑」とは何か

65条2項で問題にされる「通常の刑」またはその刑を定める犯罪はどれかを明らかにしなければ，共犯と身分に関する処理方法が確定しない。本項が問題としている加減的身分は，非身分者について定められた刑が存在することが前提であるから，非身分者の刑が基準になることは当然である。たとえば，常習性のない者が常習賭博者に対し賭博を教唆した場合，常習者の身分のない者は単純賭博罪（185条）の教唆犯となってその刑が科される。

逆に，非常習者に常習者が賭博を教唆した場合はどう処理されるべきであろうか。通説・判例は，「通常の刑」とは当該行為者に科されるはずの刑であると解

する。したがって，正犯が非常習者であって単純賭博罪が成立するときにも，教唆者は常習賭博罪（186条）の教唆犯となる（大連判大正3・5・18刑録20輯932頁）。このような解釈は，2項を「身分の個別性」規定であると形式的に理解し，その行為者の属性に応じた犯罪の成立を認めるのであるが，すでに述べたとおり，文理に忠実とはいえ合理的根拠に乏しいとの批判ができる。

犯罪の成立と科刑とを区別する説では，正犯が非身分者である場合は，非身分者が身分犯に関与した場合ではないので，65条1項2項の適用場面ではなく，常習者は原則どおり正犯に従属して単純賭博罪の教唆犯となる。違法身分・責任身分区別説では，常習者の身分がそのいずれであるかを解釈で確定した上で責任身分であれば個別的な扱いをすることになる。

2 横領罪の場合

それでは，非占有者が業務上の占有者による横領（253条）に関与した場合はどうであろうか。物の占有者という身分は，非占有者との関係では構成的身分であるが，業務上占有者との関係では，加減的身分になる。このいわば二重の身分を構成的身分と解すると，65条1項により非占有者も業務上横領罪の共犯となり，業務上横領罪の刑罰が基準になる。判例は，業務上の横領犯人と非占有者との間に共同正犯を認め，通常の刑として単純横領罪の刑を科するとした（最判昭和32・11・19刑集11巻12号3073頁）。非占有者に科す刑はないので，このような扱いには理論的説明が難しいところもあるが，結論としては妥当であろう。

> ### *Case 131*
> 　Xは，自己の経営する会社Aが破綻の危機に瀕していることから，B銀行の取締役YにB銀行の業務規則に反することを知りながら無担保の貸付を要求した。その際，YがB銀行がこれまでも不当貸付を行ってきて，A社が破綻すればB銀行にも重大な損害を与え，Y自身の経営責任も問われることから，それを恐れてYが貸付に応じることを認識していた。

　Case 131 の事案自体は，会社法上の特別背任罪（会社960条。当時は商486条）の共同正犯が問題となったものである。最決平成15・2・18刑集57巻2号161頁は，背任罪の主体である事務処理者の身分を有さないXについて，B銀行の事務を処理する身分者Yによる背任罪の共同正犯となることを認めた。背任行為にあたる不当貸付を受ける側であるXと背任行為者Yとの間では，利害は通常，対立ない

し少なくとも独立しているはずであるが、相手方である非身分者の加功を共同正犯とした点でも興味深い判例である（⇒ p. 408 の[発展学習]）。

3 共犯と錯誤

1 正犯の実行行為に関する事実の錯誤

1 共犯の錯誤と共犯の過剰

　共犯による犯罪事実実現過程で各関与者の認識と事実とに不一致が生じる場合が共犯における錯誤である。たとえば、A を殺害するものと思って凶器を提供したところ正犯が B の殺害に及んだ場合や、窃盗を教唆したところ正犯が強盗を実行した場合などである。共犯が意思連絡を前提とする限り（片面的幇助の場合を除く）、38 条 2 項により共犯の認識が及んでいなかった部分をその者に帰責ないし帰属させることはできないので、共犯の成否と錯誤の取扱いには密接な関連がある。一般的には次のように整理できるであろう。すなわち、共犯の成否は構成要件該当性の問題であるから、まず、客観的な事実として共犯の成立範囲を確定し、つぎに、当初の共犯成立範囲を逸脱した事実について共犯者の故意を肯定してよいか、という錯誤の問題として扱うのが妥当である。

　そのような思考が表面に現れる場面として共犯の過剰の場合がある。共犯の過剰とは、共犯の錯誤のうち、共犯の認識に含まれる事実が実現した上で、さらにそれを超える事実が生じた場合である。たとえば、100 万円の窃盗を教唆したところ正犯が 200 万円を窃取したような場合が挙げられる。このとき、200 万円の奪取事実のうち、100 万円の部分に故意があるのは当然である。これは共犯の成立範囲の問題である。問題は、さらに、残りの 100 万円奪取の事実について共犯者の故意が及ぶかという点である。これは錯誤論によって解決される問題である。法定的符合説に基づくと、残りの 100 万円も構成要件的に符合するので故意が及ぶと考えられる。

　X は傷害する意思、Y は殺害する意思で、暴行を共同する意思を通じ、それぞれに暴行を加え、被害者が死亡したときも共犯の過剰の一例である。ここでは、Y にとって錯誤はないが、X にとっては傷害を（法的評価の上で）超える傷害致死の事実が生じたことになる。このとき、傷害の意思にとどまる者に死亡結果を帰属させることはできない。死という重い結果については傷害罪と構成要件的に

符合しないからである。

2 具体的事実の錯誤

　錯誤の扱いは共犯の場合にも単独犯の場合と同様である。そうすると，正犯に具体的事実の錯誤があってもそれだけで共犯の故意を阻却するものではない。しかし，正犯が実現した事実が共犯の認識とかけ離れている場合には，客観的構成要件該当性の次元で，共犯行為と結果との間の因果関係，すなわち共犯の成立範囲を問題としうることがあることには注意が必要である。たとえば，A宅の窃盗を教唆したが正犯はB宅から金品を盗み出したとき，事実と認識との不一致が同一構成要件内にあるので，教唆者には窃盗罪の教唆犯の故意が認められる。しかし，A宅とB宅とが大きく隔たっている場合や，私人の住居からの窃盗を教唆したところ銀行への侵入窃盗を試みたなどの場合には，教唆行為がある程度特定の犯罪実行をそそのかすものであることを考えると，正犯の実行との間の因果関係がないとする余地があり，因果関係がない事実について故意は問題にならないことに注意が必要である。

3 抽象的事実の錯誤

　抽象的事実の錯誤の場合，共犯の故意を阻却する。ただし，符合が構成要件の部分的符合で足りるとする考え方（部分的犯罪共同説）からは，構成要件が重なり合う限度で共犯が成立することになる。たとえば，殺人罪の構成要件は傷害致死罪の構成要件を包摂していると考えることができるので，殺人罪と傷害致死罪とは，傷害致死罪の範囲で共同正犯が成立しうる。そこで，Xは殺人の意思で，Yは傷害の意思で，こもごもAに対して強力な暴行を加えた結果Aが死亡した場合，XYは傷害致死罪の限度で共同正犯が成立し，Xには，それを包摂する形（罪数としては，法条競合にあたるであろう）で単独犯としての殺人罪が成立すると考えられる。結論において，Xには殺人罪，Yには傷害致死罪が成立するのであるが，行為共同説とは異なり，端的に殺人罪と傷害致死罪との間に共同正犯の成立を肯定するわけではない。

　なお，共犯錯誤論で部分的符合を肯定することは，その符合に応じた共犯の成立を肯定することと連動しなければ意味がない。符合する範囲で犯罪共同を認め，犯罪共同が認められる範囲で故意を肯定するという関係になっている。そこで，多くの場合，これを共犯の成立範囲の問題として論じることも，共犯の錯誤とし

て論じることも，いずれも可能になる。ただ，共犯の成立範囲の問題は，修正された構成要件該当性の次元にあり，客観的な構成要件該当性判断を含むので，主観的要素である故意の有無の問題である錯誤より，論理的には先行する。その上で，構成要件的故意によって共犯の成立範囲が画されるので，結局同様の考慮が成立範囲判断の中で行われることになる。

> *Case 132*
> Xは，Yが窃盗をするものと思って見張りをしていたところ，Yははじめから強盗をするつもりであり，強盗を行った。
>
> *Case 133*
> XはYにA方住居に侵入して窃盗をするよう教唆したが，YはB方住居に侵入して強盗に及んだ。
>
> *Case 134*
> XYは暴行・傷害を共謀してAに対し傷害行為を行ったところAは死亡するに至った。このとき，Xは傷害結果の認識しかなかったが，YはAに対する殺意を抱いていた。

*Case 132*では，共犯者間の意思が当初から相違していた。共犯の成立範囲の問題としても強盗の意思の共有がなく，Xは錯誤論としても窃盗の範囲で責任を負うことになる（最判昭和23・5・1刑集2巻5号435頁）。*Case 133*は，Xからみると侵入の客体が認識と異なる上に，そこで行われた犯罪が異なっている。客体の錯誤は故意を阻却せず，窃盗罪と強盗罪では窃盗罪の範囲で重なり合うので，XにはB宅での住居侵入窃盗教唆罪が成立する（最判昭和25・7・11刑集4巻7号1261頁）。*Case 134*は，共犯の過剰の典型例の1つで，判例は，構成要件の重なり合う範囲で共犯が成立し，Xは傷害致死の共同正犯となる趣旨を示した（最決昭和54・4・13刑集33巻3号179頁）。なお，最決平成17・7・4刑集59巻6号403頁も参照。

2 共犯諸形式間の事実の錯誤

1 間接正犯のつもりで教唆となった場合

　間接正犯の意思で，犯罪事実であることを知らない者に犯行を指示したところ，実際には相手が事情を知っており，客観的にみると教唆に該当する事実が実現した場合，要するに間接正犯の意思で教唆犯を実現したような場合は，関与形態の錯誤である。間接正犯と教唆犯との間の錯誤の取扱いは，正犯と共犯という評価を分ける。刑は同じ（61条1項）とはいえ，正犯であるか否かは量刑に影響する

であろう。そのほか，たとえば，相手が犯行の決意を有しているものと誤信して犯行するよう働きかけたところ，相手はその働きかけによって犯行を決意したような場合には，幇助の意思で教唆を実現したことになる。幇助になれば刑が減軽されるから，その評価の違いは小さくない。

このような共犯諸形式間の事実の錯誤については，38条2項の趣旨からは，軽い方の共犯形式の範囲で共犯の成立を認めるのが妥当であろう。実例は必ずしも多くないが，通説はそのように解している。そうすると，間接正犯のつもりで教唆犯にあたる事実を実現したときも，教唆犯のつもりで間接正犯にあたる事実を実現したときも，いずれも教唆犯として扱われる。被教唆者が途中で事情を知るに至った場合も同様に処理すべきであろう。幇助のつもりで教唆を実現した場合には，幇助犯が成立する。

2 理論的問題点

ただし，異なる共犯形式の場合，事実相互に重なり合いは存在しないので，理論的には十分な根拠づけができない。つまり，正犯に犯行決意を生じさせたという事実はあっても，犯行決意を有する者を助けたという事実が存在しない。それにもかかわらず幇助犯を認めることになるのである。両者に事実レベルでの何らかの共通性を求めて符合関係を求めるならば，非常に抽象的な内容（たとえば法益侵害に関わった）を想定せざるをえず，それは共犯諸形式の区別を無視することにほかならない。なお，教唆者が教唆した犯罪を被教唆者と一緒になって実行したときは，教唆犯は共同正犯に吸収して評価される（大判昭和8・11・27刑集12巻2134頁）。

> *Case 135*
> 　Xは刑事未成年者Yに対しYが責任能力者であると思って窃盗を教唆した。
> *Case 136*
> 　Xは大麻を隠匿した荷物を航空貨物として発送したが，捜査当局から事情を知らされた配送業者が捜査協力として捜査機関の監視の下にその貨物をX方まで配送した。

　*Case 135*は，刑事未成年者を道具とする間接正犯が認められるかという問題はあるが，教唆のつもりで間接正犯にあたる事実を実現したものだとしても，Xは窃盗罪の教唆犯として扱われるべきである（仙台高判昭27・2・29判特22号106頁）。

> *Case 136* では，輸入は外形的には既遂に達しているが，途中から道具たる配送業者が事情を知って捜査協力のため配送しているので，少なくともＸの道具ではなくなっており，道具利用と同視できるような単なる因果経過とはいえなくなっている。そこで，未遂として扱うべきではないかとも考えられるところ，判例は，関税法上の禁制品輸入罪の既遂を認めた（最決平成 9・10・30 刑集 51 巻 9 号 816 頁）。なお，このような捜査手法はコントロールド・デリバリー（監視付き移転・泳がせ捜査）といわれ，規制薬物などの禁制品を捜査機関が発見してもただちに摘発するのではなく，監視の下にその搬送を許し，犯罪関与者を特定・検挙するものである。

4 不作為と共犯

不作為犯の共犯には，作為への関与が不作為による場合，不作為への関与が作為による場合と不作為による場合が考えられる。いずれも，問題になるのは不真正不作為犯の場合であり，当然，不作為者に何らかの作為義務が認められることが前提である。

1 不作為の共同正犯

不作為の共同正犯には，①不作為と不作為との共同の場合と②作為と不作為との共同の場合がある。①の不作為どうしの共同の場合，作為義務懈怠の部分が意図的である以上は，故意犯の共同正犯が成立する。また，共同注意義務に応じた作為が不注意により怠られる場合には，過失犯の共同正犯という形態を認める限りにおいて過失犯の共同正犯が可能である。この場合，保障人的地位にある者は，端的に正犯構成要件に該当するので共同正犯となる。父親Ｘと母親Ｙが，彼等の実子Ａが川で溺れているのをみて，溺死すればよいとの意思を通じたうえであえて両者とも救助しないという不作為は，不作為による殺人罪の共同正犯と評価されるのである。

②の作為と不作為との協働については，それぞれについて単独では構成要件該当性があるといえるが，作為者と不作為者とでは事実に対する支配の程度が大きく異なり，不法事実の因果的形成力に圧倒的な差がある。そこで，原則として作為者が正犯であり，不作為者は不作為の（狭義の）共犯となると考えられる。銀行強盗を実行するＸが銀行の警備員Ｙを買収して強盗の意思を通じ，Ｘが実行する際Ｙがこれを知りつつ放置したような場合，警備員は強盗罪の共同正犯で

はなく幇助犯とするのが妥当であろう。

　もっとも，実行を担当しない者が共謀共同正犯になるときはもちろん別である。不作為の共同正犯については，生命維持のためにインスリン投薬が必要な患者の両親からその治療を依頼された者が，被害者の母親に指示してインスリンを投与させなかった事件について，母親を道具として利用するとともに，不保護の故意ある父親と共謀したものとして，殺人罪の成立を肯定した判例（最決令和2・8・24刑集74巻5号517頁）がある。

2　不作為による共犯

　不作為による狭義の共犯の場合には，教唆・幇助行為が不作為でも足りるかという解釈論に帰着する。前章で述べたように，通説は，教唆と幇助とで異なった扱いをする。

　すなわち，教唆の場合には，教唆が能動的に犯罪事実実現の動因となることを意味すると解される以上，不作為の因果的形成力はその評価に値する程度とはいえず，不作為による教唆は否定されるべきであると考えられる。

　これに対し，幇助は，正犯による犯罪実現への因果的作用は側面的なものであり，正犯の犯罪事実実現に対し促進的効果をもてば足りるから，不作為によって幇助することも可能である。したがって，不作為の幇助は肯定できる。*1*で挙げた例における銀行強盗をあえて見逃したYは，不作為による強盗罪の幇助犯である。判例には，法律上の義務に違背して投票干渉行為を現認しながらそれを制止しなかった不作為について不作為による幇助を認めたもの（大判昭和3・3・9刑集7巻172頁）がある。

> **発展学習**　**不作為の正犯と共犯との区別**
>
> 　もちろん，不作為を作為と同等に扱う，すなわち不真正不作為犯を認めるためには，作為義務（類型的には保障人的地位）の存在が前提である。他人の犯罪実行に介入すべき法律上の義務がある者がその義務に反してあえて不作為にとどまることは，法律上は，介入によって正犯の実行に障害が生ずることが期待されている場面でその障害が除去されたことに等しいから，正犯の実行を容易にしたと評価されるのである。
>
> 　ただ，不作為による幇助と不作為による正犯とが区別されるか，区別されるとすればどのように区別されるかという問題は，不作為犯における作為義務の議論と関連した難問である。法益と不作為主体との関係で，法益保全義務がある場合と法益に対する侵害を除去すべき義務がある場合とを分ける考え方が提示されている。ただ，結局のところ，不作為が問題になる局面において法的に期待され義務づけられる作為の内容という観点から，直接の法益保全に関わる介入が義務づけられるときの不作為が正犯，法益侵害を困難にすべき介入が義務づけられるときの不作為が共犯と考えるほかないように思わ

れる（札幌高判平成12・3・16判時1711号170頁などを参照）。

3 不作為正犯への共犯

　正犯が不作為であるかどうかは，共犯の成否に影響しない。不作為正犯も通常の構成要件該当と同価値である以上，不作為正犯に対しても同様に共犯を認めうる。共犯が作為のときはもちろん，不作為の共犯が可能であれば，不作為正犯に対する不作為共犯もありうると考えられる。

5 共同正犯と正当防衛

　共同正犯者XYのうちXに正当防衛が認められ，Xの行為が違法性阻却されるとき，その効果がYにも及び，Yも無罪となるかという問題がある。狭義の共犯の場合，制限従属性を前提とすると，正犯が違法性阻却されるとき共犯は処罰されない。これに対し，共同正犯の場合に，正当防衛の効果は共犯者間で連帯するか正当防衛の成否は個別的に判断されるかという問題である。共同正犯は同一犯罪事実への関与者として法的に同等であることを根拠に，連帯的効果を認めてもよいようにも思われるが，たとえば，XYが共同正犯であり，Xは実行共同正犯であるがYは実行行為を行わないような場合を想定すると，正当防衛の成否を連帯的に考えることには違和感がある。

　最高裁のフィリピンパブ事件（最判平成4・6・5刑集46巻4号245頁⇒p.162の *Case 81* ）では，過剰防衛の成立については個別的に判断すべきであるとする趣旨が示されたが，正当防衛のときにも同様に解されるであろう。この判決では，急迫不正の侵害の存在ないし積極的加害意思と防衛意思との関係が争点であり，正当防衛の場合と共通する要件が問題となっているからである。そして，ここでは侵害・防衛は，いずれも現実にはXにおいて生じているにすぎず，実行行為を行わない者に急迫不正の侵害やそれを避ける必要性があったとはいいがたい。

　共同正犯という修正された構成要件への該当性が認められることから帰結されるのは，構成要件的＝類型的違法性のみであり，そこからただちに違法性阻却事由による実質的違法性が共同正犯者に連帯的効果をもつとはいえない。正当防衛についても共同正犯者相互で個別的扱いをすることが妥当である。

6 予備の共犯

　共犯従属性が認められる以上，教唆・幇助した正犯が予備にとどまったとき，実行従属性から予備の共犯は否定される。では，予備行為が共同して行われたとき，予備罪の共同正犯となるか。共同正犯は実行行為の共同の場面でしかありえないとすれば，予備行為が実行行為でないことを理由に予備の共同正犯は否定されるであろう。これに対し，予備罪も派生的とはいえそれ自体相対的に独立した構成要件であるからその構成要件該当行為は実行行為にほかならず，その実行行為を共同すれば共同正犯となりうるとする見解，予備罪を構成要件の修正形式（「○○条の予備は罰する」という形式）の場合と独立予備罪（153条のように予備に相当する行為を独立して記述する形式）とを分け，独立予備罪については実行行為を観念しうるので予備の共同正犯を肯定する見解もある。たしかに，実行行為と予備行為とは法的評価を異にする別の段階に属する行為であるが，予備罪がいったん構成要件化されればその構成要件該当行為としての実行行為を考えることができる。この意味で，実行ないし実行行為は相対的な概念である。したがって，形式的に予備罪の共犯を否定することは妥当でないように思われる。

　あるいは，予備幇助類型としては明文の規定として79条の内乱予備幇助罪が存在することから，その他の場合には狭義の共犯は成立しない（反対解釈）が，共同正犯の場合は幇助ではなく正犯であるから成立するという説もある。また，予備の教唆・幇助はそれ自体予備であるとする説もある。最後の説は，他人のための予備も予備罪にあたるという見解であるが，たとえば他人のために凶器を準備してやることは典型的な幇助行為に属するので，いわゆる他人予備は，一般には幇助と考えられるのではないか，という批判が可能である。

> **発展学習**
>
> **共同教唆・共同幇助**
>
> 　教唆行為・幇助行為を共同して行う場合，共同正犯と同様に，いわゆる一部実行全部責任が肯定されるかという問題（共同教唆・共同幇助）がある。また，教唆・幇助を共謀した上，共謀者の一部が実際に教唆・幇助をした場合，共謀者のいずれも教唆・幇助犯となるかという問題（共謀共同教唆・共謀共同幇助）もある。教唆犯の場合，いわゆる間接教唆が明文にあること（61条2項）を考え合わせると，ある程度広く教唆の成立を認めることができ，共同教唆・共同共謀教唆という形態もありうるかもしれない。これに対し，幇助犯についてはそのような規定上の前提も存在しないし，他方，幇助行為の

定型性が弱いことを考えると，共同幇助類型は認めるべきではなく，関与形態それ自体について，それが正犯に対する促進的作用を有するか否かにより判断して幇助犯の成立を論ずるべきであると思われる。

13 罪　　　数

1　犯罪の個数と関係

　罪数とは，犯罪の個数である。1人の行為者が複数の犯罪行為を行った（あるいは，複数の犯罪の要件を充足するようにみえる行為を行った）ときに，それらの犯罪の関係はどのようなものであるかを論じるのが，罪数論である。XがAの顔を平手で1発殴ったときには，暴行罪1罪が成立する。このような，1個の構成要件該当事実が実現したにすぎない場合を単純一罪という。しかし，このような場合とは異なり，複数の構成要件該当事実が実現するようにみえる場合，①行為者が犯した犯罪は，1つの罪か複数の罪か，すなわち，一罪か数罪か，②行為者が犯した犯罪の関係はどのようなものかが問題となる。

　罪数論の意義は，まず，適用すべき罰条を明らかにすることにある。たとえば，Xが，Aの衣服の上からAの心臓を刃物で突き刺し，Aを殺害するとともに，Aの衣服を損傷したとき，適用すべき刑罰法規は，刑法199条（殺人罪）と261条（器物損壊罪）であるのか，それとも，刑法199条のみであるのかということである。それとともに，処断刑（⇒p.16の 用語解説）を形成することにある。つぎに，手続法上の意義もある。複数の犯罪についてその刑を1個の手続で言い渡すべきか否か，また，刑の言渡しの効力がどのような範囲に及ぶのかということに関わる。

　罪数論は，必ずしも明解に整理されたものではないため，その理解には困難な面があるが，まずは，具体的にどのような場合がどのような関係にあると解されているのかを知ることが重要である。

2　法条競合

　単純一罪とは，1に述べたような，まさに単純な場合に限られるわけではない。法条競合と呼ばれる場合も，単純一罪の1類型である。

複数の構成要件該当事実が実現したようにみえるが，構成要件相互の論理的関係から，優先して1個の犯罪のみが実現する（1個の犯罪のみが成立する）と認められる場合のことを，法条競合という。法条競合の中には，①特別関係，②補充関係，③択一関係，④吸収関係の4つがあるとされる（もっとも，「吸収関係」という類型を，包括一罪であるとする見解も有力である）。

　①特別関係とは，業務上横領罪（253条）と単純横領罪（252条），特別背任罪（会社960条）と背任罪（刑247条）の関係のように，特別法と一般法の関係にある場合のことをいう。特別法が一般法に優先して適用され，特別法にあたる犯罪だけが成立する。

　②補充関係とは，建造物等放火罪（108条・109条）と建造物等以外放火罪（110条），公文書偽造罪（155条）と私文書偽造罪（159条）の関係のように，一方が他方に補充される関係にある場合のことをいう。

　③択一関係とは，1個の行為によってその要件を充足するようにみえる複数の構成要件の関係が，①特別関係でも②補充関係でもなく，横領罪と背任罪，営利目的誘拐罪（225条）と未成年者誘拐罪（224条）の関係のように，構成要件が部分的に交差するが，一方の犯罪だけが成立する関係のことであり，交差関係ともいう。上の例では，それぞれ，法定刑の重い横領罪，営利目的誘拐罪の罰条だけが適用される。

　④吸収関係とは，たとえば，強盗罪（236条）が成立すれば，その手段である暴行・脅迫について暴行罪（208条）・脅迫罪（222条）は成立しないが，このように，一方が他方を吸収する関係をいう。

3 包括一罪

　複数の構成要件該当事実が存在するようにみえるが，その法益侵害行為あるいは法益侵害の実質的な一体性のために，全体が，1個の犯罪（1罪）として包括的に評価される場合を包括一罪という。包括一罪として，以下の①から⑤のような場合が挙げられる。

　①罰条的包括とでも呼ぶべき場合がある。1個の罰条に，同一法益に向けられた数個の行為態様が規定されており，行為が一連のものとして行われた場合である。たとえば，同一人との間で，賄賂の要求，約束，収受をしたときは，1個の収賄罪（197条）が成立する（大判昭和10・10・23刑集14巻1052頁）。同一犯人を蔵匿

し、さらに隠避させたときは、1個の犯人蔵匿・隠避罪（103条）が成立する（大判明治43・4・25刑録16輯739頁）。同一人を逮捕し、引き続き監禁したときは、1個の逮捕監禁罪（220条）が成立する（大判大正6・10・25刑録23輯1131頁）。

②集合犯とは、構成要件が、その性質上、同種類の行為が反復されることを予定しているときに、数個の行為が反復された場合のことをいい、包括して1罪となる。いわゆる常習犯や営業犯はこれにあたる。常習として数回賭博をしても、包括して1個の常習賭博罪（186条1項）が成立する（大判明治44・1・24刑録17輯8頁、最判昭和26・4・10刑集5巻5号825頁）。わいせつ図画を数回販売しても、販売という概念は、反復的な譲渡行為を含むから、包括して1個のわいせつ図画販売罪（旧175条）が成立するとされた（大判昭和10・11・11刑集14巻1165頁。現在は、「頒布」罪として処罰される）。

> **発展学習　包括一罪ではないとされた例**
> これに対して、出資法に違反してなされた制限超過利息を受領する行為を反復することは、業として行うことを要件としていない規定（出資5条1項）について（最判昭和53・7・7刑集32巻5号1011頁）だけでなく、業として金銭の貸付を行う場合の規定（出資5条2項）についても（最決平成17・8・1刑集59巻6号676頁）、個々の契約または受領ごとに一罪が成立し、併合罪となるとされている。

③接続犯とは、同一法益主体に対して、複数の同種の法益侵害行為が、時間的・場所的に接続してなされる場合のことをいい、包括して1罪とされる。同一人を続けて数回殴り、数個の傷害を負わせたときには、傷害罪（204条）の包括一罪となる。同じ倉庫から短時間のうちに数回にわたり保管物を窃取したときには、窃盗罪の包括一罪となる（最判昭和24・7・23刑集3巻8号1373頁）。これに対して、高速道路において、2回の速度違反を行ったことについて、制限速度を超過した状態で、自動車の運転を継続した場合であっても、違反行為を行った2地点は、その間の距離が約20キロメートルも離れており、道路状況等が変化していることから、2罪を構成し、併合罪となるとした判例がある（最決平成5・10・29刑集47巻8号98頁）。また、同一の場所で異なる観客に対して数回行われた公然わいせつ行為は、包括一罪にはならない（最判昭和25・12・19刑集4巻12号2577頁）。

> **発展学習　連続犯**
> 旧刑法55条は、「連続シタル数個ノ行為ニシテ同一ノ罪名ニ触ルルトキハ一罪トシテ之ヲ処断ス」として、連続犯を規定していたが、昭和22（1947）年に削除された（法律124号）。しかし、その後も、判例は、一定の場合について包括一罪であることを認めて

いる（時間的に連続した行為が，同一構成要件に該当し，それによる被害法益が同一で，単一の犯意に基づいている場合について，最判昭和31・8・3刑集10巻8号1202頁）。学説も，接続犯ほど時間的・場所的近接性が認められなくても，連続犯として包括一罪となる場合があることを認めてきた。

　近年，判例は，いずれも同一被害者に対し約4か月間または約1か月間という一定の期間内に反復累行された一連の暴行によって種々の傷害を負わせ，被害者との人間関係を背景として，被告人が共通の動機から繰り返し犯意を生じた事案において，個別の機会の暴行と傷害の発生等との対応関係を個々に特定することはできない場合につき，その全体を一体のものと評価し，包括一罪と解することができるとした（最決平成26・3・17刑集68巻3号368頁）。

|発展学習| **包括一罪であるとされた例**

　被害法益が単一の場合でない例について，包括一罪であるとされたものがある。最高裁は，約2か月間にわたり，関西一円で募金を装って多数の通行人から現金をだまし取った事案について，不特定多数の通行人一般に対し，一括して，同一内容の定型的な働きかけを行うもので，1個の意思，企図に基づき継続して行われた活動であることに加えて，募金箱に投入された現金はただちに他の被害者が投入したものと混和して特定性を失うものであるという本件街頭募金詐欺の特徴にかんがみて，一体のものと評価して包括一罪と解することができるとしたのである（最決平成22・3・17刑集64巻2号111頁）。

　④随伴行為（または付随犯）といわれる場合がある。これは，1個の行為によって数個の異なった法益を侵害した場合でも，軽微な法益侵害が重い法益侵害に通常随伴するものであるときのことをいい，重い犯罪の罰条のみが適用される。1発の弾丸で人の衣服を損傷するとともに，その人を殺害した場合は，殺人罪の罰条だけが適用される。人の顔面を殴打して傷害を負わせるとともに，その人の眼鏡のレンズ1枚を破損した場合にも，レンズの損壊は，重い傷害罪によって包括的に評価される（東京地判平成7・1・31判時1559号152頁）。

　⑤共罰的事前行為（従来，不可罰的事前行為と呼ばれてきた）とは，同一の法益侵害に向けられた複数の行為が，手段と目的の関係にあり，手段である犯罪が目的である犯罪の刑によって評価される場合のことをいい，共罰的事後行為（従来，不可罰的事後行為と呼ばれてきた）とは，同一の法益侵害に向けられた複数の行為が，原因と結果の関係にあり，結果である犯罪が原因である犯罪の刑によって評価される場合のことをいう。共罰的事前行為（または共罰的事後行為）は，後行行為（または先行行為）に対する違法評価によって賄うことができるとして先行行為（または後行行為）が処罰されない場合における当該先行行為（または後行行為）のことである。たとえば，殺人予備行為は，その後の殺人既遂行為との関係で，共罰的事前行為であり，窃取した財物を損壊した場合，器物損壊行為は，窃盗罪と

の関係において共罰的事後行為であるとされる。従来は，先行行為と後行行為は，法条競合の関係にあると解されてきたが，両方ともに犯罪の成立が認められ，包括一罪の関係にある（あるいは，少なくともそのような関係を認めるべき場合がある）と解されている（最大判平成15・4・23刑集57巻4号467頁参照⇒p. 403の **6**）。

> **Case 137**
> Xは，窃取した他人名義の預金通帳を利用して，銀行窓口で係員を名義人が請求するものと欺いて，預金の払戻しを受けた。

> **Case 137**では，後行の預金払戻し行為が，新たな法益を侵害したから，共罰的事後行為ではなく，通帳に対する窃盗罪と払い戻した現金に対する詐欺罪の併合罪となる（最判昭和25・2・24刑集4巻2号255頁）。

⑥その他に，異なる罪名の複数の犯罪が包括して1罪とされることがあり，このような場合を混合的包括一罪と呼ぶ。他人の財物を窃取または詐取した後，その財物の返還またはその代金の支払を免れる目的で殺人未遂を行った場合について，窃盗罪または詐欺罪（246条）と（2項）強盗殺人未遂罪の包括一罪であり（最決昭和61・11・18刑集40巻7号523頁⇒p. 362の2），金銭を詐取した後，偽造の質権設定承諾書を交付したような場合について，行為の先後関係から牽連犯ではなく，詐欺罪と偽造私文書行使（161条）の包括一罪である（東京高判平成7・3・14判時1542号143頁）とされた例がある。

4 科刑上一罪

1 科刑上一罪の意義

包括一罪は，独立に評価を示す必要のない数個の構成要件実現の場合であるが，科刑上一罪は，独立に評価を示す必要のある数個の構成要件実現の場合である。刑法54条1項は，「1個の行為が2個以上の罪名に触れ，又は犯罪の手段若しくは結果である行為が他の罪名に触れるときは，その最も重い刑により処断する」と規定する。この科刑上一罪のうち，「1個の行為が2個以上の罪名に触れ」るときを，観念的競合と呼ぶ。警察官に対して暴行による傷害を加えて，その職務の執行を妨害したときは，傷害罪（204条）と公務執行妨害罪（95条）の観念的競合である。

> *Case 138*
> 　Ｘは，Ａ（およびＢ）を殺害する意思で，けん銃を発射したところ，１発の銃弾が，Ａの心臓を貫通し，Ｂの心臓にもあたってＡ，Ｂをともに死亡させた。

> 　*Case 138*の場合，Ａに対する殺人罪とＢに対する殺人罪の観念的競合である。このように，「２個以上の罪名」は，同じものであっても異なるものであってもよい。
> 　なお，観念的競合の場合，１個の行為であること，あるいは，それが１個の意思決定によることが，そうでない場合と比べて，違法性，あるいは，責任を減少させるとして，可罰評価の重複を避けるため一罪として取り扱われるが，行為が１個であることが常に一罪性を基礎づけるかについては，検討の余地があろう。

　また，「犯罪の手段若しくは結果である行為が他の罪名に触れるとき」を，牽連犯と呼ぶ。
　科刑上一罪は，包括一罪と同じく，１個の手続で刑を言い渡さなければならず，その一部について有罪または無罪が確定したとき，全体について，一事不再理の効力が及び，もはやそれ以外の部分について起訴し，有罪とすることはできない。上の例（*Case 138*の前の例）においていうと，公務執行妨害の判決が確定したときには，後に，傷害罪で有罪とすることはできない。
　「最も重い刑」とは，何を意味するのか。刑法72条は，加重・減軽を，再犯加重，法律上の減軽，併合罪加重，酌量減軽の順に行うと定めている。学説においては，各犯罪について，刑種を選択し，再犯加重や法律上の減軽を行った後の刑を比較して決するという見解が主張されているが，判例は，このような刑種の選択，加重減軽を行う前の法定刑を比較して決するという立場をとる（大判大正３・11・10刑録20輯2079頁）。上限の重い罪の法定刑が軽い罪の法定刑より軽いものを含むときには，判例は，軽い罪の下限の刑よりも軽く処断することは許されないとしている（最判昭和28・４・14刑集７巻４号850頁，最判昭和32・２・14刑集11巻２号715頁）。すなわち，上限，下限ともより重い法定刑を基準として形成された刑の範囲内で処断することになる。また，重い罪の刑は懲役刑のみであるがその他の罪に罰金刑の任意的併科の定めがあるときには，重い罪の懲役刑にその他の罪の罰金刑を併科することができるとする（最決平成19・12・３刑集61巻９号821頁）。重い罪および軽い罪のいずれにも選択刑として罰金刑の定めがあり，軽い罪の罰金刑の多額の方が重い罪の罰金刑の多額よりも多いときは，罰金刑の多額は軽い罪

のそれによるべきものとする（最判令和2・10・1刑集74巻7号721頁）。

2 観念的競合における1個の行為

1個の行為とは，最高裁は，「法的評価をはなれ構成要件的観点を捨象した自然的観察のもとで，行為者の動態が社会的見解上一個のものとの評価をうける場合をいう」とし（最大判昭和49・5・29刑集28巻4号114頁），同一の日時場所において，無免許で，かつ酒に酔った状態で自動車を運転する所為は，道路交通法上の無免許運転の罪と酒酔い運転の罪の観念的競合であるとした（最大判昭和49・5・29刑集28巻4号151頁）。また，自動車運転者が被害者を救護せず，かつ事故を報告せず，そのまま逃走したような場合については，道路交通法上の救護義務違反の罪と報告義務違反の罪は，「右2つの義務に違反して逃げ去るなどした場合は，社会生活上，しばしばひき逃げというひとつの社会的出来事として認められている」として，観念的競合であるとする（最大判昭和51・9・22刑集30巻8号1640頁）。そして，既遂時期が異なる，覚せい剤輸入罪と関税法上の無許可輸入罪について，「社会的見解上一個の覚せい剤輸入行為と評価すべきもの」であるとして，観念的競合であるとしている（最判昭和58・9・29刑集37巻7号1110頁）。

> **Case 139**
> Xは，酒に酔った状態で自動車を運転中，誤って歩行者を死亡させた。

> **Case 139** のような場合，最高裁は，酒酔い運転罪とその運転中の業務上過失致死罪（現在は，過失運転致死罪が適用される）は，酒酔い運転が過失の内容をなすか否かにかかわらず，観念的競合ではないとする（前掲最大判昭和49・5・29）。酒酔い運転は，時間的継続と場所的移動を伴うのに対し，事故を惹起し，人を死亡させることは，運転継続中における一時点におけるものであることから，1個のものでなく，別個の行為であると評価することができる。同様に，銃砲刀剣類の不法所持と，その過程でなされた銃砲刀剣類を使用した強盗とは，別個の行為である（最判昭和24・12・8刑集3巻12号1915頁）。

3 牽連犯

観念的競合となるのは，1個の行為についてであるが，牽連犯は，数個の行為についてである。各行為が，手段と目的の関係にある，または，原因と結果の関係にあることが必要である。では，どのような場合がこれにあたるか。判例は，

「数罪間にその罪質上通例手段結果の関係が存在すべきものたることを必要とする」とし（最大判昭和24・12・21刑集 3 巻12号2048頁），住居侵入罪（130条）と殺人罪（大判明治43・6・17刑録16輯1220頁），住居侵入罪と窃盗・強盗罪（大判明治45・5・23刑録18輯658頁），住居侵入罪と放火罪（大判昭和 7・5・2 刑集11巻680頁），公文書偽造罪と偽造公文書行使罪（158条）（大判明治42・7・27刑録15輯1048頁），偽造公文書行使罪と詐欺罪（大判明治44・11・10刑録17輯1871頁）等は，牽連犯となることを認めている。住居侵入罪，文書偽造罪がそれぞれ他の罪と牽連犯を構成すると解されていることが重要である。

Case 140

X は，保険金を詐取するため，自己が所有し，1 人で住む住居に放火した後，保険会社に請求し，保険金を詐取した。

Case 140 のような場合，判例は，（非現住建造物）放火罪と詐欺罪が牽連犯となることを否定した（大判昭和 5・12・12刑集 9 巻893頁）。また，人を殺害した者がその死体を遺棄した場合に，殺人罪と死体遺棄罪が牽連犯となることを否定した（大判明治44・7・6 刑録17輯1388頁）。最高裁は，恐喝の手段として監禁が行われた場合について，判例を変更して，監禁罪と恐喝罪（249条）は，犯罪の通常の形態として手段または結果の関係にあるものとは認められないとして，牽連犯の関係にはないとした（最判平成17・4・14刑集59巻 3 号283頁）。

牽連犯が併合罪でなく，併合罪より軽く処断される趣旨について，行為は数個であるが，それが目的・手段または原因・結果の関係にあるため，観念的競合のような 1 個の意思決定による場合に準じ，したがって，それ以外の数個の意思決定があり，数個の行為がある場合よりも，責任が減少するという説明がなされることがある。判例が牽連犯をどのような根拠に基づいて理解しているかは明らかでない。

4 かすがい現象

行為者がA罪，B罪およびC罪を犯した場合，A罪とB罪は，本来併合罪の関係にあるが，C罪とA罪も，C罪とB罪も，科刑上一罪の関係にある場合，A罪，B罪およびC罪の全体を科刑上一罪とすることができる。たとえば，深夜知人Dの住居に侵入し，Dおよびその妻Eを相次いで刺殺したという場合，Dに対する殺人罪とEに対する殺人罪は，併合罪の関係にあるが，それぞれの

殺人罪は，1個の住居侵入罪と牽連犯の関係にある。このような場合，1個の犯罪が，いわゆる「かすがい」（2つのものをつなぎとめるもの）となって，すべての罪を科刑上一罪とすることが，判例において認められている（最決昭和29・5・27刑集8巻5号741頁）。

発展学習　かすがい現象とその問題点
　この他にも，C1罪とA罪，そして，C2罪とB罪が，科刑上一罪の関係にあり，C1罪とC2罪が包括一罪をなす場合に，全体を科刑上一罪とすることが認められている（集合犯である労働基準法違反の個別行為と観念的競合の関係に立つ職業安定法違反の事案について，最判昭和33・5・6刑集12巻7号1297頁）。
　もっとも，かすがい現象を科刑上一罪として処理することによって，たとえば，①A宅への住居侵入後，A占有の財物とB占有の財物を窃取したというとき，全体が科刑上一罪となって，処断刑は，10年以下となるが，もし，住居侵入罪がなければ，Aに対する窃盗罪とBに対する窃盗罪の併合罪となり，処断刑は，拘禁刑（懲役）15年以下となるとすると，住居侵入罪が加わることによって，処断刑が軽くなるという不均衡が生じる。②A宅への住居侵入後，AおよびBに対し相次いで傷害を与えたというとき，全体が科刑上一罪となって，処断刑は，15年以下となるが，住居侵入罪がなければ，Aに対する傷害罪とBに対する傷害罪の併合罪となり，処断刑は，拘禁刑（懲役）22年6月以下となるとすると（①の場合と同様に）不均衡が生じる。このような不均衡を回避する方法として，A罪とC罪，B罪とC罪がそれぞれ牽連犯になり，2個の牽連犯が併合罪の関係にあると解する見解（ただし，これについては，C罪を2度評価するという不都合がある），A罪とC罪の牽連犯とB罪の併合罪とする見解（ただし，これについては，どうして，B罪はC罪と牽連犯であることを評価しないのかが明らかでないという不都合がある），あるいは，A罪とB罪の併合罪とC罪の牽連犯とする見解（ただし，これについては，牽連犯処理に先立って併合罪処理をすることになるという点で，少なくとも判例の立場とは食い違いが生じる）等がある。

5　共犯と罪数

　共犯についても，成立する犯罪の個数とそれらの関係が問題となる。
　幇助犯について，成立する幇助罪の個数については，正犯の罪の個数に従うが，その犯罪が観念的競合にいう1個の行為によるか否かについては，幇助行為の個数に従うとするのが，判例である（最決昭和57・2・17刑集36巻2号206頁）。幇助行為が1個ならば，複数の幇助罪は1個の行為により成立するとして，観念的競合となる。教唆犯についても同様のことが妥当するといえよう。

5　併　合　罪

　以上のようないずれの関係にもない場合に，併合罪とされる可能性が出てくる

（なお，同じく数罪であっても，併合罪の関係にないものは，単純数罪である）。

1人の行為者が犯した，確定裁判（上訴など通常の不服申立方法で争いえなくなった裁判）を経ていない2個以上の罪を併合罪という（45条前段）。同時審判の可能性がある罪を全体として考慮して，単に刑を合算するのではない特別の配慮をするために，併合罪の規定が設けられた。併合罪の処断については，吸収主義，加重主義および併科主義という考え方が併用されている。

併合罪のうち1個の罪について死刑または無期拘禁刑（懲役・禁錮）に処するときは，他の刑を科さないとして，吸収主義が採用されている。しかし，財産刑は別であり，死刑のときも没収は併科され，無期拘禁刑（懲役・禁錮）のときも罰金，科料，没収は併科される（46条1項・2項）。ここでは，併科主義が採用されている。

有期拘禁刑（懲役・禁錮）に処するときについては，加重主義が採用されている。一罪の場合よりは重く，単なる各罪の刑の併科（併科主義）の場合よりは軽く処罰する。有期拘禁刑（懲役・禁錮）に処する罪のうちのもっとも重い罪の刑の長期にその2分の1を加えたものを刑の長期とする（47条）。ただし，それぞれの罪について定めた刑の長期の合計を超えることはできない（同条ただし書）。よって，たとえば，15年以下の拘禁刑（懲役）にあたる傷害罪と3年以下の拘禁刑（懲役）にあたる器物損壊罪の併合罪として処断される場合，その刑の長期は18年である。15年にその2分の1である7年6月を加えた22年6月を刑の長期とすることはできない。

> **発展学習** **併合罪加重を行った場合の量刑**
> 有期の懲役・禁錮について併合罪加重を行った場合の量刑について，最高裁は，47条に従って併合罪を構成する各罪全体に対する統一刑を処断刑として形成し，その範囲内で各罪全体に対する刑を決することであるとし，各罪について個別的な量刑判断を行うことは予定されていないとした（新潟監禁致傷事件。最判平成15・7・10刑集57巻7号903頁）。

一方，刑の短期については，定めがないが，短期の重い罪を犯した者が，それとともに短期の軽い罪を犯したために，軽い短期で処断される可能性が生じることは，妥当でないから，短期のもっとも重いものを短期とすると解される（名古屋高判昭和28・7・28高刑集6巻9号1217頁。同旨，東京高判昭和35・4・19判時231号56頁）。

罰金は，他の刑（死刑を除く）との併科が可能である（48条1項）。複数の罪に

ついて罰金に処するときには，それぞれの多額の合計以下とする（同条2項）。拘留は，他の刑（死刑および無期拘禁刑〔懲役・禁錮〕を除く）との併科が可能であり，科料は，他の刑（死刑を除く）との併科が可能である（53条1項）。2個以上の拘留・科料は，各罪ごとに個別的に刑を定めて，併科する（同条2項）。

　包括一罪や科刑上一罪は，1個の手続で刑を言い渡さなければならないが，併合罪の場合は，その全体について1個の手続で刑を言い渡すこともできるし，2個以上の手続でそれぞれ併合罪のうちの一部分の罪について言い渡すこともできる。

　Xが，A罪，B罪，C罪，D罪を順に犯したとする。ここで，①どの罪も確定裁判を経ていない場合には，この4罪が併合罪となる。②A罪，B罪を犯した後に，B罪について拘禁刑（禁錮）以上の刑に処する確定裁判があり，その後，C罪，D罪を犯した場合には，B罪と，その裁判が確定する前に犯したA罪が併合罪となる。しかし，これらと，B罪の裁判が確定した後に犯したC罪，D罪とは，併合罪とならない（45条後段）。もっとも，確定裁判を経ていないC罪とD罪は，併合罪となる。

　まだ確定裁判を経ていないA罪について，さらに裁判をして処断を行う（50条）。このように併合罪について2個以上の裁判があったときには，その執行において，1個の裁判で処断されたときと均衡を失しないように配慮する必要が定められている（51条）。

各 論

殺人の罪

1 現代社会における生命の保護

1 保護法益と侵害行為の態様

1 二分説と三分説

　刑法典第2編の「罪」を保護法益で分類するならば，国家的法益に対する罪，社会的法益に対する罪，個人的法益に対する罪の3つになる。こうした分類方法は，各犯罪類型が予定する法益の性質に従っており，3つのカテゴリーに分ける見解を三分説と呼ぶ。なお，学説上は，公益と私益に区分する二分説もあるが，社会それ自体が国家から独立した存在であること，一定の犯罪で個人的利益と異なる公的利害にかかわるものがある以上，すべての社会的法益を，公益または私益のいずれかに還元できるわけでない。そして，個人的法益の中でも，最も重要な保護法益が，ここで説明する人の生命である。

2 保護法益の序列・順序

　これらの保護法益を細かく分類するとき，個人的法益の中には，生命以外にも，身体・自由・財産などの保護法益が含まれる。他方，社会的法益の中にも，社会生活上の安全のほか，公共の信用や社会の風俗などがある。さらに，国家的法益としては，国家の安全・作用などの保護法益がみられる。その中で，国家的法益

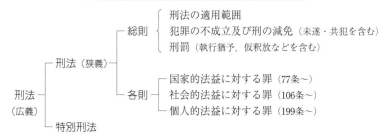

図 各論1-1 広義の刑法と狭義の刑法（＝刑法典）

を損なう犯罪構成要件が刑法典各則の冒頭におかれたのは、およそ刑法が国家制定法である以上、やむをえないであろう。また、国家的法益に対する罪や社会的法益に対する罪には、死刑や無期拘禁刑（懲役、禁錮）を定めた重大な犯罪が少なくないのである（内乱罪、放火罪など）。

　しかし、現代の民主主義国家では、国民の安全な生活を守ることこそ、国家の最重要課題である。また、基本的人権の擁護を明記した現行憲法の下では、個人的法益に対する罪からみるべきである。本書では、個人的法益に対する罪の中でも、順次、重大な犯罪から解説してゆくが、その筆頭に挙げられるものが、個人の生命を侵害する殺人の罪である。普通殺人罪の法定刑は、死刑または無期拘禁刑（懲役）もしくは5年以上の（有期）拘禁刑（懲役）とされる（199条）。

|補論| **刑法各論における結果無価値論（法益侵害説）と行為無価値論（義務違反説）**
　狭義の刑法各論とは、現行刑法典が定める犯罪類型とその法律効果（刑罰）について、構成要件の内容や条文の相互関係を明らかにする学問である。その際、保護法益の違いだけでは、各構成要件の差異を十分に説明できない。たとえば、財産罪の保護法益は、いずれも個人の財産（権）であるが、窃盗罪（235条）、強盗罪（236条）、詐欺罪（246条）、恐喝罪（249条）、横領罪（252条）、背任罪（247条）などに分かれる理由は、侵害形態の違いに求められる（行為無価値論または義務違反説）。また、遺棄の罪は、いずれも被害者の生命・身体が脅かされる犯罪であるが、単純遺棄罪（217条）よりも保護責任者遺棄罪（218条）の法定刑が重くなっている。ここでは、保護責任者という犯人の地位・身分が、客観的には同じ遺棄行為の可罰性を高めている（不真正身分犯）。すなわち、保護責任者の義務違反的要素を重視したものであり、法益侵害という要素だけでは加重処罰の根拠を説明できない。そこで、結果無価値論でも、法益侵害の態様などを第2次的に考慮する。さらに、諸外国の立法例では、「人を殺す」という行為態様が、犯行の動機や目的に応じて、謀殺、故殺、近親殺などに区分されている。その意味でも、副次的な犯罪構成要素として、行為者の義務違反や刑事学的分類を考慮する必要がある。

2 侵害の客体としての生命

1 殺人の罪と堕胎の罪 ―― 人の始期

　個人の生命・身体を侵害する犯罪にあって、その前提となるべき基本概念を説明しておこう。たとえば、刑法199条は「人を殺した」と規定するが、そこでは、行為の客体である「人」の範囲が問題となる。およそ殺人罪の保護法益は、個人の生命であるが、社会生活上、人間の生命・身体が侵害される犯罪として、刑法典第2編第26章「殺人の罪」のほか、同第29章「堕胎の罪」がある。その違いは、被害者がすでに出生した人間であるか、それとも、これから出生する胎児であるかによる。これに対して、同第24章「礼拝所及び墳墓に関する罪」の中には、死

体損壊罪（190条）の規定があり，その保護法益は，社会一般の宗教的風俗である。すなわち，人の死体に向けられた尊崇の念（大切に思う気持ち）を保護する規定であり，外形上は人の身体に向けられた攻撃であっても，侵害の客体が出生後の人間であるか，それとも，死亡後の人体（遺体）であるかに応じて，個人的法益（生命・身体）ではなく，社会的法益（宗教的風俗）が保護されることになる。

それでは，法律上の「人（＝生存者）」と「胎児（＝未生のヒト）」および「死体（＝死者）」は，いかなる基準で区別されるのであろうか。たとえば，出生直後の赤ん坊であっても，刑法上は「人」として保護される。しかし，母体内にいる限り，刑法上の「人」とはならず，あくまで胎児として扱われる。刑法上の「胎児」は，せいぜい，堕胎罪の規定によって保護されるにすぎない。反対に，余命数日となった末期状態の重症患者であっても，刑法上の「人」にあたる以上，担当医が劇薬を投与して死亡させることは，殺人罪の構成要件に該当する。他方，かりに殺害した直後であっても，すでに遺体となったものをバラバラにする行為は，死体損壊罪にしかならない。

2 一部露出説と全部露出説

刑法上の「人」となる時期（始期）は，出生である。出生の時期をめぐっては，それぞれ，①分娩作用に伴う規則的陣痛が始まった時点とする陣痛開始説，②胎児の一部が母体から露出した時点とみる一部露出説，③胎児の全部が露出した時点とする全部露出説，④胎児が母体から切り離され，独立して呼吸を開始した時点とみる独立呼吸説が対立してきた。しかし，現在の通説・判例は，②の一部露出説を採用している（大判大正8・12・13刑録25輯1367頁）。したがって，出生前の胎児については，殺人罪が成立しないのは当然として，同じく「人」を殺傷する過失致死傷罪や傷害（致死）罪なども成立しない。

> *Case 141*
> N社の取締役であるXおよびYは，不注意にも，水銀を含有する工場排水をM川河口付近の海域に排出した結果，水銀に汚染された同海域の魚介類を捕獲・摂食したAらを，成人水俣病などに罹患させて，その一部を死亡させた。

Case 141 のXとYは，当時世間で騒がれていた水俣病が，魚介類を介した化学物質の多量摂取による中毒性脳症であると認識していた。その意味で，一般人の

立場からみても，排出行為と結果発生に至る基本的因果関係を予見できたとして，業務上過失致死傷罪の成立が認められた（胎児性水俣病事件。熊本地判昭和54・3・22判時931号6頁）。また，母親が妊娠中に罹患した胎児については，実行行為時に客体である「人」が現存する必要はないとした。その後，最高裁決定は，胎児を「人」である妊婦の一部とみて，業務上過失致死罪を成立させた。すなわち，胎児に病変をもたらす行為は，人である母体の一部に病変を生じさせるものであり，胎児が出生して「人」になった時点で，当該病変により死亡したことで，結局，「人」に病変を発生させて死亡結果を引き起こしたとみる（最決昭和63・2・29刑集42巻2号314頁）。その意味で，病変の発生時に客体が「人」であるかどうかを問わず，業務上過失致死罪の成立が認められた。

　最高裁は，Case 141 において，妊婦という「人」を通じて侵襲があった以上，その妊婦から出生した胎児も，業務上過失致死罪の客体に含めた。しかし，こうした見解に対しては，学説からの批判が根強い。
　そもそも，侵害の対象が刑法上の「人」にあたるかどうかは，法的保護を受けるだけの実態があるかどうかによる。換言すれば，独立した法益の保有主体として，他者から直接に攻撃可能となったとき，刑法上も「人」として保護しなければならないからである。その意味で，たとえごく一部であっても，胎児の身体が母体外に出た時点であれば，直接的な攻撃対象となる以上，③全部露出説や④独立呼吸説では，刑法的保護の開始時期が遅すぎる。反対に，①陣痛開始説では，まだ胎児が母体内にいるため，直接には攻撃できないし，そもそも，どの時点から分娩時の陣痛にあたるかの判断も難しいであろう。そこで，学説上も，②一部露出説が採用されてきたわけである。
　ところが，Case 141 の事件では，本来，過失による胎児の殺害（堕胎）にあたるため，現行法上は不可罰となってしまう。そのため，実際に「人」となった（出生の）時期よりも，刑法的保護の時期を遡及させて，XとYに業務上過失致死傷罪を成立させる必要が生じた。まさしく最高裁は，出生後に胎児が死亡した時点から遡って，母体の一部に向けられた侵襲にあたると考えたのである（母体傷害説）。
　最高裁の見解に対しては，「人」をめぐる刑法の解釈を超えるものと批判される。また，実行行為の時点では，「胎児」が妊婦の身体の一部となる結果，妊婦が故意に胎児を堕胎する行為が，およそ妊婦の自傷行為として不可罰になってしまう。他方，現行刑法典は，自己堕胎罪（212条）を処罰しており，上述した解釈

と矛盾する。そこで，*Case 141* の高裁判決は，有毒物質による侵害が，胎児の出生直後まで継続していたと説明する（福岡高判昭和57・9・6判時1059号17頁参照）。しかし，傷害から殺人に至るプロセスを継続犯とみることに対しても，一部の学説から疑問が提起されている。

3 脳死説と臓器移植 ── 人の終期

　刑法上の「人」が単なる「死体」となる時期をめぐっては，終末期医療の発達に伴って争いが生じた。そもそも，人の終期は「死亡」の時点であるが，学説上は，①心臓の鼓動が永久に停止した時点とみる脈搏終止説，②呼吸が止まった時点とする呼吸終止説，③それらの徴候に加えて，瞳孔反応の消失などを総合的に考慮する総合判断説（三徴候説）があった。その中でも，現在の通説・判例は，総合判断説を採用している。

　しかし，医療の現場では，レスピュレーター（人工心肺装置）を用いて，人為的に呼吸・循環機能を継続することが可能である。そのため，医療関係者は，人工心肺装置により「死期」を操作できるとすれば，もはや呼吸や脈搏の徴候だけで「人の死」を判定できないと主張する。しかも，移植技術の発達と臓器移植法の制定により，同意書（臓器提供カード）に基づく「脳死体」からの臓器摘出が，法律上も許容されている。近年では，刑法学においても，全脳死説や脳幹死説などの脳死説が有力である。だが，人の死は，単なる医学上の概念ではない。とくに「社会的な死」を認定するにあたっては，国民感情や古来の慣習も無視することはできない。心臓死を人の終期とみる見解も，依然として根強いものがある。

> ### *Case 142*
> 　Xは，N駅構内の公衆電話コーナーで，ささいなトラブルから隣りのAと口論になり，Aの顔面をこぶしで殴りつけて転倒させるなどの暴行を加えた。その結果，Aは，暴行による傷害からびまん性の脳損傷を起こし，脳死状態に陥ったので，数日後には，担当医のBが人工呼吸器を取り外して「死亡」させた。

> *Case 142* では，被害者のAが，Xの暴行により脳死状態に陥っており，心臓死が切迫していて，これを回避することがおよそ不可能であった。このような状態では，Bによる人工呼吸器の取外しによって心臓死の時期が多少早められたとしても，Xの暴行とAの心臓死の間に因果関係を肯定できるとして，傷害致死罪の成立が認められた（大阪地判平成5・7・9判時1473号156頁）。

現在，他の身体機能も含めた生命活動の不可逆的停止が，「社会的な死」とみなされる。また，最終的に生存の可能性が消失した時点を「法律上の死」とみる見解もある。さらに，脳死説を採用する場合にも，最初の脳死判定時ではなく，第2回目の脳死判定時を人の死亡とみる仕組みになっており，上述した国民感情に配慮した脳死の判定基準が採用されている。なお，臓器移植法によれば，臓器提供者の反対の意思が明白でなく，残された遺族も臓器摘出に反対しない場合，臓器移植の目的で脳死体から臓器を摘出することが許される（6条1項参照）。したがって，法律上も，臓器移植という条件付きで脳死の概念を認めている。しかし，現行法制度は，積極的に「人の終期」を脳死説に求めたわけではない。また，学説上も，広く国民一般の間で脳死説が定着するまで，従来の三徴候説を維持する見解が多数説である。したがって，生命維持装置の除去や主要臓器の摘出が正当化要件を具備しなかったときには，殺人罪や傷害罪の成否が論じられることになる。

> **補論**　**先端医療技術と刑事規制の限界**
> 　今日の医療技術では，母体外で生育可能な「胎児」がいる反面，自然の分娩期に先立って人為的に「出生」する未熟児もいる。これらは，現行法上，異なった取扱いを受けることになる。しかし，この差異が，合理的な区別といえるかは疑問であって，出産に伴う医学の発達も考慮するならば，社会経済的にみた「人」の始期は早まるであろう。むしろ，母体外で生存できる胎児については，その一部が露出したかどうかを問わず，侵害の態様に応じて，刑法的保護の対象とすることが望ましい。もっとも，現行法上は「人」でない胎児を，すでに生存する「人」以上に保護することはできない。また，同意に基づく妊娠中絶の場合，妊婦と胎児の利益が相反するため，妊婦の自己決定権が胎児の生存権よりも優先されてきた。
> 　他方，終末期医療にあっては，脳死移植の問題とは別に，安楽死や尊厳死の取扱いが，医療現場で議論となっている。そもそも，「人の死」は，何に人間存在を求めるかという倫理的および哲学的問題とかかわるため，移植医療をめぐる医学上の趨勢だけで決まるものでもない。また，脳死状態と植物（人間）状態は，明確に区別されるべきである。すなわち，植物状態患者は，継続的な意識喪失状態にあっても，呼吸中枢である脳幹部が機能しており，人工呼吸器なしに生存できるからである（いわゆるカレン・クィンラン事件）。

> **用語解説**　**堕胎の罪と人工妊娠中絶**
> 　刑法上の堕胎罪（212条～216条）は，自然の分娩期に先立って，胎児を人為的に母体から分離・排出させる行為である。母胎内で胎児を殺害する場合も含まれる。堕胎罪の保護法益は，胎児の生命に加えて，母親の生命・身体の安全である。すでに胎児が

母体外に排出された以上，実際に胎児が死亡しなくてもよい。したがって，後述する遺棄罪のように，客体の生命・身体に対する危険犯と理解されている。これに対して，母体保護法には，人工妊娠中絶という概念がある。これも，人為的に胎児を母体外に排出したり，胎児を殺害する行為であるが，母体保護法の人工妊娠中絶は，「胎児が，母体外において，生命を保続することのできない時期」に限られる（母体保護2条2項）。具体的には，受精卵が母胎に着床した後で「通常妊娠満22週未満」の期間内とされる（平成3年厚生事務次官通知）。したがって，人工妊娠中絶は堕胎よりも狭い概念であり，とくに医師が妊婦の同意を得て行う中絶手術については，医学的適応事由，経済的適応事由，倫理的適応事由があるとき，その違法性が阻却されることになる。

2 普通殺人罪（199条）

1 作為犯・不作為犯・間接正犯

つぎに，法文上の「（人を）殺した」という概念をみておこう。諸外国では，計画的な殺人に適用される「謀殺」の概念とは別に，「故殺」の類型を設ける立法例もある。しかし，わが国では，故意に人を殺す罪として，普通殺人罪（199条）と同意殺人罪（202条後段）だけを規定する。なお，殺人の罪は，その未遂（203条）と予備（201条）も処罰されている。また，「（人を）殺した」とは，未必の故意による場合も含め，意図的に人の生命を断絶させる行為であり，たとえ瀕死の重病人（重傷者）であっても，自然の死期に先立って死亡させればよい。ただ，殺人の実行行為として，人の生命を奪うに足る現実的危険性を含んでいる必要がある（したがって，不能犯は除かれる）。その手段・方法については限定されておらず，ナイフで心臓を刺すという有形的方法はもちろん，心臓病の患者に極度のストレスを与えるなど，無形的方法による殺人も可能である。さらに，不作為による殺人も認められる（不真正不作為犯）。たとえば，幼児を保護するべき作為義務を負った両親が，川でおぼれている自分の子供を見殺しにしたとき，不作為による殺人既遂罪が成立する（なお，不作為犯については，p.60の**4**を参照）。

Case 143

Xは，憤激のあまり，被害者のAを殺害しようと決意して，刃先の短い小刀で突然に斬りつけた。その結果，Aの首と胸などに約4週間程度の治療を必要とする切り傷を負わせたが，致命傷を与えるには至らなかった。本件では，刃物の形状などにより殺傷能力が低いことが問題になった。

Case 144
　Yは，養育費を稼ぐ目的で，他人から赤ん坊のBをもらい受けたが，当初からBを殺害するつもりで，Bの生存に必要な食物を与えなかったため，数日後には，Bを衰弱死させた。

　*Case 143*では，たとえ小刀による攻撃であっても，人を殺傷する可能性がある以上，その使用方法が未熟であったために傷害に終わったとしても，殺人の不能犯ではなく，殺人未遂罪が成立するとされた（大判大正11・2・24刑集1巻76頁）。また，*Case 144*では，不作為による殺人罪が認められた。ただし，裁判所の説明では，養子縁組契約などにより養育義務を負う者が，その義務を怠って子供の生存に必要な食物を与えず，最終的に被害者を死亡させたならば，刑法219条の罪にあたるとも述べており，その違いが何であるかは明確に示されていない（遺棄の罪になる。大判大正4・2・10刑録21輯90頁）。

　同様にして，相手方を欺いて自殺させた場合にも，被害者の行為を利用した殺人罪の間接正犯となる（大判昭和8・4・19刑集12巻471頁）。たとえば，通常人としての判断力がなく，自殺が何かさえ理解できない被害者に対し，犯人の命令どおりに行動するのを利用して，首吊りの方法を教えて「自殺」させたならば，殺人罪が成立する（最決昭和27・2・21刑集6巻2号275頁）。ただし，不真正不作為犯や間接正犯と評価されるためには，被害者の死を惹起しうるだけの現実的危険性がなければならない（なお，p.70の**2**とp.74の**3**を参照）。たとえば，殺人罪では，いわゆる保障人的地位（作為義務）があるだけでなく，当該不作為が被害者の生命・身体の侵害手段として，作為犯の場合と同程度のものであることが求められる（作為犯との等価値性）。また，殺人の罪は故意犯であるため，犯人は，他人を死亡させるおそれ（現実的危険）を認識した上で，あえて実行行為に出た場合にのみ，殺人罪が成立する。

Case 145
　Xは，恋人Aとの関係を清算したいと考えていたところ，たまたま，Aが心中を提案したのを利用してAを死なせようと計画した。そこで，X自身も心中するかのように装い，Xが一緒に死んでくれるものと誤信したAに心中を決意させた上，Xが用意した青酸カリをAに与えて，これを飲み込ませて死亡させた。

　*Case 145*では，被害者のAが，Xの追死を信じて自殺を決意しており，こうしたAの決意は，その真意に添わない重大な瑕疵があった。したがって，刑法202条

> でいう被害者の嘱託・承諾があったとはいえず，いわば被害者を欺く形で自殺させたＸの行為は，普通殺人罪にあたるとされた（最判昭和33・11・21刑集12巻15号3519頁）。

　同意殺人罪でいう被害者の嘱託・承諾は，被殺者の真意かつ任意のものでなければならない。したがって，犯人の欺罔に基づくときは，有効な嘱託または承諾がなかったことになる。すなわち，*Case 145* における心中の決意は無効であり，Ｘの行為は，Ａの生命を断つ手段として，被害者自身の（飲む）行為を利用した場合にすぎない。また，Ａの死亡という当初の目的を達成した以上，殺人罪の間接正犯にあたるというべきであり，後述する自殺関与および同意殺人罪ではないとされた（なお，間接正犯については，p.208 の **2** を参照）。

2　殺人未遂と殺人予備

　殺人罪は，人の生命を奪う重大な犯罪であるため，未遂犯も処罰されている（203条）。たとえば，銃の狙いを定めて引き金に手をかけた以上，殺人罪の実行行為があり，たとえ銃弾が不発であった場合や，狙った客体から外れた場合にも，殺人未遂となる。同様にして，毒入りの菓子を相手方に手渡した以上（大判昭和７・12・12刑集11巻1881頁），相手方がこれを食べなくても，殺人未遂罪が成立する。さらに，実行行為後に予想外の事情が介入したときにも，それらが相当因果関係の範囲内にあって，実行行為のもつ現実的危険が最終結果に具体化したならば，むしろ，殺人既遂罪が成立することになる（なお，p.49 の **3** を参照）。

　また，殺人予備罪も処罰されている。予備とは，人を殺す目的で，その準備をすることである（目的犯）。たとえば，凶器を携えて被害者を尾行するほか，毒殺に用いる薬物を調達するなど，殺人の実行を可能ないし容易にする行為のすべてをいう。ただし，実行の着手前でなければならず，すでに人の死を惹起しうる危険な行為を開始したときには，殺人未遂罪が成立する。なお，予備の行為は実行行為でないため，理論上，中止未遂を定めた刑法43条ただし書の適用が及ばない（大判大正５・５・４刑録22輯685頁，最大判昭和29・１・20刑集８巻１号41頁）。しかし，それでは，実行に着手する以前に中止した場合が任意的免除でしかなく（201条ただし書），着手後の中止が必要的免除となるとき（43条ただし書），罪刑の不均衡が生じる。したがって，現在では，予備行為の中止にあっても，43条ただし書の趣旨を「準用」する立場が多数説である。

> *Case 146*
> 　Xは，Aの殺害を計画したYから，毒薬の入手方を依頼された際，Yが毒薬を使用する目的を認識しながら，Bから譲り受けた青酸ソーダをYに手渡した。

> 　*Case 146*では，Yが殺人に使うのを知った上で，青酸ソーダを依頼者に交付しており，実際にはYが殺人行為に出なかった場合にも，殺人予備罪の幇助でなく，殺人予備罪の共同正犯にあたるとされた（最決昭和37・11・8刑集16巻11号1522頁）。

　犯罪論上は，予備が「実行」行為にあたらない以上，予備罪の共犯も認められないはずである。しかし，2人以上の者が共同して準備的行為を行ったり，他人の準備的行為に加功したとき，予備罪の共同正犯や教唆犯・従犯は否定されるべきであろうか。*Case 146* の裁判例は，予備罪の共同正犯を認めたが（前掲最決昭和37・11・8），学説の多数は，これに反対している。なぜならば，予備という広範な概念に対して一律に共犯を認めることは，処罰範囲を不当に広げるおそれがあるからである。しかし，法文上，当初から「予備」行為の態様を想定した独立予備罪であれば，共犯の成立範囲を絞り込むことができるため，その限度では，予備に対する共犯を認めるのが，最近の多数説である。

3　自殺関与罪・同意殺人罪（202条）

1　「共犯」としての処罰根拠

　自殺関与罪と同意殺人罪は，被害者（被殺者）が死を希望したことが，前提条件となる。自殺・自死それ自体は，法益の保有者が自ら生命を放棄するため，「被害者」にあたる自殺者を処罰することはできない。しかし，自殺を教唆・幇助したり，相手方の同意を得て殺害する行為が，刑法上も不可罰となるわけではない。それらは，生命という重大な法益を軽んずる行為であって，個人の自己決定権に配慮するとはいえ，広く他者の生命を奪う行為を法が容認すれば，生命の売買や奴隷契約のように，基本的人権を否定する行為も許容されてしまうからである。

　かような見地から，被害者の同意を得て殺した場合も含めて，現行法上の犯罪となる。しかし，自殺それ自体が違法でないとすれば，これに加担する共犯は，共犯従属性説による制限従属性を前提とする限り，自殺者の教唆犯・従犯として

処罰することはできない。そこで，刑法202条前段に，自殺関与罪という独立した処罰規定を設けたのである。これに対して，202条後段の同意殺人罪は，被害者の同意があった点に着目した違法・責任の減軽類型である。

2 自殺関与罪の実行行為

　自殺関与罪の構成要件的行為は，「教唆し若しくは幇助して自殺させ」ることである。まず，教唆して自殺させるとは，相手方に自殺の決意を生じさせて，実際に自殺を行わせることをいう。教唆の手段・方法には制限がないため，たとえば，夫が妻の浮気を邪推して，自殺するであろうことを予見しながら，直接・間接の暴行・脅迫を繰り返して遂に自殺させた場合にも，自殺教唆罪が成立する（暗示的方法による。広島高判昭和29・6・30判時33号23頁）。また，自殺を決意した者に対して，確実な自殺方法を教えたり，必要な器具や薬品を提供する場合はもちろん，ともに心中を決意して練炭自殺を図ったものの，妻だけが急性一酸化炭素中毒で死亡した場合，夫は自殺幇助にあたるとされた（東京高判平成25・11・6判タ1419号230頁）。

　なお，本罪における実行の着手は，犯人が教唆・幇助をした結果，自殺者が自らの決意に基づき「死ぬ」ための行為を開始したときに認められる。本罪が独立罪である点を強調するならば，すでに教唆・幇助行為が開始された以上，他人の生命に対する危険な行為があったともいえる。しかし，上述したように，自殺関与罪を設けた趣旨が「正犯にあたる者が存在しない」点にとどまる以上，任意的共犯の場合と同様，本罪の実行行為も，自殺者の生命に対する現実的な危険が生じた時点で始まることになる。

> *Case 147*
> 　Xは，インターネットの掲示板を通じて，自殺願望のある人々に毒物を提供する旨の広告をした。その後，Xは，この広告をみて申し込んできたAらに対して，毒物を郵送したため，これを服用したAらがその毒物により中毒死した。

　　*Case 147*では，自殺幇助罪の成立要件として，相手方の自殺意思を知って，これを助けることが必要であり，まだ自殺の決意をしていない者に対して，あらかじめ自殺用の毒物を頒布するような行為は，各種の毒物を規制する取締法規に違反するとしても，ただちに自殺幇助罪が成立するわけではない（いわゆるドクターキリコ事件）。

3 同意殺人罪の実行行為

同意殺人罪では，被殺者から殺害を依頼され（「嘱託を受け」），または，被害者本人に殺害の承諾を得た上で（「その承諾を得て」），これを殺害することが必要である。その際，有効な嘱託・承諾というためには，①被殺者自身によるものであること，②通常の判断能力を備えた相手方の自由かつ真意に基づくものであること，③犯人が殺害を開始する以前に嘱託・承諾がなければならないとされる（なお，p.140の **3** を参照）。したがって，本人以外の第三者による嘱託・承諾や，真意でない嘱託・承諾があった場合，これを受けて人を殺害したならば，普通殺人罪が成立する（大判昭和9・8・27刑集13巻1086頁，前掲最判昭和33・11・21）。なお，保護法益は人の生命であるため，実行の着手時期は，現に被殺者を殺害するための行為を開始したときである。

> ### Case 148
> 父親のXは，浮気して妻に逃げられたため，残された3名の子の将来を案じて，子供を殺害して自分も死ぬことを決意した。しかし，その実行をためらっていた際，長男のAから「早く死のう」と催促されたため，順次，子供を短刀で突き刺して殺害した後，自分ののどに短刀を突き刺したが，死にきれなかった。

> Case 148 では，Xが凶行に及んだ際，当時5歳11か月の幼児であるAには，自殺が何であるかさえ理解する能力がなかった。そのため，たとえ被害者であるAが殺害の嘱託ないし承諾を与えたとしても，有効な同意とはいえないとされた（前掲大判昭和9・8・27）。

【発展学習】**同意に基づく傷害致死**

近年，刑法202条にあたらない嘱託（承諾）傷害致死が問題になった珍しい例がある。具体的には，「自殺ごっこ」と称して，被害者から首を絞めて顔面をバスタブの水中に沈めるように依頼された犯人が，せいぜい傷害の嘱託であると思っていたところ，被害者には自殺意思があったという事件である。犯人の行為により被害者は窒息死したが，同意殺人罪は，殺意のあることを前提とするため，202条後段を適用できない。他方，通常の傷害致死罪では，かえって法定刑が重くなるというジレンマが生じた。そこで，第一審は，同意殺人罪の規定を準用したが，控訴審は，205条を適用した場合にも，酌量減軽によって妥当な刑を導きうるとして，202条後段を適用した原審判決を破棄した（札幌高判平成25・7・11高刑速報（平25）253頁）。

4 遺棄の罪 ── 危険犯

1 単純遺棄罪（217条）

■ 客体としての要扶助者

　遺棄の罪は，故意に他人の生命・身体を危険にさらす罪である（危険犯）。すなわち，誰かの助けなしには生存できない者（要扶助者）を放置したり，保護されない状態におくことによって，要扶助者の生命・身体の安全を脅かす行為が処罰される。生命に対する侵害・危険に加えて，身体の安全に対する危険犯でもある。刑法上は，単純遺棄罪（217条），保護責任者遺棄等罪（218条），これらの致死傷罪（219条）の規定がある。学説の中には，通説が保護法益に身体の安全を含めるため，その成立範囲があいまいになるとして，もっぱら生命に対する抽象的危険犯とみる向きもある。なるほど，刑法218条には「生存に必要な保護」をしない旨の文言があるものの，遺棄の罪は，傷害の罪の後におかれており，219条の遺棄致死傷罪が「傷害」の場合も包含している。その意味で，身体の安全も保護法益となるであろう。

　つぎに，法文の「扶助を必要とする者」とは，他人の助けがなければ，日常生活を営む能力がない者をいう（大判大正4・5・21刑録21輯670頁）。客体については，保護責任者遺棄等罪もまったく同じである。具体的には，幼児または高齢者であったり（前掲大判大正4・5・21），身体障害者や精神障害者のほか，病気やけがなどにより（大判昭和3・4・6刑集7巻291頁，最判昭和34・7・24刑集13巻8号1163頁），自分だけでは日常生活に必要な動作ができないか，その動作が著しく困難である者をいう。さらに，出産間際の妊婦も含まれるのに対して，単に妊娠中の女性や，通常の酩酊や軽度の疾病にかかった者は，他人の助けがなければ生活できない者とはいえない。なお，ここでいう生活能力の有無は，経済的に自活できるかどうかとは無関係である（前掲大判大正4・5・21）。

> *Case 149*
> 　Xは，泥酔状態にあった愛人のAを家に連れ帰ろうとしたが，酔っ払って動こうとしないので，Aの衣類をはぎ取って引きずってみたものの，なお動かなかった。そこで，全裸の状態のままAを路上に放置して，自分だけが帰宅した。その後，厳寒の戸外に放置されたAは，翌朝には凍死した。

> *Case 149* における被害者のAは，犯行当時，高度の酩酊で意思の自由や身体の自由を失っており，他人の扶助を要する状態にあったと認められる。したがって，刑法218条にいう病者にあたるとされた（最決昭和43・11・7判時541号83頁）。

2 遺棄の行為

「遺棄」とは，被遺棄者の生命・身体に危険を生じさせる行為である。これに対して，もし要扶助者を移動したことで，以前の状態よりも生命・身体の危険を減少させたならば，本罪の遺棄にはあたらない。たとえば，人里離れた山中で迷子をみつけた者が，その子を繁華街まで移動させて放置した場合である。つぎに，遺棄罪にいう危険性については，抽象的危険の程度で足りるとされる（通説・判例）。これに対して，具体的危険の発生を要求した事例もあり（大阪高判平成27・8・6裁判所ウェブサイト），たとえば，赤ん坊や重度の障害者を養護施設の門前に捨てた犯人が，もし誰も救助しなければ再度保護するつもりで監視していた場合には，学説によって判断が分かれる。抽象的危険犯説によれば，遺棄罪が成立するのに対し，具体的危険犯説では，まだ具体的危険が生じていないため，本罪にあたらないことになる。

> *Case 150*
> Xは，病気のため日常の起居動作もできない高齢者のAを，荷車に乗せて路上に放置したが，その結果として，Aの生命・身体に危険が生じたかどうかは不明であった。ただし，原審は，遺棄罪の成立を認めている。

> *Case 150* では，Xの弁護人から，Aの生命・身体に（具体的）危険が生じたことを認定するべきだという主張があった。しかし，大審院は，老年者，幼年者，身体障害者または病者を遺棄すれば，ただちに遺棄罪が成立する以上，現実に被遺棄者の生命・身体に危害のおそれがあることを認定する必要はないとした（前掲大判大正4・5・21）。

遺棄の概念には，広狭2通りの意味がある。広義の遺棄とは，およそ行為者と被遺棄者の間に場所的離隔を生じさせて，生命・身体の危険を生じさせることであり，置去りの場合も含まれる。しかし，単純遺棄罪では，積極的な作為として，被遺棄者を危険な場所に「移置」することが必要とされる（狭義の遺棄）。すなわち，単純遺棄罪は，保護責任者遺棄等罪とは異なり，無関係の通行人も犯行の主

体となりうるため，処罰範囲を明確にしなければならず，作為犯の場合（狭義の遺棄）に限定されるからである。したがって，不作為にあたる置去りは，単純遺棄罪における「遺棄」にはあたらない（通説。前掲最判昭和34・7・24）。もっとも，上述した移置が常に作為犯であって，置去りが当然に不作為であるとはいえない。理論上は，徘徊癖のある高齢者が立ち去るのを黙認するなど，不作為による移置があること，反対に，要扶助者が安全な場所に移動するのを妨げるなど，作為による置去りも考えられる。そこで，単純遺棄罪の遺棄と保護責任者遺棄等罪の遺棄を，作為犯と不作為犯で区別しようとする見解もある。この立場では，単純遺棄罪の遺棄は，もっぱら作為による移置・置去りを意味することになる。

2 保護責任者遺棄等罪（218条）

1 主体としての保護責任者

　本罪の主体は，「老年者，幼年者，身体障害者又は病者を保護する責任のある者」に限られる（身分犯）。上述したように，不作為の遺棄や不保護の場合は，犯行の主体が保護責任者に限られるため，真正身分犯の一種となる。しかし，作為による遺棄の場合には，保護責任者という身分に着目し，刑を加重する不真正身分犯にあたる。つぎに，保護責任が発生する根拠は，法令，契約，事務管理および慣習・条理である。①法令に基づく場合として，親権者の監護義務（民820条）や親族の扶養義務（民877条以下），警察官職務執行法による警察官の保護義務（同法3条）などがある。②契約に基づく場合として，一時的に老人や幼児を世話する介護業者や，当該幼児を養子として引き取った養親が挙げられる（大判大正5・2・12刑録22輯134頁）。過去の判例では，幼児を連れた女性と数日間だけ同棲した場合にも，保護責任者にあたるとされた（東京地判昭和48・3・9判タ298号349頁）。また，同居の雇い人が病気になったとき，雇い主が面倒をみるという暗黙の合意がある場合，両者の間で保護義務が発生する（大判大正8・8・30刑録25輯963頁）。

　また，③事務管理に基づく場合として，行き倒れの者をいったん自宅に引き取った以上，保護すべき責任が生じる（民697条以下。大判大正15・9・28刑集5巻387頁）。④慣習・条理に基づく場合として，「善良の風俗」（大判明治45・7・16刑録18輯1083頁），あるいは「一般慣例」（前掲大判大正8・8・30）などから，保護責任が生じることがある。たとえば，一緒に登山に出かけた仲間が転落事故で重傷を負った際，同行者には保護責任が生じるし，自らの過失で他人に重傷を負わせた

ドライバーは，先行行為に基づく保護責任を負う。とくにひき逃げの事案では，道路交通法72条の負傷者救護義務違反を援用して，自動車運転手の保護責任を認めた判例が少なくない（前掲最判昭和34・7・24）。この場合は，法令に基づく保護責任ともいえるが，道路交通法などの行政取締法規は，刑法上の保護責任を間接的に基礎づけるにすぎない。また，小学校の教師が，学校敷地内で自らの運転する自動車を児童に衝突させて負傷させた場合，保護責任が生じるとしたものがある（前掲大阪高判平成27・8・6）。なお，学説の中には，「引受け」行為があったことに着目する見解もみられる。

Case 151
　産婦人科医師であるXは，妊婦であるAの依頼を受けて，自ら開業する医院内で妊娠第26週に入ったAに堕胎手術を行った際，生存した状態で生まれたBを，保育器もない自己の医院内に放置して死亡させた後，Bの死体をAらと共謀して土中に埋めた。

Case 152
　Yは，ホテルの客室で少女Cに覚せい剤を注射したところ，間もなくCが苦しみ始め，急性中毒症状が進んで錯乱状態に陥ったにもかかわらず，何らの医療措置を施すこともなく放置したところ，Cが数時間後に心不全により死亡した。Yがただちに救急医療を要請していれば，Cを救命できたのは，合理的な疑いを超える程度に確実であった。

　*Case 151*のXは，出生した未熟児Bが医療設備の整った病院に搬送されれば，生育する可能性もあると認識しつつ，かつ，その措置を容易にとりえたにもかかわらず，Bの生存に必要な処置をとらずに死亡させている。したがって，業務上堕胎罪のほかに，保護責任者遺棄致死罪が成立する（最決昭和63・1・19刑集42巻1号1頁）。また，*Case 152*でも，同伴した少女Cに覚せい剤を注射して錯乱状態に陥れた上，ホテルの部屋にCを放置して死亡させたならば，すでに先行行為に基づく保護義務が発生しているため，Yには，保護責任者遺棄等致死罪が成立するとされた（最決平成1・12・15刑集43巻13号879頁）。

2　遺棄・置去り・不保護

　保護責任者遺棄等罪の行為には，「遺棄」と「その生存に必要な保護をしなかった」場合の二種類がある。ここでいう「遺棄」とは，広い意味の遺棄であって，置去りも含まれる（前掲最判昭和34・7・24）。したがって，要扶助者が任意に立ち去るのを放置した場合も含めて，およそ場所的離隔を生じさせる行為のすべて

が，本罪の構成要件的行為となる。つぎに，「生存に必要な保護をしな」いとは，上述した場所的離隔は生じなかったが，刑法上の保護義務を懈怠することで，被害者の生存を脅かす行為をいう。

たとえば，2歳児に対して満足な食事も与えず，屋外の土間で犬と寝させるなどして，著しい栄養障害を生じさせた場合（前掲大判大正5・2・12），疾病のため起居不能な老母を物置に放置して相当な看護をしなかったり（大判大正8・8・7刑録25輯19巻953頁），粗末な小屋に押し込んだまま，適当な食事を給与しなかった場合がある（大判大正14・12・8刑集4巻739頁）。また，先天性障害児について，特別の保護行為をしなかった場合も含まれる（最判平成30・3・19刑集72巻1号1頁）。近年，親権者による児童虐待が増加しており，身体的虐待や性的虐待にはあたらないが，「放任・無視（ネグレクト）」が保護義務の懈怠とみられる場合も多い。

なお，保護責任者による遺棄または不保護が，殺意に基づく場合，不作為による殺人罪が成立することもある。したがって，外形上は，同じく要扶助者が死傷したときにも，保護責任者遺棄等致死罪と殺人罪の不真正不作為犯の両方が考えられるが，そこでは，保護責任者と保障人，保護義務と作為義務の違いのほか，作為との等価値性などが考慮される（詳細については，p.63の **4** とp.64の **5** を参照）。

傷害の罪

1 身体の安全に対する罪

1 傷害罪の構成要件

1 傷害罪の保護法益

1　**暴行・傷害・傷害致死**　傷害の罪は，個人の身体の安全を保護する規定である。刑法典第2編第27章「傷害の罪」では，故意に他人の身体を傷つける基本類型として，傷害罪（204条）の規定がある。また，傷害罪から発展して被害者を死亡させたとき，結果的加重犯である傷害致死罪（205条）の規定もある。傷害致死罪では，生命の侵害を理由として加重処罰されるため，身体の安全だけでなく，個人の生命も保護法益となる。反対に，犯人が意図した傷害の結果が生じなかった場合，暴行罪（208条）が成立する。その意味で，暴行罪には，傷害の未遂にあたる場合も含まれる。これらの罪は，暴行（208条）→傷害（204条）→傷害致死罪（205条）という連続した関係になっている。いずれも個人の身体・生命を侵害する行為であるため，殺人罪の場合と同様，行為の客体となるのは，生存する「人」だけである。

なお，平成16（2004）年の刑法一部改正では，殺人罪（199条）のほか，傷害罪（204条）や傷害致死罪（205条）の法定刑が加重された。その背景には，かつては致命的な重傷となった者が，今日では，医療技術の進歩により救命されることが多いという事情がある。すなわち，傷害罪の中にも，重大かつ悪質な事件が多くなっており，こうした重大事件については，拘禁刑（懲役）の上限が15年に引き上げられる一方，財産刑でも科料の規定を削除したほか，罰金刑の上限が50万円になった。

2　**傷害罪の特例**　第三者が暴行・傷害に加担した特異な共犯形態として，現場助勢罪（206条）と同時傷害の特例（207条）があり，さらに，集団犯罪（多衆犯）にあたる凶器準備集合・結集罪（208条の2）の規定もみられる。なお，平成13（2001）年の刑法一部改正で挿入された危険運転致死傷罪（旧208条の2）の規

定は，平成25（2013）年，特別法である「自動車の運転により人を死傷させる行為等の処罰に関する法律」が制定されたことに伴い，その中に吸収されるに至った。

2　傷害という概念

　傷害罪では，人の身体を「傷害した」ことが必要である。有形的方法であるか，無形的方法であるかを問わない。しかし，「傷害」の範囲をめぐっては，3つの見解が対立している。すなわち，①生理的機能の障害とみる見解（大判明治45・6・20刑録18輯896頁，大判大正3・7・4刑録20輯1403頁，最決昭和32・4・23刑集11巻4号1393頁），②広く身体の完全性を害する行為と捉える見解，さらに，①と②を併用するものとして，③生理的機能の障害だけでなく，身体の外観に重大な変化を与えることとみる見解である（通説）。

> **Case 153**
> 　Xは，かねてより結婚の約束をしていたAが，突然，他家に嫁ぐことになったため，その裏切りを憤って，Aの頭髪を根本からカミソリで切断した。

> **Case 153**では，他人の毛髪やひげのように，せいぜい，保護装飾の作用を営むものを切断したり，そり落とした場合にも，被害者の健康状態を不良に変更するわけでなく，その生理的機能を毀損しないため，暴行罪にあたるとされた（前掲大判明治45・6・20）。

　たとえば，数本の髪の毛を抜く行為は，身体の完全性を害しているが，「傷害」という必要はない。したがって，②の考え方では，傷害を認める範囲が広すぎるし，①の考え方では，**Case 153**のように，女性の頭髪を全部刈り取ってしまう行為も，傷害罪ではなく，単なる暴行罪になってしまう（前掲大判明治45・6・20，東京地判昭和38・3・23判タ147号92頁）。かりに女性の頭を丸坊主にしたとき，生理的機能の障害は生じないとしても，被害者の社会生活にとって，軽微な打撲傷や一時的なめまいを超える不便を生じさせる。そのことから，学説上は，③の見解が支持されてきた。

> **Case 154**
> 　Xは，隣りに居住するAらに対する嫌がらせとして，隣家に最も近い自宅の窓か

ら，約1年半にわたり，連日，朝から深夜まで，窓際においたラジオや複数の目覚まし時計を大音量で鳴らし続けるなどした結果，Aらが慢性頭痛症などに陥った。

Case 155
　Yは，かつて勤務していた会社の社長Bに対する恨みから，報復の意図で，数か月間にわたり，ほぼ毎日，深夜から早朝にかけて，Bの自宅に無言電話をかけ続けたため，Bの妻Cが加療約3週間を要する精神衰弱症になった。

Case 156
　Zは，易占いを業としていたが，自分が性病にかかっているのを知りつつ，占ってもらいに来た女性のDに対して，厄よけをしてあげるなどと称して，Dの性器に自分の性器を押し当てることで，Dに性病を感染させた。

　*Case 154*のXは，Aらに対して直接的な暴行を加えていないが，後述する「音による暴行」に相当する行為に出ている。しかも，Xは，被害者らが精神的ストレスで生理的な機能障害が生じるのを知りながら，ラジオなどを大音量で鳴らし続けており，こうしたXの犯行は，傷害罪にあたると認定された（騒音おばさん事件。最決平成17・3・29刑集59巻2号54頁）。また，*Case 155*では，Yの嫌がらせ電話が，Cに対して，多大の精神的不安感を与えて不眠状態に陥れた点で，同じく，傷害罪の成立が肯定された（東京地判昭54・8・10判時943号122頁）。さらに，*Case 156*では，傷害罪が他人の身体の生理的機能を害する行為である以上，その手段が何であるかを問わないため，自分の性病が移ることを認識しつつ，他人に病毒を感染させたならば，傷害罪にあたるとされた（最判昭27・6・6刑集6巻6号795頁）。

　傷害の手段としては，物理的な力を加えることで（狭義の暴行），切り傷や打撲傷を与えたり，骨折させるなどの場合が一般的である。しかし，*Case 154*や*Case 155*のように，著しい騒音や嫌がらせ電話に伴う精神的傷害も含まれる。脅迫による恐怖心から神経症になった場合も，傷害罪にあたるとされた（前掲東京地判昭54・8・10，名古屋地判平成6・1・18判夕858号272頁）。また，有害物質を投与して一時的な中毒症状を引き起こしたり（大判昭8・6・5刑集12巻736頁），*Case 156*のように，性病に感染させることも含まれる。

　ただし，単なる鼻風邪を移す場合のように，ごく短時間で回復する軽微な疾病については，そもそも他人に感染する可能性が乏しいこともあり，かりに故意に感染させた場合にも，傷害罪にはあたらない。なお，刑法204条でいう生理的機能障害は，医師の治療を必要とするほどの傷病である必要はない。単なる疼痛でも十分であるし（前掲最決昭32・4・23），相手の身体にキスマークをつけた場

1 身体の安全に対する罪

合でも，傷害にあたるとされた（東京高判昭和46・2・2判時636号95頁）。さらに，最近では，病院内で勤務中の人間に睡眠薬入りの飲食物を摂取させて，数時間にわたる意識障害や筋弛緩作用を伴う急性薬物中毒の症状が生じた場合にも，被害者の健康状態を不良に変更することで，その生活機能の障害を惹起したとして，傷害罪の成立を認めたものがある（最決平成24・1・30刑集66巻1号36頁）。

> **発展学習　傷害罪と心的外傷後ストレス障害（PTSD）**
> 　近年，暴行や脅迫の後遺症にあたる機能障害を，「傷害」の概念に含めるかどうかが問題となった。刑法上は，日常生活に何らかの支障が生じれば，傷害罪の成立を肯定しうるが，いわゆるPTSD（post-traumatic stress disorder）については，消極的な意見もみられた。たとえば，身体的暴行に伴う顕著なストレス性障害であっても，当該行為と発生した結果の直接的な因果関係が明確でないため，傷害罪の成立を否定した判例がある（福岡高判平成12・5・9判時1728号159頁）。しかし，別の判例では，3年以上続いた嫌がらせ電話によるPTSDも，傷害の概念に含めており（富山地判平成13・4・19判タ1081号291頁），犯人が意図的に精神障害を引き起こした場合はもちろん，たとえ暴行に基づくものであっても，PTSDや重度のパニック障害が傷害罪にあたるという判例が多くなった（監禁致傷罪について，最決平成24・7・24刑集66巻8号709頁）。
> 　なお，民事判例でも，自動車事故後に発症した不安感や抑うつ気分のほか，低血圧や不眠などの精神神経症状をもって後遺障害と認定したものが少なくない（横浜地判平成10・6・8判タ1002号221頁，松山地宇和島支判平成13・7・12判時1762号127頁）。

3　傷害罪と暴行罪

　犯人の暴行から被害者の傷害となりうるパターンとして，①傷害の故意で傷害の結果を引き起こした場合，②傷害の故意で暴行にとどまった場合，③暴行の故意で傷害の結果を生じさせた場合，④暴行の故意で暴行に終わった場合の4通りが考えられる。傷害罪も故意犯である以上，①の場合が原則であるが，傷害罪は結果（的加重）犯の側面もあるため，判例上は，③のように，暴行の故意さえあればよいとされる（最判昭和25・11・9刑集4巻11号2239頁）。

　また，通説も，①の場合だけでなく，③の結果的加重犯の場合を含めて，傷害罪の規定（204条）を適用してきた。反対に，②と④の場合のように，外形上暴行にとどまった場合には，暴行罪（208条）しか成立させていない。こうした解釈は，暴行罪の規定が「暴行を加えた者が人を傷害するに至らなかったとき」としている点からも裏づけられる。その意味で，暴行罪と傷害罪は，犯人が暴行の故意または傷害の故意のいずれであっても，客観的に傷害の結果を発生させたかどうかで区別されることになる。

　このようにして，傷害罪は，故意犯が基本類型となるが，暴行の故意で傷害の

結果になった結果的加重犯の場合も含まれる（折衷説）。ただし，過去の判例は，もっぱら結果的加重犯とみる反面（結果的加重犯説），学説の中には，もっぱら故意犯とみる見解もある（故意犯説）。刑法の基本原則からすれば，およそ犯罪は故意犯であるため，暴行を伴わない無形的方法による傷害では，傷害の故意が必要となる。その意味で，傷害罪を結果的加重犯だけに絞ることはできない。

他方，もっぱら故意犯の類型に限定するならば，罪刑上の不均衡が生じる。すなわち，③暴行の意思で傷害の結果を惹起した場合，故意犯説では，暴行罪の未遂（不可罰）と過失傷害罪（209条）の観念的競合となり，過失傷害罪だけが成立する。ところが，④暴行の意思で暴行にとどまれば，故意の暴行罪となるため，暴行から傷害という重い結果が生じたにもかかわらず，かえって軽く処罰されてしまうからである。

2 暴行罪と傷害致死罪

1 暴行罪の成立要件

暴行罪は，人の身体（客体）に「暴行を加え」たが，「人を傷害するに至らなかったとき」に成立する。上述した暴行罪と傷害罪の関係から，④暴行の故意で暴行にとどまった場合（故意犯）と，②傷害の故意で暴行を始めたが，傷害の結果に至らなかった場合も含む。つぎに，およそ「暴行」とは，不法な有形力（物理的な力）の行使をいうが，暴行罪では，直接に人の身体に向けられた有形力の行使でなければならない（狭義の暴行）。

たとえば，相手方を殴ったり蹴ったりする場合はもちろん，他人を押して転倒させたり（大判大正11・1・24新聞1958号22頁），衣服を引っ張ることなども（大判昭和8・4・15刑集12巻427頁），ここでいう暴行にあたる。また，判例によれば，その性質上，当然に傷害の結果を引き起こすものである必要はなく（前掲大判昭和8・4・15），人の身体に対する不法な攻撃方法の一切が含まれる。

Case 157
　Xは，内妻のAがB方へ抗議に行くのを脅して阻止するため，Aの目前で日本刀の抜き身を何回か振り回しているうちに，たまたま，Aの腹に日本刀が突き刺って死亡させた。

Case 158
　Yらは，会社の上司である部課長のCおよびDと職場交渉を行ってきたが，満足な回答を得られなかったので，多数の組合員とともに，大声で要求事項を叫ぶなどし

て多衆の威力を示した上，CおよびDの身辺近くで，ブラスバンド用の大太鼓や鉦(かね)を連打した。そのため，CとDの意識がもうろうとなり，脳貧血を起こすに至った。

Case 157では，Xが，狭い四畳半の室内で，被害者のAを脅かすために日本刀の抜き身を何度も振り回しており，それ自体が暴行にあたること，しかも，暴行の意思でAに傷害を与えて死亡させた以上，傷害致死罪にあたるとされた（最決昭和39・1・28刑集18巻1号31頁）。また，Case 158では，暴行罪の「暴行」が，およそ人の身体に不法な攻撃を加えることを意味するため，耳元近くで大音量をたてて意識もうろうとさせる場合にも，音による暴行にあたるとされた。したがって，労働者の団体交渉権を認めた労組法1条2項が適用されるとしても，暴行罪や脅迫罪を構成する場合には，刑法35条の正当行為にあたらないとされた（最判昭和29・8・20刑集8巻8号1277頁）。

このようにCase 157では，人に向かって物を投げつけたり，日本刀を振り回すなどの行為は，それが人体に直接的な影響を及ぼしうる限り，相手方の身体に接触しなくても，暴行罪が成立することになる（前掲最決昭和39・1・28）。具体的には，人体に向けた投石や自動車の幅寄せなどの，非接触型の暴行が考えられる（東京高判昭和25・6・10高刑集3巻2号222頁，大阪高判昭和49・7・17刑月6巻7号805頁，東京高判昭和50・4・15刑月7巻4号480頁）。学説の多数は，物理的な接触を不要とするが，一部の学説は，何らかの物理的接触を要求してきた。しかし，物理的な接触があっても，親愛の情を示す場合であれば，可罰的な暴行から除外されるので，いわゆる物理的接触説では，刑法上の暴行概念を適切に説明できない。

つぎに，Case 158では，被害者の耳元で極度に大きな音を発する場合も，暴行罪にあたるとした（前掲最判昭和29・8・20）。また，下級審判例の中には，労働争議の際，スト破りの組合員に塩を投げつけた行為にも，暴行罪の成立を認めたものがある（福岡高判昭和46・10・11判時655号98頁）。裁判所は，「必ずしもその性質上傷害の結果発生に至ることを要するものではなく，相手方において受忍すべきいわれのない，単に不快嫌悪の情を催させる行為」であれば足りるとした。しかし，こうした見解によれば，相手方に唾を吐きかける行為も暴行罪になるため，威力業務妨害罪にいう「威力」や軽犯罪法上の迷惑行為と区別できないおそれがある。

用語解説　暴行の概念の多義性

　刑法には，4種類の暴行の概念がある。①最広義の暴行は，不法な有形力の行使のすべてを指す。すなわち，人または物のいずれに向けられたかを問わず，その強度如何も問われない。たとえば，騒乱罪（106条）や多衆不解散罪（107条）でみられる暴行である。②広義の暴行は，少なくとも間接的には，人体に向けられた不法な有形力の行使であり，人の身体に物理的に強い影響を与えうる場合に限られる。たとえば，公務執行妨害罪・職務強要罪（95条），特別公務員暴行陵虐罪（195条），強要罪（223条2項）などの暴行である。

　これに対して，③狭義の暴行は，直接に人の身体に向けられた不法な有形力の行使であって，暴行罪における暴行がそれにあたる。さらに，④最狭義の暴行は，人に対して向けられた有形力の行使であり，かつ，相手方の反抗を抑圧する程度でなければならない。たとえば，強制わいせつ罪（176条），強制性交等罪（177条），強盗罪（236条）などの暴行がそれである。ただし，強制わいせつ罪の暴行は，必ずしもその力の大小・強弱を問わず（大判大正13・10・22刑集3巻749頁），強制性交等罪の暴行も，「被害者の抗拒を著しく困難ならしめる程度」で足りるとされる（旧強姦罪について，最判昭和24・5・10刑集3巻6号711頁）。これに対して，強盗罪の暴行は，まさに「相手方の反抗を抑圧すべき程度」でなければならない（最判昭和23・11・18刑集2巻12号1614頁）。

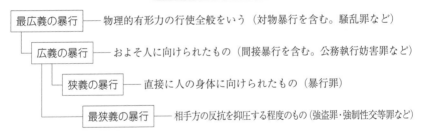

図　各論2-1　暴行の概念

最広義の暴行――物理的有形力の行使全般をいう（対物暴行を含む。騒乱罪など）
　広義の暴行――およそ人に向けられたもの（間接暴行を含む。公務執行妨害罪など）
　　狭義の暴行――直接に人の身体に向けられたもの（暴行罪）
　　　最狭義の暴行――相手方の反抗を抑圧する程度のもの（強盗罪・強制性交等罪など）

2　傷害致死罪の成立要件

　傷害致死罪は，傷害によって相手方が死亡する事例も多いため，傷害罪の結果的加重犯として設けられた。本罪の成立要件は，犯人の傷害行為から被害者の死亡結果が生じたことであるが，この加重結果には，暴行・傷害と相当因果関係がなければならない。これに対して，確立した判例は，条件関係があればよいとしている（大判昭和2・9・9刑集6巻343頁，最判昭和25・3・31刑集4巻3号469頁，最決昭和49・7・5刑集28巻5号194頁）。しかし，学説は，責任主義を徹底する見地から，上述した相当因果関係に加えて，加重結果（死亡）の発生につき行為者に

過失があったことも要求してきた。そのほか，責任主義と結果的加重犯の関係については，p.25の**3**を参照して頂きたい。

なお，注意すべき点は，もし犯人が被害者の死亡を認識・認容したならば，未必の故意による殺人罪（199条）が認められることである。その意味で，殺人既遂罪と傷害致死罪は，外見上は同一であっても，行為者の主観的態度で区別されることになる。さらに，傷害の結果を引き起こした行為が，もし暴行の故意に基づくならば，傷害致死罪の規定は，二重の意味で結果的加重犯ということができる。

2 傷害（致死）罪における「共犯」規定

1 （傷害）現場助勢罪（206条）

刑法206条の規定は，傷害の現場における「助勢」行為を処罰している。「勢いを助け」るとは，喧嘩を見物していた者が，当事者をはやし立てたり，拳を振り回すなどの動作によって，その場の雰囲気を助長・促進することである。これに対して，暴行・傷害を実行する特定の正犯者を応援することで，実行者の犯意を強化したならば，傷害（致死）罪の従犯が成立する。その意味で，本罪は，刑法総則上の共犯規定と異なり，無形的従犯の一種ではない。また，傷害罪の従犯は，法定刑が7年6か月以下の拘禁刑（懲役）または25万円以下の罰金になるところ，現場助勢罪では，1年以下の拘禁刑（懲役）または10万円以下の罰金もしくは科料にとどまっている。したがって，法定刑にも大きな差があるため，助勢行為は，特定の正犯者を幇助する共犯の場合から区別されてきた。

> *Case 159*
> 　Xは，Yらが，女性問題から発した金品のやり取りをめぐって，集団で喧嘩を始めた際，傷害の現場付近において，一方当事者であるYに対して，仲間のZを通じて「愚図愚図いうなら（相手を）のばしてしまえ」などと助言することで，傷害の正犯であるYらの犯意を強固にした。

　*Case 159*では，刑法206条が，傷害の現場でなされた助勢行為を処罰する規定である以上，特定の正犯者の犯行を容易にする従犯とは異なるとされた。したがって，Xの行為は，すでに傷害の故意があったYらの犯意を強固にした点で，傷害罪の幇助にあたる（大判昭和2・3・28刑集6巻118頁）。

なお，本罪の成立要件は，「前2条の犯罪が行われるに当たり」，すなわち，傷害罪および傷害致死罪が行われる客観的状況にあって，まさしく犯行の現場で，その勢いを助ける扇情的言動が問題となる。ただし，こうした助勢行為の結果として，傷害（致死）の発生が容易になったかどうかは問わない。助勢者であるためには，自ら人を傷害してはならず（「自ら人を傷害しなくても」），正犯者にあたる傷害罪の実行者だけで，傷害（致死）の結果を現に引き起こしたことが前提条件となる。

2　同時傷害の特例（207条）

　刑法207条は，複数人が現場で暴行を加えたにもかかわらず，誰がどの程度の傷害を与えたか（「傷害の軽重を知ることができず」），または，特定の傷害がどの暴行によるものか（「その傷害を生じさせた者を知ることができないとき」）を立証できない場合，共犯でなくても共犯として取り扱うとした特別規定である。法文上は，「共犯の例による」となっているが，各人が現場で暴行・傷害を行っている以上，教唆・幇助犯が成立する余地はなく，共同正犯となる。また，法文上は「共同して実行した者でなくても」と規定されたが，黙示的であるにせよ，共同実行の意思があったならば，共同正犯が成立するため，単に時間的ないし場所的に近接した同時犯にあたる場合である。

　本来，同時犯の場合には，犯人は自分が引き起こした結果についてのみ罪責を問われる。また，刑事訴訟法上，いずれの暴行による傷害であるかを証明できない以上，訴追側が立証できた軽い事実の限度で，暴行罪（または傷害罪）が成立するはずである（「疑わしきは被告人の利益に」の原則）。しかし，それでは，現に生じた被害者の不利益を無視することになるため，例外的に被告人側に挙証責任を転換したわけである。したがって，被告人側が反証を挙げなければ，法律上の擬制を用いて，その現場にいた全員が共同正犯として処罰されることになる（最決平成28・3・24刑集70巻3号1頁）。

　ただし，最近の判例によれば，二人以上で暴行を加えて人を傷害した事案においても，その傷害を惹起する危険性のある暴行が必要とされる（最決令和2・9・30刑集74巻6号669頁）。具体的には，先行者が被害者に暴行を加えた後，これと同一の機会であっても，途中から共謀に加担した後行者がいた場合，被害者の傷害結果が共謀成立後の暴行によるものとはいえず，かつ，その傷害を生じさせた者を知ることができないとき，後行者の加えた暴行に上記の危険性がなければ，同

条を適用できないとした。

　また，刑法207条の法律効果をめぐっては，刑事訴訟の基本原則に反するという意味で，その適用範囲は厳格に判断されてきた。実際，一部の学説は，法文が「人を傷害した場合」と明記するため，傷害罪の場合に限定しようとする。しかし，確立した判例や多数説は，*Case 160* や *Case 161* のように，傷害罪だけでなく，傷害致死罪にも本条を適用してきた（最判昭和26・9・20刑集5巻10号1937頁）。

> *Case 160*
> 　Xは，徴税問題について税務署員のAと口論した挙げ句，憤激のあまりAの頭部を手拳で殴打したが，それとは別に，酒に酔ったYとZが，Xに加勢してAの頭部や顔面などを蹴ったりした結果，Aを脳内出血により死亡させた。しかし，X，YおよびZのいずれの暴行からAの死亡結果が生じたかは分からなかった。
>
> *Case 161*
> 　バーの従業員である甲と乙は共謀して，代金支払でトラブルになった被害者のAに対し，その顔面や頭部を殴打するなどの暴行を加えて傷害を負わせたが（第1暴行），その後に現場を通りかかった丙が，同じくAの顔面や頭部を蹴るなどした結果（第2暴行），Aが急性硬膜下血腫による急性脳腫脹により死亡した。なお，Aの硬膜下血腫という傷害が，いずれの暴行によるかは不明であったが，第2暴行が，第1暴行による傷害を悪化させたものと認定された。

　Case 160 では，2人以上の者が共謀することなく，相前後して同じ被害者に暴行を加えたため，傷害致死の結果を生じたときには，その傷害を負わせた犯人が分からなくても，刑法207条により，共同暴行者の全員が傷害致死罪の責任を負うとされた（前掲最判昭和26・9・20）。また，*Case 161* では，第2暴行が第1暴行による当該血腫を悪化させた点で，A死亡に対する因果関係を肯定できたとしても，それぞれの暴行が当該血腫を生じさせうる以上，当該傷害についてはもちろん，同傷害を原因とする死亡結果についても，同時傷害の特例を適用して，甲乙丙の全員がその罪責を負うとした（前掲最決平成28・3・24）。

　Case 161 は，その前提条件として，各暴行が共同実行に等しい客観的状況下で同一の機会に行われたこと，各行為者にあっては，自らの暴行が直接的死因である傷害に至らなかった点を立証できないことが必要である。その上で，まず傷害結果について刑法207条を適用するとき，甲，乙および丙には，傷害罪の共同正犯が成立する。そうであれば，当該傷害から死亡（加重結果）に至った以上，直接に各暴行と死亡の間で同条を適用するまでもないであろう。他方，どの暴行から当該傷害に至ったかが不明でありさえすれば，たまたま1つの暴行と死亡結果の間で因果関係が認められたときにも，同条の適用を排除しないとしたのである。

法文上，同時傷害の特例は，傷害罪および傷害致死罪の後ろに置かれており，およそ傷害致死罪に適用しないというのは困難であろう。しかし，刑事訴訟法上の基本原則からして例外にあたる本条を，みだりに拡張適用するのも妥当でない。つぎの *Case 162* では，保護法益が異なる旧強姦致傷罪（181条）や強盗致傷罪（240条前段）について，同時傷害の特例を適用しなかったが（最判昭和24・7・12刑集3巻8号1237頁，仙台高判昭和33・3・13高刑集11巻4号137頁など），そもそも，本条を適用する必要性がなかったのである。

> *Case 162*
> 　X，YおよびZは，被害者のAを強姦する旨の共謀をして，Xが短刀でAを脅迫するなどした後，XとYが畏怖したAを順次姦淫したが，現場で姦淫しようとしたZは，Aから哀願されて姦淫をしなかった。Aは，Xらの姦淫により傷害を受けたが，Aの負傷が，X，Y，Zのいずれの行為によって生じたかが不明であった。

> 　*Case 162* では，数名の者が同じ被害者に強姦行為をおこなった際，犯行の過程で被害者が負傷している以上，その傷害が共犯者中の誰の行為で生じたか不明であっても，全員について旧強姦致傷罪が成立するとした。旧強姦罪の共同正犯にあっては，共犯者の1人が強姦未遂になったとしても，全員に結果的加重犯としての旧強姦致傷罪が成立するため，同時傷害の特例を適用するまでもないからである（前掲最判昭和24・7・12）。

3 逮捕・監禁の罪, 略取・誘拐等の罪

1 逮捕・監禁罪（220条〜221条）

1 行動・移動の自由

1 保護法益

　逮捕・監禁罪（220条）は，個人の身体活動の自由を制約する犯罪である。さらに，拘束行為から重い結果が発生する危険が含まれることから，結果的加重犯として致死傷罪（221条）が規定されている。逮捕と監禁は，いずれも同一法条の中で同一法益に向けられた行為態様として記述されており，このような場合には，一般にいずれの行為態様をとっても同様に処罰する趣旨であると解される。したがって，両者の区別にあまり実益はない。また，同一人を逮捕し引き続いて監禁したような場合は，同じ1個の自由を侵害したことになるので，全体として220条の罪の包括一罪となる。なお，条文中に用いられている「不法に」という文言は，刑事手続上の処分など適法な逮捕・監禁がありうることから注意的に付されたもので，特別の意味はないとするのが通説である。

　本罪の保護対象は，身体の場所的移動の自由である。そこで，嬰児や起き上がることのできない病人などは，保護すべき法益をもたないから客体にならない。逆に，自然的・事実的意味で任意に行動しうる者であれば，法的責任能力・行動能力・意思能力を欠く幼児でも客体となる（1歳7か月の幼児についての京都地判昭和45・10・12判時614号104頁）。

2 「自由」の意義

　問題は，このような場所的移動の自由が，「現に」動こうとしても動けないという形で侵害される必要があるか，「仮に」動こうとしても動けないような場合を含むかである。前者で問題となっている自由を「現実的自由」，後者の方を「可能的自由」という。自由侵害についての被害者の認識とも関連する。

> *Case 163*
>   Xは，自宅でAと会って飲食したが，Aが深酒をして眠ってしまったので鍵のかかる客間にAを寝かせた。酒乱のAが起き出して暴れたりするのを恐れたXは，Aの寝ている部屋の鍵をかけておいた。AはXが翌朝鍵を開けたときにもまだ眠っていた。
>
> *Case 164*
>   Y宅を訪れたBは，Yから応接間で待つようにいわれて待っていたが，Yは応接間に外から鍵をかけてBが部屋から出られないようにしていた。Yが鍵を開けて応接間に入ってくるまで，Bはそれに気づかなかった。

> 　*Case 163* のAは，部屋に施錠されている間は外に出ようとしなかったので，自分が部屋に閉じ込められていることを知らない。あるいは，*Case 164* のBは，本当は出られなくなっているのに外に出ようとしなかったため，それに気づかなかった。
> 　監禁罪の保護法益を現実的自由だと考えれば，上のAやBには法益侵害が認められない。これに対し，可能的自由説によれば，AやBは部屋から出られない状態になっていたことは事実なので，上の場合にも監禁罪の成立が考えられる。
> 　結果重視の観点からは，何ら問題とすべき実害がなかったときに処罰する必要はないとして現実的自由説がとられる。しかし，*Case 163* のAのような場合，被害者が目を覚まして出ようと試み，施錠されていることを発見するかどうかといった被害者側の偶然的な事情によって処罰を分けるのは妥当でない面がある。

3 罪　　質

　逮捕・監禁罪は，継続犯であるとするのが通説である（⇒p.47の**3**）。いったん身体の自由を奪い，既遂に達した後も，自由を侵害している間は犯罪事実が継続する。行動の自由が失われていることが不法内容そのものであり，行為者側の作用によってその間自由が失われていると考えられるからである。継続犯の場合は，逮捕・監禁行為が完了したときではなく，そのような継続的犯罪事実が終了した時点から公訴時効が進行し，また，逮捕・監禁行為の途中からの関与者にも共犯が成立しうる。

2 自由侵害の意義

1 逮　　捕

　逮捕とは，人の身体に対し直接的な拘束を加えてその行動の自由を奪うことで

ある。縄で縛ったり，体を押さえつけたりするような場合が典型的である。ただし，場所的移動の自由を侵害する必要があるから，単に手錠をかけるとか後手に縛って放置するなどの行為は逮捕ではなく暴行にとどまる。

2 監　　禁

　監禁とは，ある範囲の中から脱出することを不可能または著しく困難にすることをいい，物理的な方法だけでなく無形的方法でもよい。そこで，偽計により錯誤を生じさせてある場所から出られなくすることも監禁となりうる。偽計による監禁には，出られるのに出られないと思い込ませる場合，出られないのに出られるものと安心させた上そこにとどまらせる場合がある。可能的自由説からは，いずれも監禁罪の成立を認めることになる。現実的自由説では，偽計によりなされた承諾の有効性などを考慮して結論を出すことになる。このほか，①脅迫を手段とする場合，たとえば，ピストルを向けて「撃つぞ」と脅して動けなくするような場合（この類型は強要罪にあたるとする説もある），②恐怖心を利用する場合，たとえば，屋根の上から降りるためのはしごを外すとか，番犬をおくなどの場合，③羞恥心を利用する場合，たとえば入浴中の女性の衣服を脱衣場から持ち去るような類型は，いずれも監禁の手段になりうる。ただし，心情的理由で移動を困難にする場合は，物理的に困難にする場合と同様の評価が可能な程度である必要があろう。

> **Case 165**
> 　Xは，行先を偽って承諾を得た上，Aを自己の運転する自動車に乗せて車を疾走させ，だまされたことを知ったAが停車を求めたのに応じず，さらに車を疾走させたところ，Aは車から飛び降りた。
> **Case 166**
> 　Yは，Bをだまして自己の運転するバイクの荷台にBを乗せ，バイクを疾走させて降りられなくした。

　Case 165のような場合，可能的自由説からは，車を疾走させた時点からAが飛び降りるまでの間が監禁になるであろう（最決昭和33・3・19刑集12巻4号636頁）が，現実的自由説では，Aがだまされたことを知って停車を求めた後だけが監禁と認められることになる。ただし，偽計によって得られた本意でない承諾は，自由な意思に出たものではないから無効であるとして，はじめから自由侵害を肯定する立場もある。また，監禁は，「ある範囲」から出られなくすることであるが，それ

が物理的に閉鎖された空間である必要はない。判例では，(Case 166)のような場合にも監禁罪が認められた（最決昭和38・4・18刑集17巻3号248頁）。

3 その他の問題

逮捕罪・監禁罪は，継続犯として自由侵害を問題とする以上，ある程度の時間継続する必要がある（大判昭和7・2・29刑集11巻141頁は，両足を縛り，5分間引きずり回した事例で，逮捕罪を認めた）。極めて短時間の場合は，むしろ暴行とされることになろう。

逮捕・監禁の手段として暴行・脅迫が用いられたときも逮捕監禁罪一罪で評価されるが，逮捕監禁が未遂（未遂罪処罰規定はない）の場合には，独立して暴行・脅迫罪が成立する可能性がある。監禁の手段としてではなく，その際に暴行が行われたような場合には，別に暴行罪が成立する。

3 逮捕・監禁致死傷罪

221条は結果的加重犯であるから，人の死傷が逮捕・監禁そのもの，またはその手段たる行為から生じたことを要する。そこで，逮捕・監禁それ自体と死傷結果との因果関係が問題となることが少なくない。最高裁判例には，道路上で停車中の普通乗用自動車後部のトランク内に被害者を監禁した行為と，同車に後方から走行してきた自動車が追突して生じた被害者の死亡との間には，同人の死亡原因が直接的には追突事故を起こした第三者のはなはだしい過失行為にあるとしても，因果関係があるとしたものがある（最決平成18・3・27刑集60巻3号382頁）。また，本罪の傷害には，不法に監禁した結果，精神疾患の一種である心的外傷後ストレス障害（PTSD）の発症が認められた場合を含むとしたものがある（最決平成24・7・24刑集66巻8号709頁）。

なお，行為者に殺意があった場合は，本罪ではなく殺人罪が成立する。基本犯はもちろん違法でなければならないから，適法な逮捕・監禁から重い結果が生じた場合は，過失致死傷罪にあたるかどうかの問題となる。

2 脅迫・強要罪（222条〜223条）

1 保護法益 —— 意思決定・意思実現の自由

　脅迫罪は，意思決定の自由に対する危険犯であり，強要罪は実際に意思決定が曲げられ，意思どおりの行動が実現しなかった場合であるから，結果発生までを含めた侵害犯である。相手を畏怖させて自由な意思実現を妨げるという意味において，個人の法的安全の意識にかかわるものである。したがって，意思活動を行わない法人は客体にならず（大阪高判昭和61・12・16判時1232号160頁），法人に関係する自然人に対する犯罪が問題になるにとどまる。なお，脅迫行為は，単独で脅迫罪とされる場合のほか，被害者の意思に働きかける手段となるもので，多くの犯罪の実行行為として規定されている。強要が強盗等他の構成要件に該当するときは，特別関係の法条競合（⇒ p.247の **2**）となり，他の罪の方が成立する。

2 脅迫罪（222条）

1 脅迫の概念

　本罪の行為である脅迫は，暴行と組み合わせて他の犯罪類型においても手段として規定されることが多い。脅迫の基本的な内容は，害悪の告知である。

> **用語解説　脅迫の概念の多義性**
>
> 　脅迫概念は，暴行概念と同様いくつかに分類して説明される。①広義の脅迫は，一般人を畏怖させるに足りる程度の害悪の告知であれば，すべて含まれる。公務執行妨害罪（95条1項），職務強要罪（同条2項），加重逃走罪（98条），騒乱罪（106条），内乱罪（77条）に規定される脅迫は広義と解される。②狭義の脅迫は，告知される害悪の種類や，現に相手が畏怖心を生じることなどの限定がある場合である。脅迫罪（222条）・強要罪（223条）における脅迫がこれにあたる。③最狭義の脅迫は，相手方の反抗を抑圧するに足りる程度の畏怖心を生じさせる害悪の告知で，強盗罪（236条），強制わいせつ罪（176条）・強制性交等罪（177条）などの場合がこれにあたる。ただし，強制わいせつ罪・強制性交等罪においては，反抗を「著しく困難にする」程度で足りるとされる。なお，くわしくは，各論 **13 3**（⇒ p.472）を参照。このように，最狭義以外は，暴行の場合とは分類の観点を異にする。

2　脅迫の意義

　本罪にいう脅迫は、生命・身体・自由・名誉または財産に対し害を加える旨を告知することである（狭義の脅迫）。加害対象の利益は、限定列挙の形式をとっているが、いわゆる貞操については多くの学説が性的自由に関わるものとして対象に含めている。222条1項では告知の相手方本人の利益であるが、2項により相手方の親族（親しい間柄でも親族以外は除く）の利益を対象とする場合にも脅迫罪が成立しうる。

　告知の内容は、一般人を畏怖させるに足りる害悪であることが必要であり、また、単なる警告にすぎない場合には脅迫にはあたらない。たとえば、村内を2分する一方の派に属するXが、もう一方の派の中心人物宅に、出火の事実がないのに出火見舞のはがきを郵送した行為は、「2つの派の抗争が熾烈になっている時期」であることから、受け取った者は「火をつけられるのではないかと畏怖するのが通常である」として脅迫罪の成立が認められた（最判昭和35・3・18刑集14巻4号416頁）。これに対し、「天罰が下るであろう」と告げたり、吉凶福禍や因果応報を説いたりするように、告知者に左右することができない自然現象・第三者による加害、偶然の事故の告知では、脅迫にはあたらない。

　本罪が既遂に達するためには、相手方が害悪を知りうる状況に至ることが必要である。郵便などによる場合は、相手方宅に到達すれば、実際に見なくとも既遂ということになる。

> **Case 167**
> 　Xは、Aの犯罪遂行を目撃し、Aを畏怖させようとして、Aに対し、「お前の悪行を警察に通告してやる。」と告げた。
>
> **Case 168**
> 　Xは、Aが自分からの借金を期限が過ぎても返さないので、「袋叩きの目に合わせるぞ。」と告げた。

> 　通知される害悪が違法でなく、正当な行為または許容される行為を行う旨告げる場合が脅迫にあたるかについては見解が分かれる。しかし、いずれにせよ **Case 167** のような場合には、脅迫罪の構成要件に該当しないとするか、少なくとも違法性阻却を認めるべきであろう。**Case 168** は、いわば権利濫用にあたり、脅迫罪が成立すると考えてよいであろう。

3 強要罪（223条）

　本罪は，暴行・脅迫を用いて，畏怖により相手方の意思の自由が制限され，現実の作為・不作為が強要される結果になった場合である。手段から畏怖に基づく結果への因果関係が必要であるのはもちろんである。強要しようとして遂げない場合だけでなく，相手が言うとおりにしたものの畏怖しなかったなど，結果との因果関係が断絶している場合にも強要未遂罪（223条3項）とすべきである。このとき，手段だけを切り取って脅迫罪既遂とするのは妥当でない。他方，他の罪（たとえば強盗罪）の手段として評価され，その罪が成立するときには，法条競合として強要罪の成立は否定される。

3 略取・誘拐罪（224条〜228条）

1 人身の保護と刑法

　略取・誘拐罪は，被害者が現在の生活状況から引き離され，他人の事実的支配におかれることを内容とする。人身売買罪は，人身の売買自体を処罰するものである。歴史的には，そのような人身の支配状況が労働搾取につながったことが考慮されたものであろう。略取・誘拐罪も自由に対する侵害の問題である解されてきたが，その意味や内容をめぐっては議論がある。

　日本では，身代金を要求する誘拐事件，とくに幼児を対象とし，しかも殺害される事件が相次いだことを契機に，昭和39（1964）年に身代金目的の略取・誘拐罪の新設を中心とした改正が行われた。さらに，平成12（2000）年に国連総会において「国際的な組織犯罪の防止に関する国際連合条約」と，それを補足する議定書が決議され，これに日本も署名し平成15（2003）年に発効したことから，この議定書に基づく国内法の整備として平成17（2005）年に人身売買罪の新設などの改正があった。こうした経緯により，略取・誘拐罪・人身売買罪の諸類型はやや複雑になっている。

> 発展学習　**人身売買**
> 　平成17（2005）年の改正では，人身売買一般を広く処罰することにした（それ以前は日本国外に移送する目的の人身売買のみが処罰されていた）。また，略取・誘拐の罪と同様に，未成年者を対象とする場合や行為者の目的の如何によって類型が分けられることとなった。成人に対する特定の目的要件のない人身売買罪が設けられたのは，人身売買そのものが人を不法かつ強力に支配する行為であり，反社会性だけでなく営利性もあって

抑止の必要性が高いと判断されたものである。そのような事情は,「営利目的」の買受と並んで,目的にかかわらず売渡が処罰されているところにも表れている。

2 略取・誘拐の意義と保護法益

1 保護法益

略取・誘拐罪(224条以下。一般に「略取・誘拐」をあわせて「拐取」という)は,被害者の自由侵害を内容とする犯罪であるが,拐取は「人を従前の生活環境から離脱させ,自己または第三者の実力支配下に移す」ことと解されている。ここでは,被拐取者の自由侵害の実体は,被拐取者が行為者(または第三者)の支配下に移されたことにほかならないから,同じく自由侵害といっても逮捕・監禁罪における自由侵害ほどの直接性はなく強力なものでもない。したがって,拐取後の監禁ということもありうる。また,被害者に行動の自由がない場合(たとえば嬰児)であっても誘拐の客体にはなる。なお,未成年者を客体とする場合(224条)が特別の類型とされているところから,この類型では保護監督権者の保護監督権侵害も考慮されていると解される。

このように,拐取罪の保護法益は被拐取者の自由であるが,被拐取者が未成年・精神障害者である場合は,監護・保護者の監護権ないし保護者等との間にある事実上の保護関係である,とするのが通説・判例である。ただし,たとえば,未成年であっても18歳程度の年長となれば監護権より客体本人の承諾が優先されるべきであると思われるし,親権者と別に生活している子を現在の状況から引き離せばやはり自由侵害を認めるべきであろう。実際,通説・判例も後者の場合に拐取罪の成立を肯定する。

2 略取・誘拐罪の性質

保護法益をめぐる議論は,拐取罪の罪質についての理解にも影響する。自由侵害が不法内容だとすると侵害のある限り犯罪事実が継続すると考えられるから,継続犯(保護監督権の侵害を考える限りで状態犯)と理解するのが通説である。ただ,「従前の生活環境からの離脱」を不法内容として重視すると,本罪の犯罪事実は,暴行・脅迫・誘惑によって「離脱させる」(あるいは安全を侵害する)ことで終了しており,その後は法益侵害状態の継続にすぎないと解し状態犯として把握することもできる。現行法上,拐取への事後関与が独立した構成要件となっている(227条1・2項)のは,それが共犯としては処罰しえないからだとすれば,この

ような規定からは，拐取罪が状態犯だとする根拠になる。

　略取・誘拐後に被害者を監禁することも多いが，略取・誘拐罪と監禁罪との間に一般的・類型的牽連性を肯定するほどには密接な関連性はないと思われる。判例は，身代金目的で略取誘拐が行われた後に，被害者を監禁し，身代金を要求した事例で，身代金目的の略取誘拐罪と身代金要求罪とは牽連犯（54条1項後段）としたが，それらと監禁罪とは併合罪（45条）になるとした（最決昭和58・9・27刑集37巻7号1078頁）。このとき，拐取罪と監禁罪とを観念的競合（54条1項前段）としていないことは，両罪の行為は「1個の行為」として重ならないことを含意していると思われる。拐取罪が継続犯だとすると，監禁罪とは構成要件該当事実が重なって存在することになるはずだから，この点をとらえて，判例は拐取罪を状態犯と解しているともいわれるのである。

|補論| **保護法益の多元性**
　未成年者の場合の保護法益として親権者等の監護権が挙げられるが，抽象的な権利の保護ではなく，被拐取者のおかれている状況が問題になっているはずであり，この場合も被害者の生活環境における利益が害されているというべきであろう。ここから，監護権は除き，被拐取者の側に存在する利益だけを保護法益として捉え，端的に被拐取者の自由と解する見解，被拐取者の自由と安全だとする見解などが有力になる。
　さらに，拐取罪には「自由」の保護だけでは捉えきれない部分があり，被拐取者の安全・安定を失わせ，あるいは低下させることに本来的な意味があるとも考えられる。現行法は，未成年者を独立して保護対象にすえ，成人に対しては特定の不法な目的がある場合に限定して処罰している。これは，その保護する自由が，被拐取者の行動から意思にわたる広範なものであり，ある程度は被害者の意識によって左右されるものであることが理由とされる。成人であれば，これまでより悪い（と外からは思われる）状況を自ら選びとることも認められてよいからである。そうだとすると，未成年等の場合と成人が有効な承諾を与えている等の場合が，本文で述べた被拐取者の「安全」という観点で同様に捉えられるか，疑問が残るといわざるをえない。

3　略取・誘拐の意義

　略取も誘拐も，人を従来の生活環境から離脱させて自己または第三者の事実的支配の下におくことを意味する。略取は，手段として暴行・脅迫が用いられる場合，誘拐は，欺く（虚偽の事実で相手方を錯誤に陥れる）ことや誘惑すること（甘言により人を惑わし正当な判断を誤らせること）を手段とする場合である。場所の移動は必要条件ではない。目的が要件となる類型でも目的が達成される必要はなく，また目的を達することが不可能になった場合でも拐取が未遂となるわけではない。手段たる行為は，被拐取者自身に対するものだけでなく，保護者・監督者に対し

て行われる場合も含まれる。

　手段が想定されているから着手時期は手段の開始時点であり、既遂時期は、被拐取者を自己または第三者の実力支配内に移した時点である。

4 略取・誘拐罪の諸類型

1 未成年者略取・誘拐罪（224条）

　本罪は、未成年者（民法に従う）を拐取する場合で、主体には限定がない。未成年者に対し営利目的等拐取罪が成立する場合は、本罪はそれに吸収される。特徴的な例として、親が子を連れ去る行為について略取・誘拐罪の成立が認められた判例がある。親権を有する親同士で子供を取り合う紛争について、本来は家庭内の紛争として民事で解決されるべきであるとも思われるが、刑事法の介入がみられたのである。たとえば、最決平成15・3・18刑集57巻3号371頁は、別居中の妻（日本国籍）が監護養育している2歳の長女を外国籍の共同親権者である被告人が自国に連れ去る目的で入院中のベッドから有形力を用いて連れ出したことは、平穏に暮らしていた長女を外国に連れ去る目的で略取したので国外移送目的略取罪にあたるとし、被告人が親権者の1人であること、自分の母国に連れて行こうとしたことなどは違法性阻却事由として考慮されるという考え方を示した。また、最決平成17・12・6刑集59巻10号1901頁は、別居して離婚係争中の妻が養育している2歳の子を、夫が有形力を用いて連れ去った事例において、本罪の構成要件該当性を肯定し、行為者が親権者の1人であることは違法性阻却判断の事情であるにとどまるとした。

　なお、本罪は未遂が罰せられる。

2 営利・わいせつ・結婚・加害目的略取・誘拐罪（225条）

　本罪では、主体・客体に限定はないから、未成年者を客体とする場合を含む。目的罪である。営利の目的とは、自己または第三者が財産的利益を得る目的であり、たとえば、被拐取者の強制労働、拐取自体への報酬などの形で利益を得ることが考えられる（身代金目的は225条の2を適用）。わいせつの目的とは、被拐取者をわいせつ行為・姦淫行為の客体とする目的をいい、性風俗店で働かせる目的のような場合も含む。結婚の目的は、被拐取者を自己または第三者と結婚させる目的で、法律婚・事実婚を問わない。生命身体加害の目的は、暴行・脅迫・殺害の対象とする目的のことで、臓器摘出目的を含む。

本条の罪も未遂を罰する。

> **Case 169**
> Xは，A女と情交を遂げようと考えていた。某日深夜，XはAを誘って自分の運転する自動車に同乗させた。やがてAの自宅付近を通りかかった際，Aがここで降ろしてほしいと再三頼んだがXはこれを無視し，Aの意に反してなお自動車を疾走させた。
>
> **Case 170**
> Yは，Bからストリッパーとして働かせる者をよこしてくれれば報酬を出すと依頼され，C女を誘拐してBに引き渡し，謝礼を受け取った。

> **Case 169** では，**Case 165**（⇒ p.293）の監禁罪事例に，わいせつ目的の誘拐行為が加わっている。**22**（⇒ p.298）でみたように，判例は誘拐罪・監禁罪両罪の成立を認め，併合罪とする。もし誘拐罪も継続犯だとすると，監禁行為の間も誘拐罪の犯罪事実が継続していることになるから，観念的競合を認めるところであろう。営利目的は，被拐取者の自由侵害そのものを手段として利益を得ようとすることで，被拐取者の所持品を奪う目的などは含まれないが，第三者から誘拐の報酬を受ける目的は含まれる。最決昭和37・11・21刑集16巻11号1570頁は，**Case 170** のような場合を営利目的とした。

3　身代金目的略取・誘拐罪（225条の2第1項）

　本罪は，被拐取者の安全の代償として金品を受ける目的で拐取する行為を処罰するもので，目的犯である。近親者その他被拐取者の安否を憂慮する者の憂慮に乗じる目的が必要だが，目的である以上客観的に対応する事実の存在は必要でなく，そのような者が実際には存在しない場合でもよいと考えられる。「近親者その他被拐取者の安否を憂慮する者」の意義・範囲については，「近親者」という例示を基礎に，親子・夫婦・兄弟のほか里子・里親，住込み店員・店主のような密接な人的関係がある者とする説と，親族に類似する人的関係にある者だけでなく知人のような関係であっても被拐取者の安否を憂慮する者はすべて含まれるとする説がある。最高裁判所は広義に解している。「被拐取者の近親でなくとも，被拐取者の安否を親身になって憂慮するのが社会通念上当然とみられる特別な関係にある者」であるとして，相互銀行の幹部をその社長を憂慮する者に含め（最決昭和62・3・24刑集41巻2号173頁），その後の下級審裁判例には銀行頭取が一般の従業員の安否を憂慮する者とされたもの（東京地判平成4・6・19判タ806号227

頁），大学の事務局長が学長の安否を憂慮する者とされたもの（浦和地判平成5・11・16判タ835号243頁）がある。

本条の罪も未遂が処罰される。

4 略取・誘拐者身代金要求罪（225条の2第2項）

本罪は，主体が略取・誘拐犯人に限られる身分犯である。当初から身代金要求の目的をもっていた場合に限らない。構成要件に該当しない（たとえば，営利等の目的がなく成人を拐取した場合）略取・誘拐者一般を含めるのは疑問だとする見解もあるが，不法内容として「身代金の要求」が重要だと考えられるから，拐取行為自体が処罰対象でなくとも本罪の成立を認めるべきであろう。

「要求」は一方的に成立するから，意思表示の発信で足りる。相手が認識していない状態でも要求罪になりうる。本罪の場合，「安否を憂慮する者の憂慮に乗じて身代金を要求する」ところまでが事実として必要であるから，そのような者が存在することが必要であり，憂慮に基づいて身代金が交付される関係がなければならない。なお，判例は，1項の拐取罪と2項の要求罪とは牽連犯となるとする（前掲最決昭和58・9・27）。

5 人身売買罪（226条の2）

本罪は，「人身売買」そのものを処罰するものである。売買交渉開始時点で実行の着手があり，被売買者の身柄受渡しがあった時点で既遂となる。1項の買受とは，対価を支払って現実に人身に対する不法な支配の引渡しを受けたことをいう。支配とは，対象者に物理的・心理的な影響を及ぼし，その意思を左右できる状態におき，自己の影響下から離脱することを困難にさせることである。さらに，2項の未成年者買受罪，3項の営利・わいせつ・結婚・加害目的買受罪という加重類型が規定されている。

4項は，買受罪に対応する売渡罪で，買受罪とは必要的共犯（対向犯）の関係にある。5項は，所在国外移送目的人身売買罪で，有償（金銭的有償性に限らない）・不法の身柄支配または移転行為を処罰するものである。

本条の罪は，未遂が罰せられる。

6 被拐取者収受者身代金要求罪（227条4項後段）

本罪は，主体が収受犯人の場合（身分犯）である。被拐取者収受が身代金目的

で行われた場合は，227条4項前段の収受罪となるが，身代金取得意思が収受後に生じた場合であっても本罪により同様に処罰される。

7 所在国外移送目的略取・誘拐罪（226条）

本罪も目的罪である。現実に移送することは不要である。日本国外にいる日本人をその所在国以外に移送する目的が含まれる。未遂が罰せられる。

8 被略取者等所在国外移送罪（226条の3）

本罪は，略取され，誘拐され，または売買された者を所在国外に移送する行為を処罰するものである。移送とは，所在国の領土・領海・領空外に運び出すことをいうから，既遂時期は領土外に出た時点となる。ただし，被害者に対する不当な「支配」が必要とされている。本条の罪も未遂が罰せられる。

9 被略取者引渡し等の罪（227条）

これらの罪は，条文上「幇助する目的」との文言も用いられ，事後幇助と表現されることもあるが，共犯規定にいう幇助とは異なり，事後的に被拐取者・被売買者の自由・安全の侵害（危殆）状態を継続させることを内容とする。とくに自己に利益を得る目的である227条3項・4項前段の罪は，本犯幇助の目的ではない場合であり，独立性が強い。「引渡し」は，客体に対する支配を移転すること（対価を得ると226条の2第4項の「売渡し」になる），「収受」は，引渡しを受けて自己の実力支配下におくこと（対価を得ると226条の2第1項～3項の「買受け」になる），「輸送」は，身柄を別の場所に移動すること，「蔵匿」は，発見を妨げるような場所を提供すること，「隠避」は，蔵匿以外の方法で客体の発見・救出を妨げることである。

10 身代金目的略取・誘拐予備罪（228条の3）

身代金目的拐取罪は，被害者の安否を憂慮する者の心情につけこむ卑劣な犯罪として位置づけられる上，被拐取者の生命・身体が侵害される危険が伴う事例が多い重大犯罪であることから，早期に刑罰介入を認める趣旨の罪である。実行に着手する前の自首（42条参照）による必要的刑の減軽・免除は，42条の規定にかかわらず，捜査機関に発覚した後であっても実行を思いとどまらせ，被害者の安全をはかろうとする政策的規定である。

図 各論3-1　227条の諸類型

5　解放減軽（228条の2）

　本条は，身代金拐取事件で被害者が殺害される例が目立ったため，被拐取者が平穏に自由を回復できる場所に解放され，近親者などによる発見・救出を容易にすることを促す政策的規定である。「安全な場所」を厳格に解するときには，犯人にとって解放への壁が高くなりすぎ，かえって政策目的を達することが難しくなる。判例は，解放の手段・方法などに関して細心の配慮を尽くすことを要求するものではなく，また「安全」も「被拐取者が近親者及び警察当局などによって救出されるまでの間に，具体的かつ実質的な危険にさらされるおそれのないことを意味」するとしている（最決昭和54・6・26刑集33巻4号364頁）。

6　親告罪（229条）

　本条は，未成年者を客体とする類型について親告罪とする規定である。監護権を保護法益とする立場からは，監護権者も告訴権者に含まれると解することになるであろう。

用語解説　親　告　罪

　告訴がなければ公訴を提起することができない罪を親告罪という。告訴とは，被害者等の告訴権者（刑訴230条以降）が捜査機関に特定の犯罪事実を告げて犯人の処罰を求める（正確には訴追を求める）意思表示のことである。親告罪においては，告訴が訴訟条件となる（刑訴338条4号参照）。

　親告罪とする根拠としては，大別して次の2つの事情が考慮される。

　ひとつは，公訴により事件が裁判にかけられることに伴う被害者の不利益である。犯罪が被害者の名誉・秘密等に関わるものである場合，公開裁判（憲37条参照）により再度名誉や秘密が公表される。これを避けるためと解される親告罪として，名誉毀損罪・侮辱罪（232条），信書開封罪・秘密漏示罪（135条）などがある。

　もうひとつは，侵害法益が相対的に軽微であり，当事者間での解決に期待できるという事情である。手続に伴うコストや当事者にかかる負担の観点から訴追を控える場合である。過失傷害罪（209条2項），私用文書等毀棄罪・器物損壊罪・信書隠匿罪（264条）などがこれにあたる。

　もっとも，それ以外の事情が考慮されないわけではない。未成年者拐取罪等を対象とする229条の規定は，被害者の私的事情への配慮に基づくと解されるが，その事情には，プライバシーのほか，当事者間の人間関係・心情など複合的な要素が想定される。このほか，財産罪における親族間の犯罪に関する特例（244条2項，251条，255条）は，当事者間の紛争解決に委ねる趣旨のほか，「法は家庭に入らず」という政策に基づくものとも説明される。

住居を侵す罪と名誉・信用・業務に対する罪

1 住居を侵す罪

1 他人の私的領域を侵す罪

　刑法典第2編第12章の「住居を侵す罪」では，住居侵入罪と不退去罪を処罰の対象とする（130条）。その未遂も処罰する（132条）。住居侵入罪（または建造物侵入罪等ともいう）は，正当な理由がないのに，人の住居または人の看守する建造物等に侵入することによって成立し，不退去罪は，要求を受けたにもかかわらず，これらの場所から退去しないことによって成立する。

　その後に規定される同第13章の「秘密を侵す罪」では，信書開封罪（133条。封をした手紙等の信書を正当な理由なく開けること），秘密漏示罪（134条。医師，助産師，弁護士等やこれらの職にあった者が，その業務上知りえた人の秘密を正当な理由なく漏らすこと）が規定されている。親告罪（告訴を条件として公訴の提起が可能となる）である（135条）。他人の私的領域を侵すものという点で，住居侵入罪と類似する。一般に，秘密には，国家秘密，企業秘密，個人秘密があり，侵害の態様には，探知，漏示，窃用（盗用）があるが，刑法典では，主として個人秘密について，その探知と漏示のごく一部の類型を処罰の対象とするにすぎない（秘密侵害については，刑法典以外では，不正競争防止21条を参照）。

2 住居侵入罪の保護法益

　住居侵入罪は，かつては，近隣に不安を与えるという観点において社会的法益に対する罪であると理解されており，現行刑法典の立法者も，その規定の位置から社会的法益に対する罪であると理解していたと思われるが，現在は，個人的法益に対する罪であるという理解で一致している。もっとも，その内容については，議論がある。

　戦前は，家長としての夫の住居権であるとし，夫の不在中に姦通目的で妻の承諾を得て住居に立ち入ることに住居侵入罪の成立を認めた判例があった（旧住居

307

権説。大判昭和14・12・12刑集18巻565頁）が，現在の憲法下においては，そのような理解は存在しない。現在は，平穏説と住居権説（新住居権説）とが対立する。

平穏説は，保護法益を住居等の事実上の平穏とするもので，先のような姦通目的の例について住居侵入罪の成立を認めることを批判する立場から主張され（尼崎簡判昭和43・2・29判時523号90頁参照），最高裁も，この見解を支持した（最決昭和49・5・31集刑192号571頁。囲繞地が建造物侵入罪の客体とされる理由について，最判昭和51・3・4刑集30巻2号79頁）。もっとも，平穏の意味内容がはっきりしない（家人が留守のときに，誰にもみつからずそっとその住居に入ったら住居侵入罪の成立を認めないというわけではないであろう），同じく130条に規定される不退去罪は住居権者の退去命令があることによって成立し，住居の平穏は問題とならないことと均衡しないという批判がある。そこで，保護法益は，住居等を支配・管理する権利・利益であり，住居に誰を立ち入らせるかを決める自由であるとし，その主体は家長に限らないとする住居権説が有力に主張され，最高裁も，事実上このような考え方に従っているとする見方もある（最判昭和58・4・8刑集37巻3号215頁⇒p.309 の 。最決平成19・7・2刑集61巻5号379頁参照）。

発展学習　**客体の性質と保護法益**
　学説には，客体の性質によって，保護法益は異なるとし，個人の住居はプライバシーの容器であり，他人の一定の領域への立ち入り・滞留を許容し，あるいは許容しないことを決定する自由であるが，官公庁の建物等の公共営造物については，個々の職員が，その営造物の利用目的に従って平穏かつ円滑に業務を遂行しうる状態であると理解する（客体の性質に応じて住居権説と平穏説の双方の妥当性を認める）見解も主張される。しかし，これに対しては，住居侵入罪と業務妨害罪を混同するものであり，業務中でない官公庁の建物等は保護されないことになってしまうとの批判がなされる。

平穏説は，個人の住居等の平穏を保護しようとするものであり，平穏説と住居権説の対立は，住居侵入罪は，住居等の内部における何らかの実質的利益を保護するものであることを認める（たとえば，住居等の平穏とは，単に入る際に騒音がないということではなく，生命，身体，業務，財産などの侵害の危険性が発生していないことをも意味するという）か，あるいは，何らかの実質的利益の存在とかかわりなく，誰の立入りを許諾するかを決定する自由を保護するものであるとみる（許諾権説ともいわれる）かの対立ということができる。このような対立は，侵入の意義の理解に影響を与える。

3 住居侵入罪（130条前段）

1 侵入の意義

侵入の意義については，住居権者（あるいは建造物等の管理権者）の意思ないし推定的意思に反した立入りをいうとする見解（意思侵害説）と，平穏を害する態様の立入りをいうとする見解（平穏侵害説）が対立しているとされる。

> **Case 171**
> 労働組合員のＸらは，「スト権奪還」等と記載された多数のビラを貼付する目的で，夜間，多人数で土足のまま郵便局内に立ち入った。

> Case 171 のような場合について，最高裁は，近年，侵入の意義を，管理権者の意思に反して立ち入ることと解している。そして，建造物の性質，使用目的，管理状況，管理権者の態度，立入りの目的等からみて，現に行われた立入り行為を管理権者が容認していないと合理的に判断されるときは，建造物侵入罪が成立するとしている（前掲最判昭和58・4・8）。なお，各居室へのビラ投かん（ポスティング）目的で，公務員宿舎の共用部分に立ち入った行為について，管理権者の意思に反するものであるとして，邸宅侵入罪の成立を認めた例がある（最判平成20・4・11刑集62巻5号1217頁。さらに，最判平成21・11・30刑集63巻9号1765頁参照）。

　保護法益に関する住居権説によると，住居権者が立入りを承諾しているときには，侵入にはならない。平穏説によっても，住居等の（内部における実質的利益である）平穏は個人的法益であるから，住居等の平穏を害する態様の立入りであっても，住居権者がこれに同意していれば，侵入にはあたらないはずである。侵入といえるためには，住居権者の意思に反していることが必要である。一方，立入りが住居等の平穏を害する態様でないとき（たとえば，スーパーマーケットに万引き目的で立ち入るとき，貸金の返還請求の目的で債務者である知人の自宅に立ち入るとき。なお，p.310の2とp.311の3参照）には，住居権者の意思に反している場合でも，平穏説によると，侵入にはあたらないことになるはずである。これに対して，住居権説によると，立入りの態様を問わず，住居権（立入りを許諾する自由）を侵害したか否かのみを問うから，立入りが住居権者の意思に反していれば，住居権を侵害したとして，侵入にあたることになる。このように，保護法益との関係においてみると，いずれの説にしても，侵入の意義は，住居権者の意思に反することを要素とするが，住居の平穏を害することを要素とするか否かにおいて対立して

いるということができる。

既遂となるのは，行為者の身体の全部が住居等に入ったときであるとされる。

 継続犯か状態犯か
　判例は，住居侵入罪を，侵入後退去するまで継続して犯罪が成立する継続犯であると解しており（最決昭和31・8・22刑集10巻8号1237頁），この結論をとる見解が多い。しかし，侵入後の滞留という事実は継続するものの，侵入という構成要件該当事実は継続しないから，住居侵入罪は，継続犯ではなく状態犯であるとする見解もある。

2　住居権者の錯誤による同意と立入り

　住居権者の意思に反する行為をする目的を秘して，住居権者の同意を得て，住居に立ち入る場合，侵入にあたるか（なお，住居権者の意思に反する行為とは，違法行為をする目的であることが通常であろうが，そうでなくても，たとえば，住居権者に貸した金の返還を請求する目的のときには，住居権者の意思に反することもあろうし，逆に，違法行為をする目的のときでも，たとえば，贈賄の目的のときは，住居権者の意思に反するとは限らないであろう）。住居権説をとり，錯誤に基づく同意について，錯誤がなければ同意はしなかったであろうと認められる場合，同意を無効とする立場によるとすると，住居侵入罪の成立が肯定される。これに対して，平穏説をとるとき，平穏とは何か，また，立入り時の平穏を問題とするのか，立入り後の住居等の内部での平穏を問題とするのかは，明らかではないが，たとえば，詐欺の目的で住居に入った場合は，平穏を害する態様の立入りとはいえないとすると，同意は無効であるとしても，侵入にはあたらないことになる。

> **Case 172**
> 　Xは，強盗の意図を隠して「今晩は」と挨拶したところ，家人Aが「お入り」と答えたのに応じて住居に入った。

> 　Case 172について，判例は，錯誤がなければ同意はしなかったであろうと認められる場合，同意を無効とする立場から，住居侵入罪の成立を肯定している（最大判昭和24・7・22刑集3巻8号1363頁）。Case 172の場合は，強盗の目的による立入りであり，平穏説に立つとしても，住居侵入罪の成立が肯定される。

　一方，法益関係的錯誤（⇒p.142の**2**）がない以上，同意は有効であるという立場からは，住居権説をとると，住居権者には，誰が立ち入るかということにつ

いての錯誤はなく，同意は有効であるから，侵入にはあたらないとして，住居侵入罪の成立は否定される。これに対して，平穏説をとると，*Case 172* のような場合，Aは，Xが強盗によって住居内の平穏を害することの認識がなく，立入りに同意を与えており，法益関係的錯誤はあるから，同意は無効であり，住居侵入罪の成立が肯定されることになろう。

3 一般に立入りが許容されている場所への立入り

デパート，ホテルのロビー，市・区役所等の官公署等，一般に立入りが許容されている場所に，管理権者の意思に反する行為をする目的で立ち入る場合には，どうであろうか。裁判例は，発煙筒を発煙させる目的で皇居の一般参賀会場に立ち入ること（東京高判昭和44・9・1判タ239号227頁），共同通信会館にビラ配布等建物管理者の定めた禁止事項を行う目的で立ち入ること（東京高判昭和48・3・27判タ306号288頁），国民体育大会の開会式を妨害する目的で，入場券をもって，一般観客を装い，陸上競技場に立ち入ること（仙台高判平成6・3・31判時1513号175頁）等について，建造物侵入罪が成立すると解する。錯誤がなければ同意はしなかったであろうと認められる場合，同意を無効とする立場から，広く建造物侵入罪の成立を認めているという評価を受けている。

> *Case 173*
> Xは，万引き目的でスーパーマーケットに立ち入った。
> *Case 174*
> Xは，現金自動預払機利用客のキャッシュカードの暗証番号等を盗撮する目的で，現金自動預払機が設置された銀行支店出張所に営業中に立ち入った。

ただ，判例が，*Case 173* のような場合にも，建造物侵入罪の成立を認めるかは明らかでない。2（⇒ p.310）において述べたように，平穏説をとるときは，管理権者の意思に反する行為を目的としていても平穏を害する態様の立入りとはいえないとすると，同意は無効であるとしても，侵入にはあたらないことになる。

しかし，判例は，*Case 174* のような立入りが，「管理権者である銀行支店長の意思に反するものであることは明らかであるから，その立入りの外観が一般の現金自動預払機利用客のそれと特に異なるものでなくても，建造物侵入罪が成立する」とした（前掲最決平成19・7・2）。判例の事案において，目的とされた立入り後の行為は，銀行支店出張所内での盗撮のため，ビデオカメラを設置し，一般の利用客のように装い，設置した隣の現金自動預払機を占拠し続けること（偽計業務妨害罪が成

> 立する⇒p.324 の**3**) であった。立入りの外観や目的とされた立入り後の行為の外観が異常なものでなく、この意味において外形的な平穏を害するものではなかったとしても、建造物侵入罪が成立することを認めたものということができる。侵入を平穏を害する態様の立入りとする説からは、この事案の立入りは侵入にあたらないことになるとされる。

　管理権者の同意の有無が問題となることは**2**（⇒p.310）の場合と同様であるが、個人の住居において、個別的な同意の有無が問題となるのとは異なり、一般人が立ち入ることが予定されている建造物においては、管理権者の一般的な同意の有無が問題となることが多い。一般に立入りが許容されている時間に、通常の外形で立入りがなされる場合、秘された立入りの目的は、管理権者が入口に立って確認したとしても認識することができないから、立入りに同意したであろうといえるときには、法益関係的錯誤がない以上同意は有効であるという学説を基礎として、住居権説によると、包括的同意（現実的同意）、あるいは、推定的同意は有効であるから、侵入にはあたらないとされる。しかし、平穏説によると、平穏侵害を内容とする目的の場合には、法益関係的錯誤があり、同意は無効であることになろう。

4 複数の住居権者

　住居権者が複数であるとき、一部の者の同意しか得ないで立ち入った場合、住居侵入罪は成立するか。夫の不在中に姦通目的で妻の承諾を得て住居に立ち入ることについて、住居権説からは、現在者の意思が不在者の意思に優先すると解することによって、住居侵入罪の成立を否定することができる。住居権とは、住居を事実上支配・管理する利益をいい、居住者は、原則として、（たとえば、夫婦の間、親と成人の子の間では）平等の住居権を有するものの、現在の住居内の事実上の状態が優先的に保護されると解することができるのである。

> *Case 175*
> 　A女は自宅にいる両親が反対するにもかかわらず、Aの恋人XがAの自宅に入ることを許して、XがAの自宅に立ち入った。

現在者間の意思の不一致

住居侵入罪が不成立となるには，立入りについて，居住者全員の同意が必要である（＝1人の意思に反すればただちに本罪が成立する）という見解と，1人の同意があれば足りる（＝全員の意思に反しない限り本罪は成立しない）という見解が対立する。住居権は，他の居住者との関係において制約された利益であるということはできても，（前者の見解のように）立入りを許諾する自由を実現しようとするときに制約があると解するべきか，（後者の見解のように）立入りを許諾しない自由を実現しようとするときに制約があると解するべきかは明らかではない。もっとも，住居においては，その内部の区画ごとに個別的に住居権を考えるべきであり，*Case 175* において，もしAが自分の部屋にXを入れたのであれば，XのAの自室への立入りは，侵入にはあたらないということができる。

4　人の住居等の意義

住居侵入罪の客体は，まず，人の住居である。これは，他人の住居（他人の居住する住居）のことである。賃貸借契約が消滅した後に，家主が立退きを求めて賃借人の意思に反してその住居に立ち入ることが住居侵入罪となる（大判昭和3・2・14評論17巻刑法253頁，名古屋高金沢支判昭和26・5・9判特30号55頁）かが問題となるが，住宅の賃貸借契約期間が終了しただけでは，ただちに，賃借人が居住することについての正当な利益（住居権）を失うわけではないから，その意味において，住居侵入罪が成立することはありうる。

住居とは，人の起臥寝食の場所，あるいは，それよりやや広く，（実験室，研究室，事務室等，日常生活が可能な設備を備えているものを含んで）人の日常生活に使用される場所であるとされている。その使用は，一時的なものでもよく，ホテルの一室も住居にあたる。マンション等集合住宅の共用部分も，住居にあたるとする見解が多い（なお，前掲最判平成20・4・11は，貸与に係る集合住宅の共用部分と囲繞地は，邸宅であると解する）。

その他の客体は，人の看守する邸宅，建造物または艦船である。邸宅とは，居住用の建物で，住居以外のものをいう。現に使用されていれば，住居にあたるから，邸宅とは，たとえば，居住者のいない空き家や閉鎖中の別荘をいう。建造物とは，住居，邸宅以外の建物をいう。人の看守するとは，他人が事実上管理・支配することであり（最判昭和59・12・18刑集38巻12号3026頁），他人が事実上管理・支配するための人的（守衛をおく等）・物的（入口を施錠する等）設備を施すことをいう。単に，「立入禁止」の立て札をおくのでは足りないとする見解が多い。

客体には，これらの住居や邸宅，建造物等だけでなく，それに付属する塀など

で囲まれた囲繞地(いにょうち(いじょうち))を含む。囲繞地とは，建物に接してその周辺に存在する付属地であり，管理者が門塀等を設置することにより，建物の付属地として建物利用のために供されることを明示しているものをいう（最判昭和51・3・4刑集30巻2号79頁。なお，かつて民法において使用されていた囲繞地〔210条〕と同一の意味であるわけではない）。

5 不退去罪（130条後段）

住居への立入りが，住居侵入罪とならない場合であっても，立入り後，住居権者から退去要求を受けたのに，退去しないときには，不退去罪が成立する。真正不作為犯である。

不退去罪は，退去要求があった後，退去に必要な時間が経過した時点で既遂となる。その時点において，作為義務（退去義務）が生じるとすると，同時に，既遂犯が成立するため，未遂犯が成立する余地はないとする見解が有力である。

不退去罪は，退去要求を受けた後，退去しないという構成要件該当事実が継続するから，継続犯であると解することができる。

2 名誉に対する罪

1 保護法益

刑法典第2編第34章は，「名誉に対する罪」を規定する。「公然と事実を摘示し，人の名誉を毀損した」ときに成立する名誉毀損罪（230条1項）と，「事実を摘示しなくても，公然と人を侮辱した」ときに成立する侮辱罪（231条）が存在する。名誉毀損行為については，公共の利害に関する事実に係る場合には，事実が真実であることの証明があったときには，これを罰しないとする例外規定がある（230条の2）。他に，死者に対する名誉毀損罪が規定されており，「虚偽の事実を摘示することによ」ることが要件とされている（230条2項）。いずれも，親告罪である（232条）。死者に対する名誉毀損罪では，死者の親族または子孫に告訴権が認められている（刑訴233条1項）。

名誉とは何かについて，内部的名誉（人の人格的価値，真価），主観的名誉（名誉感情。人格的価値に対して自己が有する意識），外部的名誉（人の人格的価値に対して社会が与える評価）があるとされる。名誉毀損罪の保護法益は，外部的名誉であり，侮辱罪の保護法益は，主観的名誉であるとする説も少数ながら有力である。しか

し，主観的名誉は，被害者の面前でなされれば大きく傷つけられるが，侮辱罪は，これを要求しておらず，名誉毀損罪と同様に「公然と」行うことを要件としている。そこで，現在の多数説は，名誉毀損罪も，侮辱罪も，ともに外部的名誉，すなわち，社会的評価が保護法益であるとする。

> **発展学習** **名誉の意義**
> 　名誉毀損罪で保護される社会的評価からは，信用毀損罪（233条）で保護される経済的な評価は除かれる。名誉毀損罪は，摘示した事実の有無にかかわらず成立するのに対して，信用毀損罪は，虚偽の風説の流布を要件としており，その成立範囲が限定的である。また，名誉は，人格に対する評価であるから，その基礎となる事実は，その人の責任において変更することのできるものでなければならないとする見解も有力である。これに従えば，病気，身体的・精神的障害等に関する事実は，名誉とは関係がないことになる。

2 名誉毀損罪（230条1項）

1 公　然　性

　公然とは，不特定または多数の人が認識しうる状態をいう。では，事実の摘示の直接の相手方が，不特定または多数であることが必要であるか。判例は，直接には，2～3の人に事実を告知した場合でも，他の多数人に伝播すべき事情があれば，公然としたということができるとする（大判大正8・4・18新聞1556号25頁。最判昭和34・5・7刑集13巻5号641頁参照）。たしかに，文書によって名誉毀損を行うときには，単に口頭発言によるときに比べて，このような伝播（可能）性が小さくないことがあろう。しかし，これによって事実摘示の公然性を肯定することは，名誉毀損罪の危険犯性（⇒p.316の**4**）をさらに抽象化することになるから妥当でないとする学説が有力である。

> *Case 176*
> 　Xは，新聞記者Yに，Yが記事にするであろうことを認識して，Aの名誉を毀損する事実を話し，Yは，それを記事にして新聞に掲載した。

> *Case 176*において，Xが事実を摘示した直接の相手方は，Y1人である。判例と異なり，事実の摘示の直接の相手方が，不特定または多数であることが必要であると解すれば，Xは，名誉毀損罪の単独正犯とはならない。Yの名誉毀損行為について，Xは共犯となるにすぎない。

2　事実の摘示

　人の社会的評価を低下させるに足りるだけの具体的な事実の摘示が必要である。単に，「あれは馬鹿だ」という等，このような具体的な事実の摘示がない場合には，侮辱罪が成立しうるにすぎない。公知の事実であってもよいとされる（大判大正5・12・13刑録22輯1822頁）が，これを知っている人々の間で流布される限り，社会的評価の低下のおそれはなく，名誉毀損罪は成立しない。（230条の2の場合を除いて）事実の真否は問わない。告知を受けた者が事実が真実であると受け取る可能性が必要である。摘示の方法は，口頭によると，文書によると，その他によるとを問わない。

3　人の名誉

　人には，自然人の他，法人等の団体も含まれる（大判大正15・3・24刑集5巻117頁）。「関東人」，「関西人」というだけでは，多数の者を漠然とひとまとめにしただけであり，単一の評価が成立しえないから，このような集団に対する名誉毀損罪は成立しない。

4　毀　　損

　人の名誉を毀損することが必要である。しかし，人の社会的評価が現実に低下したか否かを認定することは困難であるから，人の社会的評価を低下させる危険を生じさせることで足りる。すなわち，人の社会的評価を低下させるに足りるだけの事実を摘示すれば成立する抽象的危険犯である（大判昭和13・2・28刑集17巻141頁）。正当な社会的評価を受ける権利を毀損するとして侵害犯であるとする見解もあるが，説明の仕方の違いにすぎないものと思われる。

3　真実性の証明（230条の2）と真実性の誤信

1　真実性の証明

　名誉毀損罪（230条1項）は，摘示した事実の有無にかかわらず成立する。虚名も保護される。しかし，とりわけ報道機関の場合には，真実を摘示しても，常に名誉毀損罪で処罰されるのは，妥当でない。戦前にも，出版法（31条），新聞紙法（45条）が，不処罰の余地を認めていたが，戦後，昭和22（1947）年の改正により導入され，より一般的な形で，事実が真実であることの証明によって不処罰となる場合を定めたのが，230条の2である。これは，人格権としての個人の名

誉の保護と憲法21条による正当な言論の保障との調和を図ったものである（最大判昭和44・6・25刑集23巻7号975頁）。

2 真実性証明の要件

1 挙証責任の転換 230条の2は，第1項において，名誉毀損行為（230条1項）が，「公共の利害に関する事実に係り，かつ，その目的が専ら公益を図ることにあったと認める場合には，事実の真否を判断し，真実であることの証明があったときは，これを罰しない」と定める。すなわち，事実の公共性と目的の公益性がある場合には，裁判所は，事実の真否の判断について職権調査義務を負い，真実であることの証明があれば処罰されないが，逆に，真実であることの証明がなければ（真偽が不明でも）処罰されることになる。よって，真実であることの証明がなかったことの不利益は被告人が負うことになり，すなわち，挙証責任は被告人に転換されている。

2 公共の利害に関する事実（事実の公共性） 公共の利害に関する事実とは，一般多数人の利害に関係する事実である。より実質的に，憲法21条との関係において，市民が民主的自治を行う上で知る必要がある事実との定義も行われ，有力である。公共性のある事実を評価・判断するための資料になるものでも足りる。私人の私生活上の行状であっても，その社会的活動の性質およびこれを通じて社会に及ぼす影響力の程度等の如何によっては，事実の公共性が認められる場合がある（最判昭和56・4・16刑集35巻3号84頁は，宗教団体の会長であると同時に，政治的にも大きな影響力をもつ男性の女性関係に関する事実について，公共性を肯定した）。事実の公共性は，事実自体の内容・性質に照らして客観的に判断される。

3 公益を図る目的 もっぱら公益を図る目的が必要であると規定されているが，裁判例において，主たる動機が公益を図るところにあれば足りると解され（東京地判昭和58・6・10判時1084号37頁），この存在が否定されたのは，窃盗の被害弁償を受ける目的（広島高判昭和30・2・5高刑特2巻4号60頁），主として読者の好奇心を満足させる目的（東京高判昭和30・6・27東高刑時報6巻7号211頁）等の場合である。学説においては，公共の利害に関する事実であれば，真実を摘示してもその目的の如何にかかわらず，処罰されるべきでないとして，摘示した事実が公共の利害に関する事実であることを認識していれば，公益を図る目的があるとする解釈も有力である。

特別な事実

　230条の2第2項は，公訴提起前の犯罪行為に関する事実については，（犯罪捜査に対する社会の協力と監視に役立てることを理由として）事実の公共性を擬制している。公訴提起後の裁判に関する事実は，これにあたらないが，憲法において裁判の公開が原則とされている（82条1項）から，1項にいう公共の利害に関する事実にあたるということができよう（他に，前科の公表については，最判平成6・2・8民集48巻2号149頁参照）。
　同条3項は，公務員または公選による公務員の候補者に関する事実については，事実の公共性と目的の公益性の両方を擬制している（もっとも，公務員としての資質・能力に無関係な事実については，これにはあたらないと解されている。最判昭和28・12・15刑集7巻12号2436頁参照）。

 証明の対象と方法・程度

　証明の対象となるのは，摘示された事実である。「人のうわさであるから真偽は別として」という表現を用いて，公務員の名誉を毀損する事実を摘示した場合，風評そのものの存在ではなく，風評の内容である事実の真否であるとする判例がある（最決昭和43・1・18刑集22巻1号7頁）。うわさという形式をとりながらも，うわさの内容である事実を真実として表示している場合には，うわさの内容が摘示された事実であり，証明の対象となるが，一方，（報道機関による犯罪容疑の報道のように）うわさの内容の真否までは表示していないが，そのようなうわさの存在を真実として表示しているときには，うわさの存在が摘示された事実であり，証明の対象となるということができる。後者のような場合にも，証明の対象は，うわさの内容であるとする見解も，かりに，真実性の証明ができない（たとえば，犯罪事実それ自体の存在は証明できない）としても，刑法35条による違法性阻却の可能性はあることは認める。
　証明の方法・程度については，厳格な証明による，合理的な疑いを容れない程度のものであることが必要であるとする裁判例がある（東京地判昭49・11・5判時785号116頁，東京高判昭和59・7・18判時1128号32頁。最決昭和51・3・23刑集30巻2号229頁は，態度表明を留保している）。しかし，学説上は，合理的な疑いを容れない程度の証明が検察官に要求されるのは，誤った有罪判決を防ぐためであり，被告人には，検察官のような証拠収集能力がないことから，ここでは，証拠の優越の程度の証明で足りるとする見解が有力である。

3　230条の2（および230条）の法的性質と真実性の誤信

　230条の2によって，被告人が，真実性を証明することができた場合には，処罰されない。しかし，被告人が真実であると思って事実を摘示したのに，真実であることを証明することができなかった（被告人に真実性の誤信があった）ときには，どのように扱われるべきか。この問題は，230条の2（これに加えて，230条）の法的性質をどのように解するかにかかわるものである。
　まず，事実の真否を問わず，名誉毀損罪は成立するが，事実の真実性は処罰を阻却する事由であるとする見解がある。この見解によれば，事実の真実性は，犯罪の成否と関係がないから，被告人に挙証責任があることを容易に説明すること

はできるが，真実性の誤信も，犯罪の成否と関係がなく，真実性の誤信があっても，真実性の証明ができなければ，常に処罰されることになる（判例もかつては，この結論をとった。最判昭和34・5・7刑集13巻5号641頁）。

しかし，現在の判例は，個人の名誉の保護と正当な言論の保障の間の調和と均衡を考慮すれば，「行為者がその事実を真実であると誤信し，その誤信したことについて，確実な資料，根拠に照らし相当の理由があるときは」，名誉毀損の罪は成立しないと解するとしている（前掲最大判昭和44・6・25。最決平成22・3・15刑集64巻2号1頁は，インターネットの個人利用者による表現行為の場合について，同様に解する）。もっとも，どうしてこのような理論構成をとることができるのかについては，明らかでない（前掲最大判昭和44・6・25は，誤信したことについて相当の理由があるときは，「犯罪の故意がな」いとしていた）。学説においては，真実性の誤信があるときの一定の場合は，処罰する必要はないのではないかという問題意識から，さまざまな解釈論上の努力がなされてきた。

|補論| **真実性・真実性の誤信と違法性阻却事由**
事実の真実性は，違法性阻却事由であるとする見解がありうる。違法性の意識に関する厳格責任説に立てば，違法性阻却事由の錯誤は違法性の錯誤で故意を阻却しないが，その錯誤が避けえなかったときにのみ責任を阻却するという帰結を導くことができる。これに対して，その立場に立たなければ，違法性阻却事由の錯誤は事実の錯誤であり，真実性の誤信がある以上故意はないことになってしまうが，軽率に真実だと思った者でも処罰しえないのは不都合である。

これを克服しようとするのが，訴訟法的規定である230条の2の要件を実体法的要件に直して，事実が証明可能な程度に真実であったことが構成要件該当性阻却事由であるとする見解である。これは，証明可能な程度の資料・根拠をもって事実を真実と誤信したときは故意が阻却されるとするもので，判例（前掲最大判昭和44・6・25）の立場にも影響を与えたとされる。しかし，事実が証明可能な程度に真実であったことが構成要件該当性阻却事由であるとすると，軽率にも事実が証明可能な程度に真実であったと誤認すれば故意を阻却するはずであり，主観である故意の阻却のためにどうして客観的な資料・根拠が要求されるのかは，明らかでない。

現在比較的多数の有力な見解は，230条の2の解釈から直接真実性の誤信がある場合の解決を導くのではなく，確実（または相当）な資料・根拠に基づいて（真実であると信じて）行った言論は，表現の自由の正当な行使であり，刑法35条の正当行為にあたり，違法性が阻却されるとし，そして，そのような資料・根拠がなくても裁判の時に真実性の証明がなされれば230条の2によって処罰が阻却されるとするものである。しかし，このような見解によるとしても，確実な資料・根拠に基づくと軽率に誤解した場合には，違法性阻却事由にあたる事実の認識があり，故意がないことになる。また，確実な資料・根拠に基づかないことについての挙証責任は，検察官にあるとすると，真実性の証明についての挙証責任が被告人にあるのとは一貫しないとの難点があろう。

さらに，真実性の誤信について過失があることを要件として処罰するという見解も有

力である。その第1は，事実の真実性は違法阻却事由である，あるいは，（230条は，事実的名誉〔人に対して現実に存在している社会的評価〕を保護するものであるのに対し，）230条の2は，規範的名誉（人の真価に対応したあるべき社会的評価）を保護する規定であるとし，（違法性を基礎づける）事実の虚偽性（非真実性）については，故意がある場合だけでなく，過失がある場合をも処罰の対象としているとして，230条の2を過失犯を処罰する「特別の規定」（38条1項ただし書）と説明する見解である。しかし，事実の真実性についての被告人への挙証責任の転換と整合しない。第2は，事実の真実性は違法性の減少に基づく処罰阻却事由であり，責任主義の見地から（違法性に関係する処罰条件である）事実の虚偽性（非真実性）について過失が必要であるとする見解であり，事実の真実性についての被告人への挙証責任の転換と整合性をもたせようとする。

4 侮辱罪（231条）

　事実を摘示しないで，公然と人を侮辱する罪である。侮辱するとは，人に対する侮辱的価値判断を表示することである。名誉毀損罪と同じく，人の社会的評価を低下させる危険を生じさせる行為であるが，具体的事実を摘示しない点において，その危険の程度が低いため，軽い罪にとどまる（法定刑は，拘留または科料であったが，令和4〔2022〕年に引き上げられた。令和4年・法律第67号）。法人に対する侮辱罪の成立が認められる（最決昭和58・11・1刑集37巻9号1341頁）。これに対して，侮辱罪の保護法益を名誉感情であるとする見解からは，名誉感情をもたない幼児，重度の精神障害者，法人等に対しては，侮辱罪は成立しないとされる。また，その見解から，名誉毀損罪における事実の真実性が証明され，処罰されない（230条の2）こととなっても，事実摘示の方法が不当であることから，侮辱罪が成立するとされる。しかし，名誉毀損罪と侮辱罪の保護法益をともに社会的評価であるとする見解からは，侮辱罪の成立が否定されるのが一般である。

3 信用・業務に対する罪

1 信用・業務に対する罪の意義

　刑法典第2編第35章の「信用及び業務に対する罪」では，信用毀損罪と業務妨害罪を規定する。法は，これを手段により区別して条文化している。名誉に対する罪と財産に対する罪の間に位置している。

　信用毀損罪（233条前段）は，虚偽の風説を流布すること，または，偽計を用いることによって，人の信用を毀損したときに成立する。人の信用とは，経済的信用のことである。信用毀損罪は，財産的名誉に対する罪であるということができ

る。人の社会的評価を毀損する名誉毀損罪は，真実を摘示したときにも成立するが，信用毀損罪は，真実を摘示したときには成立しない。自由主義経済の下では，自由な経済活動の前提として，客観的にあるべき経済的評価しか保護の対象とならないと解される。

　業務妨害罪は，（信用毀損罪と同様に）虚偽の風説を流布すること，または，偽計を用いること（233条後段）に加えて，威力を用いること（234条），電子計算機を損壊する等の方法（234条の2）によって，人の業務を妨害したときに成立する。社会的活動の自由に対する罪であるとする見解が有力である。活動の自由を潜在的に妨害すれば，あるいは，結果として業務を妨害すれば，業務妨害罪が成立すると説明される。業務妨害罪は，その成立範囲を明確に画定することが必ずしも容易でなく，業務は，経済的事務に限定されるものではないが，財産に対する罪が成立しないときにも，成立しうる。そこで，自由な経済活動を保護することに一定の役割を担っている。

　なお，業務妨害罪より軽い法定刑を定める説教等妨害罪（188条2項）は，業務妨害罪が成立しない場合にその成否が問題となる。

2　信用毀損罪（233条前段）

1　人の信用

　人とは，自然人だけでなく，法人その他の団体が含まれる。人の信用とは，従来の通説・判例は，人の支払能力または支払意思に対する社会的信頼であると解してきたが，商品の品質・効能，人の技量等についての信用を含むとの見解が有力に主張され，最高裁もこのような見解に従った（最判平成15・3・11刑集57巻3号293頁）。

> *Case 177*
> 　Xは，Aコンビニで買ったジュースに家庭用洗剤を入れて，警察官に対してジュースに異物が混入していたという虚偽の申告をし，警察職員からその旨の発表を受けた報道機関に，Aコンビニで異物の混入されたジュースが販売されていたことを報道させた。

　*Case 177*について，上の最高裁判例は，「販売される商品の品質に対する社会的信頼も含む」として，信用毀損罪の成立を肯定した。自由な経済活動の前提として，どの範囲まで人の客観的経済的信用の摘示が許されるべきかという観点から，

3　信用・業務に対する罪

信用の意義は議論されるべきであり，人の支払能力または支払意思についての信用だけに限定すべき理由はないと思われる。

2 虚偽の風説の流布

虚偽の風説を流布するとは，客観的事実に反する噂や情報を不特定または多数（不特定多数）の人に伝播させることをいう。名誉毀損罪のような公然性は要求されていないので，直接に不特定または多数の人に告知する必要はない。

3 毀損

人の経済的信用を低下させることである。侵害犯であるというか，現実に経済的信用を低下させることは認定できないから危険犯であるというかは説明の違いにすぎない。

3 業務妨害罪（233条後段・234条）

1 業務の意義

業務とは，職業その他社会生活上の地位に基づいて行う事務または事業をいう。不特定多数の人との接点のある社会的性格をもつものであることが必要である。個人的な活動（個人の趣味・娯楽としての活動，家庭生活として行う活動〔家事〕等）は含まれない。経済的利益を生み出すものであることは必要ないから，ボランティア活動も含まれうる。また，継続性をもつものであることが必要であり，1回的な活動は含まれない。ただ，1回しか行われない会社の創立総会や政党の結党大会（東京高判昭和37・10・23判時326号33頁）であっても，今後継続的関係をもつことを予定している活動の一環としてなされた場合には，業務性が肯定される。

なお，違法な行為であっても，業務にあたりうる。事実上平穏に行われているものであればよいとする見解もある（東京高判昭和27・7・3高刑集5巻7号1134頁）が，覚せい剤の製造や販売のように，反社会性が極めて高い場合には，保護に値しないとの理解も有力である。

2 業務と公務

公務もまた業務であることに問題はないようにもみえる。もっとも，法令により公務に従事する公務員（7条1項）が，職務を執行するにあたり，これに対して暴行または脅迫を加えたときに成立する公務執行妨害罪（95条1項）が存在し，

公務はこの罪によって保護されているため，もはや業務妨害罪では保護されないとみる余地もある。そこで，業務妨害罪にいう業務に公務が含まれるか否か，含まれるとしてそれはどのような範囲の公務であるのか，また，その公務は公務執行妨害罪で保護される（公務執行妨害罪にいう職務にあたる）かという問題が議論されている。

公務執行妨害罪は，暴行・脅迫が要件とされているが，業務妨害罪は，（虚偽の風説の流布を含んだ）偽計的手段を使用する場合や，暴行・脅迫に至らない威力の使用を手段とする場合も処罰の対象となっている点において，業務が広い範囲で保護される。ある公務が業務にあたらないと解釈されれば，暴行に至らない威力によって公務を妨害しても犯罪は成立しないことになる。

判例は，公務は業務にあたらないとし（大判大正4・5・21刑録21輯663頁），最高裁は，警察官の検挙活動を妨害した場合について威力業務妨害罪の成立を否定した（最大判昭和26・7・18刑集5巻8号1491頁）。ところが，旧国鉄の貨車運行業務や連絡船運航業務という現業業務について，権力的作用を伴う職務ではなく，民営鉄道の業務と異ならないとして，業務にあたるとし，威力業務妨害罪の成立を認め，妨害の手段如何によっては，公務執行妨害罪が成立することを認めた（最判昭和35・11・18刑集14巻13号1713頁，最大判昭和41・11・30刑集20巻9号1076頁，最決昭和59・5・8刑集38巻7号2621頁）。その後は，新潟県議会委員会の条例案採決等の事務（最決昭和62・3・12刑集41巻2号140頁），東京都の動く歩道設置に伴う段ボール小屋撤去等の環境整備工事（最決平成14・9・30刑集56巻7号395頁），また，威力と偽計の両方を用いた場合に関して，公職選挙法上の選挙長の立候補届出受理事務（最決平成12・2・17刑集54巻2号38頁）について，「強制力を行使する権力的公務ではない」として，業務妨害罪の業務にあたることを認めている。結局，現在の判例は，「強制力を行使する権力的公務ではない」職務は，威力業務妨害罪と偽計業務妨害罪を区別することなく，両罪にいう業務にあたり，かつ，この職務は，公務執行妨害罪でも保護されるという判断をしているということができよう。

| 補論 | **威力業務妨害と偽計業務妨害との扱いにおける区別**

学説上は，公務は（業務妨害罪にいう）業務に一切含まれないとする消極説，一部の公務は業務に含まれるが，それは，公務執行妨害罪では保護されない（公務は，業務妨害罪か公務執行妨害罪のいずれかでしか保護されない）とする公務区分説（公務振り分け説），一部の公務は業務に含まれ，それは，公務執行妨害罪でも保護されるとする限定積極説（判例の立場はこれにあたる），威力業務妨害罪との関係においては，強制力を行

使する権力的公務ではないものだけが業務に含まれ，それは，公務執行妨害罪でも保護されるが，偽計業務妨害罪との関係においては，すべての公務は業務に含まれるとする修正限定積極説，すべての公務は業務に含まれるとする積極説が存在している。

妨害を排除するための強制力を行使する権力的公務は，暴行・脅迫に至らない威力による妨害から保護する必要はないが，それ以外の公務は，（公務であるからといって）威力による妨害から保護する必要がなくなるわけではないから，業務にあたる，また，強制力を行使する権力的公務も，（偽計的手段を排除する機能が付与されているわけでなく）偽計的手段による妨害から保護する必要はあるから，虚偽の風説および偽計の使用による業務妨害罪との関係では，業務にあたると思われる。また，公務は，公共の福祉を目的とするから，民間の業務より厚く保護されることは合理性があるとして，業務にあたる公務が，暴行・脅迫を手段として妨害されたときに，業務妨害罪の要件の充足に加えて，法定刑に罰金刑が定められていない点においてより重い公務執行妨害罪の成立を認めるべきである（この場合，両罪は，法条競合であるとする見解と，保護法益を異にするとして観念的競合であるとする見解とに分かれうる）とすると，修正限定積極説が妥当であるということになる。もっとも，平成18（2006）年の改正によって，公務執行妨害罪にも，業務妨害罪と同じ罰金刑の選択肢が加えられたため，業務妨害罪の要件が充足されることに加えて公務執行妨害罪が成立するか否かの議論の実益は乏しくなった。

なお，電子計算機を用いる公務については，より重い電子計算機損壊等業務妨害罪が成立する。

警察の業務と業務妨害罪

下級審裁判例には，インターネット掲示板に虚構の殺人事件の実行を予告し，掲示板を閲覧した者からの通報を介して，警察署職員らに出動，警戒等の徒労の業務に従事させ，遂行されたはずの警ら，立番業務等の遂行を困難にした事案について，妨害された本来の警察の公務の中に，仮に逮捕状による逮捕等の強制力を付与された権力的公務が含まれていたとしても，その強制力は，虚偽通報による妨害行為に対して行使しうる段階にはなく，このような妨害行為を排除する働きを有しないから，妨害された警察の公務（業務）は，強制力を付与された権力的なものを含めて，その全体が，業務妨害罪による保護の対象になると述べ，偽計業務妨害罪の成立を肯定したものがある（東京高判平成21・3・12判タ1304号302頁）。

❸ 偽計の使用

1　意　義　偽計を用いるとは，人を欺罔し，または人の不知，錯誤を利用することをいう。詐欺罪における「人を欺く」より広い。直接被害者に向けられていることは必要ない。人の意思に直接は働きかけるのでなく，物に向けて非公然になされる行為，たとえば，有線放送会社が放送送信に使用している電線を密かに切断して，顧客への送信を不能にすること（大阪高判昭和49・2・14判時752号111頁），電話の応答信号の送出を妨害するマジックホンという機械を取り付けて，電話料金の課金装置の作動を不能にすること（最決昭和59・4・27刑集38巻6号2584頁）も偽計を用いたものとされている。

2　具体例　　偽計を用いるとされた例として，他に，海底に障害物を沈めて漁網を破損させること（大判大正3・12・3刑録20輯2322頁），浴場の入口付近に休業と記した紙片を掲示すること（東京高判昭和27・7・3高刑集5巻7号1134頁。さらに入口を板片で釘付けにして閉鎖する等の威力を示した），他人名義で虚偽の商品注文をして，商品の配達をさせること（大阪高判昭和39・10・5下刑集6巻9＝10号988頁），中華そば店に970回にわたり，無言電話をかけること（東京高判昭和48・8・7判時722号107頁），デパートの商品である寝具に縫い針を差し込むこと（大阪地判昭和63・7・21判時1286号153頁），銀行支店出張所内で現金自動預払機の利用客のカードの暗証番号等を盗撮するため，ビデオカメラを設置し，一般の利用客のように装い，適当な操作を繰り返しながら，設置した隣の現金自動預払機を占拠し続けること（最決平成19・7・2刑集61巻5号379頁）等がある。

4　威力の使用

　1　意　義　　威力を用いるとは，人の自由意思を制圧するに足る勢力を使用することをいう（最判昭和28・1・30刑集7巻1号128頁参照）。被害者に向けられたものである必要はない。暴行・脅迫に至らない程度の行為を含む。

　たとえば，デパートの食堂の配膳部に縞蛇を撒くこと（大判昭和7・10・10刑集11巻1519頁），総会屋が株主総会の議場で怒号すること（東京高判昭和50・12・26判タ333号357頁），卒業式の開式直前に保護者らに対して大声で呼び掛けを行い，これを制止した教頭らに対して怒号する等したこと（最判平成23・7・7刑集65巻5号619頁）のような，直接に人の面前で行い，現場を混乱させようとすることがその典型であるが，判例は，「一定の行為の必然的結果として，人の意思を制圧するような勢力を用いれば足り，必ずしも，それが直接現に業務に従事している他人に対してなされることを要しない」として，貨車に積載された石炭を夜のうちに落下させて，会社の送炭業務を不能にすることについて，威力の使用を肯定している（最判昭和32・2・21刑集11巻2号877頁）。

　2　具体例　　威力を用いるとされたのは，他に，弁護士業務にとって重要な書類が入った鞄を弁護士から奪取し，その後隠匿し，弁護士活動を困難にさせること（最決昭和59・3・23刑集38巻5号2030頁），猫の死骸を事務机の引き出しに入れておき，被害者に発見させること（最決平成4・11・27刑集46巻8号623頁），捕獲されたイルカを収容中の網のロープを解き放ち，イルカを逃走させること（長崎地佐世保支判昭和55・5・30判時999号131頁），放射性物質を含有する旨の表示を付

した容器，緊急保安炎筒等を搭載したドローン（小型無人飛行機）を遠隔操作し，飛行させ，総理大臣官邸屋上に落下させて，これを発見した官邸職員らに異常事態への対応をさせること（東京地判平成28・2・16判タ1439号245頁）等である。

5 妨　　害

業務妨害罪の成立には，業務を妨害したことが必要である（未遂犯を処罰する規定はない）。判例は，危険犯であるとする（大判昭和11・5・7刑集15巻573頁，最判昭和28・1・30刑集7巻1号128頁）。しかし，名誉毀損罪や信用毀損罪における毀損に比べて，業務の妨害はより具体的に認定することができるから，侵害犯であるとする見解が有力である。業務に支障を生じさせることが必要である。

> **発展学習** **外形的支障**
> 業務を妨害したというためには，業務に外形的混乱・支障を生じさせることが必要であり，替え玉受験やカンニングのように，個別的な業務における判断の誤りを生じさせ，業務内容を実質的に不適切なものにしたにすぎない場合は除外されるとする見解が有力である。このような見解によれば，**3**（⇒p.325）に挙げたマジックホンの事例は，料金の計算を誤らせたものにすぎず，業務妨害にあたらないとの理解が可能であろうが，最高裁（前掲最決昭和59・4・27）は，「課金装置の作動を不能にした」としており，この点に着目すれば，外形的な支障が生じたということも不可能ではないであろう。

4 電子計算機損壊等業務妨害罪（234条の2）

1 意　　義

電子計算機損壊等業務妨害罪（234条の2）は，昭和62（1987）年に新設された。コンピュータによる事務処理が，人によるものに取って代わるようになり，社会において占める重要性が増し，コンピュータを用いた業務の妨害は，その被害が深刻，重大なものとなったことから，コンピュータ等に向けられた行為を既存の業務妨害罪より重い犯罪として類型化したものである（233条・234条の法定刑は，3年以下の拘禁刑〔懲役〕または50万円以下の罰金であるが，234条の2第1項は，5年以下の拘禁刑〔懲役〕または100万円以下の罰金である）。未遂も処罰される（234条の2第2項）。

2 犯罪類型

①電子計算機に対する加害行為によって，②電子計算機の動作阻害を生じさせ，人の業務を妨害することを要件とする。①は，電子計算機またはその用に供す

電磁的記録を損壊する，電子計算機に虚偽の情報等を与える等の方法によることを指し，②は，電子計算機に使用目的に沿うべき動作をさせない，または，使用目的に反する動作をさせることをさす。

　ここでいう電子計算機は，人の代替として独立的，自動的にある程度広範な業務を処理するものをいい，家電用品等に組み込まれたマイクロコンピュータは除かれる。たとえば，パチンコ台に取り付けられた，大当たりを発生させるための用に供する情報が記録されたロムを不正に作成されたものに交換した場合について，本罪の成立を否定し，偽計業務妨害罪の成立を肯定した裁判例がある（福岡高判平成12・9・21判時1731号131頁）。

5 窃盗の罪

1 刑法における財産の保護 ── 財産罪

1 財産保護における民法と刑法

　本章では，初めに個人の財産に対する犯罪類型を概観しておく。財産関係を規律する法としては民事法が第一順位にあり，刑法の役割はそれを補充することに限られる。民事法が取引をスムーズに進行させるという，いわば動的安全（取引の安全）を目指す傾向が強いのに対し，刑法は，現在の事実状態をそのまま維持しようとする方向で，いわば静的に法益を保護する性質をもっている。民法では財産的権利義務関係の成立・変更・消滅という変動に重点があり，刑法は，既成の事実状態を保存することを目指しているといえるだろう。

2 財産罪とその分類

1 財産とその刑法的保護

　刑法において財産保護を直接の目的とする犯罪類型は，235条以降の30ほどの条文に規定されており，類型の数としても相当数を占める。また，統計をみると（⇒p.21の図総論1-6），窃盗の罪は犯罪全体の中に占める認知件数の割合が圧倒的に大きい。したがって争点となった事項も多数にのぼり，参照すべき判例も多い。窃盗罪ほどではないが，他の財産に関する罪も同様である。このような事情から，財産に関する犯罪類型は，しばしば「財産罪」と呼んで切り分けられる。数が多い一方で，ほとんどの財産罪の客体は「財物」か「財産上の利益」であって直接の利得を内容とする点で共通しており，どの構成要件に該当するかを判断する際に，それらの相互関係を明らかにしておく必要性が高い。各犯罪類型の解釈論にとって財産罪全般を見通す視点が有用なのである。

　以前には，刑法による財産権の保護の独自性が強調される傾向が強く，刑法の解釈は他の法分野から相対的に独立して行われることが少なくなかったが，今日では，民事法による財産権の規定との関係が重要視されている。その際，刑法の

謙抑性や法益保護のための補充的機能の観点から，刑法による犯罪成立範囲が民事的な財産保護とバランスを保つことが必要である。その反面，冒頭で指摘したように民事法と刑事法とで財産保護のあり方に相違があることも自覚されなければならない。刑法の保護趣旨から，民法による保護との関係を合理的に設定することも重要だと思われる。

2　財物と財産上の利益

　財産罪分類の視点はいくつかありうる。行為態様による分類はもちろん重要であるが，これは結局，各犯罪の成立要件を検討することにほかならないから，さしあたっては客体による分類が問題である。

　235条以下の財産罪規定をざっと眺めてみよう。上述したように，「財物」と「財産上の利益」を客体とするものが多数を占めている。そして，235条の窃盗罪では財物だけが客体であるが，236条の強盗罪，246条の詐欺罪，249条の恐喝罪などでは，1項が財物を客体とする場合，2項が財産上の利益を客体とする場合であることが分かる。そこで，財産罪を，財物を客体とする「財物罪」と，財産上の利益を客体とする「利得罪」とに分けることができる。窃盗罪は財物罪であるが，強盗罪や詐欺罪には財物罪と利得罪とがあることになる。明示するときは，「詐欺利得罪」のようにいうこともある。そして，「利得罪」はそれぞれの犯罪類型を規定する条文の中の2項に規定されているので，総合的に「2項犯罪」といったり，「2項強盗罪」「2項恐喝罪」のように表現することも多い。このほか，窃盗・強盗は，被害者の意思に反して財物や財産上の利益を奪い取るので，「奪取罪」（盗取罪）としてくくることもある。

3　領得罪と毀棄罪

　また，相手の財産を自分のものにしようとする方向の犯罪である「領得罪」と，相手の財産を侵害すること自体を目的とする「毀棄罪」（「毀棄・隠匿の罪」）とを分けることができる。領得罪と毀棄罪とを比べると，物を盗むより物を壊す方が原状回復が困難であるのが普通だから，毀棄罪の方がより全面的・終局的な財産侵害であるともいえるが，刑法上，領得罪に比して毀棄罪の法定刑は低い。これは，領得罪が犯罪者にとって利得になる点で誘惑的であり，より強く抑止の必要性が認められるからだと理解できる。

4　個別財産に対する罪と全体財産に対する罪

　財産罪の客体に着目した分類としては、「個別財産」に対する罪と「全体財産」に対する罪という区別もある。個別財産に対する罪とは、客体である財産それ自体についての侵害を内容とする犯罪で、刑法上の財産罪はほとんど個別財産に対する罪である。たとえば、詐欺罪では、だまし取られた物という個別の財産に対する侵害がその不法内容である。だまし取られたものの価格に相当する額の反対給付があったとしても、それだけで侵害が否定されるわけではない。これに対して全体財産に対する罪というのは、全体的な財産状態がマイナスに変動することを内容とする犯罪である。減った分が補われるときには侵害はない。通説によると、刑法では背任罪（247条）だけが全体財産に対する罪である。たとえば、経営者から特定の店の運営を引き受けている者が、多数の顧客を呼ぶために割引をするなどして部分的に損害が発生しても、自分の利益を図ってその収支を悪化させるような場合など、全体として収支がマイナスになってしまうことがなければ全体財産に対する侵害ではない。ここに背任罪を全体財産に対する罪と位置づけることの意味がある。

3　財物の意義

1　有体性説と管理可能性説

　1　「**有体物**」　財物罪の客体は「財物」である。横領罪（252条～254条）や器物損壊罪（261条）では「物」という語が用いられているが、通説はこれも財物と同義と解している。財物は、字義としては財産的価値のある物というほどの意味になるだろうが、以前から議論の対象となってきた。ことの発端は「電気」の泥棒である。電力会社に料金を支払わずにこっそり電気を使ったり、他人の契約している電灯線から電気を勝手に使ったりすれば、電気の窃盗として処罰されるのであろうか。

　民法85条は、「この法律において『物』とは、有体物をいう」と規定する。「有体物」とは、「空間の一部を占める有形的存在」であるが、要するに「物質」だと考えればよいだろう。固体・液体・気体の形で存在するモノである。そして、財物とは有体物に限られるとする考え方を有体性説という。これは、「この法律において」という限定があるとはいえ民法の規定に従う点で自然であり、常識的に使われている語の意味に沿った解釈でもある。電気はエネルギーの一形態で有体物には含まれないから、有体性説によると盗電は窃盗罪にはあたらない。

2　電気窃盗事件　ところが，現行刑法の前の刑法（旧刑法）時代ではあるが，大審院は，電気も財物だと宣言した。まず，当時「他人の所有物」とされていた窃盗罪（旧刑366条）の客体について，それは「窃盗の目的物となりうるもの」であると解さざるをえず，窃盗が他人の所持する物を不法に自己の所持内に移す行為であるところから所持の可能なものは客体となる，とした。その上で，五感の作用によって認識することのできる現実の存在であれば，可動性・管理可能性があるから，有体物でなくても客体に含まれると結論したのである（大判明治36・5・21刑録9輯874頁）。財物の意義に関するこのような見解を「管理可能性説」という。大審院は，電気は管理可能性があるから盗むことができ，盗めば窃盗罪になるという結論を導いたのである。

> [発展学習]　「可動性」要件と不動産の財物性
> 　一般に財物概念には不動産が含まれると考えられる（たとえば，土地をだまし取ることも詐欺罪にあたる）ので，大審院判例のいうような「可動性」を財物一般の要件とすることはできない。ただし，窃盗罪の場合は例外で，不動産侵奪罪（235条の2）が不動産窃盗に相当する特別類型であると解されるので，論理解釈により窃盗罪の客体である財物からは不動産が除かれる。

3　現行法の解釈　「物」に有体性が必要かどうかという問題は，現行刑法でも同じように存在するから，現行法の下でも有体性説と管理可能性説がある。もっとも，現行刑法は，245条に「電気は，財物とみなす」という規定をおいて（さらに251条で詐欺・恐喝・背任罪等にも準用する），電気窃盗に関しては立法的に解決を図っている。一方，管理可能性説も，たとえば「権利」も財物だと解するわけではなく，物理的な管理可能性に限定するのが一般的である。そこで，両説の現実的な相違は，有体性説からは財物にならないもの，すなわち電気以外のエネルギー，それ自体は物質でない「電子データ」や「情報」が，管理可能性説からは財物とされる可能性がある，という点にある。

　かつては管理可能性説が通説的地位を占めていたが，電気以外のエネルギーなどに拡張する見解はほとんどなかった。また電気についてとくに規定があることはむしろ電気だけが例外だという意味を持ちうる。財物の意義としては有体物に限るのが妥当であり，現在では有体性説が有力になっている。

2　財産的価値

　財産罪の客体である以上，財物は財産的な価値をもつものでなければならない

であろう。そして，その価値は，保護に値する程度の使用価値である必要がある。もっとも，客観的な交換価値，いい換えれば金銭に換算できるような経済的価値は不要だと考えられる。主観的な価値でもよいことになるが，それが保護に値すると客観的に認められる必要はあるであろう。このような前提からは，政党の内部書類等の財物性を肯定した判例（最判昭和25・8・29刑集4巻9号1585頁）は妥当である。とはいえ，価値の有無を判断する明確な根拠を提示することの難しさは否定できない。

　判例上，財産的価値の点で問題がありそうだが，財物性が肯定されたものとして，消印済の収入印紙（大判明治44・8・15刑録17輯1488頁），一塊の石（大判大正1・11・25刑録18輯1421頁），衆議院議員投票用紙（大判大正2・1・20刑録19輯9頁），支払期日徒過の無効の小切手（最決昭和29・6・1刑集8巻6号787頁）などがある。情報を記録した媒体（コピー用紙，光学ディスクなど）がごく安価なものである場合に，情報の価値を考慮して媒体の価値を論じてよいかも問題となりうるが，財物性を肯定するのが一般的な見解である。なお，他人に悪用されないことに利益があるような，いわば消極的な価値でもよく，たとえば溶融処理のため裁断された日本銀行券を盗めば窃盗罪になると考えられる。

3 禁制品等

　人の身体は，刑法上，傷害の罪の客体として別に保護されるので，財物ではない。また，死体・遺骨・遺髪については，190条において領得の客体となっており，しかも法定刑が財産罪より軽いので，これに対して，財産罪の成立を認めるのは妥当でないだろう。財産罪の構成要件該当性を前提とする観念的競合にもならないと解される。しかし，いったん生身の人間から切り離された臓器については，臓器移植法でその売買が処罰対象とされている（11条。罰則は20条）ので，これらは，血液を含め，刑法上も一般的に財産罪の客体としてよいと思われる。また，所有権が認められないもの，占有が禁止されているなどの「禁制品」についても，事実上の所有・所持，および使用・収益が可能である以上，財産的価値のある物質であると解されるから，財物に含まれると考えるべきである。

　なお，河川の砂利や海の魚などの無主物（民239条1項）は，財物にはあたりうるものの，窃盗罪等の客体にはならない。ただし，河川法や漁業法などの特別法による保護がある。

4 財物罪の保護法益

1 本権説と占有説

　財物罪の保護法益をめぐっては，本権説と占有説との対立がある。占有説については，「占有」の民法的含意を排除し事実上の支配の意味を表すため「所持」の語を用いて，所持説と称されることも多い。条文上は，「自己の財物であっても，他人が占有……するものであるときは，この章の罪については，他人の財物とみなす。」という242条の規定の解釈の問題である。

　本権説は，財物が占有される根拠となる法律上の権利（本権）を保護すると解するものである。たとえば，他人の所有物を盗む窃盗罪は，所有者の所有権を侵害するから処罰されるのだと考える見解である。本権の代表は所有権であるが，地上権，質権，賃借権なども正当な占有を実質的に保障する権利である。この説によると，盗まれた自分の所有物を窃盗犯人や犯人からさらに譲り受けた者の家から取り戻しても，客体に関する所有権を侵害していないから，それ自体は窃盗罪にはならない。

　これに対して，占有説は，文字どおり，事実的占有（所持）そのものが保護対象であると考える。この見解によると，本権があってもなくても，事実上占有されている状態がそれとして保護されることになる。先ほどの例では，相手が泥棒であり，所有者が盗品を取り戻す場合でも，占有を侵害する以上，窃盗にあたる。

2 判　　例

　本権説は，基本にある財産権を保護しようとするものであって自然な解釈であり，実際，判例はかつて本権説の立場で判断してきた。しかし，たとえば，民事法上の権原に基づき平穏に開始された占有について，権原が消滅したからといってただちに保護の対象外においてもよいだろうか。賃貸借契約の終了時などを考えると，それはあまりにも形式的な解釈であるように思われる。ほかにも，民法上種々の財産関係が是認されることによって，外形のみを形式的に把握するだけでは財産を十分に保護できない場合が増えてきた。真の所有権が誰にあるかが，外形からは分かりにくくなったのである。

Case 178
　Xは，Aに金を貸し，その担保としてA所有のトラック1台の所有権を取得したが，そのトラックは引き続きAが使用していたところ，XはAに無断でそのトラックを運転して自己の所有する駐車場まで運んだ。

Case 179
　Xは，いわゆる自動車金融の形式で，自動車の時価より相当安い金額をAに融資し，その金額でAの自動車を買ってXが所有権・占有権を得る形で担保にとっていたが，当事者間ではその買戻約款付自動車売買契約は融資金の回収を確実にするための方便であって，実際には自動車はAが使用することができる旨を合意していた。ところが，Xは，返済期限ぎりぎりになって，勝手にAの使用している自動車を自己の会社に引き上げた。

　Case 178 のような譲渡担保の事例について，最高裁（最判昭和35・4・26刑集14巻6号748頁）は，詐欺罪に関する前年の判決（最決昭和34・8・28刑集13巻10号2906頁）で法律上正当に所持する権限を伴わない占有も保護対象となるとしたのに続いて，占有説の考え方を明示した。所有権者であるXに窃盗罪の成立が認められたのである。*Case 179* は，前提となる法律関係が少し複雑であるが，このような事案で最高裁は，やはり所有権者XがAの事実上の支配下にある自動車を勝手に持ち出すのは窃盗罪にあたるとした（最決平成1・7・7刑集43巻7号607頁）。

❸　中　間　説

　しかし，他方で純粋な占有説に対しても問題が指摘できる。まず，242条の規定が，占有説の立場からは，当たりまえのことを規定した無用の条文だということになってしまう。あるいは，ひったくりにあった被害者がとっさに犯人から取り戻す行為も占有侵害ではあるが，これが窃盗として処罰対象になるのは，いかにも不都合であるように思われる。現に，238条の事後強盗罪は，「窃盗が，財物を得てこれを取り返されるのを防」ぐために暴行または脅迫をしたときは強盗罪として取り扱われる旨を定めている。これは，窃盗犯人からの「取戻し行為」の正当性を含意するだろう。このような事案については，自救行為として正当化されるのだとも主張される（⇒p.151の用語解説）が，それでも，窃盗罪の構成要件該当性を肯定し，極めて限定的にしか違法性阻却が認められない自救行為を援用することで十分かという問題がある。

　現在，相対的に有力な学説は，平穏占有説（修正本権説・制限的所持説）と呼ばれるものである。その名のとおり，単純に占有を保護すると考えるのではなく，

1　刑法における財産の保護

「平穏な占有」を保護するという見解である。「平穏な占有」に代えて「一応理由のある占有」とか、「法律的・経済的利益の裏付けがある占有」などと説明されることもある。いわば、本権説と占有説の中間に線を引こうとするものである。この説にも、本権説側からの修正と占有説側からの修正がある。本権の保護のためにさしあたり問題のない占有を保護しておく必要があるとの考慮に基づく見解と、純粋に占有事実のみを保護対象とすることの不都合に対応しようとする見解とである。中間説は、少なくとも結論においてバランスのとれた解決を導きうる。先にみた *Case 178*・*Case 179* のような事例においても、保護されたのは平穏な占有だということができる。

その「平穏」等の判断はなかなか難しいが、少なくとも、平穏占有説が「一見して不法が明らかでない占有は保護する」という、財産保護について保守的な姿勢をとるものであることは確かである。すなわち、民事上不法であってもそれだけで刑法上も保護されなくなるわけではないが、明らかに不法な占有は刑法でも保護されない、ということである。

5 財産上の利益

1 「利益」の意義

2項犯罪では、「財産上不法の利益を得る」ことが犯罪とされるが、「不法の利益」が客体であるのではなく、本来得られる理由がないのに（＝不法に）取得する結果として不法の利益になるのであって、客体そのものは「財産上の利益」である。この利益は、財物の場合と同様、およそ財産的価値を有する利益を意味する。したがって、所有権を取得すること、債権を取得したり債務を免除してもらったりすることはもちろん、労務の提供を受けること、借金の返済を待ってもらうことなども財産上の利益である。

財産上の利益という以上、その利益を得るために通常は対価が要求されるものである必要があり、とくにサービスを受けるような場合には有償的なサービスでなければならない。今日の経済社会ではたいていのサービスが有償性を帯びているともいえるが、対価を求めない親切として行われたと考えられるとき、たとえば、健康人が病人を装って通りがかりの人に荷物を運んでもらったような場合には、だまして財産上の利益を得たとまではいえないであろう。

2 財物の代金

ところで、物をだまし取る行為は財物を領得する財物罪であるが、相手がだまされてその財物の代金を請求しなかったことは、代金債務を免れて対価を支払わずにすんだという意味で、利得罪でもあることになる。このように、財物罪が成立すると考えるべきか利得罪が成立するかが問題となることが少なくない。無銭飲食の意思で料理を注文し、代金を支払ってもらえると誤信した店主から料理の提供を受けて食べた後、代金支払を請求されると店主に暴行を加えて支払を免れるというような場合には、財物を客体とする詐欺罪と、代金債務免脱という財産上の利益を客体とする強盗罪とが考えられる。その処理については諸説があるが、基本的な考え方としては、その財物と財産上の利益とは、結局、同じ財産の別側面であるにすぎないことを前提とし、包括して一罪とすべきであろう。

> *Case 180*
> XはA商店の店頭から指輪を窃盗したが、店主Aがみつけて代金を請求してきたので、Aを刺し殺して代金を踏み倒そうとして逃げたが、Aは死亡しなかった。

最決昭和61・11・18刑集40巻7号523頁は、*Case 180* のような場合に、刑法236条2項の強盗犯人が殺人に及んだものとして強盗殺人未遂罪(240条・243条)の成立を認めたが、窃盗罪に加えて2項強盗の成立を肯定するのは、実質的には同一の財産を二重に評価することになるので疑問であるとする見解も有力である。

2 窃盗罪(235条)

1 窃盗罪の性質

窃盗罪(235条)は、他人の財物を窃取する犯罪である。法定刑上限の10年は、詐欺罪・恐喝罪と共通する。ただし、窃盗罪では、万引等の事例で、犯行態様・被害額などの点から軽微な場合を考慮して罰金刑が規定されている。なお、特別規定として、特殊常習窃盗(盗犯等防止2条〔常習特殊窃盗〕・3条〔常習累犯窃盗〕)が重要である。

窃盗罪(財物罪)の保護法益については上記のとおり諸説あるが、いずれにせよ、財物が窃取されたときに何らかの法益が侵害されることになり、この時点で窃盗罪は既遂ということになる。その後、法益侵害状態は、被害者が盗まれた物

を取り返すまで継続するが，犯罪事実そのものとはみなされない。すなわち，窃盗罪は状態犯（⇒p.47の**❸**）の典型である。犯罪事実が終了すると，もはや共犯はありえないし，その時点から公訴時効が進行することになる。

また，事後の法益侵害状態をあらかじめ想定している犯罪類型であるから，犯罪事実の評価においてその後の違法状態をあわせて評価していることになる。したがって，既遂に達した後は，同一の客体について新たな行為がなされても，新たな法益侵害が生じない限り，別個の犯罪は成立しない。たとえば，盗んだ物を壊したり捨てたりすると，窃盗罪のほかに器物損壊罪（261条）にも該当するようにみえるが，後の行為は，いわゆる共罰的事後行為（⇒p.248の⑤）となる。

Case 181
　Xは，Aの家からB銀行の預金通帳と印鑑を盗み出し，続いてその預金通帳をB銀行の支店窓口に提示し，A名義の口座から現金の払出しを受けて受領した。

Case 182
　Xは，Aの家からB銀行のキャッシュカードと暗証番号のメモを盗み出し，続いてそのキャッシュカードを使ってB銀行の設置しているATM（現金自動預払機）から現金を引き出した。

*Case 181*では，預金通帳は預金債権を有することを示す一資料であり，現金とは別の財産的価値を有する客体であると解される。そこで，通帳窃取後それを使って現金を引出す場合，Aを被害者とする通帳の窃盗罪とは別にB銀行を被害者とする詐欺罪が成立しうる。*Case 182*の場合も同様であるが，ATMにカードを挿入するのは人をだます行為ではないので，カードについての窃盗罪と，現金についての窃盗罪が成立しうる。

2 窃盗罪の客体

1 財　　物

窃盗罪の客体は財物である。財産上の利益は客体とされていない。そこで，いわゆる「利益窃盗」は構成要件に該当しない。たとえば，美容院で髪を切ってもらうというようなサービスを受けた上，店員の隙をみて料金を支払わずに逃げたとしても，得たのはサービスまたは代金債務の免脱という財産上の利益であるから，窃盗罪にはならないのである。

2 占有の意義

　保護法益についての考え方にかかわらず，その財物は他人が占有するものでなければならない。本権説も，本権に基づく占有がある場合に限ってその占有を保護すると解するのであって，窃盗罪が占有侵奪という類型の犯罪であることはもちろん前提である。頼まれて預かっているなどの自分の占有する他人の所有物を領得するのは横領（252条以下）であり，占有を離れたり，偶然に自己の占有に帰したりした物を領得するのは，占有離脱物横領（254条）である。したがって，まず財物について，その占有の帰属を確定しておく必要がある。

　占有（所持）とは，事実上の支配をいう。必ずしも実際に持っている，手に握っている場合に限らないのはもちろんで，外出中であっても自分の住居の中にある物は自分が占有していることになる。しかし，民法上の占有のように観念的なもの（代理占有や占有改定などの制度が存在する）ではなく，現実の支配でなければならない。一般に，支配は，支配の事実と支配の意思とで基礎づけられるのであるが，今述べたように，支配の事実も少し緩やかに解する必要があるし，意思については，明確に客体を意識している必要もなければ，常に意識的である必要もない。たとえば，自分の物の所在を見失っても，家の中にある限りは依然として占有されていると考えられる。大震災時に所有物を公道において一時立ち去っても，所有者がその存在を認識し，放棄する意思でないときは，依然として所有者の支配に属するとした判例（大判大正13・6・10刑集3巻473頁）もある。

3 占有の有無

　事実上の支配という定義も幅をもっている。占有の有無を判断する基準は，必ずしも明確ではない。支配がどの範囲まで及ぶかは，屋内か屋外か，他の人の出入りが多いか少ないかなど，支配に関連する状況によって変わる。

Case 183
　Aは，自分のポシェットを公園のベンチの上において，友人と話しこんでいたが，やがてポシェットのことを失念して，そのまま友人とともに立ち去った。Xは，Aがポシェットをおき忘れたら持ち去ろうと考えて様子をうかがっていたが，Aがポシェットの場所から27メートル離れた歩道橋の上に行った時点で，これを取り上げて持ち去った。Aが，ポシェットのことを思い出したのは，ポシェットから200メートル離れた駅の改札口付近に行ってからだった。

> *Case 184*
>   Aは，地上7階・地下1階建のスーパーマーケット内の6階階段脇のベンチで休憩した際，ベンチの上に財布をおき忘れたまま，エスカレータで地下1階の食料品売場に行ったが，すぐに財布がないことに気づき，急いで6階のベンチに戻ったものの，その1分前にXが財布を持ち去ったところだった。
>
> *Case 185*
>   Aは，B旅館に宿泊中，共同洗面所に時計をおき忘れた。同じ旅館に宿泊していたXがこれをみつけて持ち去った。

　これらの事例では，事実上の支配の存否が問題になる。客体と占有主体との距離が離れれば，支配は失われるであろうが，保管の手立てがなされているときは，保管設備との間隔として考えなければならない。*Case 183*のような事案で，最高裁は，Xの領得時には，ポシェットの占有は依然としてAにあると判断した（最決平成16・8・25刑集58巻6号515頁）。バスを待つ行列に並んでいた者が横にある建物の土台コンクリート上にカメラをおき忘れ，約20メートル離れた段階で気づいたが，その直前に持ち去られていたという事例において，カメラの占有は失われていないとした判例（最判昭和32・11・8刑集11巻12号3061頁）もある。
　もちろん，単純な距離では占有の有無は決まらない。たとえば，区切られた，あるまとまった空間の範囲内であれば支配があると考えやすいのに対して，区画をまたぐと支配が途切れるように思われる。*Case 184*ではAの占有を肯定しにくいであろう（東京高判平成3・4・1判時1400号128頁）。もっとも，Aの占有を離れたとしても，その場所・区画の管理者の支配下に移行すると考える余地がある。*Case 185*のような場合，おき忘れた宿泊客の所有物は宿主の支配下にあるから，やはりXは占有侵害したことになり，窃盗罪が成立するとした判例（大判大正8・4・4判録25輯382頁）がある。最高裁も同様に，ゴルフ場の池に残されたいわゆるロストボールは，ゴルフ場側がこれを回収する意思がある以上，ゴルフ場の管理者の占有に帰するとした（最決昭和62・4・10刑集41巻3号221頁）。

4　占有の帰属

　他人の占有に属するといえるかどうかが問題となる類型をいくつかみておこう。まず，共同占有の場合がある。これは，少なくとも部分的に他人の占有を含む占有形態であるから，自己と他人とで共同占有している物を自己に領得すれば，他人の占有を侵害したことになる。
　少々やっかいなのは，いわゆる上下主従の関係で，同一物を重なって支配しているような場合である。一般に，単に機械的な事務に従事しているだけの者には占有を肯定することはできないとされている。店番に立っているアルバイトが店

の物を取るのは，主人の占有物を取ることになるだろう。しかし，同じく上下主従関係があっても，経営者に雇われて店を管理している店長は，店の中の物を占有しているといえそうである。

　上下主従の関係にある複数の者の支配を考える際には，当然ながらまず現実的な事実上の支配が誰にあるかが基準になる。横領罪との区別を考慮すると，上下，主従両者の信頼関係の有無が重要な判断基礎となる。きちんとした信頼関係がある場合は，上の者・主たる者は，下・従たる者に事実上の支配を委ねたと考えることができるから，その場合，占有は下の者・従たる者にあると考えられる。基準を明確化するのは難しい側面もあるが，単純な監視者・占有補助者にとどまらない裁量的管理を認められている場合には，その管理者の側に占有があるといえるだろう。

> **Case 186**
> 　Xは，Aが200メートルほど離れた弁当屋に行く間Aから鍵のかかっていない集金カバンを預かったが，その間にAのカバンの中から現金を抜き取って逃走した。
>
> **Case 187**
> 　Xは，Aから和服を入れて縄をかけた衣装ケースを預かって保管していたが，金に困って，預かった和服を売却して現金化しようと，その中からAの衣類を取り出した。

> (**Case 186**)の場合，カバンの鍵は開いていたとしても，預けた趣旨からして内容物については依然としてAに事実上の支配があるとするのが妥当であろう（東京高判昭和59・10・30判時1147号160頁）。(**Case 187**)のように，梱包・縄がけされているような場合はなおさらである（最決昭和32・4・25刑集11巻4号1427頁）。ただし，封緘・包装された物を預かった場合，全体についての事実的支配は預かった人にあるように思われる。そうすると，全部を領得すれば委託物横領罪（252条）になるが，中身だけを抜き取ると窃盗罪だということになる。これにはバランスを失する面はあるが，中身を出すときにはいずれにせよ窃盗罪になるから，現実に問題になることは少ないであろう。

　なお，銀行に預金した現金は，銀行の占有に帰する（民法上は，消費寄託契約となって所有権自体が銀行に移る）。したがって，不正にATMから預金を引き出す行為は窃盗罪を構成する（窓口係員をだまして払戻しを受けるのは詐欺罪である）。しかし，横領罪の成否に関しては，委託された現金を預金したときには，その預金金

額は預金者が占有していると解し，それを勝手に使った場合には横領罪の成立を認めるのが通説・判例である。

> **Case 188**
> Xは，Aを山林で殺害した後，死体を土中に埋める際，Aの腕の腕時計に気づき，これを領得する意思を生じて，奪取した。

> 　死者は，事実上の支配力も支配意思も有していないから，もはや占有はありえない。したがって，相手が死亡した後，死者から物を取る意思で取った場合には，占有侵害の事実も意思も存在せず，窃盗罪にはならない（254条の占有離脱物横領罪になる）のが原則である。しかし，最高裁判所は，(Case 188)のような行為者本人が死亡させた直後に領得意思を生じて，その場で被害者の身に付けているものを奪取するような場合は，生前からの財物の所持を死亡直後においてもなお継続的に保護するのが法の目的にかなうとして，窃盗罪の成立を肯定した（最判昭和41・4・8刑集20巻4号207頁）。

3 行　為

1 窃　取

　窃盗罪の実行行為は，「窃取する」ことである。「窃」の字が使われているが，とくに「ひそかに」という意味を強調する必要はない。公道で衆人環視の下にひったくって行っても窃取である。むしろ，占有者の意思に反してその占有を侵害することが重要である。そこで，窃取とは，「他人の占有を侵害し自己または第三者の占有に移すこと」と定義できる。もっとも，その手段として暴行・脅迫が用いられれば強盗罪（236条）になるし，相手の本意ではない意思で交付させる形になっていれば詐欺罪（246条）や恐喝罪（249条）になるから，「暴行・脅迫の手段を用いず，かつ，占有者の意思によらない」といった限定が必要になる。このように窃盗罪は，占有を侵奪する形態の一般類型であって，ほかの類型にあてはまらないものが広く含まれる。

2 着手時期

　窃取には多様な場合があるので，着手時期についても若干の問題がある。実行の着手に関する実質的客観説の立場からは，「事実上の支配を侵害することと密接な関係のある行為の開始時」だと解することになる。住居に侵入して窃盗をす

る場合に，窃取の客体をみつけてそれに手を伸ばすような行為があれば，窃取行為が開始されたことに間違いはないが，もう少し前の段階で，占有侵奪の危険性は現実的になると思われる。たとえば，住居侵入の時点ではまだそのような危険は認められないとしても，金目の物がないか物色するため，通常金品が保管されていると思われるもの（商店のレジとか民家のたんすなど）に近づいたならば，その時点で着手を認めることができるであろう（⇒ p.70 の *1*）。なお，キャッシュカードすり替え型の窃盗罪につき，最決令和4・2・14（刑集76巻2号101頁）参照。

3 既遂時期

窃取は，他人の支配を侵奪し新たな事実的支配を設定することを内容とするから，他人の占有を侵害して自己または第三者の事実的支配の下に移したときに既遂を認めるのが妥当である。この見解は取得説と呼ばれ，通説・判例である。このほか，客体に接触したときとする接触説，場所を移したときとする移転説，容易にみつからないようにしたときとする隠匿説も主張されたが，いずれも現実的ではない。もっとも，取得説を採用するとしても，具体的事案ごとに諸事情を考慮する必要がある。

> **Case 189**
> Xは，窃盗する意思でA商店からダンボール箱入りのパソコン6台を運び出して，店にめぐらせてある柵の外に持ち出したところ，警備員に発見されたため，箱をその場におき捨てて逃走した。
>
> **Case 190**
> Xは，Yと共謀して鉄道で運搬中の荷物を奪おうと企て，走行中の鉄道貨車からYが待機している付近で積荷を列車外に突き落とした。
>
> **Case 191**
> Xは，スーパーマーケットの店内で，買物かごに入れた商品をレジで代金を支払うことなく持ち帰ろうと考え，店員の監視の隙をみて，レジの脇からその買物かごをレジの外側に持ち出し，これをカウンター（サッカー台）の上において，備付けのビニール袋に商品を移そうとしたところ，店員に取り押えられた。

Case 189に類似した事例で，最高裁は，窃盗罪が既遂になるためには，必ずしも自由に処分できる安全な場所におくまでの必要はないとして，柵外に持ち出したところでAの支配を排除してXの支配下に移したものと認めるべきであると結論

> した（最判昭和23・10・23刑集2巻11号1396頁）。Case 190 は，最判昭和24・12・22刑集3巻12号2070頁の事例で，鉄道地理に詳しいXが共犯者（Y）の待っている近辺に対象を突き落とした以上，Xらの支配下に移したものといえるとした。いずれも，事実上の支配という観点からの判断として，妥当だと思われる。Case 191 は，下級審裁判例の事案（東京高判平成4・10・28判タ823号252頁）であるが，裁判所は，「被告人がレジで代金を支払わずに，その外側に商品を持ち出した時点で，商品の占有は被告人に帰属し，窃盗は既遂に達する」とした。レジの外側に出ると，「代金を支払ってレジの外側へ出た一般の買物客と外観上区別がつかなくなり，犯人が最終的に商品を取得する蓋然性が飛躍的に増大すると考えられるから」である。

4 不法領得の意思

1 「書かれざる要件」　窃盗罪も故意犯であるから故意が必要であるが，そのほかに書かれざる主観的要件として「不法領得の意思」が必要だとするのが判例である。故意は，構成要件該当事実の認識・認容であるから，窃盗罪の場合には，他人の財物という客体，自己の行為がその客体に対する他人の事実的支配を排除して自己または第三者の事実的支配に移すものであることの認識・認容が故意の内容である。これに対し，不法領得の意思とは，権利者を排除し他人の物を自己の所有物と同様にその経済的用法に従い使用または処分する意思である。判例は，古くから，このような不法領得の意思を領得罪の成立要件としてきたのである（大判大正4・5・21刑録21輯663頁）。

その理由は大別して2つある。まず，一時拝借したというような場合は，事実的支配が設定されたとしても物の窃取とまではいえず，ある程度終局的に客体を取得する意思が必要だと考えられる。他人の家に保管されている自転車を1時間使って元に戻しておいたような場合，たしかにその1時間は事実的支配が移転したのではあるが，物を「盗んだ」というより，「利用した」のであって，窃盗罪にはあたらないように思われる。いわゆる使用窃盗は不処罰にするということである。もう1つは，領得罪と毀棄罪とを区別するためである。同じく財物を奪取することの認識・認容があっても，相手の持ち物を奪って壊してやろうと思っているときには，器物損壊罪の問題になる。窃盗罪と区別しなければ，器物損壊罪の成立範囲は的確なものにはならないであろう。

2 内　容　そこで，不法領得の意思は，①権利者排除意思と，②利用・処分意思とから構成される。権利者排除意思は，たとえば，他人の財物につき自分が所有者であるようにふるまう意思である。完全に所有者を排除するつもりでは

ない使用窃盗の場合には、不法領得の意思が欠けることを理由に窃盗罪の成立が否定される。もっとも、裁判所は、「永久的にその物の経済的利益を保持する意思であることを必要としない」とする立場をとっている。しかし、一時的とはいっても財物に損傷が生じることは否めず、短時間でもその間は権利者を完全に排除しているのだから、不法領得は存在するとも考えられる。最近では、使用窃盗の問題は相対的に重要視されていないように思われる。

補論　**使用窃盗と可罰的違法性**
　使用窃盗が処罰されない理由は、短時間の使用で侵害される法益がわずかであることではないかとも考えられる。軽微な法益侵害は、処罰に値するほどの違法性がないとする思想は、可罰的違法性（⇒ p. 136 の **2**）という理論枠組で説明される。もっとも、そもそも可罰的な違法性とそうでない違法性とを分けることに伴う理論的問題があるし、実際にも軽微かどうかは多分に感覚的な部分がある。

Case 192
　Xは、海岸に繋留してあったA所有の船に勝手に乗り込み、対岸に着いたら乗り捨てるつもりで、岸から50メートルほどの海上まで漕ぎ出した。

Case 193
　Xは、後で元の場所に戻しておくつもりで、Aに無断で駐車場からA所有の普通乗用自動車（時価約250万円相当）に乗って走り出し、4時間街中を乗り回した。

　いずれも、客体そのものを自己のものにしようとは考えていなかった場合であるが、不法領得が認められた（*Case 192* については、最判昭和26・7・13刑集5巻8号1437頁、*Case 193* については、最決昭和55・10・30刑集34巻5号357頁を参照）。権利者を排除する時間がそれほど長くなくとも、不法領得の意思が肯定されている。

3　「用法」の問題　利用・処分意思は、領得罪と毀棄罪との区別の観点から必要とされるであろう。ただし、判例が「経済的用法」に従って利用・処分する意思であると定義している部分には注釈が必要である。ふつう財産的価値は、その物の用法に従って使用したときに役立つからこそ認められる。移動手段として作られた自動車は、移動するために使われて価値を発揮する。時計は時を計る機械として価値がある。そのように使う意思こそが「経済的用法」に従って利用する意思のはずである。もちろん、外国産高級自動車やブランド物の高価な時計には、その外形やあるいはステータス・シンボルとしての価値も伴っているから、そこまで含めてもよい。しかし、用法がそのような場合に限られるとしたら、た

とえば，自己の性欲を興奮・満足させる意思で下着泥棒が行われたときには，不法領得の意思が否定されてしまう。これは不都合であろう。そこで，客体から，何らかの利益を引き出す意思，といった緩和された内容として理解すべきだともいわれている。

他方で，不法領得の意思の内容が希薄化すれば，要件としての意味も薄れるのはやむをえない。また，そもそも「書かれていない」のであるから，不法領得意思を独自の構成要件要素とする必然性がないという考え方も有力ではある。とはいえ，不法領得の意思が必要とされる理由が，毀棄・隠匿の目的による占有奪取の場合を窃盗罪と区別するためであること，刑法が窃盗罪と毀棄罪の法定刑に差を設けている主たる理由は，犯人の意図が物の効用の享受に向けられる行為は誘惑が多く，より強い抑止的制裁を必要とするからだと考えられることなどを考慮すると，財物から生ずる何らかの効用を享受する意思を必要とすると解することには，依然として意味があると思われる。

情報の保護と不法領得の意思

「情報」自体は窃盗罪の客体にあたらず，情報を定着させた「媒体」（たとえば書類，電子データの記録媒体など）が財物であると解するのが通説・判例である。財産上の利益と区別するためにも，現行法上，財産的価値を有する情報そのものは財物ではないと解するほかはない。ただし，企業秘密などのもつ積極的・消極的な財産的価値は明らかであって，健全な競争という観点からも保護の必要性は否定できない。実際，不正競争防止法21条（罰則）には，企業情報そのものの窃取に相当する類型が規定されている。また，意匠・商標や，著作権，特許権のような形をとっている財産権の場合には，それぞれを保護する趣旨で情報の保護がなされていると解される。

情報に関して刑法が財物としての保護を与える場合にも，不法領得の意思が認められるかが問題になることが多い。いわゆる新薬産業スパイ事件（東京地判昭和59・6・15判時1126号3頁，東京地判昭和59・6・28判時1126号6頁）において，多額の費用を投入して開発した新薬に関する情報が記載された書類ファイルを複写目的でひそかに取り出し，これをコピーしてファイルを元に戻しておいたような事例で，不法領得の意思が認められた。ファイルを元に戻すつもりであって自己に領得する意思ではなかったとみられるほか，書類の複写がその「経済的用法」にあたるかが問題である。裁判所は，資料の経済的価値が情報の有用性・価値に依存する以上，資料の内容をコピーして情報を獲得しようとする意思は，権利者を排除し，権利者を排除し自己の物と同様にその経済的用法に従って利用する意思である，とした。しかし，そうすると，結局，情報を獲得する意思が媒体である財物を領得する意思だと解されているように思われる。これは結果的には情報窃盗を処罰しているともいえるので，現行法解釈の枠内でこのような扱いが妥当であるかどうかには疑問が残る。

3　不動産侵奪罪（235条の2）

1　不動産侵奪罪の意義

　不動産侵奪罪は，不動産に対する窃盗に相当する類型である。不動産には可動性がなく，占有侵奪行為を適切な範囲で窃取概念に含めることに難があることから，とくに別類型を設けたものである。状態犯という性質も窃盗罪と同様である。法定刑は10年以下の拘禁刑（懲役）のみで，不動産の性質上，軽微な侵害を考慮する必要性がないため，罰金刑は規定されていない。なお，このような本罪の位置づけの反面として，窃盗罪の客体からは不動産が除かれる。

2　客体・行為

　客体は，他人の占有する不動産である。不動産は，土地およびその定着物（民86条1項）であって，建物の各部屋，地下室などの部分を客体とする場合も含まれる。占有とは，窃盗罪と同様，不動産に対する事実上の支配を意味する。

　行為は，不動産の性質に応じて「侵奪」とされている。侵奪とは，不動産に対する他人の占有を排除して自己または第三者の支配下に移すことである。事実上の支配の移転が必要であるから，登記名義の変更や，賃貸借期間終了後退去しないなどの場合には，侵奪ではない。とくに新たな支配設定の外形がなくとも，占有状態の質的変更が行われた場合には侵奪とされる。土地の利用権限を超えて大量の建築廃棄物を堆積させて原状回復困難な状態にした場合（最決平成11・12・9刑集53巻9号1117頁），公園予定地の一部を無断で利用するのを黙認されていた者が簡易建物を建てた場合（最決平成12・12・15刑集54巻9号923頁），簡易施設を本格的店舗に改造した場合（最決平成12・12・15刑集54巻9号1049頁）などに，侵奪が認められている。

　侵奪の認識・認容があれば故意が認められるが，本罪においても不法領得の意思が必要だというのが通説・判例である。継続的に占有を奪う意思が必要であり，たとえば家屋を壊すために占有を取得するなどの場合には，不動産侵奪罪の成立が否定されることになる。下級審判決例であるが，トタン塀の囲いをした建築資材置場を作って黙認されていた者が，容易に除去できない半永久的な工作物であるコンクリートブロック塀を作って堅固な倉庫とした事件で，占有を継続的に奪う意思をもっていたと認めたものがある（大阪高判昭和42・5・12判時490号74頁）。

4 親族間の犯罪に関する特例（244条）

1 親族の意義

244条の規定は，「親族相盗例」と呼ばれてきたもので，窃盗罪・不動産侵奪罪（またはそれらの未遂罪）に関する特例である。1項では，「配偶者・直系血族・同居の親族」相互の犯罪については，必要的に刑を免除すること，2項では，1項以外の親族相互の犯罪については，親告罪（⇒p.305 用語解説）とすることが規定されている。親族の意義は，民法（725条以下）によって決まる。配偶者とは，婚姻関係にある者のことで，内縁関係にある者は含まない（最決平成18・8・30刑集60巻6号479頁）。同居とは，同一の住居で生活を共にしていることである。

「刑の免除」は，犯罪の成立を前提に政策的観点から刑罰を科さないことにしたもの（有罪判決になる）であって，この特例は，一身的刑罰阻却事由（人的処罰阻却事由とも呼ばれる）を定めたものと解される。3項で共犯への適用が排除されていることも，特定の身分関係に基づく一身性を示している。

なお，家庭裁判所から選任された未成年後見人（民839条以下）が業務上占有する未成年被後見人所有の財物を横領した場合，未成年後見人と未成年被後見人との間に親族関係があっても，その後見事務は公的性格を有するものであるとして本条を準用しなかった判例（最決平成20・2・18刑集62巻2号37頁）がある。

2 刑の免除とその根拠

刑の免除の根拠としては，「法は家庭に入らず」という政策が挙げられるのが一般的である。しかし，そもそも法律的な根拠なく刑の免除を認める特例が不合理である上，政策としても十分な説得力を有するかは疑問である。そこで，本条は可罰的違法性阻却事由ないし可罰的責任阻却事由の規定だとする見解も有力である。たしかに，家族共同体の内部という事情が行為者の反規範的意識を低減させ，同居に伴う日常生活の一体性などにより，その内部における財産侵害の違法性・有責性はある程度軽減されるであろう。しかし，2項は同居を前提としない形式的な要件であるから，親告罪としての扱いを超えて刑の免除を基礎づけるような根拠は認められないと思われる。結局，立法論としては問題が残るということになる。

なお，親族関係は，窃盗罪等の犯人と，財物（不動産）の所有者・占有者の両

者との間に存在することを要するのが判例（最決平成6・7・19刑集48巻5号190頁）である。窃盗罪の保護法益が本権の裏づけが推定されるような平穏な占有であると考えられること，親族相盗例が犯罪成立にもかかわらず刑を免除する場合を含む例外的な規定であること，などを考慮すると，犯人が所有者・占有者の両方と親族関係にある場合に限るのが妥当である。また，たとえ犯人が親族関係を誤解していた場合にも，犯罪成立要件は完全に充足され，故意の存否に影響しないとみるべきである。

6 盗品等に関する罪, 器物損壊等の罪

1 盗品等に関する罪

1 保護法益と罪質

1 追求権説

　盗品等に関する罪（以下,「盗品等関与罪」という）は, 財産罪にあたる行為によって得られた物（盗品等）について, その収受や保管などの形で事後的に関与する犯罪類型である。先行する財産罪にあたる行為を行った者またはその犯罪を, 盗品等関与罪との関係で「本犯」と呼ぶ。

　盗品等関与罪は, 本犯者の役に立つ行為を本犯犯罪の終わった後に行うことを内容とするものである。事後従犯といわれることもあるが, 事後的に関与したことによって本犯が惹き起こされたり促進されたりするものではないので, 62条以下に規定のある本来の従犯（⇒ p.222 の **2**）とは異なる。

　盗品等関与罪の保護法益は, 盗品等に対する被害者の追求権であるとするのが判例（大判大正11・7・12刑集1巻393頁）であり, 通説は基本的にこれを支持している。たとえば, 一般的には, 盗品等を運搬する行為は盗品等関与罪にあたる（256条2項）けれども, 盗品等を本犯の被害者のもとに運ぶ行為は, 本犯被害者の被害物に対する追求権を侵害するものではなく, むしろ回復方向に進めることになるから, そもそも法益侵害がないと考えられる。もっとも, 本犯の被害者のもとに返されても, 正常な回復とは認められない場合には盗品等運搬罪は成立しうるとするのが一般的な理解である（なお, p.352 の *Case 194* ・ *Case 195* 参照）。

　追求権の実体は, 所有権に基づく返還請求権が典型であるが, 本犯自身の所有物に対しても財産罪が成立する（242条・251条・252条2項）以上, それだけに限られるものではない。本犯の被害回復権限が合理的な範囲で保護されるということになる。

2　違法状態維持説

追求権説に対し，盗品等関与罪は，本犯によって生じた財産権侵害という違法状態を維持継続させることがその本質であるとする違法状態維持説があった。これは，違法状態を事後的に維持継続させること自体に独立した違法性を見出すものである。平成7（1995）年の改正以前の文言では客体が「贓物」とされていたので，この中に違法に得られた財物をすべて含める解釈も可能であった。しかし，「盗品その他財産に対する罪に当たる行為によって領得された物」とする現行法の規定からは，本罪も「財産権に対する侵害」として構成することが求められることになろう。追求権説が妥当である。

ただし，保護法益の形で対象化するのはしづらいところがあるが，本罪が財産に対する罪にあたる本犯に事後的に寄生する犯罪であり，事後的関与を通じて相互に利益を交換することも，少なくとも処罰根拠として考慮されてきた。すなわち，事後に本犯者の利益に関与したり本犯の犯行を事後的に助長したりすることは，刑罰をもって禁止する必要性があるというわけである。

> ### Case 194
> Xは，Aから，盗難されたミシンを取り返してもらいたいと依頼され，窃盗犯人Bと交渉し，ミシンを取り戻してA方まで運搬したが，Bの要求に応じてAに多額の金銭を出させた。
>
> ### Case 195
> Yは，Cから，D社から奪った約束手形の一部をD社関係者に売りつけることを持ちかけられ，それらが盗品であることを知りながら，D社関係者と買取条件を交渉し，手形額面金額の15％にあたる金額と引換えに，窓口となったD社の子会社に売却した。

Case 194では，「追求権」ないしその行使が損なわれているわけではなく，盗品の回復交渉および運搬の報酬が支払われただけだと解することが可能だが，最高裁は，「本件贓物の運搬は被害者のためになしたものではなく，窃盗犯人の利益のためにその領得を継受して贓物の所在を移転したものであって，これによって被害者をして該贓物の正常なる回復を全く困難ならしめたものである」とした原審判断を支持し，盗品等運搬罪の成立を認めた（最決昭和27・7・10刑集6巻7号876頁）。

Case 195の事例では，Yのあっせんにより盗品が本犯被害者に戻った（買戻したが，額面よりは安かった）のであるが，「盗品等の有償の処分のあっせんをする行為は，窃盗等の被害者を処分の相手方とする場合であっても，被害者による盗品等の正常な回復を困難にするばかりでなく，窃盗等の犯罪を助長し誘発するおそれのあ

る行為であるから，刑法256条2項にいう盗品等の『有償の処分のあっせん』に当たると解するのが相当である。」(最決平成14・7・1刑集56巻6号265頁)とされた。

> [補論] **保護法益と処罰根拠**
>
> 　盗品等関与罪の保護法益は，ここでも「追求権」という観念的権利と捉えるよりは，「追求の可能な状態」の保護だというべきであり，そうすると「追求権」自体は侵害されていないようにみえても，本来存在すべき「追求可能状態」が追求困難な方向に悪化した場合には，やはり法益侵害が肯定されることになる。判例が「正常な」回復を問題にするときにも同様の考慮がなされているといえる。
>
> 　また，法益保護は処罰根拠の中心であるが，刑法の機能を人の意思決定に働きかけて法益侵害的行為から遠ざけることによる法益侵害の防止と捉える立場（いわゆる行為無価値論）からは，盗品等関与罪が本犯助長的・事後共犯的（利欲犯・本犯幇助・犯人庇護）性格を有することも考慮される必要があろう。それは，256条2項の行為の方が1項の場合より重く処罰されている理由でもあると考えられる。

2　盗品等関与罪（256条）の犯人と「盗品等」の意義

　盗品等関与罪の主体は本犯以外の者である。本犯の正犯（共同正犯を含む）自身が行ったときは，本犯との関係で共罰的事後行為となる。

　客体は，条文にあるとおり，盗品その他財産に対する罪にあたる行為によって領得された財物であるが，追求権説を前提とすると，被害者が法律上それを追求することができるものである必要がある。即時取得（民192条）された物，加工（民246条）により原所有者の所有権が失われた物，不法原因給付物（民708条）であって返還請求ができない物などは除かれる。ただし，即時取得については民法193条の例外がある。また，不法原因給付物についても本犯の成立が認められる限りで盗品等関与罪の前提である追求権は存在すると解する余地がある。これは，刑法上の要件を民事財産関係に従属して考えるか，刑法独自の要保護性を独立して考慮するかにより，立場が分かれる。

　「財産に対する罪」とは，いわゆる財産罪のことである。盗品等関与罪そのものも財産罪である。財産罪以外の犯罪によって得た物，たとえば収賄罪にあたる行為によって得た賄賂などは除かれる。なお，「罪に当たる行為」とは，構成要件に該当し違法であることと解されている。本犯が犯罪として成立している（実体法上処罰可能である）必要はないとの趣旨であり，責任の不存在や処罰阻却事由の存在（たとえば244条のいわゆる親族相盗の場合。最判昭和25・12・12刑集4巻12号2543頁）のため本犯が処罰されない場合にも，盗品等関与罪は成立する。

「領得された物」であるから，本犯は既遂に達している必要がある。「領得」という文言は，いわゆる領得罪に限る趣旨ではなく，財物を領得する形態の財産犯である限り，背任罪による場合も含まれるであろう。

なお，盗品性は構成要件に記述された客体の属性であるから，故意における認識対象となる。盗品等であるという事情を知って行為する必要がある。

Case 196
Xは，Aが盗んできた衣類を買い受けたが，その際，Aはそれが盗品であることを明言しなかった。しかし，Xは，最近各地で衣類の盗難があることや，Aの「早く処置しなければならない」との発言とその風体などから，あるいはA自身が盗んだ物を売りに来たのではないかと思った。

Case 197
Yは，Bが盗んできた物を，Bから依頼されて，それが盗品だとは知らずに自宅で保管を始めたが，しばらくして盗品ではないかと思うに至った。しかしYは，そのままそれを保管し続けた。

盗品性の認識は，故意に関する一般論に従い，未必的なもので足りる（最判昭和23・3・16刑集2巻3号227頁）。*Case 196*のように諸事情から「あるいはそうではないか」と思いつつあえて買い受ければ，有償譲受罪が成立する。

*Case 197*では，盗品等関与罪の性質を考える必要がある。無償（有償でも同じ）譲受のように，盗品等の支配状況の変更そのものを内容とするときは，状態犯と考えられる。これらは情を知った上で行為する場合でなければ犯罪は成立しない。これに対し，保管罪（運搬も同じ）は，ある程度，継続的に行われる行為が想定されており，その行為によって行為の間に限り法益侵害が存在する継続犯であると考えられる。そうすると，保管を始めた時点で故意がなかったとしても，故意が認められた以降は，ただちに返却等が不可能な場合のほかは，保管罪が成立するということになろう（最決昭和50・6・12刑集29巻6号365頁）。もっとも，盗品等が移転すること，保管状況が変わること自体が構成要件該当行為における主要部分だとして，運搬・保管の開始時に故意を要求する説も有力である。

追求権の対象は，盗品等そのもの，本犯の直接の客体に限る。したがって，盗品を売却した代金は含まれない。ただし，代替物である金銭については，両替がなされたにすぎない場合は依然として客体であることを失わないとする判例（大判大正2・3・25刑録19輯374頁）がある。また，盗品である小切手が換金された場合は，換金時に詐欺罪となり，詐欺罪にあたる行為によって得た金銭として客体となると解される。

3 盗品等関与罪の行為態様

　盗品等無償譲受罪（256条1項）と，盗品等運搬・保管・有償譲受・有償処分あっせん罪（同条2項）とに分けて規定されている。1項の法定刑は3年以下の拘禁刑（懲役），2項のそれは10年以下の拘禁刑（懲役）および50万円以下の罰金となっている。無償譲受行為だけ別に軽い法定刑が規定されているのは，本犯助長的性格が相対的に弱いことが理由であろう。2項の行為類型が1項より加重されている根拠は，本犯による利益獲得，維持・拡大のためにより積極的に関与するものであることだと考えられる。2項では，自由刑と罰金刑を併科することとされており，刑法典の犯罪では例外的である。これも本犯を利する行為であることに対応している。

　「無償譲受」とは，代価なく事実上の処分権を取得することで，贈与，無利息消費貸借に基づいて交付を受けるなどの形で行われる場合がその例である。

　「運搬」とは，委託を受けて盗品等を場所的に移転させることで，有償無償を問わない。たとえば，玄関から居間まで運ぶ場合のようにごく短距離の移動は含まれないであろうが，運搬に含まれるかどうかの判断基準としては物理的な遠近が決定的なのではなく，追求・回復に影響を及ぼす程度のものであるかどうかが重要である。先にみたように，被害者のもとに運搬する行為は，追求権説からは犯罪不成立となるはずであるが，p. 352 の *Case 194*・*Case 195* のように「正常な回復」に影響するときには運搬罪の成立が認められる。

　「保管」とは，委託を受けて盗品等を保管することで，これも有償無償を問わない。寄託，質物としての受領，貸金の担保としての受領などの形をとる場合もこれにあたる。なお，保管途中から盗品性の認識を有するに至った場合に関しては，前掲 *Case 197* 参照。

　「有償譲受」とは，有償で取得することで，売買・交換・債務弁済・代物弁済・利息付消費貸借などの名義で取得するような場合がそれである。転売を受ける場合で代金の具体的取決めがない場合にも成立する（最判昭和24・7・9刑集3巻8号1193頁）。

　「有償処分のあっせん」とは，有償的な法律上の処分を仲介することであり，あっせん自体の有償無償（報酬を得るか否か）は問わない。盗品等の買主をみつけてやる行為が典型的である。未遂処罰規定がないため，あっせん行為が未遂に終われば犯罪不成立となる。有償処分あっせん罪の既遂時期については議論がある。

判例は，売買等の媒介事実があれば媒介した売買契約等の成立は不要であり，あっせん行為自体が行われれば本犯の助長・誘発の危険があるのだから，それだけで既遂になるとする（最判昭和26・1・30刑集5巻1号117頁）。しかし，本罪の他の行為態様が客体の移転をその内容として含むことから有償処分あっせん行為においても何らかの形で客体の移転まで必要だとする説，有償処分あっせん行為においては売買の相手方をみつけて売買契約に至るような場合があるから移転までは必要でないが契約の成立は必要だとする説もある。

| 補論 | **有償処分のあっせんの既遂時期**
有償処分のあっせん行為は，それ自体がすでに追求を困難にする性質を帯びているが，譲受ほどに終局的な移転を伴うものではない。他方，本犯助長的性格は，無償譲受や保管よりむしろ強いといえる。そこで，本犯助長性を考慮しつつ，追求権説の観点からも十分に追求権侵害が現実化した時点として，あっせんした契約の成立は必要だが引渡しは不要とするのが妥当だと思われる。|

本犯を教唆した者について，さらに盗品等関与罪で処罰することは可能である。窃盗を教唆した者がその窃盗犯人から盗品を有償で譲受けたときは，窃盗教唆罪と盗品等有償譲受罪とが成立する。なお，判例（最判昭和24・10・1刑集3巻10号1629頁）は両罪を併合罪とする。

4 親族等の間の犯罪に関する特例（257条）

257条は，244条の規定（親族相盗例）に類似する。親族相盗例が「法は家庭に入らず」という政策的規定であるとするならば，本犯と盗品等関与罪の犯人とが登場する本条の場合には，その両者と本犯の被害者との間に親族関係が存在することが必要になる。しかし，もしそうなら，立法技術的には251条などと同様に244条を準用するはずである。また，親族相盗例が類型的期待可能性の問題だとしても，本犯被害者と本犯犯人との関係を超えて，本犯被害者と盗品等関与罪犯人との関係でも期待可能性が低下するとまではいえないであろう。実際，本犯被害者から盗品等関与罪犯人までの三者に親族関係がある場合は，むしろ偶然というべきだと思われる。

したがって，本条は，親族相盗例とは性格を異にする政策により刑の免除を認めた規定だと解される。盗品等関与罪の犯人庇護罪的性格が重視され，この関係で期待可能性が考慮されたものとするのが妥当であろう。つまり，本条にいう親族関係は，本犯と盗品等に関する罪の犯人との間の親族関係を意味することにな

る。ただし，本条の規定は効果として刑の免除を定めているので，一身的処罰阻却事由であると解する。

なお，通説・判例（最決昭和38・11・8刑集17巻11号2357頁）は，盗品等関与罪犯人相互間に親族関係がある（たとえば，買い受けた者とそれを運搬した者とが親族である）場合には，本条の適用を認めない。これに対し，文理および類型的期待可能性の点で盗品等関与罪犯人相互も本犯と盗品等関与罪犯人との間でも異なることはないとして，刑の免除を認める立場もある。

2 毀棄および隠匿の罪

1 保護法益

258条以下には，物的財産の価値を直接に損なうことを内容とする犯罪類型が規定されている。総称して器物損壊罪と呼ばれることもあり，これらの罪が，領得罪に対して毀棄罪と分類されることはすでにみた（⇒p.330の**3**）。毀棄罪は領得罪の場合とは異なり，その保護法益は所有権その他の本権である。もっとも，公用文書等毀棄罪（258条）は，私用文書毀棄罪（259条）より重く処罰されることから，二次的には「公務」を法益に含むと解される。なお，262条により，自己の物であっても他人の財産権に関係するときには，259条・260条・261条が適用される。また，私用文書毀棄罪・器物損壊罪（261条）・信書隠匿罪（263条）は親告罪とされている（264条）。

2 公用文書等毀棄罪（258条）

公務所の用に供する文書・電磁的記録を客体とする。判例によると，黒板に書かれた詫び文言（最判昭和38・12・24刑集17巻12号2485頁），違法な取調べにおける供述録取書（最判昭和57・6・24刑集36巻5号646頁）も客体に含まれる。

行為は「毀棄」である。文書の効用を害する一切の行為と定義されている。したがって，物質的毀損に限らず，さらには「隠匿」その他の方法によってその文書を利用することができない状態におくことをも含むと解するのが判例（競売記録を隠匿する行為を本罪にあたるとした大判昭和9・12・22刑集13巻1789頁）である。

3 私用文書等毀棄罪（259条）

客体は，権利義務に関する他人の文書・電磁的記録である。行為は258条の場

合と同じ「毀棄」で，隠匿が毀棄に含まれることも同様である（最決昭和44・5・1刑集23巻6号907頁）。

4 建造物等損壊罪・建造物等損壊致死傷罪（260条）

　本罪は，他人の建造物または艦船を客体とする毀棄罪である。建造物とは，「家屋その他これに類似する建築物であり，壁または柱で支持されて土地に定着し，少なくともその内部に人が出入りできるもの」をいう。建造物以外の器物損壊罪との区別基準については，毀損しなければ取外しができない場合は建造物の一部とみなされる。破壊せずに容易に取り外すことのできる障子，ふすま，雨戸のようなものは，これを損壊しただけなら，建造物でなく器物の損壊となる。ただし，取り付けられた物が建造物損壊罪の客体にあたるか否かは，当該物と建造物との接合の程度のほか，当該物の建造物における機能上の重要性をも総合考慮して決すべきあるから，住居の玄関ドアは，それが適切な工具を使用すれば損壊せずに取外し可能であるとしても，建造物損壊罪の客体にあたるとされる（最決平成19・3・20刑集61巻2号66頁）。

　行為は「損壊」である。物の効用を消滅・減少させる行為と定義される。本罪の客体は，その記載内容に意味がある文書毀棄罪の客体とは異なり，物体としての効用が問題になっていると思われるので，物理的損壊に限るとする解釈も成り立つが，判例は必ずしも物質的毀損に限らないとしている。ただし，明示的に隠匿の方法による損壊を肯定しているわけではない。

　判例上問題になったのは，建造物へのビラ貼りが損壊にあたるかである。たとえば，建造物損壊が肯定された例には，数百・数千枚のビラを貼り付ける行為（最決昭和41・6・10刑集20巻5号374頁）がある。たしかに，このような貼り方をすれば窓からの採光など建造物の効用に影響することもありうる。争議手段として約30枚のビラを糊で貼付した例（最決昭和43・1・18刑集22巻1号32頁）でも損壊が認められたが，この事例ではそのような意味で損壊といえるかは疑問である。公園内の公衆便所外壁にラッカースプレーでペンキを吹き付けて「反戦」などと大書した場合，建物の外観・美観を著しく損ない，一般の利用に供することができず，原状回復も相当困難であるなどの事情を考慮して，建造物損壊罪の成立を認めた判例（最決平成18・1・17刑集60巻1号29頁）もある。これらを総合すると，採光を含めた建造物の実際的・実用的効用だけでなく，建造物の美観に担われた効用が考慮され，外観が著しく損なわれたときには損壊を認めるという方向がみて

とれるように思われる。

なお，建造物の「他人性」が問題となった最決昭和61・7・18刑集40巻5号438頁では，客体の権利関係が不確実であるとき，「他人の所有権が将来民事訴訟等において否定される可能性がないということまでは要しない」とされている。学説上は，犯罪の成否は民事的財産関係に従属して考慮されるべきか，独立して考慮されるべきかという点が争点になり，それぞれの立場から議論がある。

建造物等損壊致死傷罪は前段の罪の結果的加重犯である。

5 器物損壊罪（261条）

本罪は，いわば毀棄罪の一般法であり，他の毀棄罪類型に当てはまらないものを補充的に処罰する。

客体は，258条〜260条までに規定する客体以外の物である。物には動物を含むし，不動産も含まれる。法令上違法とされる物も客体になりうる。

行為は，「損壊」・「傷害」とされている。物の効用を失わせる行為一般をいい，物質的毀損に限らない。傷害は，動物を客体とする場合である。判例では，心情的に使用不可能にする場合（食器に放尿した例に関する大判明治42・4・16刑録15輯452頁）や，飼育されている池の鯉を流出させるような場合（大判明治44・2・27刑録17輯197頁）も損壊・傷害とされている。

6 境界損壊罪（262条の2）

235条の2の不動産侵奪罪と同時に新設された規定で，毀棄罪というよりは，土地の権利関係の明確性を保護する性格が強い。実際，客体には他人性が要求されていない。

「境界標」は，権利者の異なる土地の境界を示すために土地に設置された標識等であり，それを損壊・移動・除去するなどの行為は例示である。その他，「土地の境界」を認識することができなくする行為はすべて本罪に該当する。また，土地の境界が認識できなくなるという「結果」の発生が必要である。したがって，別の方法で土地の境界が認識可能であるときには，いまだ本罪は成立せず，器物損壊罪の成否が問題になるにすぎない。

7 信書隠匿罪（263条）

本条の客体は，他人の信書で，133条の場合と同様であるが，封がしてある必

要はない。

　行為は,「隠匿」である。信書の発見を不能または困難にすることとされており,信書毀棄の場合を含むことになる。

　上でみたように,判例（通説もそうである）では,毀棄罪一般において毀棄も隠匿も効用侵害の点で共通し,実質的に両者の相違がなくなっており,信書隠匿罪は信書毀棄罪を意味することになる。しかし,信書も本来は器物の一種であるから,信書隠匿罪は,器物損壊行為のうち信書を客体にする場合だけとくに軽く処罰するものだと解することになる。通説は,その理由として信書の財産的価値が低いことを挙げる。しかし,信書は財産というより伝達手段としての意味に重要性があるというべきであろう。また,法文上の用語が違うことは事実である。そこで,信書による伝達が一時的に妨げられる場合に限って信書隠匿となると解することにより,隠匿概念を限定する考え方が有力になっている。

　このほか,一般的に,毀棄とは物理的損壊であると解して隠匿とを区別し,信書については隠匿までが処罰対象になっていると解する説,あるいは,単純に処罰のバランスの観点から,信書毀棄行為は261条の器物損壊罪となるとする説もある。

7 強盗・恐喝の罪

1 強盗罪

1 強盗罪の意義

　強盗罪（236条）は，刑法上，窃盗罪と同じ章（刑法典第2編第36章）に規定されている。窃盗罪と同じく，奪取罪であり盗取罪である。ただ，暴行または脅迫を手段とし，かつ，財物（同条1項）だけでなく財産上の利益（同条2項）も客体とする点において，後に説明する恐喝罪（249条）と共通する（一般に，財物を客体とするものを1項犯罪，財産上の利益を客体とするものを2項犯罪という）。暴行または脅迫と財物奪取（窃盗）という独立して罪となる2つの行為が結びついた結合犯である。基本的な強盗罪の他に，周辺的な行為が類型化され，処罰の対象とされており，強盗と同様に取り扱われる準強盗罪（238条・239条。財物のみを客体とする）に加えて，致死傷結果や強制性交等との結びつきを要件として重く処罰する類型（240条・241条）が存在する。また，これらの罪について未遂を処罰する（243条）だけでなく，強盗予備を処罰する（237条）。窃盗罪とは異なり，親族間の犯罪に関する特例（244条）の適用がないことに注意すべきである。

2 1項強盗罪（236条1項）

1 暴行・脅迫

　236条1項は，「暴行又は脅迫を用いて他人の財物を強取した者は，強盗の罪と」する。暴行・脅迫は，それが規定されている構成要件によって，要求される程度が異なりうるが，強盗罪にいう暴行・脅迫とは，相手方の反抗を抑圧するに足りる程度のものでなければならない。判例は，社会通念上一般に被害者の反抗を抑圧するに足る程度のものであるかどうかという客観的基準によって強盗罪となるか恐喝罪となるかが決定されるとする（最判昭和24・2・8刑集3巻2号75頁。ただ，このような基準によると，社会通念上一般に被害者の反抗を抑圧するに足る程度に至らない暴行・脅迫によって，被害者が反抗を抑圧された場合でも恐喝罪しか成立しない

ことになるが，その場合は，被害者の瑕疵ある意思に基づく交付行為を観念することができないので，恐喝罪は，交付罪であると一概にはいえなくなる）。このような判断は，暴行・脅迫それ自体の強度・態様の他に，行為がなされた状況，行為者側・被害者側の事情を考慮してなされる。

発展学習　反抗抑圧に至る危険
被害者が特別に臆病であることを知りながら，一般に反抗を抑圧するには足りない程度の暴行・脅迫を行い，実際に被害者の反抗を抑圧し，財物を奪取した場合は，強盗罪となるか。反抗を抑圧するに足るか否かは一般的にみて判断されるべきであるから，強盗罪とはならず，恐喝罪にしかならないという見解と，強盗罪の成立を肯定する見解に分かれる。実行行為の危険性を一般的・抽象的に判断すべきである（被害者側の事情を考慮するといっても，同じ性別で，同じような年齢，体格の人を基礎として判断するにとどまり，当該被害者を基礎として判断するわけではない）のだとすれば，強盗罪の実行行為性が否定されようが，行為の危険性を個別的・具体的に判断すると，（行為者がとくに認識し，または，一般人が認識しうるものであるかを基礎とする考え方によるか，行為時に存在するすべての事情を基礎とする考え方によるかを問わず）当該被害者の性格を基礎として判断することとなり，強盗罪の成立を肯定することができる。一方，かりに，行為者が被害者が特別に臆病であることを知らなかった場合には，強盗の故意がなく，恐喝罪が成立しうるにとどまる。

暴行・脅迫の相手方は，財物の所有者・占有者である必要はない（大判大正1・9・6刑録18輯1211頁）が，強取について障害となる者であれば足りるのか，財物の保持に協力すべき立場にある者でなければならないのかについては，見解が分かれる。

2 強　　取

暴行・脅迫を行うことによって，被害者の反抗を抑圧し，財物を奪取することが強盗罪の典型であり，「強取した」ことが認められる。反抗を抑圧された被害者が差し出す物を受け取った場合（東京高判昭和42・6・20判タ214号249頁），反抗を抑圧され，被害者が逃走し，放置した物をとる場合（名古屋高判昭和32・3・4高刑特4巻6号116頁），反抗を抑圧された被害者が知らない間に物をとる場合（最判昭和23・12・24刑集2巻14号1883頁）等も含まれる。これに対して，被害者が逃走中に落とした物をとる場合は，反抗抑圧による財物奪取であるということはできないから，強取は認められず，強盗未遂罪が成立するにとどまる（名古屋高判昭和30・5・4高刑特2巻11号501頁）。

では，被害者の反抗を抑圧するに足りる程度の暴行・脅迫を行い，被害者は畏怖したものの，現実には反抗を抑圧されるまでには至らなかった場合に，強取が

認められ，強盗既遂罪は成立するか。最高裁は，このような場合にも，強盗既遂罪の成立を肯定する（前掲最判昭和24・2・8。そうすると，被害者の瑕疵ある意思に基づく交付行為を観念することができるときにも，強盗既遂罪が成立することになり，一概に盗取罪とはいえなくなる）。しかし，学説の多数は，被害者の反抗抑圧は強盗罪の成立に必要な因果経過であるとして反対し，強盗未遂罪の成立を認めるにとどめ，同様の下級審裁判例も存在する（この場合，恐喝既遂罪の要件も充足しており，両者の観念的競合となる。大阪地判平成4・9・22判タ828号281頁）。

|発展学習| **ひったくりと強盗**
ひったくりは，暴行を手段とするが，すりが財物を奪取する手段としてその占有者に突き当たったような場合は，被害者の反抗を抑圧するに足りる程度のものでない，あるいは，反抗の抑圧に向けられたものではないという理由で，学説は，窃盗罪の成立のみを肯定する。しかし，場合によって異なり，判例は，被告人が，自動車の窓からハンドバッグのさげ紐を引っぱったが，被害者女性が，ハンドバッグを放そうとしないため，自動車をそのまま進行させて女性を引きずって転倒させたりして，負傷させた場合について，強盗（致傷）罪の成立を肯定している（最決昭和45・12・22刑集24巻13号1882頁）。

　財物の窃取に着手した後に，その物の占有を確保するために，暴行・脅迫をするときには，これが財物窃取が既遂とならない時点における場合は，1項強盗罪が成立する（いわゆる居直り強盗。最判昭和24・2・15刑集3巻2号164頁参照）が，既遂となった後の場合は，これは成立せず，事後強盗罪か，場合によって，2項強盗罪（最決昭和61・11・18刑集40巻7号523頁⇒p.364の *Case 198*）が成立する。

3　強取の意思

　暴行・脅迫を手段として財物を奪取する意思であったのではなく，暴行・脅迫を行った後に，財物を奪取する意思を生じ，自己の作り出した反抗抑圧（あるいは畏怖）状態を利用して，財物を奪取したときにも，強盗罪は成立するか。学説の中には，前の暴行・脅迫によって生じた抵抗不能の状態を利用し，いわばその余勢をかって財物を奪ったものと認められるときには，強盗罪の成立が認められるとするものもある。しかし，準強制性交等罪（178条）において，人の抗拒不能「に乗じ」て性交等をすることが明文で規定されているのとは異なり，強盗罪ではこのような規定は存在しないから，窃盗罪が成立するにとどまり，強盗罪の成立のためには，財物奪取のための新たな暴行・脅迫が必要であると解するのが通説である（殺害後に財物を奪取する意思を生じたときについては，死者の占有に関する部分で論じられる⇒p.342の *Case 188*）。

財物奪取のための新たな暴行・脅迫

判例には，強制性交を目的とした暴行・脅迫を行った者が，財物を奪取する意思を生じた場合等について，強盗罪の成立に新たな暴行・脅迫は必要でないとするものがある（大判昭和19・11・24刑集23巻252頁，東京高判昭37・8・30高刑集15巻6号488頁，大阪高判昭和47・8・4判タ298号443頁，東京高判昭和57・8・6判時1083号150頁）が，近年の裁判例は，新たな暴行・脅迫が必要であるとする傾向にある。暴行・脅迫の程度は，弱いものでよく（東京高判昭48・3・26判時711号142頁），自己の作り出した反抗抑圧状態を継続させるに足りるものであればよい（大阪高判平成1・3・3判タ712号248頁）が，暴行・脅迫の相手方が失神しているような場合は，反抗抑圧状態を継続させるための暴行・脅迫を考えることはできず，基本的に窃盗罪しか成立しない（高松高判昭和34・2・11高刑集12巻1号18頁，札幌高判平成7・6・29判時1151号142頁）。

4 既遂と未遂

窃盗罪と同様に，財物の占有を取得したとき（2項強盗罪においては，財産上の利益を取得したとき）強盗罪は既遂になる。手段である暴行・脅迫を開始したときに未遂となるとされる。これに至らない準備行為も処罰される（237条）。

3 2項強盗罪（236条2項）

1 財産上の利益

1 利益の性質　強盗罪だけでなく，詐欺罪（246条2項），電子計算機使用詐欺罪（246条の2），準詐欺罪（248条），恐喝罪（249条2項）も，財産上の利益を客体とする。財産上の利益は，財物以外の財産的利益（財産の価値のある利益）を広く含む。債権・担保権の取得のような積極的利益も，債務免除・支払猶予の取得のような消極的利益もこれにあたる。

不動産

不動産は，236条1項にいう財物にはあたらないとする見解が多数である。これによれば，人に暴行・脅迫を加えて，①不動産の所有権移転登記をさせ，その登記名義を取得するときも，②不動産の事実的支配を取得するにとどまる場合も，2項強盗罪にしかならない。もっとも，人を欺いて，①不動産の所有権移転登記をさせ，その登記名義を取得するときは，1項詐欺罪が成立すると解されており（⇒ p. 378 **1**），強盗罪の場合にも，詐欺罪（や恐喝罪，横領罪）と同様に，不動産の処分可能性を取得したということで，1項強盗罪が成立するという見解も有力である。

窃盗罪の保護法益における本権説と同様に，民事法上保護されるべき利益でなければ2項犯罪における利益にあたらないとする見解も有力である。しかし，判例は，占有説に相応して，民事法上保護されない利益も客体とすることを認めている（前掲最決昭61・11・18⇒ *Case 198* ）。

2 **財物返還請求権**　窃盗罪における被害者の行為者に対する財物返還請求権は，財産上の利益にあたるか（窃盗罪が成立した上に，さらに，財物返還請求権を侵害したとして2項強盗罪が成立するか）。最高裁はこのことを認める。

> *Case 198*
> 　XとYは，共謀の上，XがAの有する覚せい剤を窃取ないし詐取し，逃走した後，YがAをけん銃で狙撃したが，殺害の目的を遂げなかった。
>
> *Case 199*
> 　Xは，代金を支払う意思なく，食堂で無銭飲食をした後，その店主Aに暴行を加えて，その反抗を抑圧し，その代金請求を免れた。

　*Case 198*では，Yのけん銃発射行為は，覚せい剤の占有奪取の手段とはなっていないから，1項強盗罪は成立しない。これは，Aを殺害してAに対する覚せい剤の返還ないしその代金の支払を免れるという利益を得るためになされたのであり，最高裁は，2項強盗（による強盗殺人未遂）罪が成立する，そして，XおよびYは，先行する覚せい剤取得が窃盗罪と詐欺罪のどちらにあたるとしても，その罪と（2項）強盗殺人未遂罪の包括一罪として，重い後者の刑で処断されるという（前掲最決昭和61・11・18。なお，このような場合とは異なり，当初は，財産上の利益を得るための後行の暴行・脅迫を計画していなかった場合には，先行行為の罪と2項強盗罪は併合罪とする下級審裁判例が多かったが，大阪地判平成18・4・10判タ1221号317頁は，このような場合にも包括一罪となることを認めた）。
　ここでは，窃取または詐取した者に対する被害者の財物返還請求権ないし代金支払請求権が，財産上の利益にあたるとしていること，また，民事法上保護されない利益である被害者の財物返還請求権ないし代金支払請求権が，財産上の利益にあたるとしていることが重要である。*Case 199*についても，最高裁と同様に考えると，1項詐欺罪と，代金支払請求権についての2項強盗罪が成立し，両罪は包括一罪となる（大阪地判昭和57・7・9判時1083号158頁。後行行為によって侵害されたのは，先行する財産罪によって侵害された財物の利用可能性と形式的には別個の利益であるが，実質的に同一の利益であるから，包括一罪とすることができる）。

2　暴行・脅迫による取得

　2項強盗罪は，反抗を抑圧する程度の暴行・脅迫を手段とする点では，1項強盗罪と同じであるが，その客体が異なる。2項強盗罪の成立には，「財産上不法の利益を得，又は他人にこれを得させ」ることが必要であるが，これは，不法に財産上の利益を得る，または他人に得させることを意味する（他の2項犯罪でも同じである）。

1　強盗罪　365

Case 200
Xは，Aに対する借金の返還を免れようとして，Aを殺害した。

財物の占有の被害者から行為者への移動（移転）と異なり，財産上の利益の移動（移転）の有無は，外面上分かりにくい。そこで，2項詐欺罪と同様に，被害者に（債務を免除する意思表示等の）処分行為をさせることが必要であるかが問題となった。判例は，かつて，外形的事実，すなわち，処分行為を強制することが必要であるとした（大判明治43・6・17刑録16輯1210頁。債務者が債務の履行を免れる目的で単に債権者を殺害する行為は，2項強盗罪にはあたらないとした）。しかし，最高裁は，債権者に支払の請求をしない旨を表示させるか，事実上支払の請求をすることができない状態に陥らせるかは問わないとして，先の判例を変更した（最判昭和32・9・13刑集11巻9号2263頁。大判昭和6・5・8刑集10巻205頁参照）。多数説も，強盗罪の成立には，被害者の反抗抑圧が必要であり，その被害者は任意の処分行為をする余地はないから，処分行為を要件とすることはできないと解する。被害者の反抗抑圧が要件でないとしても，被害者が反抗を抑圧された（さらに，殺害された）場合に，強盗（殺人）罪の成立を否定するのは不合理であるから，処分行為を要件とすることはできない。

もっとも，処分行為を要しないとすると，どのような場合に，利益の移転があったといえるかが問題となる。

Case 201
Xは，タクシーの運転手Aに暴行を加えて，乗車料金の支払を免れ，そのまま逃走した。

Case 201 では，Xは事実上支払を免れた状態となったといえるから，利益の移転を認めることができる。*Case 200* では，単にAを殺害するだけでは，そのようにいうことはできない。債務者が債権者を殺害すれば，ただちに強盗殺人罪が成立するのは，結論として妥当でないからである。Aに相続人がいないとか，XとA以外に債務の存在・内容を知る者がいない等の場合でなければ，事実上支払を免れた状態となったとはいえないから，2項強盗罪の成立を肯定することはできず（前掲最判昭和32・9・13参照），殺人罪のみが成立する。

発展学習　**債権者の殺害と利益の移転**
　　ただ，下級審裁判例には，債務者が債権者を殺害したところ，正規の借用証書は作成

されていなかったものの，多数の物的証拠が被害者側に残されていた場合について，債権の相続人等において債権を行使することが不可能または著しく困難になったときでなく，速やかな債権の行使を当分の間不可能にしたときでも，（相当期間の支払猶予の処分行為を得たのと実質上同視しうる現実の利益を得ることになるとして）利益の移転を認めるものがある（大阪高判昭和59・11・28判時1146号158頁）。学説上，支払の一時猶予と同視しうる利益を得ただけでは，2項強盗殺人罪にはならないとする見解も有力である。しかし，2項詐欺罪の場合には，支払の一時猶予にも利益移転が肯定できることを考えると，行為者の行為がなければ即時に債務履行等の具体的措置をとらなければならなかったというような切迫した事情が存在していれば（最判昭和30・4・8刑集9巻4号827頁参照），2項強盗殺人罪が成立すると解することができるように思われる。

Case 202
Xは，父親Aの唯一の相続人であるが，Aの財産を相続しようとして，Aを殺害した。

> Case 202 のような場合，強盗殺人罪は成立しないという結論をとるのが一般である（東京高判平成1・2・27判夕691号158頁）。問題は，その理由づけであるが，現実的・具体的な利益移転が必要である，あるいは，暴行・脅迫から直接かつ不法の利益移転が必要である（相続を介した間接的な利益移転にすぎない，あるいは，相続は不法なものではない）とされる。また，同様の理由で，経営者会議の議決により会社の経営権を獲得する目的で，経営者を殺害した場合にも，強盗殺人罪は成立しない（神戸地判平成17・4・26判時1904号152頁）。

発展学習 キャッシュカードとその暗証番号を併せ持つこと
　キャッシュカードの窃取は完了していないが，いつでも容易にその占有を取得できる状態においた上で，その占有者に脅迫を加えてキャッシュカードの暗証番号を聞き出した行為は，2項強盗罪にあたるか。これについて，キャッシュカードとその暗証番号を併せ持つことは，それ自体，キャッシュカードとその暗証番号を用いて，事実上，ATMを通して当該預貯金口座から預貯金の払戻しを受けうる地位という財産上の利益とみるのが相当であり，被害者からキャッシュカードの暗証番号を聞き出すことのもつ意味は，被告人がすでにキャッシュカードの占有を確立している場合と何ら異ならないとして，2項強盗罪の成立を認めた裁判例がある（東京高判平成21・11・16判時2103号158頁）。被害者から暗証番号を聞き出しても，財物の取得と同視できる程度に具体的かつ現実的な財産的利益を得たとは認められず，また，財産上の利益は移転性のあるものに限られ，2項強盗罪の成立のためには，犯人の利益の取得に対応した利益の喪失が被害者に生じることが必要であるとし，強盗罪の成立を否定して，強要罪の成立を認めた原判決を破棄したものである。

4 事後強盗罪（238条）

❶ 事後強盗罪の意義

　事後強盗罪は，窃盗犯人が，その窃盗行為に関して暴行・脅迫を行った場合に，強盗罪と（法定刑の点で，また，強盗致死傷罪〔240条〕や強盗・強制性交等および同致死罪〔241条〕等との関係において）同様に取り扱うことを定めた，強盗罪の周辺的類型で，準強盗罪の1つである。

❷ 事後強盗罪の要件

　1　**暴行・脅迫**　窃盗犯人による暴行・脅迫は，強盗罪と同じく，相手方の反抗を抑圧するに足りる程度のものでなければならない。相手方は，窃盗の被害者だけでなく，犯行を目撃して追跡してきたもの（大判昭和8・6・5刑集12巻648頁）や逮捕しようとする警察官（最判昭和23・5・22刑集2巻5号496頁）でもよい。また，条文上，①財物の取返しを防ぐ目的か②逮捕を免れる目的，③罪跡を隠滅する目的でなされることが要件とされている。

　2　**窃盗の機会の継続中**　暴行・脅迫は，窃盗の機会に行われることが必要であるとされてきた。これは，事後強盗罪を強盗罪と同視することが許されるために必要な，窃盗行為と暴行・脅迫との間の密接な関連性を担保する要件である。これについて，どのような要素を重視して判断するかについては，一致した見方があるわけではない。これが肯定された例として，窃盗犯人が，進行中の電車内で現行犯として車掌に逮捕され，車掌が警察官に引き渡そうとしてホームを連行中，窃取時より5分経過後，車掌に対し逮捕を免れるため暴行を加えた場合（最決昭和34・3・23刑集13巻3号391頁），他人の住居で指輪を窃取した約1時間後，その天井裏に潜んでいることを帰宅した家人に察知され，窃取時より約3時間後，逮捕を免れるため駆け付けた警察官をナイフで切りつけた場合（最決平成14・2・14刑集56巻2号86頁）等があり，否定された例として，他人の住居で財物を窃取した後，誰からも発見・追跡されることなく，自転車で約1キロメートル離れた公園に移動したが，窃取した現金が少なかったことから，再度，窃盗の目的で，約30分後に被害者宅に引き返したところ，家人に発見され，逮捕を免れるためナイフで脅して逃走した場合（最判平成16・12・10刑集58巻9号1047頁）等がある。判例は，窃盗行為と暴行・脅迫との時間的・場所的接着性を前提としつつも，暴行・脅迫時に窃盗犯人に対する追跡可能性が継続していたかを重視した判断をしてき

た傾向にある。後2者の場合についての近年の最高裁判例（前掲最決平成14・2・14，前掲最判平成16・12・10）は，「窃盗の機会の継続中に」行われたことが必要であるとした上で，犯行現場の直近の現場にとどまり，「被害者等から容易に発見されて，財物を取り返され，あるいは逮捕され得る状況」が継続していたか否かを基準とすることを明らかにしている。

3 既遂と未遂

事後強盗罪の既遂と未遂は，窃盗が既遂か未遂かによって決まる（窃盗が未遂である場合は，暴行・脅迫がなされても事後強盗罪の未遂である）とするのが判例（最判昭和24・7・9刑集3巻8号1188頁）・多数説である。

> **発展学習　最終的な財物の取得**
> 判例・多数説によると，①財物の取返しを防ぐ目的が認められる場合には，「財物を得て」おり，窃盗が既遂となっているから，（事後強盗既遂罪にしかならず）事後強盗未遂罪にはなりえないが，②逮捕を免れる目的，③罪跡を隠滅する目的が認められる場合には，窃盗が既遂となっているとは限らないから，事後強盗未遂罪にもなりうることになる。これに対して，①の目的の場合にも未遂罪となることを予定し，事後強盗罪の（実質的には，暴行・脅迫によって財物を得たと評価しうるという）財産犯としての性格を重視し，（窃盗が既遂であっても）最終的に財物を取得しえなかったときには，未遂となるという見解も有力である。

4 窃盗後の暴行・脅迫への関与と共犯

窃盗行為後に，そのことを知って窃盗犯人の暴行（あるいは脅迫）に関与した者は，暴行罪（あるいは脅迫罪）の共犯となるのか，それとも，事後強盗罪の共犯となるのかが争われている。

> **Case 203**
> Xは，Aから財物を奪って現場から逃走したところ，そこを通りかかり，事情を察した友人のYと共に，追跡してきたAに対して，殴る蹴るの暴行を加え，重傷を負わせた。

事後強盗罪が身分犯であると解すると，窃盗犯人という身分が，不真正身分（加減的身分）であると解する（Case 203における身分のないYには傷害罪の刑が科される。65条2項。東京地判昭和60・3・19判時1172号155頁）か，真正身分（構成的身分）であると解する（身分なきYにも事後強盗致傷罪が成立する。65条1項。大阪高判昭和62・7・17判時1253号141頁）かによって，結論が異なる。身分の概念はそもそも広いものであ

るから，窃盗犯人が身分にあたりえないわけではない。一方，事後強盗罪は，身分犯ではないと解するのだとすると，Xが先行して行った窃盗行為についての罪責を後行行為のみに関与したYも負うかという承継的共犯の問題として解決されるべきことになる（自己の因果性を有する行為についてしか犯罪は成立しないとすると，Yには傷害罪が成立するにとどまる）。

5　昏酔強盗罪（239条）

　人を昏酔させてその財物を盗取した場合を強盗罪と同様に取り扱うものである。もう1つの準強盗罪である。昏酔させるとは，意識作用に一時的または継続的な障害を生じさせることである。睡眠薬，麻酔薬，アルコールを用いたり，催眠術を施したりすること等が考えられる。人が昏酔状態にあることを利用するのでは足りないことに注意すべきである。暴行を用いて昏酔させた場合は，強盗罪が成立する。

6　強盗予備罪（237条）

　強盗の罪を犯す目的で，その予備をした者を処罰する。殺人や現住建造物放火等の予備と異なり，情状による刑の免除は認められていない。強盗の罪には事後強盗罪も含まれる（事後強盗罪の予備も処罰される）かについて，学説上は，237条の後に事後強盗罪を規定する238条があることや，不可罰である窃盗予備を実質的に処罰することになるのは妥当でないとして，否定する見解も有力であるが，理論的には十分なものでなく，判例もこれを肯定している（最決昭和54・11・19刑集33巻7号710頁）。

7　強盗致死傷罪（240条）

1　強盗致死傷罪の意義と類型

　強盗犯人（既遂・未遂を問わない。最判昭和23・6・12刑集2巻7号676頁参照。また，p.369の❸参照。なお，準強盗犯人も含む。大判昭和6・7・8刑集10巻319頁）が，人を負傷させ（240条前段），あるいは，死亡させた（同条後段）ときに成立する。ここでいう傷害が，傷害罪（204条）より限定的なものであるか否かについては議論がある（判例は，傷害の程度を問わないとする。大判大正4・5・24刑録21輯661頁，最決昭和37・8・21集刑144号13頁等）。人を死亡させたとき，その法定刑は，死刑または無期拘禁刑（懲役）であり，とりわけ重く処罰される。

死傷結果について過失のあるとき，240条の罪が成立する。では，死亡結果について故意のあるとき（強盗犯人が故意に人を殺害したとき）に，240条後段の罪は成立するか。この条文は，「人を死亡させる」という結果的加重犯に似た規定ぶりではあるが，「よって」という文言がない。殺人罪と240条後段の観念的競合とすれば（かつての判例。大判明治43・10・27刑録16輯1764頁），死亡結果を二重に評価することになる。殺人罪と強盗罪の観念的競合とすれば，死亡結果に過失がある場合（240条後段）より軽く処断され，不都合である。よって，判例（大連判大正11・12・22刑集1巻815頁，最判昭和32・8・1刑集11巻8号2065頁）と同じく，通説は，240条後段の罪は，死亡結果について故意のあるときを含むとする（また，人を故意に殺害して財物を奪取することは，強盗に際して死亡結果が発生する場合の典型例であり，これが除外されているとは考えにくいともされる）。人を殺害することを手段として財物を奪取する意思で，これを実現したときは，殺人罪と遺失物等横領罪ではなく，強盗殺人罪が成立するのである（大判大正2・10・21刑録19輯982頁）。同様にして，240条前段の罪は，傷害結果について故意のあるときを含むとする。以上から，240条は，強盗殺人罪と強盗致死罪（240条後段），強盗傷人罪と強盗致傷罪（240条前段）の類型を含むことになる。

2 死傷結果の原因

強盗致死傷罪の死傷結果は，強盗の手段としての暴行・脅迫から生じたことが必要であるとする見解（手段説）もあるが，強盗の機会に生じたもので足りるとする（機会説）のが判例である（大判昭和6・10・29刑集10巻511頁，最判昭和24・5・28刑集3巻6号873頁）。学説には，それだけでは足りず（たとえば，犯行現場で共犯者相互が仲間割れを起こして殺し合ったような場合も含まれるのは妥当でない），強盗行為と密接な関連性のある行為から生じることが必要であるとする見解（密接関連性説）等がある。

ただ，強盗致死傷罪における強盗犯人には，事後強盗犯人も含まれるため，窃盗犯人が，一定の状況においてした暴行・脅迫から死傷結果が生じたときにも，強盗致死傷罪が成立する。そこで，強盗犯人が，これと同様の状況においてした暴行・脅迫から死傷結果が生じたときに，強盗致死傷罪が成立しないとすることは，不合理であるから，手段説は妥当でない。もっとも，それを超えて死傷結果の原因の範囲をどのように画定するかについて明確な論理的帰結を導くことは困難であり，端的に，強盗致死傷罪の死傷結果は，強盗の手段である暴行・脅迫と

事後強盗と同様の状況における暴行・脅迫から生じたものに限られると解すること（拡張手段説）に理由があると思われる。このように解すると，死傷結果の原因となる暴行・脅迫の故意が必要であることになり，（強盗の過程で誤って嬰児を踏み殺した場合のような）純然たる過失致死傷の場合は除かれる。

3 既遂と未遂の区別

強盗致死傷罪の既遂と未遂の区別は，強盗（財物奪取）の点に着目してなされるか，傷害・殺人の点に着目してなされるかが問題となる。判例（前掲大連判大正11・12・22，大判昭和4・5・16刑集8巻251頁，前掲最判昭和23・6・12）・通説は，強取の点には着目せず，殺人の点に着目する。強盗殺人未遂罪は，殺人の故意で殺人を遂げなかった場合（殺人未遂の場合）を意味し，強盗の既遂・未遂は問わないとする。強盗致死傷罪の人身保護の側面を重視するものである。同様に，傷害の故意で傷害を遂げなかった場合（傷害未遂の場合）に，強盗傷害未遂罪が成立するかについては，その場合は，強盗の手段である暴行がなされたにすぎないとして，強盗罪の成立を認めるにとどまる見解が有力である。また，殺人の故意や傷害の故意がなくても，死亡・傷害結果が生じた以上，強盗致死傷罪が成立する。

学説には，強盗致死傷罪の財産犯としての側面を重視して，殺人（・傷害）の点だけでなく，強取の点にも着目する見解もある。しかし，これによれば，故意で殺人したが，強盗は遂げなかった場合にも，強盗殺人未遂罪が成立することになるが，強盗を任意に中止した場合には，必要的に刑が減免され，殺人罪（199条）より軽く処断されることになるという不均衡が生じる。

8 強盗・強制性交等罪と同致死罪（241条）

241条は，平成29（2017）年に改正された（平成29年・法律第72号）。

1項は，強盗・強制性交等罪を定める。これは，強盗罪もしくはその未遂罪を犯した者が強制性交等の罪（177・178条2項）もしくはその未遂罪を犯したとき，または，強制性交等の罪もしくはその未遂罪を犯した者が強盗罪もしくはその未遂罪を犯したとき，無期または7年以上の拘禁刑（懲役）に処するものである。同一の機会に強盗行為と強制性交等の行為を行った場合，その先後にかかわりなく，成立する（改正前は，強姦犯人が強盗を行ったときには，強姦罪と強盗罪の併合罪となると解されていた。最判昭和24・12・24刑集3巻12号2114頁）。

2項は，未遂に関する刑の減軽等を定める。1項の強盗・強制性交等罪が成立

する場合のうち，強盗罪と強制性交等の罪が，いずれも未遂罪であるときは，人を死傷させたときを除いて，刑を減軽することができる。ただし，自己の意思によりいずれかの犯罪を中止したときは，刑を減軽し，または免除する。

　3項は，強盗・強制性交等致死罪を定める。これは，1項の罪に当たる行為により「人を死亡させた」とき，死刑または無期拘禁刑（懲役）に処するものである。強盗行為，強制性交等の行為やこれらに随伴する行為により死亡結果が生じた場合に成立すると解される。殺意なく人を死亡させた結果的加重犯の場合（強盗・強制性交等致死）と，殺意をもって人を死亡させた故意犯の場合（強盗・強制性交等殺人）を含む（改正前の241条後段の罪は，殺意なく女子を死亡させた場合の規定であると解されていた。大判昭和10・5・13刑集14巻514頁）。未遂も処罰される（243条）。

2　恐喝罪（249条）

1　恐喝罪の意義・類型

　恐喝罪（249条）は，人を恐喝して財物を交付させること（1項），および，財産上不法の利益を得，または，他人に得させること（2項）によって成立する。暴行・脅迫により相手方を畏怖させ，それに基づく交付行為（財産的処分行為）によって財産を取得する罪である。「詐欺及び恐喝の罪」（刑法典第2編第37章）に規定されており（p.377の**1**参照。なお，未遂も処罰される。250条），手段は異なるが，相手方の瑕疵ある意思に基づいて財産を取得する罪である点で，基本的に詐欺罪と共通しており，詐欺罪と同様の議論がなされうる。交付罪である。強盗罪とは，暴行・脅迫を手段とする点で共通するが，強盗罪は，相手方の反抗を抑圧してその意思に反して財産を取得する罪である点が異なる。盗取罪である（なお，強盗罪との区別に関しては，p.361の**1**参照）。

　恐喝罪が成立する場合，手段となる暴行・脅迫について，暴行罪・脅迫罪は（恐喝罪に吸収されるため）成立しない。手段の中に，虚偽の事実の告知が含まれていても，それが相手方に畏怖心を生じさせる一材料となり，その畏怖の結果として財物の交付がなされたときは，詐欺罪ではなく恐喝罪が成立する（警察官だと偽って取調べの必要があるから差し出せといい，もしこれに応じなければただちに警察署に連行するかもしれないという態度を示し，盗品を交付させた場合について，最判昭和24・2・8刑集3巻2号83頁）。

2　恐喝罪の要件

1　恐　　喝

　暴行・脅迫により人を畏怖させる（人に恐怖心を生じさせる）ことで，相手方の反抗を抑圧するに至らない程度のものをいう（最判昭和24・2・8刑集3巻2号75頁）。ただ，単に人を困惑させるような手段では足りない（札幌地判昭和41・4・20下刑集8巻4号658頁。なお，大判昭和8・10・16刑集12巻1807頁）。そして，相手方に交付行為をさせるようなものであることが必要である。恐喝行為が開始されれば未遂となるとされる（250条）。

　脅迫とは，害悪を告知することである。脅迫罪（222条）におけるのと異なり，加害の対象には限定がなく，相手方またはその親族以外の人の，そして，生命・身体・自由・名誉・財産以外の法益に対する害悪の告知でもよいとされている。また，判例は，告知される害悪それ自体は違法であることを要しないとする（最判昭和29・4・6刑集8巻6号407頁）。恐喝の相手方は，財産についての被害者でなくてもよいが，その財産を処分しうる権限または地位にあることが必要であるとされる（大判大正6・4・12刑録23輯339頁）。

2　交付行為

　1項においても，2項においても，相手方の畏怖に基づく交付行為が必要である。相手方が畏怖とは別の理由から財産を交付したときは，恐喝未遂罪にとどまる。恐喝罪では，詐欺罪の場合と異なり，実際上，被害者が財産の移転を認識しているにもかかわらず，畏怖の結果，積極的に作為をなしえないという形で，不作為の交付行為が問題となりやすい。相手方が自ら財物を提供する場合や債務免除の意思表示をするような場合だけでなく，相手方が黙認しているのに乗じて行為者が財物を奪取する場合にも恐喝罪は成立するとされ（最判昭和24・1・11刑集3巻1号1頁），飲食代金の請求を受けた者が，脅迫により畏怖させてその請求を一時断念させた場合にも，黙示的な，少なくとも支払猶予の交付行為の存在が認められている（最決昭和43・12・11刑集22巻13号1469頁）。なお，判例は，暴行・脅迫の客観的な程度によって，強盗罪と恐喝罪を区別するから，この意味においては，恐喝罪の成立にとって交付行為の存在は重要でない（ただ，財産上の利益を客体とするときには，どのような場合に利益の移転がなされたかが重要となる）。交付行為の相手方は，恐喝行為者でなく，第三者でもよいが，詐欺罪と同様に，恐喝行為

者と特別な関係にあることが必要である（大判昭和10・9・23刑集14巻938頁）。

3 権利行使と恐喝罪

　法律上他人から財物または財産上の利益を取得する権利を有する者が，その権利を実現する手段として恐喝した場合，とくに，金銭債務者が任意に弁済に応じないため，債権者が恐喝して弁済させた場合に恐喝罪は成立するのかという問題である。欺くことによるときには詐欺罪の成否について同様の問題が生ずる（これに対して，他人が占有するが，自己が所有する物を取り戻す場合については，242条の解釈による⇒p.334の **4**）。

> *Case 204*
> 　Xは，Aに対して3万円の請求権を有するところ，Aに，「払わなければお前のからだはどうなるか分かっているだろうな」と述べ，要求に応じないときは，自己の身体に危害を加えられるかもしれないとAを畏怖させ，6万円をAに支払わせた。

　　最高裁は，権利の実行が権利の範囲内であり，かつ，その方法が社会通念上一般に忍容すべきものと認められる程度を超えない限り違法ではないが，その範囲程度を逸脱するときは違法となり，恐喝罪が成立することがあると解し，原判決が，債権額の如何にかかわらず，交付させた全額について同罪の成立を認めたのは正当であるとし（最判昭30・10・14刑集9巻11号2173頁。なお，大判昭9・8・2刑集13巻1011頁参照），かりに権利行使の意図に出たものであっても恐喝罪の成立を妨げないとした（最判昭33・5・6刑集12巻7号1336頁）。そこで，(*Case 204*)のような場合について，交付させた6万円全額について恐喝罪の成立を認めた。

　判例の変化
　　大審院は，①権利の範囲内で財物（または財産上の利益）を取得したときは恐喝罪は成立しない，②権利の範囲を超えて財物を取得したときには，それが可分であれば（金銭はこれにあたる）超過部分についてのみ，不可分であれば全部について成立し，③権利実行の意思がなく，これに仮託するにすぎないときには，全部について成立するという原則を示し（大判大正2・12・23刑録19輯1502頁），さらに，④恐喝罪は成立しなくても脅迫罪は成立しうるとした（大判昭和5・5・26刑集9巻342頁）。ところが，最高裁判決（前掲最昭30・10・14）は，先の原則をくつがえすものである（権利の範囲内で財物を取得したときでも恐喝罪は成立しうる，権利の範囲を超えて財物を取得したときには全部について成立する，権利実行の範囲・程度を超えると恐喝罪となり，恐喝罪は成立しないが脅迫罪は成立する場合はない）と評価される。これは，行為者と被害者の間の権利関係を財産犯の成否において重視しない方向への態度の変更であるという意味において，窃盗罪等の保護法益についての本権説から占有説への態度の変更（最判昭和34・8・28刑集13巻10号2906頁等）に相応するものである。

2 恐　喝　罪

学説上は，最高裁判例と同様に，原則として恐喝罪が成立するが，権利行使という正当な目的の下，権利の範囲内において，社会的に相当な手段を用いたと認められる場合には，違法性が阻却されるとする見解や，正当な権利を実現したにすぎないから，相手方に財産上の損害はなく，財産犯たる恐喝罪は成立せず，その手段が暴行罪・脅迫罪となりうるにとどまる（手段としての必要性・相当性があれば違法性阻却が認められる）とする見解がある。後者の見解には，恐喝罪が，（全体財産に対する罪でなく）個別財産に対する罪であるとしても，その成立には実質的な財産上の損害が必要であるとして，恐喝罪の構成要件該当性を否定する考え方と，被害者が債務を負っていることによって交付の対象となった当該金銭の占有が不適法となるわけではないから，あくまでも恐喝罪の構成要件該当性を否定することはできないとしながら，違法性阻却を認める考え方がある。また，（債務者に同時履行の抗弁権があるような場合を除いて）債務者の金額としての金銭の占有は，債権者との関係において不適法であり，保護されるものではないから，恐喝罪の成立は否定されるとし，占有説と本権説の対立と同様の問題であるとする説明もなされる。

8　詐欺の罪

1　詐欺および恐喝の罪

　詐欺罪は，人をだまして，交付行為（財産的処分行為）をさせ，財産を取得することをその要素とする。恐喝罪と同様に，相手方の瑕疵ある意思に基づいて財産を取得する罪であり，交付罪である（⇒ p. 373 の *1*）。

　「詐欺及び恐喝の罪」（刑法典第2編第37章）には，詐欺罪，恐喝罪のほかに，電子計算機使用詐欺罪，準詐欺罪，背任罪（⇒ p. 404 の **4**）が規定されている。これらの罪については未遂も処罰される（250条）。また，自己所有物に関する242条，電気を財物とみなす245条，親族間の犯罪に関する特例である244条が準用される（251条）。

2　詐欺罪（246条）

1　詐欺罪の意義・類型

　詐欺罪は，人を欺いて財物を交付させること（1項），および，財産上不法の利益を得，または，他人に得させること（2項）によって成立する（なお，平成7〔1995〕年改正前は，1項は，「人を欺罔して財物を騙取し」という文言であった。現在は，人を欺いて財産を取得することを「詐取する」と表現することが多い）。人を錯誤に陥らせ，それに基づいて交付行為をさせることによって，財産を取得するという因果経過をたどることが要求される。交付行為という要件は，財物を客体とする場合については，窃盗罪との区別を行う意味において重要であり，財産上の利益を客体とする場合においては，（財産上の利益を客体とする窃盗罪は存在しないため）不可罰である利益窃盗との区別を行う意味においてさらに重要である。

　本罪が保護するのは個人の財産であって，取引における信義誠実は直接の保護法益ではないと解されている。私人だけでなく，国家や地方公共団体等も法益主体となりえ，国家等を相手とすれば当然に詐欺罪の成立が排除されるわけではな

い（配給食糧を不正に受給する行為について，最判昭和23・11・4刑集2巻12号1446頁，農地として利用すると偽って国有地を買い受ける行為について，最決昭和51・4・1刑集30巻3号425頁等）。

2 財物と財産上の利益

1 財　　物

　不動産も財物に含まれる。人を欺いて，不動産の所有権移転登記をさせた場合には，その法律的支配を取得したとして，1項詐欺罪が成立する（大判大正11・12・15刑集1巻763頁）。人を欺いて，その事実的支配を取得した場合（賃料を支払う意思がないのに，借家を借り受けたような場合）にも，1項詐欺罪が成立するという見解があるが，事実的支配の利益（居住の利益）を取得したとして，2項詐欺罪が成立するとの見解が有力である（不動産侵奪罪は，不動産の事実的支配の侵害を特別に処罰の対象としたものと解すると，窃盗罪以外の類型においては不可罰とするか，2項犯罪として処罰するということになろう）。

2 財産上の利益

　たとえば，債権者との関係において債務の免除を得ること，債務履行や弁済の一時猶予を得ることが財産上の利益である。財物を交付させる目的で人を欺いて，財物の交付を約束させた場合に，財産上の利益を得たことになるか。学説では，交付の約束に独立の財産的価値がある場合を除いて，1項詐欺の未遂が成立するにとどまるとする見解が有力である。判例は，不動産について，所有権移転の意思表示があるだけでは足りず，現実に占有移転か所有権移転登記があることにより1項詐欺の既遂となるとする（前掲大判大正11・12・15）。しかし，詐欺賭博の例について，客に債務を負担させた段階で2項詐欺の既遂を認める（最決昭和43・10・24刑集22巻10号946頁）ことに対しては疑問が呈されている。

　債務者が債務の履行を遅らせること（最決昭和34・3・12刑集13巻3号298頁）と逆に，債権者が債務の履行を早く受けることも財産上の利益になる。そうすると，請負人が本来受領する権利を有する請負代金を欺いて不当に早く受領したような場合は，2項詐欺罪となるとすることも可能である。しかし，近年の判例（最判平成13・7・19刑集55巻5号371頁⇒p.387の 補論 ）は，一定の限定の下，1項詐欺罪の成立を認めている。

3 欺　　く

　欺くとは，人を，財産を交付させるような錯誤に陥れること（交付行為に向けられた錯誤に陥れること）である。交付の判断の基礎となる重要な事項について偽ることであるとされる（最決平成22・7・29刑集64巻5号829頁⇒p.389の**3**）。欺く行為（人を交付行為に向けられた錯誤に陥らせるような行為）を開始すれば，未遂となるとされる（なお，最判平成30・3・22刑集72巻1号82頁は，現金を交付させる計画の一環として被害者に嘘を述べた行為について，被告人の求めに応じて即座に現金を交付してしまう危険性を著しく高めるなどとし，現金の交付を求める文言を述べていないとしても，詐欺罪の実行の着手があったと認められるとした）。既遂となるためには，相手方が錯誤に陥ったという因果経過を経ることが必要であるから，欺く行為をしたが，相手方が錯誤に陥らず，憐れみの情から財産を交付したにすぎないときには，未遂にとどまる。

> *Case 205*
> 　Xは，自動販売機に金属片を入れて機械を操作し，販売用の缶入り清涼飲料水を取り出した。

> 　*Case 205*のような，いわば機械をだますことは，人を錯誤に陥れるものでないから，欺くことにはならない。ただ，機械を介していても，背後にいて（機械から伝達される情報によって）財産交付についての判断をしている人を錯誤に陥れると認めることができるときには，欺く行為を肯定することができる（客と従業員が顔をあわせない入室管理システムを利用したホテルへの無銭宿泊について，東京高判平成15・1・29判時1838号155頁参照）。また，人の注意をそらせて，その隙に財物をとるために虚偽の事実を告げることは，交付行為に向けられたものではないから，欺く行為にならない。この場合も，*Case 205*の場合と同様に，窃盗罪にはなっても詐欺罪にはならない（詐欺未遂罪にもならない）。

[発展学習] **不作為による交付行為**
　ただ，人の注意をそらせて，その隙に財物をとるために虚偽の事実を告げる場合，ほんとうに，交付行為に向けられた行為はないといえるのか。後に述べるように，交付事実は，他人による財物の持ち去りを阻止しないという不作為であってもよく，また，当該財物・利益の移転を認識していなくても交付意思は認められると解すると，この場合にも，理論的には，被害者の交付行為の存在を肯定することができる。しかし，学説は，窃盗罪が成立するとの帰結をとる。詐欺罪は窃盗罪と競合することがなく，交付行為の有無によって区別されるとすると，この帰結をとるためには，交付行為はないというこ

とが必要となり，この場合には，交付意思は存在しないということが必要となる。そこで，交付行為には，当該財物の占有（利益）の移転の認識を必要としないという見解（無意識的交付行為説。これに対して，当該財物の占有（利益）の移転の認識を必要とするという見解を意識的交付行為説と呼んできた）においても，当該財物の占有（利益）の移転についての外形的事実の認識は必要であることが前提とされていることになる。

　欺く手段，方法には特定がなく，言語によるものでも，挙動によるものでもよい，また，不作為でもよい。挙動による詐欺が認められる例として，レストランで，代金を支払う意思がないのにそのことを告げず，飲食物を注文するという無銭飲食（大判大正9・5・8刑録26輯348頁。最決昭和30・7・7刑集9巻9号1856頁参照）や，いわゆる取込み詐欺がある。注文をするときには，代金を支払う旨の意思表示を包含しているのが通例であるから，注文者が代金を支払う見込みも意思もない場合，その注文行為自体を作為による欺く行為とみることができ，不作為による詐欺罪の成立に必要な告知義務の有無を論じる必要がない（最決昭和43・6・6刑集22巻6号434頁）。挙動により代金を支払う意思があるように装ったとして，作為による詐欺罪の成立を肯定することができる。

> **発展学習**　暴力団関係者がゴルフ場の施設利用を申し込む行為と欺く行為
> 　近年の最高裁判例には，約款等で暴力団関係者の施設利用を拒絶する旨規定し，クラブハウス出入口に立看板を設置し，この意向を示していたゴルフ場が，それ以上に利用客に対して暴力団関係者でないことを確認する措置は講じておらず，また，周辺のゴルフ場において，暴力団関係者の施設利用を許可，黙認する例が多数あるなど，暴力団排除活動が徹底されていたわけではない場合，暴力団関係者であるビジター利用客が，暴力団関係者であることを申告せずに，氏名等を偽りなく記入した受付表等を提出して施設利用を申し込む行為は，ゴルフ場の施設を通常の方法で利用する旨の意思を表すものではあるが，申込者が当然に暴力団関係者でないことまで表しているとは認められず，欺く行為には当たらないとして，挙動による欺罔行為に当たることを認めた第一審判決および原判決を破棄し，被告人を無罪としたものがある（最判平成26・3・28刑集68巻3号582頁）。

　一方，告知義務が認められた例として，抵当権の設定，その登記があることを黙秘して不動産を売却すること（大判昭和4・3・7刑集8巻107頁。買主が登記簿を確認し，容易に抵当権の設定を知りうるとしても，売主は，抵当権の設定，その登記があることを買主に告知する法律上の義務があるとする。もっとも，法的規制を受けた不動産の売買において，買主が不動産業者である場合について，売主は，規制の存在と概要を告げ，相手方において調査する機会を与えれば足りるとする東京高判平成1・3・14判タ700号266頁参照），被保険者に疾患があることを告知せず生命保険契約を締結するこ

と（大判昭和7・2・19刑集11巻85頁）や，誤振込があることを秘して預金の払戻しを受けること（最決平成15・3・12刑集57巻3号322頁）が挙げられる。

> *Case 206*
> Xは，食料品店で700円の買い物をし，1,000円札を出したところ，レジ係員Aが5,000円札と勘違いして，釣銭を4,300円渡してきたが，Xは，そのことを知りながら，黙って受け取り，そのまま店を立ち去った。

> *Case 206* のような釣銭詐欺について，告知しないという不作為による詐欺罪の成立を肯定する見解が多数であろう。これに対して，作為義務（釣銭が多いことを告知する義務）を認めることは，相手方の財産を保護する義務を認めることであるが，そのような義務は通常の取引関係からは生じないとする見解も有力である。

　欺く行為は，過去・現在の事実だけでなく，将来の事実に関するものでもよい。また，事実の表示であると，価値判断の表示であるとを問わないが，取引における単なる駆け引きや誇張では足りないとされている。ただ，通常の一般人であれば錯誤に陥らないような行為であっても，相手方が知識・経験に乏しいため，錯誤に陥るような行為であれば，欺く行為であるということができる。

　なお，準詐欺罪（248条）は，未成年者の知慮浅薄（知識に乏しく，思慮の足りないこと）または人の心神耗弱（精神の健全を欠き，事物の判断をするのに十分な普通人の知能を備えない状態。大判明治45・7・16刑録18輯1087頁）に乗じて，その財物を交付させ，または，財産上不法の利益を得，もしくは，第三者に得させる罪である。これは詐欺罪の補充規定であり，欺く行為に至らない誘惑行為であることが必要である。欺く行為がなされれば詐欺罪が成立する（大判大正4・6・15刑録21輯818頁）。

4 交付行為

1 財物を交付させる

　欺かれて錯誤に陥った者に財物の交付行為（以前は，処分行為と呼ばれることが多かった）をさせて，行為者または第三者が財物の占有を取得することが必要である。交付行為は，財物の占有を移転させる行為である。欺かれて錯誤に陥った者が財物の占有を移転させる行為のすべてを行う必要はない（被害者が財物を運送業者に依頼して行為者のもとに届けさせた場合にも，被害者が交付行為を行ったとみること

ができる）が，交付行為によって直接に財物の占有が移転するのでなければならない。作為だけでなく，行為者等が占有を移転させることを阻止しないという不作為も含む。

|発展学習| **第三者を介した交付行為**
病気等の悩みを抱えている被害者に，直接かつ確実に病気等を治癒させる効果があるかのように装い，釜焚き料名下に金員を要求し，これをただちに支払うことができない被害者に対しては，被告人らの経営する薬局から商品を購入したように仮装し，その購入代金につき信販業者とクレジット契約（立替払契約）を締結させ，これに基づいて信販業者が被告人らの管理する預金口座に代金相当額を振込送金して，立替払を行ったという事案について，判例は，「被告人らは，被害者らを欺き，釜焚き料名下に金員をだまし取るため，被害者らに上記クレジット契約に基づき信販業者をして立替払をさせて金員を交付させた」として，詐欺罪の成立を認めた（最決平成15・12・9刑集57巻11号1088頁）。この事案では，釜焚き料名下に金員を要求された者が，第三者である信販業者に立替払をさせる行為が交付行為である。

交付行為は交付する事実（交付事実）と交付する意思（交付意思）とからなると解される（そこで，交付する意思を欠く幼児や高度の精神障害者は交付行為をなしえないとされている）。ただ，交付行為は，上に述べたように，客観的には広い範囲の交付事実を含みうるから，交付行為の有無にとって，錯誤に陥った者が，自らの行為を相手との関係においてどのような意味をもつものとして認識していたか（相手にどのような範囲でその財物に関するかかわりを許したか）ということが重要である。

人を欺いて財物を放棄させ，続いてこれを取得する行為は，窃盗罪あるいは占有離脱物横領罪だとする見解があるが，放棄させた後ただちに行為者が拾得でき，放棄により占有を取得したと解しうる場合には，詐欺罪が成立すると解するのが多数である。

このように，相手に占有を移すこと（の認識）は必要でないとしても，自己の占有を離れること（の認識）は必要である。単に「占有の弛緩」が生じているだけでは交付行為とはいえないと説明される。たとえば，判例は，被告人の虚言を誤信し，被害者が自ら他の場所に持参するつもりで家の奥の方から現金を入れた風呂敷包を持ち出して玄関の上がり口においた後，便所に行った隙にこれを持って逃走したことについて，行為者の自由支配内におかせたとして，詐欺罪の成立を認めた（最判昭和26・12・14刑集5巻13号2518頁）が，被害者が客体をおいた場所は自宅内であり，玄関の上がり口においた後も被害者自らが支配する意思であったのであるから，まだ占有は被害者にあり，窃盗罪となるとみる見解にも理由があろう。

財物の交付行為の具体例
　洋服の試着を許された者が，店員のすきをみて逃走した場合について，窃盗罪の成立を肯定したものがある（広島高判昭和30・9・6高刑集8巻8号1021頁）。一方，80枚のテレホンカードの購入を申し出た者に，枚数確認のためカードを差し出し，さらに，店外にいる者に渡して，すぐに戻って代金を払ってくれると誤信して，カードを持ったまま店外へ出ることを認識しつつとがめなかった場合について，カードの店外持ち出しを了解・容認したとして，詐欺罪の成立を肯定したものがある（東京高判平成12・8・29判時1741号160頁）。また，自動車販売店が自動車の一定時間の単独試乗をさせた場合については，単独乗車をさせた時点において，行為者に自動車の占有が移転しており，詐欺罪の成立を認めることができる（東京地八王子支判平成3・8・28判タ768号249頁）。

2 財産上の利益を得る

1 交付行為　欺かれて錯誤に陥った者に財産上の利益の交付行為をさせて，行為者または第三者が財産上の利益を取得することが必要である。交付行為は，財産上の利益を移転させることである。たとえば，債権者を欺いて債務免除の意思表示をさせれば，2項詐欺罪となる。これに対し，債権者を欺いて単に債務の履行の督促をさせない場合には，欺かなければ，債権者の要求により，債務の履行あるいはこれに代わる具体的措置が行われざるをえなかったであろう特段の情況が存在したときに財産上の利益を得たことになるとされる（最判昭和30・4・8刑集9巻4号827頁）。交付行為は，履行の督促をしないという不作為でも足りることになる。

2 交付意思　交付行為は，交付事実と交付意思とからなるが，とりわけ，どのような場合に交付意思が認められるかが問題となる。判例においては，電気計量器の針を逆回転させて電気料金の支払を免れた場合について，詐欺罪の成立を肯定したものがあり（大判昭和9・3・29刑集13巻335頁），債権者に債務の存在を認識させないような場合にもその成立は肯定されうる。

 キセル乗車
　A駅からB駅，C駅を経てD駅まで電車に乗車する際，たとえば，AB駅間の乗車券をA駅の改札係に呈示して入場し，CD駅間の定期券をD駅の改札係Eに呈示して出場し，BC駅間の運賃を支払わない，いわゆるキセル乗車の場合において，Eが交付行為をしたといえるかが議論されてきた。キセル乗車に詐欺罪の成立を認めるには，乗車駅基準説（乗車駅の改札係に対し，途中区間の運賃を支払わない意思であるのに，正規の運賃を支払う正当な乗客であるかのように装うことにより，鉄道輸送の役務の提供を得ることを2項詐欺罪とみる。大阪高判昭和44・8・7判時572号96頁。この説では，誰が欺かれる者で，交付行為者であるのかが問題となる）と下車駅基準説（下車駅の改札係に対し，正規の運賃を支払った正当な乗客であるかのように装うことにより，正規の運賃の支払を免れる

ことを2項詐欺罪とみる。福井地判昭和56・8・31判時1022号144頁参照）がありうる（逆に，2項詐欺罪の成立を否定するものとして，東京高判昭和35・2・22東高刑時報11巻2号43頁）。上のEに交付行為があるかは，下車駅基準説をとりうるかにおいて問題となる。交付意思が存在したというには，利益の移転についての認識が必要であり，債権の存在を認識しつつ，運賃の支払を免除等するのでなければならないとして，この点を否定する見解に対して，欺かれる者の行為により直接に財産移転がなされれば足り，交付意思は不要とし，無意識的交付行為を認める見解，無意識的交付行為を否定しつつも，Eには運賃債務から解放する意思はあるから，交付意思を肯定しうるとする見解等が有力に主張された。

　　自動改札機を使用したキセル乗車の例もある。往路は，甲駅において乗車券を購入して乗車し，到着した乙駅において，自動改札機未設置駅である丙駅を有効区間に含む回数券で，入場記録のないものを自動改札機に投入して出場し，復路は，到着した丁駅において，往路に用いた乗車券を自動精算機に投入し，表示された不足運賃を投入して精算券を入手し，これを自動改札機に投入して出場した事案において，それぞれ，回数券，乗車券について，虚偽の電磁的記録があるとして，電子計算機使用詐欺罪（246条の2後段）の成立が認められた（東京地判平成24・6・25判タ1384号363頁）。

　3　債務の存在の認識　　また，債権者に債務の存在の認識があっても，債務者が債務の履行をしてくれると錯誤した場合に，交付意思が認められるかが問題となる。

　いわゆる無銭飲食・宿泊の場合，代金を支払う意思が最初からないのにあるように装い，飲食物・宿泊サービスの提供を受けた段階で詐欺罪が成立するが，さらに，飲食・宿泊の後代金の支払を免れようとする段階において2項詐欺罪の成否が問題となる。最高裁は，債務の支払を免れたという利益を得たというためには，債権者を欺いて債務免除の意思表示をさせることが必要で，単に逃走して事実上支払をしなかっただけで足りるものではないとし，飲食・宿泊の後，「自動車で帰宅する知人を見送る」と申し欺いて被害者方の店先に出たまま逃走しただけでは代金支払を免れた詐欺罪の既遂とはならないとしている（最決昭和30・7・7刑集9巻9号1856頁。もっとも，被告人が欺いて飲食・宿泊したことについて詐欺罪は既遂に達しているとする）。

> *Case 207*
> 　Xは，数日宿泊した旅館の女中に対して，夜，「映画をみに行ってくる」と申し欺いて立ち去り，そのまま逃走した。
> *Case 208*
> 　Xは，数日宿泊した旅館の主人に対して，午後，「今晩必ず帰ってくるから」と申し欺いて立ち去り，そのまま逃走した。

Case 207 について，詐欺罪の成立を否定する裁判例がある（東京高判昭和31・12・5東高刑時報7巻12号460頁）のに対し，Case 208 や，一泊した旅館の主人に対して，「外出して夕方帰るから」と偽って立ち去りそのまま逃走した場合について，詐欺罪の成立を肯定する裁判例がある（東京高判昭和33・7・7高刑特5巻8号313頁，仙台高判昭和30・7・19高刑特2巻16＝17号821頁）。

　このような場合について，被害者は，債権の存在を認識し，代金の支払を一時猶予するという期限の利益を与えている（認識もある）から，交付行為があるとみて，2項詐欺罪の成立を肯定する見解がある。また，商品であるテレホンカードの店外持ち出しを了解・容認したとして，1項詐欺罪の成立を肯定した見方（東京高判平成12・8・29判時1741号160頁）によれば，宿泊した客が店先に出ることを認めただけで，交付行為の存在を肯定することになろう。

発展学習　**交付意思の存否の判断**
　これに対して，Case 207 や Case 208 のような場合には，戻って支払を行うか否かが行為者の意思にかかる状態を認識しながら生じさせているとして，交付意思（交付行為）を肯定するものの，最高裁判例の事案については，（行為者が店先に出ることを認識していただけであり）戻って支払を行うか否かが行為者の意思にかかる状態を認識しながら生じさせたわけではないとして，財物の占有の弛緩（の認識）しか認められない場合と同様に，支払を受ける利益はいまだ被害者の支配下にあると解して，交付意思を否定する見解や，同様の結論を，財産上の利益を移転させる外形的事実の認識（財産上の利益を終局的に移転させる認識）の有無によって説明する見解も有力である。
　このような見解によると，行為者が立去りの際に，どのような文言を使って被害者を欺いたかが（被害者がどのような利益を行為者に与えると認識していたか，どのような状況の作出を承認したかに影響を及ぼし，交付意思の存否にかかわるため）重要であることになる。また，このような結論は，意識的交付行為説をとるという論者からも無意識的交付行為説をとるという論者からも認められているところであり（それぞれの説がどのような説を意味するかに一致がみられるわけではない），結局は，いずれの名称の説をとるかではなく，交付行為があるというために，何を意識していることが必要であり，逆に何を意識していなくてもよいと解するべきかが重要であるということに注意すべきである。
　ただ，さらに付け加えると，Case 207 と Case 208 の間でも，異なる処理が可能ではないか。Case 208 についての裁判例（前掲東京高判昭和33・7・7）は，旅館主を欺いたことによって，「旅館主をして当然被告人に対して請求し得べき宿泊料等の支払の請求をさせなかったことが明らかである」とし，欺かなければ，その場で支払の請求をされた事案に関するものである（前掲仙台高判昭和30・7・19も同様である）のに対し，Case 207 についての裁判例（前掲東京高判昭和31・12・5）は，女中を欺いたにすぎず，欺かなくても，支払の請求をされなかった事案に関するものであると思われる。そこで，Case 207 については，財産上の利益を得た（財産上の利益を交付する行為に向けられた行為があった）ということはできないから，詐欺罪は成立しないと考えることができるからである。

4 欺かれる者と交付行為者の一致　欺かれる者（以前は,「欺罔」に対応して,「被欺罔者」と呼ばれた）は被害者である必要はない。しかし,詐欺罪には,錯誤に基づく交付行為が必要であるから,欺かれる者と交付行為者は一致しなければならない。

　詐欺罪は,被害者の意思に基づく財産の移転をその要素とする。そして,交付行為は,詐欺罪と被害者の意思に反する財産移転を要素とする窃盗罪とを区別する要件であるから,被害者以外の者による財産移転行為が,被害者の意思に基づくものと認められる場合に,交付行為が肯定されることになる。そこで,欺かれて交付行為をする者は,被害者の財産を処分する権限を有する者でなければならない。判例では,欺かれる者は被害者のためその財産を処分しうる権能または地位になければならず（最判昭和45・3・26刑集24巻3号55頁）,登記官吏を欺いて質権消滅の登記をさせても詐欺罪にはならない（大判大正6・11・5刑録23輯1136頁）とされている。

　欺かれる者と被害者が同一でなく,行為者も含めて三者が関与する場合を三角詐欺と呼ぶが,これに関して,訴訟詐欺（裁判所を欺いて勝訴判決を得て,敗訴者から財産を取得するのがその典型である）が詐欺罪となるのかが議論された。判例はこれを肯定する（大判明治44・11・27刑録17輯2041頁など）。学説では,形式的真実主義をとる民事訴訟制度の下では,裁判所は虚偽だと分かっていても当事者の主張に拘束されて裁判をしなければならないから,こうした訴訟制度を利用することは欺く手段となりえないのではないか,また,被害者である敗訴者はやむを得ず裁判に服従して財産を交付するから,被害者の任意の交付があったとはいえないのではないかという疑問も出された。しかし,こうした民事訴訟制度においても自由心証が機能する場合には裁判所は欺かれたといえる。また,敗訴者は裁判所に自己の財産を処分する権能を与えている限りにおいて,交付行為者は裁判所であるとして,肯定説が多数である。ただ,裁判の効力が及ばない者の財産を処分する権能は認められない（前掲最判昭和45・3・26,最決昭和42・12・21刑集21巻10号1453頁参照）。

5 第三者に対する交付　行為者自身ではなく,財産を第三者に対し交付させる場合,第三者は行為者との間に特別の事情の存在するものでなければならないとされる（行為者において第三者に利得させる目的がある,あるいは,第三者が情を知らない犯人の道具である等の事情。大判大正5・9・28刑録22輯1467頁,大阪高判平成12・8・24判時1736号130頁）。

5 財産的損害

1 相当な対価の提供

　詐欺罪は財産犯である以上財産的損害が必要であるとするのが通説であるが，その意義については問題がある。とりわけ，行為者が相手方に相当な対価である金銭や物品を提供した場合に詐欺罪が成立するかということについてこの問題が顕在化する。損害を全体財産の減少とみれば，損害はないから，詐欺罪は成立しないことになるのに対し，従来の多数説は，形式的に，個別財産の喪失が損害であるとして，その成立を肯定する。事実を知っていれば財物を交付しなかったであろうという関係が認められれば，詐欺罪が成立すると解するのである。しかし，この説を一貫すれば損害を不要とするのと同じではないかとの疑問もある。判例も，このような考え方をとってきたわけではない。

> 補論　**社会通念上別個の支払**
> 　最近も，請負人が本来受領する権利を有する請負代金を欺いて不当に早く受領した場合について，欺かなければその時点において交付されることのなかった代金を交付させたという理由で，詐欺罪の成立を肯定することはせず，代金全額について詐欺罪が成立するには，欺かなかった場合に得られたであろう代金の支払とは「社会通念上別個の支払に当たるといい得る程度の期間支払時期を早めた」ものであることを要するとして，その成立範囲を限定的に解している（前掲最判平成13・7・19）。もっとも，「社会通念上別個の支払」とは何を意味するかは明らかでなく，支払時期の繰上げが極めてわずかであっても，これが詐欺罪の成立を認める根拠となりうる点に注意が必要である（いわゆる誤振込された預金口座からの払戻しについて詐欺罪を認めた最決平成15・3・12刑集57巻3号322頁参照⇒p.398の *Case 216* ）。

　近年の学説は，詐欺罪が個別財産に対する罪であり，個別財産の喪失が財産的損害であることは前提としつつ，実質的な法益侵害が必要であるとし，解釈提案を行っている。

> *Case 209*
> 　Xは，電気あんま器を，中風や小児麻痺に特効のある特殊治療器で，高価なものであるように装い，市場価格と同等の価格で，Aらに販売した。
>
> *Case 210*
> 　Xは，医師免許をもたないが，医師であると詐称し，Aを診察し，その症状にあった薬を相当な価格でAに買い取らせた。

判例は，たとえ価格相当の商品を提供したとしても，事実を告知するときは相手方が金員を交付しないような場合，商品の効能などについて相手方を誤信させ金員の交付を受ければ詐欺罪となるとし，*Case 209* のような場合についてその成立を認める（最決昭和34・9・28刑集13巻11号2993頁）。その一方，*Case 210* のような場合については，Aに財産上の損害があることを否定している（大決昭和3・12・21刑集7巻772頁）。前者の場合と異なり，Aに，買った物の機能について錯誤があったわけではない（Aが買った薬に，Aが買おうとした薬の機能が備わっていた）例である。

Case 211
未成年者Xは，成人であると偽って，未成年者には販売されない成人向け雑誌を，書店の主人Aから，代金を支払って購入した。

Case 211 において，Aが青少年保護のためどのようなことがあっても未成年者に成人向け雑誌を売るべきではないと考えていたとしても，Aが雑誌を交付することによって得ようとした金銭を実際に得ているので，詐欺罪は成立しないと解される。そこで，被害者に対して相当な対価が提供された場合であっても，被害者が財産の交付によって得ようとしたものと，実際に得たものとの間に差異があり，これが経済的にみて損害であると評価することができる場合には，詐欺罪の成立を肯定することができるといえよう。このような帰結は，欺く行為・錯誤の内容の解釈によって導くこともできる。

詐欺罪と法益関係的錯誤

学説における有力な見解は，被害者の同意に関する法益関係的錯誤説に基づいた立論をする。被害者がその意思によって有効にその財産を処分する場合には，財産処分は被害者の同意によるものであるから，犯罪の成立を肯定することはできない。そこで，詐欺罪が成立するのは，被害者の財産処分が有効でない場合であるが，それは，法益関係的錯誤による場合である。では，詐欺罪の保護法益は何か。それは，財産であるが，生命・身体がその存在自体において保護されるのに対して，財産はその交換価値（交換手段・目的達成手段）において保護されるべきである。よって，被害者にその処分する財産それ自体について錯誤がないときであっても，財産の交換価値の実現について錯誤があった場合（被害者が認識したような財産交換が実現しなかった，財産の交付により達成しようとした目的が達成されなかった場合）には，法益関係的錯誤があり，詐欺罪の成立を肯定することができるというのである。あるいは，財産交付の客観化可能で，具体的給付に内在し，かつ経済的に重要な目的に錯誤がある場合には，法益関係的錯誤があるという理解をする。そして，たとえば，虚栄心の強い者に，隣家は1,000円しか寄付をしていないのに，「お隣は10万円の寄付をした」と偽って，寺社の祭典執行のため10万円の寄付をさせた場合，寄付の目的は達成されており，財産交換・目的達成とは直接関係しない付随的事情についての錯誤があるにすぎず，法益関係的錯誤ではないとして，詐欺罪の成立を否定する。

2 各種文書の受交付

判例は，官公庁に対して虚偽の申立てを行い，各種証明書類を交付させる場合，たとえば，建物所有証明書（大判大正3・6・11刑録20輯1171頁），印鑑証明書（大判大正12・7・14刑集2巻650頁），旅券（最判昭和27・12・25刑集6巻12号1387頁），自動車運転免許証（高松地丸亀支判昭和38・9・16下刑集5巻9＝10号867頁）等について詐欺罪の成立を否定するが，健康保険被保険者証（大阪高判昭和59・5・23判時1139号155頁，最決平成18・8・21判タ1227号184頁。一方，名古屋地判昭和54・4・27刑月11巻4号358頁，大阪高判昭和60・6・26判タ566号306頁は，詐欺罪を否定した）や簡易生命保険証書（最決平成12・3・27刑集54巻3号402頁）については，詐欺罪の成立を肯定する。これらの文書が，かりに官公庁に保管されているときに，窃取された場合には，窃盗罪が成立すると考えると，文書に財物性があることは否定できない。証明手段としての意味しかもたないような文書を交付させた場合については，財産的損害があったとみることができないのに対し，自らに対する経済的利益を行使するための手段としての意味をもつ文書を交付させた場合については，財産的損害があったとみることができ，このような違いが，詐欺罪の成否を分ける理由となっているのではないかと思われる。

預金通帳の受交付
近年の判例は，他人名義で銀行預金口座を開設し，銀行窓口係員から預金通帳の交付を受けた場合について，預金通帳は，「これを利用して預金の預入れ，払戻しを受けられるなどの財産的な価値を有する」から，財物にあたるとして，詐欺罪の成立を肯定する（最決平成14・10・21刑集56巻8号670頁）。さらに，最近の判例は，預金通帳等を第三者に譲渡する意図を秘して銀行員に自己名義の預金口座の開設等を申し込み，預金通帳等の交付を受けた場合についても，詐欺罪が成立すると判断した（最決平成19・7・17刑集61巻5号521頁）。近年，マネーロンダリング規制や他人の口座を利用した犯罪防止の点から，金融機関の顧客の身元確認が厳格に求められるようになり（犯罪による収益の移転防止に関する法律），金融機関において顧客がその本人名義の口座を開設し，自らこれを利用することが社会的に重要な事項であると考えられるようになってはいる。しかし，金融機関が開設した口座が名義人本人によって利用されないことを認識していなかったという金融機関（係員）の錯誤が，金融機関にとって経済的に重要な意味をもつと評価することができるのかにはなお検討の余地があろう。

ほかに，第三者に譲渡する意図を秘して財物の交付を受ける行為を詐欺罪とした例として，最決平成22・7・29刑集64巻5号829頁がある（3参照）。

3 交付の判断の基礎となる重要な事項を偽ること

最高裁は，近年の判例において，欺く行為とは，交付（財産的処分行為）の判断の基礎となる重要な事項を偽ることであるという理解を明らかにし，欺く行為は，

行為の対象である交付の判断の基礎となる重要な事項と，偽るという行為の2つの要素からなることが示されている（偽るという行為については，最判平成26・3・28刑集68巻3号582頁⇒p.380の｢発展学習｣参照）。

判例は，ハイジャック・テロ，不法入国の防止や暴力団の排除というような社会的な関心・利益と認められる事実に関し，①他の者を搭乗させる意図を秘して自己に対する国際線航空機搭乗券の交付を請求する行為（最決平成22・7・29刑集64巻5号829頁）や，②暴力団関係者であるのにこれを申告せずにゴルフ場の施設利用を申し込む行為（最決平成26・3・28刑集68巻3号646頁），③暴力団員でないことを表明，確約して，銀行において口座の開設と通帳・キャッシュカードの交付を申し込む行為（最決平成26・4・7刑集68巻4号715頁）が，欺く行為に当たるとした。

> **発展学習　交付の判断の基礎となる重要な事項の意義**
> 　交付の判断の基礎となる重要な事項とは，交付した財産の喪失に実質的な法益侵害があることを担保しようとするものである。上記判例の①は，航空券記載の乗客以外の者を航空機に搭乗させないことが航空会社の航空運送事業の経営上重要性を有しており，搭乗券の交付を請求する者自身が航空機に搭乗するかどうかは，その交付の判断の基礎となる重要な事項であるとし（前掲最決平成22・7・29），②は，ゴルフ場が暴力団関係者の施設利用を拒絶するのは，利用客の減少や，ゴルフ倶楽部としての信用，格付け等が損なわれることを防止する意図によるもので，その経営上の観点からとられている措置であるとし，入会審査に当たり暴力団関係者を同伴，紹介しない旨誓約していた会員が同伴者の施設利用を申し込むこと自体，その同伴者が暴力団関係者でないことを保証する旨の意思を表している上，利用客が暴力団関係者かどうかは，施設利用の許否の判断の基礎となる重要な事項であるとした（前掲最決平成26・3・28）。また，③は，従前より企業の社会的責任等の観点から反社会的勢力との関係遮断に取り組んでいたゆうちょ銀行が，暴力団を含む反社会的勢力からの貯金の新規預入申込みを拒絶し，申込者に対し，反社会的勢力でないこと等の表明，確約を求めることとしていた場合において，口座の開設と通帳・キャッシュカードの交付を申し込む者が反社会的勢力であるかどうかは，その交付の判断の基礎となる重要な事項であるとした（前掲最決平成26・4・7）。

6　不法原因給付と詐欺罪

欺かれた者のする財物の交付が，民法708条の不法原因給付にあたり，その者はその返還を請求することができない場合でも，詐欺罪は成立するというのが判例・通説（被害者の民事法上保護された財産が侵害されたと考える）である。通貨偽造の資金として利用すると欺いて金銭を詐取した場合（大判明治43・5・23刑録16輯906頁），闇米を買ってやると欺いて金銭を詐取した場合（最判昭和25・12・5刑集

4巻12号2475頁），売春をすると欺いて前借金を交付させた場合（最決昭和33・9・1刑集12巻13号2833頁）に詐欺罪の成立が認められている。なお，学説には，不法の原因は，詐欺行為者のみにあるから，同条ただし書が適用され，被害者には返還請求権が認められることから，被害者が交付した物は，盗品等関与罪（256条）の客体となるという理解も有力であるが，詐欺罪が成立する場合一般に，同条ただし書の適用を認めることには疑問があるとされている。

これに対し，売春後に欺くことによってその対価の支払を免れた場合には，売春行為は公序良俗に反するから，その契約は無効であり，対価の支払を受ける債権は民法上保護されないから，2項詐欺罪の成立を否定するのが多数説である（札幌高判昭和27・11・20高刑集5巻11号2018頁。反対，名古屋高判昭和30・12・13高刑特2巻24号1276頁）。

7 クレジットカードの不正使用

支払意思・能力のない者が自己名義のクレジットカードを使用して，加盟店で商品を購入することは詐欺罪となるのか。加盟店を欺いて商品を交付させることを，加盟店を被害者とする1項詐欺罪とみるのが，下級審裁判例の大勢である（福岡高判昭和56・9・21判タ464号178頁，名古屋高判昭和59・7・3判時1129号155頁等）。簡明な構成ではあるが，加盟店はほとんどの場合信販会社から代金の立替払いを受けるから，実質的な損害は信販会社に発生する。そこで信販会社が被害者であるとして，肯定説には，信販会社を欺いて立替払いをさせることを2項詐欺罪とみる説，信販会社は会員に支払意思・能力のないことを知っていたとしても立替払いをしなければならないから，信販会社に錯誤は認められない等として，加盟店を欺かれる者かつ交付行為者，信販会社を被害者とする三角詐欺の構成を用いて，加盟店を欺いて，信販会社に立替払いをさせ，行為者の加盟店への支払を免れることを2項詐欺罪とみる説等が存在する。これに対し，加盟店はカードの有効性と署名の同一性を確認すれば足り，支払意思・能力まで考慮する必要がないから，欺かれることは考えられないとして，否定説も主張されている。

Case 212
Xは，父親Yの承諾を得て，加盟店において，Y名義のクレジットカードを使用して，腕時計を購入した。約1か月半後，その代金相当額は，Yの預金口座から引き落とされ，決済された。

他人名義のクレジットカードを使用する場合，窃取または詐取された他人名義のものを使用する等，名義人の意思に反してクレジットカードを使用して，加盟店で商品を購入することは詐欺罪となる（東京高判昭和56・2・5判時1011号138頁等）。それでは，名義人の承諾を得ており，名義人が決済する場合はどうであろうか。最高裁は，クレジットカードの名義人から使用を許されており，かつ，自らの使用に係るカードの利用代金が会員規約に従い名義人において決済されるとしても，詐欺罪は成立するとしている（最決平成16・2・9刑集58巻2号89頁）。そうすると，*Case 212* では，カードを使用したＸだけでなく，そのカード使用を許した名義人本人Ｙにも，詐欺罪（の共犯）が成立しうる。

発展学習　**近親者による使用**
　このような場合，学説には，名義人の妻等のごく近い近親者で，名義人本人と同視しうるものが使用した場合には，詐欺罪の成立を否定する見解もあり，判例もこのことを認めないわけではないともいわれる。実質的違法性がないとの理由も示されるが，そう解しうる根拠は明らかでない。支払意思・能力のない者による自己名義カードの使用の場合と異なり，決済を受けることができるから，信販会社に実質的損害は発生しない。そこで，加盟店に損害が生じるかが問題となる。加盟店が信販会社から立替払いを拒否されるのは，自己名義のカード使用の場合，加盟店が会員の支払意思・能力がないことを知っているときに限られるのに比べて，他人名義のカード使用の場合は，加盟店が名義人でないことを知っているときのほかに，重大なミスによって知ることができなかったときも含まれるとすると，加盟店が現実に損害を受ける危険性がないとはいえない。しかし，カード上の署名と売上票上の署名の同一性を必ずしも厳密に確認しているとはいえない（厳密でない確認によって立替払いを拒否される危険性を無にすることができる）現状を前提とすると，そのような危険性を伴う財物の交付を実質的法益侵害とみることはなお困難であり，加盟店を被害者とする詐欺罪の成立は否定されるべきであるといえよう。

8 他罪との関係

　文書（あるいは有価証券）を偽造し，偽造した文書を人にみせて行使することによって，人を欺いて財物を交付させるときには，文書偽造罪（あるいは有価証券偽造罪），偽造文書行使罪（あるいは，偽造有価証券行使罪）と詐欺罪は，牽連犯である（大判大正4・3・2刑録21輯221頁，大判昭和8・10・2刑集12巻1721頁）。これに対して，郵便貯金通帳を窃取し，これを利用して，郵便局窓口において局員から貯金の払戻しを受ける行為は，窃盗罪と詐欺罪の併合罪となる（最判昭和25・2・24刑集4巻2号255頁）。また，消費者金融会社の係員を欺いて交付させたローンカードを用いて，同社の現金自動入出機から現金を引き出した行為は，詐欺罪と窃盗罪の併合罪となる（最決平成14・2・8刑集56巻2号71頁）。

3 電子計算機使用詐欺罪（246条の2）

1 電子計算機使用詐欺罪の意義

　前条（246条。詐欺罪）に規定するもののほか，人の事務処理に使用する電子計算機に虚偽の情報もしくは不正な指令を与えて，財産権の得喪，変更に係る不実の電磁的記録を作り，または，財産権の得喪，変更に係る虚偽の電磁的記録を人の事務処理の用に供して，財産上不法の利益を得，または，第三者に得させる罪である。銀行業務をはじめとするさまざまな財産取引において，債権，債務の管理，決済，資金移動等の財産権の得喪，変更の事務処理が，人に代わって電子計算機によりなされるようになったが，このようなシステムを悪用した財産侵害行為の中には伝統的な財産犯規定によっては的確に対応しえないものが生じてきたため，昭和62（1987）年に新設された。「前条に規定するもののほか」とは，外見上246条の2にあたる行為でも，事務処理過程に介在する人を欺く詐欺罪が成立すれば，電子計算機使用詐欺罪は適用されないことを示したものとされている。

2 行為類型

　財産権の得喪，変更に係る，不実の，あるいは，虚偽の（すなわち，内容が真実に反する）電磁的記録を介在させる行為だけが処罰される。財産権の得喪，変更に係る電磁的記録とは，財産権の得喪，変更を生じさせるべき事実を記録した電磁的記録で，一定の取引場面において，その作出により事実上当該財産権の得喪，変更が生じることとなるようなものとされる。

　本条前段には，銀行員が窓口端末機を用いて架空の入金データを入力し，元帳ファイルにおける預金残高の記録を書き替えること（161条の2の電磁的記録不正作出罪，同供用罪と電子計算機使用詐欺罪が成立し，これらは観念的競合となる。大阪地判昭和63・10・7判時1295号151頁。信用金庫支店長の行為について，東京高判平成5・6・29判時1491号141頁）等が該当し（他に，インターネットを介して，窃取したクレジットカードの名義人氏名，番号等を入力送信して，カード決済代行業者の電子計算機に接続されているハードディスクに，名義人が電子マネーを購入したとする電磁的記録を作り，電子マネーの利用権を取得したことについて，最決平成18・2・14刑集60巻2号165頁），後段には，プリペイドカードの残度数あるいは残額を不正に改変して，公衆電話を利用すること，あるいは，自動改札機を通過し電車に乗車すること（163条の2の

支払用カード電磁的記録不正作出罪,同供用罪が成立し,電子計算機使用詐欺罪と牽連犯となる)等が該当する。

横領・背任の罪

1 横領の罪と背任罪

　「横領の罪」（刑法典第2編第38章）には，横領罪，業務上横領罪（これらは，委託に基づいて占有する物を横領する罪であり，委託物横領罪という），遺失物等横領罪が規定されている。

　いずれの罪も，他人の占有に属さない他人の物を横領する罪であり，所有権（ただし，252条2項は，公務所より保管を命ぜられた自己の物を客体としている）が保護法益であるとされる（委託物横領罪においては，委託関係も保護法益であるかについては，議論がある）。財物に対する罪であるが，他人の占有を侵害しない点において，窃盗，強盗，詐欺，恐喝の各奪取罪とは異なる。横領罪が窃盗罪よりもその上限において軽く処罰されるのは，占有侵害を伴わないからである，あるいは，動機において誘惑的だからであるとも説明される。

　委託物横領罪は，広い意味では他人との信頼関係に背いて行われる財産的加害である点で，背任罪と共通性を有するとされ，背任罪（247条）は，「詐欺及び恐喝の罪」（刑法典第2編第37章）に規定されているにもかかわらず，委託物横領罪とあわせて論じられることが多い（改正刑法草案第2編第39章参照）。

　なお，「横領の罪」については，親族間の犯罪に関する特例（244条）の規定が，準用される（255条）。委託物横領罪に関しては，親族関係は，行為者と委託物の所有者の間（大判昭和6・11・17刑集10巻604頁）だけでなく，行為者と委託者の間にも必要であるかについては見解が分かれる。親族関係は，行為者と被害者の間に必要であり，委託物横領罪においては，委託関係も保護法益であると解すれば，行為者と委託者の間にも必要であることになる。遺失物等横領罪に関しては，親族関係は，行為者と所有者の間に存在すれば足りる。

|発展学習| **後見人と被後見人の間の親族関係**
　家庭裁判所から選任された未成年後見人が，業務上占有する未成年被後見人所有の財物を横領した場合，両者の間に親族関係があるときに，244条は準用されるか。最高裁

は，未成年後見人は，未成年被後見人と親族関係にあるか否かの区別なく，等しく未成年被後見人のためにその財産を誠実に管理すべき法律上の義務を負っているから，その後見事務は公的性格を有するものであり，親族間の一定の犯罪について，国家が刑罰権の行使を差し控え，親族間の自律に委ねる方が望ましいという政策的な考慮に基づいて，その処罰について特例を設けた244条1項は準用されないとする（最決平成20・2・18刑集62巻2号37頁）。また，家庭裁判所から選任された成年後見人が，業務上占有する成年被後見人所有の財物を横領した場合についても，同じ結論をとる（最決平成24・10・9刑集66巻10号981頁）。

2　委託物横領罪

1　横領罪（252条1項）と業務上横領罪（253条）

　横領罪（単純横領罪ともいう）は，「自己の占有する他人の物を横領した」者を5年以下の拘禁刑（懲役）に処し（252条1項），業務上横領罪は，「業務上自己の占有する他人の物を横領した」者を10年以下の拘禁刑（懲役）に処する（253条）ものである。

　横領罪は，委託に基づいて他人の物を占有している者だけが行いうる真正身分犯である。業務上横領罪は，主体が業務者であることによる横領罪の加重類型であり，他人の物の占有者と業務者という二重の身分が要求される複合的な身分犯である。刑の加重の根拠については，多数人との間の信頼関係を破る点において法益侵害の範囲が広く，頻発のおそれも大きいとみる見解に対し，責任が加重されているとみる説も有力である。業務とは，社会生活上の地位に基づいて反復・継続して行われる事務で，他人の物を占有・保管することを内容とするものをいう。占有が業務上のものであること以外には，横領罪についての議論があてはまる。

> *Case 213*
> 　Xは，友人Aから借りた高価な本を，金に困って食事代にあてるため，他人に売り払った。
> *Case 214*
> 　クリーニング店を経営するXは，客Aからクリーニングを依頼され，預り保管中のミンクのコートを，資金繰りに窮して，他人に売り払った。

Case 213 において，Xに，横領罪が成立する。*Case 214* では，客体が，業務上占有する他人の物であるため，業務上横領罪が成立する。

|発展学習| **業務上横領行為への非占有者の関与**
他人の物を占有する者（占有者）にそうでない者（非占有者）が加功したときには，65条1項により横領罪の共犯が成立し，業務上他人の物を占有する者（業務上占有者）に占有者が加功したときには，65条2項により横領罪の刑が科される。業務上占有者に非占有者が加功したときには，議論があるが，判例は，65条1項により業務上横領罪の共犯が成立し，65条2項により横領罪の刑を科すべきであるとする（最判昭和32・11・19刑集11巻12号3073頁）。

2 自己の占有する他人の物

1 他人の物

物は，一般に財物と同義であるとされる。不動産を含む。本罪には245条の準用がないので，有体物説によれば，電気は客体にはならないことになる。

他人の物とは，他人の所有する物のことである。他人と共有する物も含まれる（大判明治44・4・17刑録17輯587頁）。売買の目的物については，単に売買契約が成立しただけでただちに実質的に売主から買主に所有権が移転したといえるかには疑問もあり，少なくとも代金が支払われてはじめて買主のものとなるとする見解も有力である。割賦売買の目的物は，基本的には代金完済に至るまでは売主のものであり，買主にとっては本罪の客体となると解するのが多数である（最決昭和55・7・15判時972号129頁参照）。また，譲渡担保の目的物については，譲渡担保権は，その実質は担保権である，あるいは，横領罪で保護される所有権にはあたらないとして，債務者による目的物の不法な処分は横領罪にはならないとする見解も主張されている。

金銭については，封金のように特定物として委託された場合は，その所有権は委託者にあるが，そうでない場合でも民事法におけるのと同様に占有と共に所有権も移転するとは解されていない。判例は，使途を限定して委託された金銭の所有権はなお委託者に残るとし（大判大正3・12・12刑録20輯2401頁，最判昭和26・5・25刑集5巻6号1186頁），また，債権の取立てを委託された者が取り立てた金銭（大判昭和8・9・11刑集12巻1599頁），物の売却を委託された者が受領した金銭（大判大正2・6・12刑録19輯711頁）は，それぞれ債権者，売主の物であるとする。すなわち，金銭の委託の趣旨が，金銭の自由な処分を禁止したとみられるときには，

委託者に所有権が存すると解されている（大判大正4・8・24新聞1039号32頁）。こうした金銭を一時他に流用することは，他の通貨で確実に代替させる意思および能力があるときには，不法領得の意思が欠ける，あるいは，流用された時点で金銭の所有権が受託者に移転する等として，本罪の成立は否定されるのが一般である。

2 自己の占有

　占有とは，事実上または法律上，物に対する支配力を有する状態をいう（大判大正4・4・9刑録21輯457頁）。窃盗罪におけるよりも広く，法律上の支配力が含まれるのは，濫用のおそれのある支配力，あるいは，所有権侵害をなしうる地位（すなわち，処分可能性）が問題となるからであるといわれる。たとえば，貨物引換証（商法571条〔平成30年・法律第29号改正前〕以下），倉庫証券等物権的有価証券の所持人に物についての（大判大正7・10・19刑録24輯1274頁），登記簿上の名義人に不動産についての（大判明治45・5・7刑録18輯578頁）占有が認められている（これに対し，未登記の不動産については，適法な権限に基づいて現実に使用管理する者に占有があるとされる。最判昭和30・4・5刑集9巻4号645頁）。

> *Case 215*
> 　Aの金銭を保管するために自己名義で預金することを許されたXは，自分の借金の返済に充てるため，その預金額を銀行窓口において払い戻した。

> 　上のような法律上の支配が認められる例と同様に，預金者には，預金額に相当する金銭についての占有があることを肯定するとすれば（大判大正1・10・8刑録18輯1231頁），*Case 215* の場合，Xには，自己の占有する他人の物を横領したとして，横領罪が成立すると解することができる。しかし，これは，銀行等に存在する不特定物たる現金に対する預金者の占有を認めることになるが，銀行等の現金の準備高は預金額より少ないから，擬制にすぎない等として，預金による占有を否定する立場もある。

> *Case 216*
> 　AがX振込先を誤ってX名義の（残額がわずかな）預金口座を指定したため，これに10万円が振り込まれたところ，Xは，自分の借金の返済に充てるため，銀行窓口において10万円の払戻しを受けた。

> Xには，10万円の預金額に相当する金銭についての占有があるということができれば，横領罪（その占有は委託によるものではないとすると，遺失物等横領罪）の成立可能性が生じる。もっとも，(Case 216)のような誤振込みの場合について，判例は，銀行に対する詐欺罪の成立を認めた。銀行にとって，払戻請求を受けた預金が誤った振込みによるものか否かは，ただちにその支払に応じるか否かを決する上で重要な事項であるから，銀行からただちに現金の交付を受けたことが1項詐欺罪となるとする（最決平成15・3・12刑集57巻3号322頁）。銀行が，振込みの過誤の有無に関する調査，照会等の手続を経た上で行う預金の払戻しと，それを経ずに行う預金の払戻しとでは，質的にまったく異なり，後者は，社会通念上別個の支払にあたる（最判平成13・7・19刑集55巻5号371頁⇒p. 387の 補論 ）からであると解説されている。

こうした占有は，所有者その他の権限者からの委託関係に基づくものであることが必要である。委託関係は，物の保管を内容とする契約のほか，売買契約による物の売主としての地位，法定代理人や法人の代表者のような地位や雇用契約等から生じる。誤って配達された郵便物（大判大正6・10・15刑録23輯1113頁）や風で飛んできた洗濯物は，その占有が委託に基づくものではないから，委託物横領罪の客体ではなく，遺失物等横領罪の客体にすぎないとされる。

3 横領の意義

1 領得行為説と越権行為説

基本的に，委託物横領罪とは，委託者との間の信頼関係を損なう点にその本質が存在するものであるとし，行為者がその占有する物についてその権限を超えた行為をすることが横領になるという越権行為説と，不法領得の意思を実現するすべての行為，あるいは，不法に領得する行為が横領になるという領得行為説が主張されている。領得行為説は，越権行為が十分な所有権侵害であるとはいえず，横領罪は窃盗罪と同様の領得罪であり，同様の不法領得の意思をその要素とすると理解すべきであるということをその理由とする。委託物横領を権限を超えた不法な領得であるとする見解もみられる。

判例・多数説は，領得行為説による。この説においては，不法領得の意思とは何かが問題となる。この内容に従って，越権行為説によるのとは異なり，毀棄・隠匿目的あるいは一時使用目的での行為は横領にはあたらないとされる。判例は，横領罪における不法領得の意思を，「委託の任務に背いて，その物につき権限がないのに所有者でなければできないような処分をする」意思と解し（最判昭和24・

3・8刑集3巻3号276頁)，窃盗罪の場合（最判昭和26・7・13刑集5巻8号1437頁）と比べると，「経済的用法に従い」という限定を付していない。ただ，判例には，隠匿行為を横領とするものがある（大判大正2・12・16刑録19輯1440頁等）ものの，毀棄行為に横領罪の成立を認めたことはないとされる。また，物の処分が所有者本人のためになされたときには不法領得の意思の存在を否定し（大判大正15・4・20刑集5巻136頁，最判昭和28・12・25刑集7巻13号2721頁等），行為ないしその目的とするところが違法であるなどの理由から委託者として行いえないものであるとしても，そのことからただちに不法領得の意思を認めることはできないとしており（最決平成13・11・5刑集55巻6号546頁），その意味では領得行為説の立場を維持しているといえよう。

> **発展学習　所有者本人のためにする物の処分**
> 寺の住職が関東大震災で倒壊した庫裏を建設する資金を捻出するために，寺の木像を買戻約款付きで売却したこと（前掲大判大正15・4・20）や，農業協同組合の組合長が，定款に違反して譲り受けた貨物自動車営業のために組合資金を支出したこと（前掲最判昭和28・12・25）等について，不法領得の意思を欠くとして，横領罪の成立を否定している。物の処分が客観的に本人のためになるとは，「委託の任務に背」くものではない，あるいは，「所有者でなければできないような」ものではないといえるとすれば，物の処分を所有者本人のためにする認識・意思があることは，処分が「委託の任務に背」くものである，あるいは，「所有者でなければできないような」ものであることの認識・意思がないことを意味するから，不法領得の意思が存在しないことになろう。

横領行為は，法的な行為（売却，贈与，質入れ，抵当権設定〔不実の仮登記について，最決平成21・3・26刑集63巻3号291頁〕等）であると，事実的な行為（費消，着服，拐帯等）であるとを問わないとされる。判例では，建物の占有者が，所有権を主張して所有者を相手に民事訴訟を提起することも横領となるとされた（最判昭和25・9・22刑集4巻9号1757頁）。

2　既遂時期

横領の罪には未遂犯処罰規定が存在しない。よって，どの時点において既遂となるかがより重要な問題となる。横領の罪は，不法領得の意思が外部に現れる行為がなされればただちに既遂に達し，未遂を観念しえないともいわれたが，有力説は，不可罰の未遂段階はありうると解する。たとえば，不動産の売却については，所有権移転登記がなされてはじめて既遂に達し，動産のように，単に売却の意思表示（大判大正2・6・12刑録19輯714頁）あるいは売買契約締結がなされただ

けでは足りないとする。

4 不法原因給付と横領罪

　不法原因給付物（民708条）が横領罪の客体となりうるか。肯定説は、給付者は、民法上返還請求権は認められないが、所有権を失ってはいないから、受給者にとっては他人の物である（大判明治43・9・22刑録16輯1531頁）、あるいは、民法上の所有権とは独立に刑法上の所有権の保護を図るべきである等とする。これに対し、否定説は、受給者は給付者に対し何らの義務も負担しないから、給付者は受給者に対し保護に値する所有権を有しないのであり、また、民法上返還義務のない者に刑罰の制裁をもって返還を強制するのは、法秩序全体の統一を破るものであるとする。さらに、給付を終局的な利益の移転と解し、売人から買い受けた覚せい剤のような不法原因給付物については、横領罪は成立しないが、贈賄資金として（前掲大判明治43・9・22、最判昭和23・6・5刑集2巻7号641頁）、もしくは、覚せい剤購入のために預けられた金銭のような不法原因寄託物については、所有権がなお寄託者にあり、横領罪（あるいは、委託関係は保護に値しないから、遺失物等横領罪）が成立するという説も主張されている。

> **発展学習**　**委託された盗品あるいはその売却代金の処分**
> 　盗品の有償処分のあっせんをした者が、盗品の売却代金を着服等した場合、横領罪は成立するか。判例自体も分かれ、横領罪の目的物は、行為者の占有する他人の物であれば足り、物の給付者において行為者に対し返還を請求することのできるものであることは要しないとして、これを肯定するもの（大判大正4・10・8刑録21輯1578頁、最判昭和36・10・10刑集15巻9号1580頁）と、窃盗犯人との間の委託契約は無効で、委託者は代金の所有権を獲得しないとして、否定するもの（大判大正8・11・19刑録25輯1133頁）が存在する。また、情を知って盗品の保管をする者がその盗品をほしいままに処分することについて、本罪の成立を否定した（大判大正11・7・12刑集1巻393頁。窃盗犯人は所有者ではなく、盗品の返還請求もできない上、所有者との関係でも盗品等に関する罪が成立する以上、新たな所有権侵害は認められないとする）が、盗品の運搬を委託された者が、それが盗品であることを知った後にほしいままに処分することについては、これを肯定している（大判昭和13・9・1刑集17巻648頁）。学説の対応も分かれるが、盗品の保管・運搬や処分の委託は、違法行為の委託であり、保護に値しないとすると、横領罪は成立せず、遺失物等横領罪しか成立しえないものの、盗品等関与（保管・運搬や有償処分あっせん）罪が成立する場合には、より軽い遺失物等横領罪は、共罰的事後行為としてそれに包括される（なお、p.248の**3**参照）と解することが可能である。

5　二重売買と横領罪

1つの物を2人に売却すること（二重売買）は、横領罪となりうる。

> **Case 217**
> Xは、Aに不動産を売却しながら、所有権移転登記前に、その不動産をBに売却した。

> **Case 217**のような場合、XA間で代金の授受が終わり、Bに対し不動産の登記（動産の場合には引渡し）が完了し、Bに対抗要件を具備させるという段階に至れば、Xには横領罪が成立すると解するのが一般である。代金の授受によって、第1買主Aに所有権が移転し、Xにとって他人の物であるが、なお、Xが登記名義を有することによって占有すると認められる物について、ほしいままにBに売却し、登記の完了によって、Bに対抗要件を具備させ、Aの不動産所有権を確定的に侵害したことによって、横領罪は既遂に達するということができる。

> **Case 218**
> Xは、Aに不動産を売却し、代金を受け取りながら、所有権移転登記前に、その不動産をYに売却し、所有権移転登記を完了した。Yは、XがAに不動産を売却し、代金を受け取った事実を知っていた。

> **Case 218**におけるような第2買主Yの罪責については、不動産の二重売買の事実につき単に悪意であるだけでは足りない（最判昭和31・6・26刑集10巻6号874頁）が、いわゆる背信的悪意者であり、民法177条の「第三者」にあたらないときには、Xとの横領罪の共犯が成立しうるとされている（福岡高判昭和47・11・22判タ289号292頁参照。もっとも、単純悪意の者であっても、民法177条の「第三者」にあたらないのではないかとの議論もある）。

6　横領後の横領

自己の占有する他人の財物について横領罪が成立した後、その財物についてさらに横領罪が成立しうるか。たとえば、他人の不動産の登記名義人が、不法に抵当権設定を行い、その旨の登記をし、横領罪が成立した後、売却等の所有権移転を行い、その旨の登記を了した場合、また横領罪が成立するか。従来の判例は、これを否定していた（前掲最判昭和31・6・26）が、最高裁は、これまで不可罰的

事後行為とされてきた後行の所有権移転行為について横領罪の成立を肯定することができ、先行の抵当権設定行為の存在は同罪の成立を妨げる事情とならないとするに至った（最大判平成15・4・23刑集57巻4号467頁）。

これと同様に、他人の財物について財物罪が成立した後は、その財物についてさらに財物罪が成立することを妨げる理由はないのだとすると、窃盗犯人が、窃取した財物を損壊した場合は、（窃盗罪のほかに）器物損壊罪が成立し、あるいは、窃取した財物を他人に売却した場合は、遺失物等横領罪が成立することになるが、この点については議論がある。

7 詐欺罪との関係

詐欺行為を手段として、所有者に対して自己の占有する財物の返還を免れた場合、横領罪は成立するが、詐欺罪は成立しないというのが判例である（大判明治43・2・7刑録16輯175頁、大判大正12・3・1刑集2巻162頁等）。財物の返還を免れるという財産上の利益を得たことから、2項詐欺罪の成立を肯定する見解もあるが、多数説は、詐欺行為は、横領罪が窃盗罪や詐欺罪より刑の上限が軽い趣旨から、あるいは、成立した横領罪と同一の利益に向けられているから、不可罰的事後行為であるとする。もっとも、他人の反抗を抑圧する暴行・脅迫によって財物の返還を免れた場合には、強盗罪を認めるべきではないかとの解釈がありうる。

3 遺失物等横領罪（254条）

遺失物等横領罪は、遺失物、漂流物その他占有を離れた他人の物を横領したときに成立する（254条）。これは、誰の占有にも属していない、あるいは、委託に基づかず行為者が占有する他人の所有物を横領する罪である。法定刑は、器物損壊罪（261条）よりも軽い。

遺失物、漂流物は、占有を離れた他人の物の例示であり、遺失物とは、占有者の意思に基づかずにその占有を離れ、まだ誰の占有にも属していない物、それが水中に存在したときには漂流物というとされる。また、客体には、委託に基づかず偶然等により行為者が占有するに至った物も含まれる（大判明治43・12・2刑録16輯2129頁）。いわゆる落とし物や忘れ物は、遺失物等横領罪の客体にあたる。このような占有を離れた他人の物は、占有離脱物とも呼ばれてきた。

横領するとは、領得行為説によれば、不法領得の意思を実現する行為である

（大判大正10・10・14刑録27輯625頁参照）。自己の占有下にない物については，不法領得の意思で自己の事実上の支配内におくこととされる（大判大正6・9・17刑録23輯1016頁）。

4 背任罪（247条）

1 背任罪の本質

　背任罪は，他人のためにその事務を処理する者が，自己もしくは第三者の利益を図り，または，本人に損害を加える目的で，その任務に背いた行為をし，本人に財産上の損害を加える罪である（247条）。横領罪と背任罪に共通性のあることが指摘される（⇒p.395の **1**）が，横領罪は，他人の財物を不法領得することが必要である一方，背任罪は，客体を他人の財物に限るわけでもないし，それを経済的用法に従って利用する（その効用を享受する）意思があることも必要でない。しかし，債務不履行によって，債務者が債権者に損害を与えることがただちに背任罪となるものでもない。

　背任罪がどのような本質を有するかについて，かつて，法律上の処分権限のある者による権限の濫用とみる権限濫用説が主張された。しかし，とくに，代理権の濫用と解することについては，当罰的な事例は，代理権を有しない者の行為や，事実的な行為にも存在しうるのであり，主体，行為の両方で適用範囲を狭くしすぎるとして批判された。そこで，背任罪は，他人との間の信任関係に違背する財産的加害であるとする背信説が通説となり，判例も背信説の結論に従っている。しかし，どのような場合に信任関係違背が存在するかを明示しえず，背任罪の成立を無限定に認めるおそれがあるため，現在では，共通の性格を有する背任罪と委託物横領罪は，単に一般法と特別法の関係に立つとする従来の理解を否定し，背任罪は横領罪より高度の信任関係を前提とするという見解や，信任関係に違背して権限を濫用する点に本質があるが，その権限はとくに代理権ないしは法律上の処分権限に限らないとする見解（背信的権限濫用説等といわれる）等が有力に主張されている。

　なお，株式会社の取締役等による場合には，特別背任罪（会社960条1項）が成立する。

2 事務処理者

　主体は，他人のためにその事務を処理する者（事務処理者）である（真正身分犯）。これは，背信説からはとくに代理権を有する者に限定されない。

　事務処理の原因としては，法令，契約のほか，慣習や事務管理が挙げられるが，後2者が原因となりうるかには疑問が呈されている。

　事務は，財産上の事務に限られないとする説が主張されたが，本罪は財産犯であることから，現在は限定的に解する傾向が強い。判例にも，医師の患者のための診察のような非財産的事務に本罪の成立を認めたものはないとされる。また，判例の態度は明確ではないが，学説上は，事務あるいは事務の処理は，ある程度包括的ないしは裁量的なものであることが必要である，さらには，事務処理者は他人の権利・義務を左右できる立場になければならないとし，単なる個別的ないしは機械的事務は問題にならないとする見解が有力である。

　その事務とは，「他人の」事務であることから，売主と買主の間における目的物の引渡しや代金の支払，債権者に対する債務の弁済は，たとえ他人のためにするものではあっても，それぞれ売主，買主，債務者にとって自己の事務にすぎないから，これらについては，本罪は成立しないと解されている。対内的ではなく対向的に他人に対して義務を負うにすぎない者は事務処理者にはあたらないとも説明される。

> *Case 219*
> 　Xは，自己の不動産について，Aに対する債務の担保として抵当権設定契約をしたが，その登記をしないうちに，さらにBに対する債務の担保として抵当権設定契約をし，後者の登記を先に完了した。

　*Case 219*のような二重抵当について，判例は，登記完了まで抵当権者に協力する任務は，主として他人である抵当権者のために負うとして，背任罪を構成するとし（最判昭和31・12・7刑集10巻12号1592頁），多数説もこれを是認する。他人の所有権を侵害する二重売買が横領罪となる（⇒p. 402の **5**）のと同様に，（他人の所有権は侵害しないが）他人の抵当権（Aの第1抵当権）を侵害する二重抵当は，背任罪となると解する。しかし，他人の事務というには，本来その他人がなしうる事務であり，それを行為者が代わって行うことが必要であるとする立場等からは，抵当権設定者の登記協力事務は他人の事務といえるか，疑問視されている。さらに，判例は，株式を目的とする質権の設定者が，交付し，質入れした株券について虚偽の申立てに

より除権判決を得て株券を失効させたことについて，株式の担保価値を保全すべき任務は，他人である質権者のために負うとして，背任罪の成立を肯定する（最決平成15・3・18刑集57巻3号356頁）。

3 任務違背行為

　事務処理者の任務に背いた行為（任務違背行為）は，背信説によれば，法律行為には限られない。事務処理者としてなすべきものと法的に期待される行為に反することが任務違背であるとされる。法令，定款，契約，内規等に違反しているか否かがその手がかりにはなるが，実質的に本人にとって不利益な行為であると認められるか否かが問われる。株式投資，商品取引やデリバティブ取引等，一定の危険を伴ういわゆる冒険的取引も，ただちに任務違背にあたるわけではない。このような判断は，処理すべき事務の性質・内容等の具体的事情に照らしてなされる。

> **Case 220**
> 　A信用金庫の支店長であるXは，経営に困難を来しているB社に，回収の見込みがないのに十分な担保をとらないまま，金銭の貸付を行った。

　背任罪が適用される典型例の1つとして，Case 220のような不良貸付がある。Xの行為は，その任務に背いた行為であると認められる。最高裁は，特別背任罪の成否が問われた場合についてであるが，融資業務に際して銀行の取締役が負うべき注意義務の程度は，一般の株式会社取締役の場合に比べ高い水準のものであり，いわゆる経営判断の原則が適用される余地はあるものの，それだけ限定的なものにとどまるから，銀行の取締役は，融資業務の実施にあたっては，元利金の回収不能という事態が生じないよう，債権保全のため，融資先の経営状況，資産状態等を調査し，その安全性を確認して貸付を決定し，原則として確実な担保を徴求する等，相当の措置をとるべき義務を有するとした（最決平成21・11・9刑集63巻9号1117頁）。

4 財産上の損害

　任務違背行為により，本人に財産上の損害が発生すれば，本罪は既遂に達する。財産上の損害の有無は，本人の財産状態を全体として評価することによって判断され，ある財産が減少しても，反対に同価値の他の財産が増加すれば，財産上の

損害はないと解されている（この点の判断が具体的に問題になったものとして，最決平成8・2・6刑集50巻2号129頁参照）。その判断は経済的見地からなされ，既存財産の減少（積極的損害）と得べかりし利益の喪失（消極的損害）が財産上の損害となるとされる（最決昭和58・5・24刑集37巻4号437頁）。背任行為に着手したが，財産上の損害が生じなければ，未遂となる（250条）。

> *Case 221*
> 　A信用金庫の支店長であるXは，経営に困難を来しているB社に，回収の見込みがないのに十分な担保をとらないまま，金銭の貸付を行った。Bは，期限までに貸付金を返済することができなかった。

> *Case 221* のような場合，金銭を貸し付けた時点において，回収可能性の極めて小さい，したがって，実質的に経済的価値の極めて低い貸金債権が生じたことが，財産上の損害の発生であると評価され，理論的には，（返済期限をまつことなく）背任罪は既遂に達すると一般に解されている。

5　故意と図利加害目的

　背任罪は故意犯であり，その成立には故意が必要であるが，主観面では，このほかに，自己もしくは第三者の利益を図り，または，本人に損害を加える目的（図利加害目的）を要件とする。

　目的における「利益」や「損害」は，財産上のものに限らず，身分上のものも含むとする考え方（大判大正3・10・16刑録20輯1867頁参照）に対し，本罪は財産犯であることから限定的に解する学説も有力である。

　図利加害目的の内容については，学説上，図利加害の点についての（未必的）認識（および認容）で足りるとする説，目的を動機と理解して，図利加害の点についての確定的認識を必要とする説，ないしは，図利加害の意欲を必要とする説等が主張されたが，近年は，本罪の目的は，本人の利益を図る目的（本人図利目的）であるときにはその成立を否定することに意義があるとして，本人図利目的がないことを裏から示す要件であるとみて，図利加害の点の認識しかないが，本人図利の動機がないことをも意味すると考える，消極的動機説と呼ばれる説が有力である。判例は，図利加害の点につき，「意欲ないし積極的認容までは要しない」と述べる（最決昭和63・11・21刑集42巻9号1251頁）。また，本罪は，目的を特

定しているので，本人図利目的のときには成立しない（前掲大判大正3・10・16）が，主として自己または第三者の利益を図る目的がある以上，従として本人図利目的があったとしても成立するとしてきた（大判昭和7・9・12刑集11巻1317頁，最決昭和35・8・12刑集14巻10号1360頁）。近年は，図利加害の動機がなくても，本人図利が行為の決定的な動機でない以上，自己・第三者利益または本人加害の認識がある限り，図利加害目的があることを認めるということが可能である（最決平成10・11・25刑集52巻8号570頁，最決平成17・10・7刑集59巻8号779頁）。

> *Case 222*
> 　A信用金庫の支店長であるXは，経営に困難を来しているB社に，回収の見込みがないのに十分な担保をとらないまま，金銭の貸付を行った。Bは，期限までに貸付金を返済することができなかった。ただ，Xは，Bの経営状況を貸付により改善し，既存の債権の回収を確保するとともに，Aの対外的信用を維持するというAの利益を図る目的で貸付を行ったのであった。

> *Case 222*においては，本人の利益を図る目的であったということができるから，背任罪の成立は否定される。

6　背任罪の共犯

　背任罪の身分を有しない，不正融資等の取引の相手方にも，背任罪の（共同正犯を含む）共犯が成立しうる。もっとも，相手方が，事務処理者の任務違背行為により，本人に財産上の損害が生じること，事務処理者が図利加害目的をもつことを認識して，取引を行っただけでは足りず，自由な経済活動に対する過度の制約となることを避けるため，その行為が自己の経済的利益の追求である限り，あるいは，通常の取引であれば，背任罪の共同正犯は成立しないという見解が有力となった。判例は，融資の申込みをしたにとどまらず，融資の実現に積極的に加担したような場合に背任罪の共同正犯の成立を認める（最決平成20・5・19刑集62巻6号1623頁）。

> 発展学習　**最高裁判例における背任罪の共同正犯**
> 　最高裁は，旧住宅金融専門会社（住専）が実質的に破綻状態にある不動産会社に対して多額の運転資金を実質無担保で継続的に融資した事案において，融資先会社の代表者について，融資担当者における任務違背にあたり，支配的な影響力を行使することもな

く，また，社会通念上許されないような方法を用いるなどして積極的に働きかけることもなかったとしても（東京地判平成12・5・12判タ1064号254頁参照），任務違背，旧住専の財産上の損害について高度の認識を有しており，本件融資に応じざるをえない状況にあることを利用しつつ，旧住専が迂回融資の手順をとることに協力する等した場合に，背任罪の共同正犯の成立を肯定した（最決平成15・2・18刑集57巻2号161頁）。さらに，著しく不当な高額での絵画等の売買取引において，絵画の購入を依頼した者について，その者が，購入する会社における損害の発生を十分に認識しており，また，その者と購入した会社の絵画担当者は，それぞれに支配する会社の経営がひっ迫し，互いに行っている無担保での多額の融資に，いずれの会社も依存するような関係にあり，絵画担当者にとっては，購入依頼者に取引上の便宜を図ることが自らの利益にもつながるという状況の中で，購入依頼者は，そのような関係を利用して取引を成立させた，そして，取引の途中からは偽造の鑑定評価書の差入れを行う等した場合に，背任罪の共同正犯の成立を肯定している（最決平成17・10・7刑集59巻8号1108頁。なお，銀行の頭取について，信用保証協会の役員との共謀による同協会に対する背任罪の成立を肯定した原判決を破棄し，差し戻したものとして，最判平成16・9・10刑集58巻6号524頁参照）。

7 他罪との関係

1 詐欺罪との関係

　詐欺行為を手段として背任行為が行われたとき，判例は，詐欺罪の観念の中に当然任務違背が含まれるとして，詐欺罪だけが成立し，別に背任罪は成立しないとする（大判大正3・12・22刑録20輯2596頁，最判昭和28・5・8刑集7巻5号965頁）。

2 委託物横領罪との関係

　背任罪の事務処理者の要件をみたす者が，その占有する他人の物を不法に処分した場合，他人の物の占有者による物の処分に委託物横領罪が成立すれば，その他人に対する関係においては，背任罪は成立しないとするのが，判例（大判明治43・12・16刑録16輯2214頁）・通説である。通説は，背任罪（247条）の法定刑と比べて，横領罪（252条）は下限が重く，業務上横領罪（253条）は上・下限とも重いため，法条競合により，重い横領罪，業務上横領罪が成立すると解してきたのである。（委託物）横領罪が成立するか，背任罪が成立するかは，横領罪の要件如何にかかることになるとされる。

　判例では，物の処分が，自己の利益を図るために行われた場合には横領罪が，また，第三者の利益を図るために行われた場合，自己の名義あるいは計算で行われたときには横領罪が，本人の名義あるいは計算で行われたときには背任罪が成立する（大判大正3・6・13刑録20輯1174頁等）等とその傾向が分析されている。し

かし,判例には,町の森林組合の組合長が,組合員への転貸だけを目的とした政府からの貸付金を町に貸し付けたことについて,これは,他のいかなる用途にも絶対流用支出することのできない性質の金員について自己の計算でなされたものであり,組合名義であったとしても横領罪が成立するとしたものがあり(最判昭和34・2・13刑集13巻2号101頁),結局は,行為者がその権限を逸脱したか,あるいは濫用したにとどまるかが問題とされているとも指摘される。

10 放火の罪

1 放火罪の本質とその構成要件要素

1 公共危険罪

1 公共の危険

　刑法108条以降の放火罪・失火罪は，直接には火力によって他人の財産を侵害することを内容とするが，個人的法益に対する罪ではなく，社会的法益に対する罪，すなわち代表的な「公共危険罪」である。公共の危険とは，不特定または多数人の生命・身体・財産の侵害に対する危険であると解するのが通説である。（なお，公共危険罪には，出水及び水利に関する罪〔119条以下〕や往来を妨害する罪〔124条以下〕の一部も含まれるが，本書では説明を省略した）。

　もっとも，判例の中で放火罪における公共の危険に明確な定義を与えたものを特定するのはむずかしい。110条の建造物等以外放火罪における公共の危険について定義的に述べたものとして大判明治44・4・24刑録17輯655頁があるが，放火行為が対象物件に発生させた実害をいうのではなく，放火行為によって「一般不特定の多数人」に108条・109条の物件に延焼する結果が発生するおそれがあると思わせるような状態を指し示すものだとしている。また，最決平成15・4・14刑集57巻4号445頁は，これを前提に，110条の「公共の危険」とは，必ずしも108条・109条1項に規定する建造物等に対する延焼の危険のみに限られるものではなく，不特定または多数人の生命，身体，または建造物等以外の財産に対する危険も含まれるという判断を示している。ここから，「公共の危険」一般の解釈として，不特定または多数人の生命，身体，財産に対する危険が想定されていることがうかがわれる。

2 危険の存否判断

　公共の危険の存否の判断基準は，一般通常人の判断による。それは，物理的な害悪発生の可能性・蓋然性によるのではないという意味を含んでいる。物理的に

は広い範囲の危険は生じていなかったとしても，一般通常人がその状態をみれば危険だと思うのが当然だという状況があれば，公共の危険は発生していたとされるのである。とはいえ，不特定または多数の一般通常人が退避を強いられる状況になれば，物理的にも広い範囲への影響が肯定されるであろう。いずれにせよ，公共の危険はあくまで「危険」という外的事情であって，通常人の「危険感」を問題にしているわけではない。現場周辺の人が「危ないと思った，逃げなければいけないと思った」ことが決定的なのではなく，人々にそう思わせて然るべき火の勢いがあった，という事実が重要である。

放火罪の保護法益は公共の安全だということになる。犯罪の個数は，放火の客体の数ではなく法益である公共の安全の数を標準とするのが基本である。また，被害者の承諾がある場合も公共の危険発生が否定されるわけではないから，客体の評価（自己所有物として扱うなど）の変更がもたらされるだけである。

3 抽象的危険犯と具体的危険犯

放火罪は，公共の危険の発生によって成立し，既遂となる危険犯である。放火罪のうち，108条の現住建造物等放火罪と，109条1項の（自己所有以外の）非現住建造物等放火罪においては，構成要件上は公共の危険発生が明示的要件とされていない。これらは抽象的公共危険罪（抽象的危険犯）である。これらの類型では，放火および焼損という行為・結果自体の危険性を類型的に把握して構成要件該当性が肯定されるので，具体的な事実としての危険発生を必要としない。いい換えると，放火，焼損という類型に該当する行為の存在が証明されれば，そこから「公共の危険」という事実が発生したことまでを証明しなくても構成要件充足が認められるのである。ただし，抽象的危険犯においても公共危険の発生が不要だと考えられているのではない。むしろ，構成要件要素となっている「放火」行為や「焼損」結果そのものが，通常・一般的には公共危険を発生させるような内容をもつ類型として解釈されなければならない。そうして初めて，一般的類型的に危険を発生させるような行為が行われた以上，抽象的には危険があったといえるわけである。

もっとも，類型的には危険な行為であっても，危険が現実化する可能性がまったくない特殊な場合もあると指摘されている（なお，*Case 223* を参照）。抽象的危険犯が形式犯（直接に法益侵害の危険性がなくとも念のため広く処罰対象とする場合⇒p.25の 補論 ）とは異なるものだと考える以上，抽象的にも危険がない場合は公共

危険罪として処罰することはできず，実行行為性が否定されると考えなければならない。

> **Case 223**
> Xは，周囲に人家がない無人島に家を建てて住んでいるAの住居を焼き払うつもりで，Aが食料の買出しのため島を出ていた間にAの家に火をつけてこれを全焼させた。

> 「公共の危険」が発生しているかどうかは，具体的事実の如何や公共の危険の内容理解によって変わる。他の客体への「延焼の危険」に限定すれば，延焼可能な客体が存在しないときには公共の危険は発生しようがないといえるだろう。そうすると，Case 223の場合にはそのような危険がない以上，放火罪は成立せず，建造物損壊罪が成立するにとどまる。ただし，不特定人の生命・身体・財産に対する危険は，客体内または周辺に人の立ち入る可能性がある限り肯定できるであろう。A自身だけなら「特定少数の人」になるだろうが，無人島とはいえAが島外と行き来して生活しているのだとすると，A宅に不特定の人が立ち入る可能性はあるともいえる。

109条2項・110条では，公共の危険発生が構成要件に記述されており，明示的に構成要件要素となっている。これらは具体的公共危険罪（具体的危険犯）である。具体的危険犯においては，文字どおり具体的な事実としての危険発生が構成要件要素であるから，犯罪成立が認められるためには，公共の危険の内容に応じた危険発生の事実が存在する必要がある。

4　公共の危険発生の認識と故意

通説によると，抽象的危険犯の場合には，公共の危険発生は構成要件要素ではないので，その認識がなくても故意は認められる。これに対して具体的危険犯では，公共の危険発生も構成要件該当事実の一部であるから，行為者にその認識がなければ故意が否定される。しかし，判例は，具体的危険犯の類型においても公共の危険発生についての認識は不要とする立場に立っている（大判昭和10・6・6刑集14巻631頁，大判昭和6・7・2刑集10巻303頁，最判昭和60・3・28刑集39巻2号75頁）。この立場は，理論的には，公共の危険発生の事実を構成要件要素ではなく客観的処罰条件だと解していることになる。

たしかに110条1項はともかく，109条2項の文言はそのように解する余地があ

1　放火罪の本質とその構成要件要素　413

る。公共の危険発生について認識不要とすると，109条2項や110条2項の場合，自己所有物については焼損の意思さえあれば放火罪が成立することになる。しかし，自己所有物の毀損意思だけで，不特定または多数人に関わる法益侵害の危険を想定した放火罪の違法性・責任を基礎づけられるかは疑わしい。また，110条1項において，公共の危険発生についての認識を除けば器物損壊の意思にすぎないものになり，この意思による放火罪を肯定することは，単なる器物損壊意思を放火意思としていることになってしまう。通説が妥当である。

2 放火から焼損まで

1 放　　火

　放火とは，焼損の原因を与える行為である。媒介物を介して客体に点火することも多いが，これも放火である。たとえば，木造家屋の壁に直接マッチで火をつけようとしてもなかなか点火しないので，新聞紙や木切れを積んだものに点火して家屋に燃え移らせるような場合，新聞紙等への点火行為はその媒介物への放火となるのではなく，家屋への放火に着手したものと解される。自動発火装置を用いたり，遠隔操作によって点火したりすることも放火である。

　なお，放火罪は，判例上，不真正不作為犯が広く認められている代表的な犯罪類型である（⇒p. 66の2）。

> **Case 224**
> 　Xは，木造建物を焼損しようとして，密閉室内にガソリン6リットル余をまんべんなくまいた後，ガソリンに点火する前にタバコに火をつけようとしたところ，ライターの火が気化していたガソリンに引火して燃え，建物が全焼した。
>
> **Case 225**
> 　Yは，夜間事務室で1人残業しており，書類等も多く存在する室内の机の下に電気ヒーターをおいて暖をとっていたところ，眠気をもよおして隣室で仮眠した。しばらくしてYが目を覚ますとヒーターの熱で机周辺の紙類が燃え始めていたが，自己の失策が明らかになるのを恐れ，ただちに消火すれば容易に鎮火可能であったにもかかわらずそのまま放置して立ち去ったため，事務室を含むフロアが全焼した。

> 　*Case 224* は，「早すぎた結果発生」としても論じられる問題（⇒p. 108の[発展学習]）であるが，意図的な点火があったと評価してよいかどうかが微妙な事例である。裁判所の判断は，揮発性の高い燃料が撒布され後はわずかな労力の点火行為を残すばかりの段階では，すでに客体が焼損に至る危険が十分現実的であるとの認識に基づ

いて，この段階で放火行為の実行の着手を認めている（横浜地判昭和58・7・20判時1108号138頁）。

(Case 225)では，自己の過失によって火を出し，容易に消火可能であるにもかかわらずあえて放置したような場合には，失火罪ではなく放火罪となるとされた（最判昭和33・9・9刑集12巻13号2882頁）。過失による出火が先行行為となって生じた危険を除去すべき作為義務が認められるとする結論自体は妥当であろうが，どのような場合に作為義務が肯定されるかについては議論の余地がある。

2 焼損概念に関する諸説

1　焼損と公共の危険　　結果である「焼損」は，火力による物の損壊をいう。前に述べたように，焼損は放火罪における既遂時期を画する機能をもつ。抽象的危険犯では既遂時には類型的な公共危険が発生していると判断される。そこで，焼損概念自体が公共の危険発生を考慮して議論されてきた。

焼損概念をめぐっては，①独立燃焼説，②効用喪失説，③重要部分燃焼開始（燃え上がり）説，④一部損壊説が代表的な見解である。既遂時期と公共の危険発生時期との関係についての考え方によって立場が分かれる。

2　独立燃焼説　　①の独立燃焼説は，火が媒介物を離れ客体が独立して燃焼を継続するに至ることをもって焼損とするもので，判例（最判昭和23・11・2刑集2巻12号1443頁）が一貫して採用している立場である。木造家屋が圧倒的に多い伝統的な日本の住宅事情からすると，独立燃焼の段階で延焼可能性が十分高くなるので，この時点で公共の危険は発生しているというのである。たしかに，「江戸の火事」として思い描かれるような都市部に密集した家屋を念頭におけば，理由のある考え方である。しかし，裁判例には，結果的に燃焼による損傷が相当小さい場合にも焼損とされたものがある。たとえば上に引用した昭和23年判決の事案では，30センチメートル四方を焼いたにすぎない。このように，独立燃焼説に従った場合には放火罪の既遂時期が早すぎるとの批判があり，建物の材質や建て方も変遷した現在からみると，いっそう問題であるともいえる。

3　重要部分の消失・燃焼　　学説はより遅い段階で既遂を認める見解を提案してきた。②の効用喪失説は，客体の重要部分が焼失してその効用が失われることが焼損であるとする。③の重要部分燃焼開始説は，「燃え上がり説」ともいわれる。客体の重要部分が燃焼を開始し，俗にいう「燃え上がった」ときが焼損であると解する見解である。これらは，いずれも独立燃焼説の既遂時期を適切な段

階に設定することを目指したものといえる。効用喪失説は，焼損とは直接には公共の危険発生を画する概念ではなくあくまで客体の損傷を意味するから，客体としての効用が失われたときが焼損であり，他方，建造物等の客体がこの段階に至れば当然公共の危険も生じると考えるのであろう。「燃え上がり」説は，公共の危険発生の方を重視して焼損概念を構成し，「燃え上がった」ときには周囲への延焼の危険が飛躍的に高まり，同時に不特定または多数の人の生命・身体・財産に対する危険が現実的になると考えられることが理由であろう。

しかし，判断基準になっている「重要部分」が何であるかは，必ずしも明確ではない。たとえば屋根や外壁が重要であることは了解できるとしても，それ以外の場合はどうであろうか。また，効用喪失説に対しては，公共危険罪の既遂時期を画する際に客体の損傷度合を基準とすることの不合理が指摘されるほか，実際にはかえって既遂時期が遅くなりすぎることが多いとの批判がある。「燃え上がり」説に対しては，「燃え上がり」は感覚的な基準に過ぎるし，事後的な証明が難しいという問題も指摘できる。

4 一部損壊説 ④の一部損壊説は，器物損壊罪にいう毀棄の段階に至ることが焼損であると解する見解で，焼損とは火力による損壊にほかならないとする考え方である。判断基準としては他の説に比して明確であり，焼損の字義とも整合するので，有力な学説である。しかし，このように考えると原動力の相違以外は焼損と損壊を同視することになり，効用喪失説にも増して本罪の公共危険罪としての性格と乖離することが問題となるだろう。

5 独立燃焼説の再評価 このように焼損概念に関する諸説に一長一短があることや，独立燃焼説が実務上確立した取扱いであることも考慮し，この考え方を再評価する傾向もみられる。独立燃焼説によると焼損の有無が炭化の進み具合などに基づいて事後的に証明がしやすいという実際的利点もある。判断基準として「独立燃焼」そのものではなく燃焼を「継続するに至る」ことを重視して，独立燃焼を開始すればただちに既遂となるのではなく，継続的燃焼による延焼の危険の増大等を含めて既遂時期を判断するように努めれば，既遂時期が早期に過ぎるとの批判に応えうる。

3　焼損と既遂時期

1 新しい問題 既遂時期をめぐっては新たな問題が生じてきた。難燃性または耐火性の材料の登場・普及により，そもそも客体が独立燃焼に至らない，あ

るいは，客体が独立燃焼しないまま媒介物等の火力により損傷は進むという場合が出てきたのである。また，素材が炎を上げて独立燃焼を始める以前に，煙や有毒ガスの発生という形で不特定または多数人の生命・身体・財産に対する危険が生じる可能性がある。客体の燃焼に伴う熱や延焼を原因とするものだけでなく，煙・ガスの発生も公共の危険として評価されるべきだとすると，独立燃焼以前に公共の危険が発生することもありうる。

そこで，木造建造物については独立燃焼説を維持しつつ，不燃性・難燃性建造物の場合には，独立燃焼しなかったときにも媒介物の火力によって建物が効用を失うほどに至ったならば（建造物損壊罪ではなく）放火罪の既遂を認めるという，新効用喪失説が提案された。しかし，客体の材質によって扱いが分かれることの是非も問題であるし，効用喪失が実現しても，難燃性である以上は客体自体が燃焼して危険が発生しているわけではないにもかかわらず焼損とされる点が批判されている。

2　「燃焼」の意義　「焼損」によって想定される事態は，目的物自体が燃焼によって毀損することを核心とすることは否定できないが，目的物それ自体が燃焼して失われていく場合だけでなく，外からの火力によって目的物が損壊する場合も，客体が焼けてこわれることは同じである。そうだとすると，客体の独立燃焼に決定的な意味を見出すのは妥当でないとも考えられる。「燃焼」の意義は，日常的には「熱によって酸化が急激に進むこと」であり，通常はその際に火炎を生じ相当の高熱を発するという了解があるといってよいと思われる。この観点からは，公共の危険とは，人の力では止めることが困難または止めるために多大の労力と危険を伴うような火力により，多くの生命・身体・財産が失われることの危険であると解するのが妥当である。燃焼という反応が広く及ぶ蓋然性が高い状況があれば，公共の危険として評価が可能である一方，煙やガスは，放火罪の想定する危険には含まれないとするのが自然であろう。

補論　**焼損概念と公共の危険との関係**
　　ただし，このように考えたとしても，焼損概念と公共の危険との関係については，根本的に再考することが必要かもしれない。抽象的危険犯では，「焼損」時点で公共の安全に対する危険が抽象的には発生しているといえなければならない，というのが焼損概念をめぐる議論の共通枠組であった。しかし，上にみたような諸説は，いずれも公共の危険発生と客体の損傷という両要素を合理的に結合することに成功していないように思われる。抽象的危険犯においても焼損と既遂時期との関連をもう少し緩やかに考える方が，ことがらの実体に合致している側面がありそうである。

4 放火の罪の諸類型

放火の罪の章（刑法典第2編第9章）には，下の表に整理したような犯罪類型が規定されており，大きくは客体の性質によって区別されている。

この章の犯罪には，狭い意味の放火罪・失火罪だけでなく，消火妨害罪（114条）と激発物破裂罪（117条・117条の2），さらにガス漏出等の罪（118条）がある。

消火妨害罪は，火災の際に，消火用の物の隠匿・損壊，またはその他の方法により，消火を妨害する犯罪である。火災の原因は放火・失火に限らず，自然発火の場合も含む。「火災の際」とは，現に火災が存在するか，まさに火災になろうとしている状況をいう。消火用の物（たとえば消防車・ホース・消火栓など）の隠匿・損壊は例示であって，方法に限定はない。消火義務者が不作為で犯すこともありうる。なお，現実に消火が妨害された結果までは必要とされない（抽象的危険犯）。

激発物破裂罪は公共危険犯である。放火行為によらなくとも放火と同様の危険を生じさせるものとしてここに規定されている。ガス漏出等の罪は，特定個人に危険を生じさせることを内容とするもので，公共の危険を生じさせる場合に限られない。118条は，その結果的加重犯であるから，ガス漏出等の行為から結果が生じる必要がある。

図 各論10-1 放火罪の類型

故意犯					
客体	現住建造物等（108条）	非現住建造物等（109条1項）	非現住建造物等（自己所有。109条2項）	建造物以外（110条1項）	建造物以外（自己所有。110条2項）
罪質	抽象的危険犯	抽象的危険犯	具体的危険犯	具体的危険犯	具体的危険犯
未遂（112条）	○	○	×	×	×
予備（113条）	○	○	×	×	×
延焼（111条）	←──	←── ←──	○（1項） ○（1項）		○（1項） ○（1項） ○（2項）
過失犯	116条1項・117条の2		116条2項・117条の2		

2 現住建造物等放火罪（108条）

1 本罪の性質

　本罪は，「現に人が住居に使用し又は現に人がいる建造物，汽車，電車，艦船又は鉱坑」を客体とする放火罪である。法定刑は，死刑または無期もしくは5年以上の拘禁刑（懲役）となっており，殺人罪と同様の重さである。人の生命侵害を直接の法益侵害内容としないにもかかわらず殺人罪と同様の刑罰が予定されている理由については，本罪が公共危険罪であることが援用される。個別の法益にとどまらず，人の生命を含む広範囲の個人的法益が一度に危険にさらされること，その拡大の勢いが大きく，その限界も測りがたいことなどが重罰の根拠であろう。

　本罪は抽象的危険犯である。法定刑にも現れているとおり重罪であり，実際に起きてしまえば法益侵害が重大になりやすいので，112条により未遂犯が処罰されるだけでなく，113条により予備罪も処罰される。放火予備罪も他の多くの予備罪同様，本罪を行うことを目的とする目的罪である。予備罪の処分は刑の任意的減免となっている。

2 客体としての建造物

　1　「現住性」・「現在性」　　建造物の意義は，建造物損壊罪と同様に解される（⇒ p.358 の **4**）。

　「住居に使用する」とは，日常生活を営むために使用することであるが，本罪は「生活の本拠」を保護する趣旨ではないから，生活の本拠となっている必要はない。現に住居に使用していることを現住性ということが多い。

> *Case 226*
> 　Xは，料亭の別棟になっている離れ座敷に放火した。そこは，昼夜間断なく人が出入りするわけではないが，客が出入りし起臥寝食の場として使用されている建物であった。
>
> *Case 227*
> 　Yは，家屋の競売手続を妨害するため従業員を交代で泊り込ませていたが，この家屋を放火して燃やすことにして，事情を知らない従業員を旅行に連れ出し，不在中にその家屋に放火し焼損させた。

　Case 226 に類似した事例に関する最判昭和24・6・28刑集3巻7号1129頁は現

住建造物放火罪を認めた。Case 227 の事例では，たしかに放火時には人が起臥寝食の場として使用していなかったが，最判平成9・10・21刑集51巻9号755頁は，従業者は旅行から帰ればまたそこで宿泊し続けることになると認識していたことを根拠に，依然として現住建造物にあたるとした。現住性は，客観的にみて人の起臥寝食の場と認められるかという観点で判断される傾向がみてとれ，「起居の場所としての使用形態」が変更されているかどうかが現住性を失うかどうかの基準とされていることがうかがえる。

「現にいる」とは，犯人以外の者が内部にいることである。「現住性」に対比していえば「（人の）現在性」である。

2 建造物の「一体性」 建造物が大規模であって，その一部に住居として使用している部分があるとき，その建造物の他の部分への放火が現住建造物放火となるかどうかが問題である。現住性・現在性のあるものとそうでないものとの複数の棟からなり，それらが回廊等で結合されている構造であるときに，現住性・現在性のない棟に放火した場合には，さらに問題である。いずれも，全体の一体性が肯定されれば，その一体としての建造物が現住建造物となり，直接の放火対象が非現住部分であったとしても，現住建造物放火罪となりうる。故意が認められるためには，全体が現住性を帯びると評価される根拠となる事実についての認識は必要であると解される。

どのような場合に一体性が肯定されるかについて，後述の Case 228 に関連する平安神宮事件最高裁決定は，「物理的一体性」という延焼の可能性に着目した基準と，「機能的一体性」という人の起居に利用されている状況の一体性に注目した基準とを提示した。学説も一般にこのような判断方法を支持している。物理的一体性のないところには，公共の危険において核心的な延焼の可能性（延焼により生命・身体・財産が危険になる可能性）が認められないから，物理的一体性は，現住・現在性の必要条件になると思われる。機能的一体性は，放火部分に人が立ち入る可能性に関係する条件であるが，人が立ち入る可能性・蓋然性に関しては一棟建の非現住建造物の場合と決定的な差はない。したがって，人が非現住部分に立ち入る可能性・蓋然性という機能的一体性だけで建造物の一体性を認め，全体としての現住性を肯定することはできないであろう。

Case 228
　Xは，複数の木造建物が木製の回廊で接続され，その一部に放火すれば社務所等

に延焼の可能性がある平安神宮の無人部分に放火し焼損させた。

Case 229
　Yは，マンション内のエレベーターかごに放火し，その壁面の一部を燃焼させた。

　*Case 228*は，いわゆる平安神宮事件（最決平成1・7・14刑集43巻7号641頁）を簡略化したものである。最高裁は，上述のような基準により，木造回廊で木造建物が接続されている状況では，一部への放火により容易に現住・現在部分に延焼することを根拠に，現住建造物放火を認めた。
　*Case 229*は，最決平成1・7・7判時1326号157頁の事案である。最高裁は，居住者が日々利用しているエレベーターは，各居住空間と一体として現住建造物を構成すると判断した。物理的一体性が「延焼可能性」の問題だとすると，外形・設備の上では一体と認められる場合であっても，十分な延焼防止措置が講じられているときには，別個の建造物とされるべきであろう。同様のことは，耐火性区画建物を部分的に焼損させるような場合にも問題になる。しかし，実際には，外形として1棟である建物が一体として使用されているときには，完璧な防火・耐火構造とは認められず何らかの延焼可能性が肯定されることが多いだろう。また，常時そこに人が立ち入る可能性があるときには，機能的一体性も認められるということになるであろう。

3　非現住建造物等放火罪（109条）

　本罪は，「現に人が住居に使用せず，かつ，現に人がいない建造物，艦船又は鉱坑」を客体とする放火罪である。自己の所有物であるときは法定刑が減軽されるとともに，公共の危険を生じなかったときは罰しない（2項）。1項の罪は抽象的危険犯であり，2項の罪は具体的危険犯である。本罪も，未遂が処罰される（112条）ほか，1項の罪の予備罪が処罰される（113条）。差押え等に係る自己の物に関する特例（115条）がある。
　判例は，居住者全員を殺害した後の放火は，本罪にあたるとしている（大判大正6・4・13刑録23輯312頁）。しかし，こう解すると，居住者全員の同意を得た旨誤信した場合にも現住性の不認識として，故意阻却を認めざるをえなくなる，との疑問が出されている。放火者自身が非現住状態をつくり出したときには，それ以前の現住状態が継続していると解する余地があるように思われる。
　現住建造物焼損の目的で非現住建造物に放火した場合には，現住建造物放火罪の未遂である（大判大正15・9・28刑集5巻383頁）。

4　建造物等以外放火罪（110条）

　本罪は，建造物等以外を客体とする。「前2条に規定する物以外」であるから，非現在の汽車・電車も本罪の客体に含まれる。畳・建具等建造物の一部とされない家屋の部分，動物小屋，屋根部分のトタン板が飛散した物置小屋などが裁判例上に現れた客体の例である。物の大小等は問われないのが基本であるが，たとえば新聞紙やマッチ棒のような他の物体への点火の媒介物として用いられ，それ自体の燃焼に類型的な公共の危険発生が認められない物は客体に含まれないとすべきであろう。いずれにせよ，本罪が具体的危険犯であることから，そのような物の焼損だけでは公共の危険発生が否定されることが多いと思われる。

　本罪にいう公共の危険は，108条・109条1項の客体への延焼の危険に限らず，「不特定または多数の人の生命・身体または建造物以外の財産に対する危険」だとする判例（最決平成15・4・14刑集57巻4号445頁）があることはすでに述べた（⇒p.411の**1**）。事案は，市街地の駐車場の自動車にガソリンをかけて火をつけ，近くの2台の自動車とごみ集積場への延焼の危険があったが，108条・109条1項の建造物への延焼の危険はなかった，というものである。

　本条に関しても，差押え等に係る自己の物に関する特例（115条）がある。

5　延焼罪（111条）

　延焼罪は，①109条2項・110条2項を客体とする放火により108条・109条1項の客体に延焼させた場合（1項），②110条2項の客体への放火により110条1項の客体に延焼させた場合（2項）に，それぞれ重く処罰される結果的加重犯規定である。延焼とは，犯人の予期していなかった客体に火が燃え移り，その客体が焼損することである。重い放火罪の客体から軽い放火罪の客体への延焼があった場合は，重い放火罪だけが成立する。なお，文言は「罪を犯し」たことを前提とするので，延焼以前の放火の方は構成要件に該当していること，すなわち放火・焼損・公共危険発生の事実が存在することが必要であると解される。本罪の類型となっていない「109条1項の客体への放火から108条の客体への延焼」，「110条1項の客体への放火から109条1項の客体への延焼」については，直接の客体への放火罪のみが成立し，その罪によって延焼の事実も包括的に評価されるものと解することになるであろう。

延焼罪が成立するのは延焼結果の認容がない場合である。認容があれば延焼先客体の放火罪についての故意犯が認められる。この際，通説のように具体的危険犯において公共の危険発生についての認識が必要とされる立場に立ち，かつ公共の危険の内容を延焼の危険と理解した場合，その罪と延焼罪との認識内容における区別が問題となる。公共の危険は，延焼の危険そのものではなく，それを包含する不特定または多数人の生命・身体・財産に対する侵害の危険と解できる点で区別される。それでもなお区別が容易でないことは否めないが，ここでは，延焼罪における認識は，延焼可能性の認識があって延焼の認容はないという心理状態を指すものと解しておく。

6　失火罪（116条・117条の2）

　失火罪は，「過失放火罪」に相当する犯罪類型で，過失により焼損の原因を与える場合である。108条または他人所有の109条の客体を対象とするもの（1項）と，自己所有の109条の客体または110条の客体を対象とし，公共の危険を生じさせた場合（2項）とからなっている。いずれも法定刑は罰金刑であり，現行刑法における過失犯の刑罰の特徴を示している（なお，「失火の責任に関する法律」参照）。

　業務上失火罪は，業務上必要な注意を怠ったことによる失火罪で，重失火罪とともに加重処罰される。本罪における業務は，とくに職務として火気の安全に配慮すべき社会生活上の地位に基づく事務である（最判昭和33・7・25刑集12巻12号2746頁，最決昭和60・10・21刑集39巻6号362頁）。

11 文書偽造等の罪

1 文書偽造の罪と社会的信用

1 文書の概念と保護法益

1 文書偽造罪の保護法益

1　**文書の社会的機能**　社会生活上，各種の文書は，契約内容の確認や事実証明の手段として，重要な機能を果たしてきた。一般国民は，当該文書の真正さを信頼して，日常の取引活動や事務手続を行っており，そうした信頼が失われるとき，現在の取引システムが崩壊するおそれさえある。その意味で，文書偽造の罪の保護法益は，これら取引システムを支える文書全体に向けられた社会公共の信用である。

2　**文書の作成名義**　つぎに，こうした信用の対象となる各種文書の「真正さ」とは何であろうか。実際に作成された文書の多くが，利害関係人の間を転々と流通することもあり，社会公共の信用を保護する上では，当該文書の外観が重要となってくる。この点は，事実証明の機能であればもちろん，当該文書が財産的権利を表章する場合も，同様である。また，文書に対する公共の信用は，誰が作成したかによって大きく左右される。すなわち，文書のもつ信用力の源泉は，当該文書中の作成名義が誰であるかに由来する。したがって，形式的な「作成名義の真正さ」を保護することが，文書に対する社会的信用を維持することになる。これが，形式主義と呼ばれる考え方である。

3　**有形偽造と無形偽造**　文書偽造の罪では，文書それ自体の信用を害するおそれがあればよい（抽象的危険犯）。すなわち，実際に作成名義人の信用が低下したり，偽造文書により被害者の財産が侵害されたことは，文書偽造罪の成否にとって重要な要素ではない（通説・判例）。刑法上保護されるものは，作成名義の真正さという形式的真実にほかならないからである。これに対して，当該文書の内容の真実性を保護する考え方も存在する。これは，実質主義と呼ばれる。しかし，現行刑法は，形式的真実を守ることで，内容の真実さも確保されるという態

度をとってきた（通説・判例）。その意味で，後述する偽造・変造のいずれも，他人の作成名義を冒用する「有形偽造」である。ただし，例外的に実質主義を採用した条文もみられる。すなわち，虚偽公文書作成等罪（156条）と虚偽診断書等作成罪（160条）は，作成名義人による虚偽内容の文書作成（「無形偽造」）を処罰している。

なお，有形偽造と無形偽造は，各種文書の社会的機能に応じて異なってくる。たとえば，第三者が作成名義人の許諾を得て代筆できるものがある一方，名義人本人だけが作成できる文書も少なくない（詳細については，p.444の2を参照）。

2 客体としての文書・図画

1 文書の種類　刑法上の文書（図画を含む）は，公文書と私文書に大別される。公文書（公図画を含む）とは，公務員・公務所がその職務権限に基づいて作成する文書であって，私文書よりも高度の信用力や証明力を備えている。したがって，公文書偽造罪（154条以下）は，私文書偽造罪（159条）よりも重く処罰される。しかし，公文書の中でも，詔書（154条）と狭義の公文書（155条以下），さらに，公正証書原本等（157条）が区別される一方，私文書についても，通常の私文書（159条）と虚偽診断書等（160条）という区別がある。これらの違いについては，後述する各犯罪ごとに説明するが，およそ文書の社会的機能は，一般国民の信用によって支えられている。したがって，偽造された文書は，外見上，通常人が真正な文書と誤信する程度の外観を備えていなければならない。

なお，昭和62（1987）年には，事務処理のコンピュータ化に対応して，刑法上の文書概念とは別に，「電磁的記録」（7条の2）の概念が追加された。偽造の罪の中には，文書と電磁的記録を併記した条文（157条）もみられるが，電磁的記録は，文書とは異なった取扱いを必要とする。そこで，刑法161条の2は，私電磁的記録および公電磁的記録に対する不正作出を別個に規定している。

2 文書の基本的要素　つぎに，刑法上の「文書」とは，①文字やその他の可読的符号を用いて，②ある程度永続すべき状態で，③紙，布，金属などの物体上に記載された意思または観念の表示である。しかも，④その表示内容は，法律上または社会生活上，重要な事項の証拠となりうるものでなければならない（大判明治43・9・30刑録16輯1572頁参照）。その中で，発音的符号を用いた場合が，狭義の文書であって，象形的符号を用いた場合が，図画である。

まず，①の要素により，人間にとって不可視ないし不可読な記録物は，刑法上

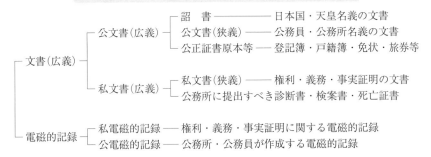

図 各論11-1 公文書（公電磁的記録）と私文書（私電磁的記録）

の文書・図画から除外される。たとえば，ビデオテープや録音テープ，CD-ROMやDVDディスクなどが，それである。つぎに，②および③の要素により，砂の上に書いた文字や，パソコンのディスプレイ上に表示された画像も，やはり文書とはいえない。しかも，④の要素から，文書上に表示された内容は，独立した意味をもたねばならず，たとえば，ホテルのクロークで使用する番号札などは除外される。同様にして，小説や詩歌，書画なども，それ自体は，独立した文書とはいえない。

3　作成名義人　　最後に，⑤文書には，その内容を記載した主体である作成名義人が必要となる。作成名義人のない無記名の文書は，およそ社会的な信用を得られないからである。しかし，作成名義人が実在することは，必要でない。かりに架空人名義であっても，あたかも実在する名義人が作成したかのように誤信させる外観があれば足りる。判例上は，架空人名義の簡易保険申込書を作成・送付した事案（最判昭和28・11・13刑集7巻11号2096頁）や，実在しない司法局人権擁護委員会名義の文書を作成した事案（最判昭和36・3・30刑集15巻3号667頁）についても，刑法上の文書にあたるとされた。

3　文書（図画を含む）の構成要素とコピーの文書性

1　文書の原本性は必要か　　刑法上の文書は，原本（オリジナル）に限るべきか。この点をめぐって，電子コピーの文書性が争われた。かつて手書きによる「写し」が普通であった時代には，写しのもつ証明力は，原本より著しく劣っていた。そのため，「写し」それ自体の作成者が特別に認証文言を付記した場合を除いて（その場合，写し作成者名義の原本となる），およそ「写し」には文書性が欠けるとされた。しかし，今日の電子コピーのように，スキャナーが読み取った内

容をそのまま印刷する機械的な複写物については，社会生活上も各種の証明手段となっている。そこで，通説・判例は，電子コピーの社会的機能に着目して，一定の条件を設けた上で，刑法上の文書に含めるに至った。電子コピーも，日常生活上は，原本と同一の意識内容を保有する文書として，オリジナルと同等の社会的信用を与えられるからである。Case 230 では，公文書の電子コピーが，原本と同一の作成名義による文書と認められた。

> Case 230
> Xは，行使の目的で，公務員Aが作成した真正な供託金受領証の記名印と公印押捺部分に虚偽の供託事実を記入した供託書用紙を貼り合わせて，これを電子コピー機で複写することで，A名義の供託金受領証の複写物であるかのように装って，B県建設指導課建築係の係員に提出・交付した。
>
> Case 231
> Yは，C裁判所書記官の認証文言がある固定資産処分許可書の謄本を，電子コピー機で複写した上，その許可事項欄の一部を改ざんした後，再度これを複写する方法で，真正な同処分許可書の謄本をそのままコピーしたような外観・形式の文書を作成した。

> Case 230 では，公文書偽造罪の客体として，原本と同様に保護すべきかが争われた。その際，形式上は原本の「写し」であっても，コピー機により機械的な方法で正確に複写した場合には，コピーの過程で第三者の意思が介入する余地が乏しい。したがって，原本作成名義人によって作成された，原本と同一の意識内容を保有する公文書として保護する必要があるとされた（最判昭和51・4・30刑集30巻3号453頁）。Case 231 では，事前に用意したコピーを改ざんし，さらにこれをコピー機で複写しているが，Case 230 の立場からは，コピーが原本に匹敵する社会的機能をもつ限り，同様に取り扱われることになる。すなわち，最終的にでき上がった偽コピーが，刑法155条1項の有印公文書偽造罪の客体にあたるとされた（最決昭和58・2・25刑集37巻1号1頁）。

2　文書の有印性　上述した判例では，当該文書上に記載された印影部分も含めて，有印公文書の偽造にあたるとした。電子コピーにはA供託官の署名・印章が表示された以上，この部分だけを他の記載内容と区別できないからである。こうした通説・判例に対して，学説の一部は，供託金受領証の写真コピーは，一見して複写機による「写し」と認識できるため，原本作成名義人の意識内容を直接に表示するものでない。また，その写しを作成することは，誰でも自由にでき

る以上，公文書の電子コピーであっても，私人のＸが勝手に作成した内容虚偽の私文書にすぎないという。したがって，*Case 230* のＸと *Case 231* のＹは，公文書偽造罪にならないと主張してきた。なるほど，原本と同一内容の電子コピーを作成するだけでは，原本の作成名義を冒用したとはいえない。しかし，原本の作成名義を悪用して異なる内容の電子コピーを作成する行為は，およそ原本の作成名義人が許容した範囲を超えている。

| 補論 | **電子コピーの社会的機能と文書偽造罪の保護法益**

そもそも，公文書は，作成権限をもつ公務員だけが作成できる性質の文書である。また，書式などの違いから偽造・変造が困難であったため，公文書の電子コピーに対しては，一定の信用性が与えられてきた。しかし，証明手段としての社会的機能が，原本より劣ることは否定できない。かりに電子コピーが原本の代用物とされる場合にも，最終的には原本と照合する例もみられる。その意味で，電子コピーは，原本作成者による記載内容について，間接的な証明機能をもつにすぎない。また，何人も自由に電子コピーを作成できるため，その過程で改ざんが可能であるとすれば，原本とコピーの間には，大きな差異があるという主張にも十分な理由がある。

そこで，私文書の電子コピーを「文書」に含めない見解も考えられる。さらに，文書偽造罪は，しばしば詐欺罪の手段となるため，むしろ，詐欺罪の一部として量刑面で考慮すれば足りるといえる。しかし，こうした反対説は，文書偽造罪の保護法益が，およそ文書制度に向けられた社会公共の信用である点を忘れている。こうした信用の保護は，文書の種類や使用目的で異なるものではない。そこで，現在の通説・判例は，私文書のコピーはもちろん（東京地判昭和55・7・24判時982号3頁），公文書の縮小コピーについても（福島地判昭和61・1・31判時1233号159頁），文書偽造罪の成立を肯定してきた。

3 原本の「偽造」・「変造」 電子コピーの偽造については，当初，犯人が原本に加工した事実を捉えて，原本の偽造罪とする可能性も指摘された。しかし，*Case 230* の事案では，原本に対する加工が「偽造」の程度に達しておらず，電子コピーを「偽造」の客体とするほかはなかった。同様にして，*Case 231* でも，電子コピーに対する改ざんは，せいぜい，変造の程度であったにもかかわらず，新たに，オリジナルの文書とはまったく異なる内容のコピー文書を作成したならば，もはや文書の変造にとどまらない。たとえば，行使の目的をもつ犯人が，ほしいままに，営林署長の記名押印がある売買契約書の売買代金欄等の記載を改ざんした上で，これをコピー機で複写する方法により，あたかも真正な右売買契約書を原形どおり正確に複写したかのような外観・形式を備えるコピーを作成した事案は，刑法155条1項の有印公文書偽造罪にあたるとされた（最決昭和61・6・27刑集40巻4号340頁）。

> *Case 232*
> 　Xは，金融業者のAから金員を詐取する手段として，B財務課から実父のC宛に届いた支払金振込通知書の一部記載を修正液などを用いて改ざんすることで，架空のD福祉課作成名義の支払金口座振替通知書を作成した上，自宅のファクシミリを使ってA方に送信し，これを受信先の機械が印字することで，Aにその内容を了知させた。

> 　*Case 232*において，Aが受信した文書は送信文書の写しであるが，電子コピーと同じく，写しを作成した者の意識が介在・混入する余地がない点では，原本である送信文書を電気的かつ機械的に再現したものとみられる。したがって，ファクシミリ文書も，真正な原本をそのまま複写したかのような外観・形式を有する写しであり，Xの行為は，D福祉課作成名義の公文書の写しを偽造してAに閲覧させたことで，有印公文書偽造・同行使罪にあたるとされた（広島高岡山支判平成8・5・22判時1572号150頁）。

　4　ファックスと電子文書　なるほど，ファクシミリによって作成された文書は，ファクシミリの印字機能や記録紙の種類などに応じて，印刷の精度にも差異がある。しかし，文書全体の規格や文字の配置などが正確に複写されるため，これをみる者は，同一の内容・体裁の原本が存在すると信じるであろう。したがって，社会生活上，証明文書として原本と同等の機能と信用を付与されるようになった。*Case 232*では，ファックスも，公文書偽造罪の客体である公文書とされている（前掲広島高岡山支判平成8・5・22）。近年では，個々の文書がもつ信用力・証明力から進んで，文書制度そのものを保護する見地から，ファックスはもちろん，ディスプレイ上の画像についても，当該媒体の社会的機能に着目しつつ，広く文書偽造罪の成立を認める見解が有力になってきた（たとえば，東京高判平成20・7・18判タ1306号311頁）。

4　偽造・変造・虚偽文書作成の概念

　上述した文書を客体とする構成要件的行為には，いくつかの異なった類型がみられる。まず，①最広義の偽造とは，刑法典第2編第17章「文書偽造の罪」に規定された「偽造」の意味であって，偽造・変造・虚偽文書作成に加えて，偽造文書の行使も含んだ広範な概念である。他方，②広義の偽造とは，行使を除いて，偽造・変造・虚偽文書作成のすべてを包含する概念である。この中には，有形偽

造(狭義の偽造)と無形偽造(虚偽文書作成)の種別がある。

つぎに、③有形偽造(変造も含む)とは、当該文書の作成権限を有しない者が、勝手に他人名義の文書(不真正文書)を作成することをいう。これに対して、④無形偽造(変造も含む)とは、当該文書の作成権限をもつ者が、真実に反した内容の文書を作成する行為である(虚偽文書作成とも呼ばれる)。両者は、他人の作成名義を不正に使用したかどうか(冒用の有無)によって区別される。たとえば、公文書の場合、私人が勝手に公務員の名義を使用する場合はもちろん、たとえ公務員であっても、職務上の作成権限がない者が、勝手に当該公文書を作成すれば、やはり有形偽造にあたる。

Case 233
Xは、A出張所の発券係として、同出張所に備え付けられた割当証明書用紙を使用して、その所要欄に必要事項を記入し公印を押すことで、同所長Bが作成権限を有する割当証明書を発行していたが、ある日友人から頼まれて、ほしいままに当該証明書を作成した。

*Case 233*がいう公文書の偽造とは、作成権限のない者が公務所・公務員の名義で文書を作成することであり、たとえ犯人のXが公務員であっても、Bから当該公文書の作成権限を移譲された事実がない以上、ほしいままにB名義の証明書を作成したことは、作成権限のない公務員による公文書偽造罪が成立する(最判昭和25・2・28刑集4巻2号268頁)。

事実説と観念説

〔発展学習〕 会社社長の秘書などが、作成名義人である社長の指示を受けて、社長名義の文書を作成する場合、当該文書の作成者と名義人が異なる。その際、事実上の一致を要求する事実説によれば、名義人以外の者が作成(有形偽造)した不真正文書になってしまうが、社会生活上は、常に名義人自らが当該文書を作成するとは限らない。むしろ、上司の指示で部下が作成した公文書や私文書は、刑法上も真正文書とみなされる。こうした考え方は、観念説と呼ばれる。

ただし、事実上作成権限を与えられた秘書が、その権限を超えて、ほしいままに社長名義の文書を作成した場合には、有形偽造となる。また、文書偽造の罪の保護法益が、公共の信用という社会的法益であるため、たとえ名義人が許可したとしても、当然に他人名義の文書作成が許されるわけではない。たとえば、後述する履歴書や交通事件の反則切符などのように、当該文書の性質上、名義人の許諾があっても、偽造となる場合が少なくない(最決昭和56・4・8刑集35巻3号57頁など)。さらに、名義人の承諾があると誤解したり、偽造行為の後で名義人が同意したような場合、文書偽造罪を構成するのは当然である(大判大正8・11・5刑録25輯1064頁)。

1 文書偽造の罪と社会的信用

他方,④「虚偽文書の作成」とは,作成権限のある者が虚偽内容の文書を作成する行為である。上述した②広義の偽造の中から,③狭義の偽造(有形偽造。変造を含む)を除いたものである。ここでは,作成名義人と実際の作成者の間に不一致が生じておらず,作成名義人が変更されたわけでもない(人格の同一性がある)。したがって,作成名義の冒用がないという意味で,無形偽造と呼ばれるのである。また,先の発展学習で紹介した観念説によれば,作成名義人である社長の許可を得た秘書が,その権限内で文書を作成する限り,ウソの記載は無形偽造にあたりうるが,有形偽造とはならない。

また,虚偽文書の作成では,「変造」の場合もありうる。すなわち,当該文書の同一性を失わない範囲で,作成名義人自らが記載内容の一部を改ざんする場合である。虚偽文書の作成としての変造は,有形偽造における変造と同じく,すでに真正に成立した文書に加工する方法で,その非本質的部分に変更を加える行為であるが,当該文書の作成権限を有する者が主体となる点で,作成権限のない者による有形偽造としての変造とは異なる。

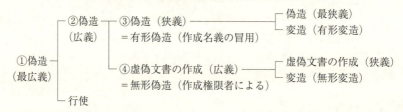

図 各論11-2 偽造・変造・虚偽文書作成と行使の概念

5 行使の目的と偽造文書の行使

1 **行使の目的がある場合** 上述した偽造・変造・虚偽文書作成の場合には,いずれも「行使の目的」が必要となる。その意味で,これらの偽造罪は目的犯に分類される(主観的構成要件要素)。たとえば,教育・研究の目的から,偽造文書である旨を明記して作成した場合や(大判大正2・12・6刑録19輯1387頁),すぐに廃棄する意図で面白半分にニセ物を作った場合には,およそ行使の目的が欠けることになる。しかし,事情を知らない第三者が真正な文書と誤信するおそれがある場合も含めて,未必的であるにせよ,真正な文書として使用される可能性を認識していれば,行使の目的があったとされる(大判大正2・4・29刑録19輯533頁,最決昭和29・4・15刑集8巻4号508頁など)。

また，これらの文書の使途が何であるかは問われない（大判大正5・9・22刑録22輯1423頁）。とくに財産犯とは異なるため，犯人に加害・利得の目的があったことは不要である（大判明治41・11・9刑録14輯994頁）。したがって，当該文書を偽造することで，その社会的信用が害される危険を認識したならば，ほとんどの場合に行使の目的が認められる。行使の目的は，必ずしも，文書を本来的用法に従って使用する場合に限られないからである。

> *Case 234*
> Xは，A市の選挙管理委員会の職員であったが，A市議会議員選挙に際して，選挙人名簿の投票者数が過大であるのを隠すため，実際に投票しなかった選挙人についても，投票期日に出頭して投票したものとする虚偽内容の選挙投票通知書を作成した上，これに照合印を押捺して，真正な選挙投票通知書の中に綴じ込んだ。

> *Case 234* のXは，当該文書の本来の用途である投票所の「入場券」として用いる意図はなかったが，公職選挙法施行令45条の規定により，選挙管理委員会が投票に関する資料として保存する目的であった以上，行使の目的があったといえよう。文書偽造罪における行使の目的は，いやしくも真正な文書として，その効用に役立たせる目的で足りるからである（最決昭和29・4・15刑集8巻4号508頁）。

2 行使の目的がない場合　他方，一部の学説・判例は，将来の「行使（の事実）」を未必的に認識しただけでは足りないとする。たとえば，拾得した他人の運転免許証に改ざんを加えた場合にも，犯行当時の犯人には，運転免許証を必要とする事情がなかったり（札幌地判昭和39・6・24下刑集6巻5＝6号774頁），単に虚栄心から友人に誇示する目的であったならば，行使の目的が欠けるとした下級審判例がある（大阪地判昭和47・7・10刑月4巻7号1299頁）。

|補論| **改ざんした電子コピーと偽造文書行使罪**
学説の中には，電子コピーの文書性に関連して，改ざんした文書の電子コピーを提示するとき，偽造された原本の行使にあたると説明するものがある。そこでは，行使の目的を再構成する方法で，「原本」自体の偽造・変造の範囲を広げている。こうした解釈は，電子コピーの文書性それ自体は否定しつつも，偽造した電子コピーを提示する行為が，間接的に原本の存在を認識させることから，偽造文書行使罪で処罰しようとする狙いがある。しかし，犯人には，原本を真正な文書として使用する意思はないのであり，電子コピーの偽造を処罰する便法として，この種の間接的な偽造・変造の観念を認めることはできない。

3　行使の意義　「行使」それ自体を処罰する規定として，偽造公文書行使等罪（158条）と偽造私文書等行使罪（161条）がある。「行使」とは，偽造文書・変造文書を真正な文書として使用するほか，虚偽内容の文書を真実の内容であるとして使用する場合をいう。原本だけでなく，謄本や写しのほか，偽造・変造された電子コピーなども，行使罪の客体となる（最判昭和51・4・30刑集30巻3号453頁）。また，行使の方法としては，提示・交付・送付・備付けなどがあり，相手方が文書の内容を認識しうる状態におけば足りる（大判大正6・4・12刑録23輯305頁）。

　もっとも，行使の相手方は，偽造文書ないし虚偽内容の文書であることを知らず，かつ，当該文書について何らかの利害関係を有する者でなければならない。たとえば，友人に事情を明かして渡したり，年老いた母を喜ばせるために，偽造の預金通帳を見せるだけでは，行使にあたらない。これに対して，公正証書の原本については，その性質上，公務所に備え付けるだけで行使になるため，公務員をして不実記載をさせた場合には，通常，不実公正証書原本行使罪も成立するであろう（大判明治42・3・25刑録15輯324頁）。

Case 235
　Xは，駐車中の乗用車からAの運転免許証を盗み出し，その運転免許証の写真を自分の写真に貼り替えて，正規に交付されたようにみえるX宛ての運転免許証を作成した。なお，同運転免許証は，有効期間を3か月も徒過していたが，交通取締りの際，Xから偽造免許証を提示された警察官は，有効期間の徒過に気づいたものの，同運転免許証が真正なX宛ての運転免許証であると誤信して，期限切れに伴う無免許運転の取調べに入った。

Case 236
　Yは，タクシー運転手として働くため，第二種の運転免許証を入手しようと企て，公安委員会から原動機付自転車の運転免許証を交付された後，同運転免許証の文字を抹消するなどして第二種運転免許証を偽造した。その上で，Yは，営業用乗用車を運転する際，偽造した運転免許証を携帯していたものである。

　Case 235では，偽造運転免許証が，警察官を含む通常人をして真正の運転免許証であると誤信させる外観を備えていた以上，Xには，有印公文書偽造罪および同行使罪が成立するとした（最決昭和52・4・25刑集31巻3号169頁）。また，**Case 236**でも，偽造有印公文書行使罪の成否が争われたが，行使罪が成立するためには，真正な文書として，その内容を他人に認識させたり，これを認識しうる状態におくことが必要であるとした。したがって，自動車を運転する際に偽造の運転免許証を携

帯しただけでは，本罪を構成しないのである（最大判昭和44・6・18刑集23巻7号950頁）。

2 電磁的記録の不正作出と供用

1 客体としての電磁的記録

「電磁的記録」とは，各種の媒体に記録された内容が，人にとって可視的・可読的ではないが，端末機のディスプレイに映し出したり，プリンターで印刷することで，ただちに可視的・可読的な形態に転化できるものをいう。通常は，電子計算機の情報処理の用に供せられる（7条の2参照）。たとえば，磁気ディスクや光ディスクなどの媒体に記録された無形的なデータやプログラムを指すが，同時に，それらを入力した情報媒体を意味することもある。

つぎに，刑法上の電磁的記録は，私電磁的記録（161条の2第1項）と公電磁的記録（161条の2第2項）に分かれる。私電磁的記録とは，権利・義務などの社会生活上の重要事項に関して，情報の伝達・保存・証明のために用いるものである。他方，公電磁的記録とは，その作成者が公務所・公務員であることから，私電磁的記録よりも国民の信用性が高いとされる。そのため，各々の社会的機能の差異に着目して，公電磁的記録の不正作出では，私電磁的記録の不正作出よりも重い法定刑になっている。公電磁的記録の例としては，自動車登録ファイル，特許登録ファイル，住民基本台帳ファイルなどが挙げられる。

今日，これらの電磁的記録は，電子計算機による事務処理において，文書に代わるべき情報の保存・伝達の機能を有している。しかし，人間の知覚ではその内容を直接に認識できない以上，可視性ないし可読性を要素とする「文書」概念に含めることはできない。すなわち，生身の人間は，コンピュータのディスプレイに投影するなど，一定の機械的処理を通じてようやくその内容を認識しうるからである。また，電磁的記録にあっては，作成名義人が記載されない場合も多い。これに対して，バーコードやパンチカードなどの可視性のあるデータは，人の知覚によって直接に認識できるため，ここでいう電磁的記録にはあたらない。なお，電磁的記録の不正作出罪と同供用罪で保護される法益は，各種の電磁的記録に向けられた社会公共の信用である。

2 不正作出・供用・人の事務処理を誤らせる目的

電磁的記録では，各種の文書偽造罪のように，作成名義の冒用が判断基準となりえないため，「不正作出」および「人の事務処理を誤らせる目的」という概念が設けられた。まず，「不正作出」とは，およそ電磁的記録の作出権者（設置・管理者）の意図に反した記録を作り出すことである。たとえば，勝手に虚偽のデータを入力したり，既存のプログラムに変更を加える行為である。これに対して，当該情報処理システムを設置した経営者が，脱税の目的で虚偽の電子帳簿（電磁的記録）を作成しても，作出権者自身の意思に基づく改変であって，不正作出にはあたらない。電磁的記録では，作成名義人を観念できない場合があるため，情報管理者の意思に反するかどうかが判断基準となったのである。したがって，「不正作出」の中には，広義の偽造（有形偽造）に加えて，虚偽文書の作成（無形偽造）も含まれており，上述した形式主義と実質主義を併用した概念である。

> **Case 237**
> Xは，不的中の勝馬投票券（はずれ馬券）の磁気ストライプ部分を改ざんして，的中した勝馬投票券の電磁的記録に変更した上，このニセ馬券をオンラインで接続された複合投票券自動払戻機に挿入することで，同機から「当たり馬券」による現金の払戻しを受けた。
>
> **Case 238**
> Yは，A方からB信用金庫が発行したキャッシュカードを窃取したが，その磁気ストライプ部分の記録を不正に改ざんした後，そのキャッシュカードをC信用金庫のD支店内に設置されたATM機に挿入して，同機から現金を払い出した。

Case 237 において，Xが「はずれ馬券」の電磁的記録を改ざんした行為は，賭金払戻しの事務処理の用に供する目的で，その事実証明に関する私電磁的記録を不正に作出しており（私電磁的記録不正作出罪），これを現に事務処理の用に供し，自動払戻機から現金を取得した行為は，それぞれ，不正作出私電磁的記録供用罪および窃盗罪にあたるとされた（甲府地判平成1・3・31判時1311号160頁）。また，*Case 238* においても，Yは，B信用金庫の事務処理を誤らせる目的をもって，ほしいままに，別のキャッシュカードから複写した電磁的記録を用いて異なるカードを不正に作成しており，これを利用して現金自動払出機から現金を窃取した点で，私電磁的記録不正作出罪，同供用罪と窃盗罪の牽連犯にあたるとされた（東京地判平成1・2・17判タ700号279頁）。

これらの不正作出罪では，「人の事務処理を誤らせる目的」という主観的要件

が必要となる（目的犯）。すなわち，電磁的記録を不正に作出する者は，当該電磁的記録による情報処理が，正当な作出権者の本来的意図と異なる点を認識していなければならない。また，「供用」とは，人の事務処理を誤らせる目的で，不正に作出した電磁的記録を電子計算機に入力するなどの行為である。人に交付するだけでは足りないが，実際の事務処理に使用できる状態にすれば，まだ事務処理に使用されていなくても，供用罪は既遂となる。さらに，供用罪にあっては，偽造文書行使罪と同じく，未遂犯も処罰される（161条の2第4項）。なお，電磁的記録の内容をコピーする行為（情報窃盗）は，記録内容それ自体に不正な改変が加えられない以上，現行刑法の処罰対象から除外される（ただし，不正競争防止21条参照。また，p.346の 発展学習 を参照）。

2 公文書偽造等の罪

1 公文書偽造等罪（155条）

1 客体としての公文書

公文書（広義）の中には，天皇名義の公文書である詔書等も含まれるが，実際上，その偽造・変造（154条）は考えにくい。ここでは，狭義の公文書（公図画を含む）に対する偽造・変造の犯罪類型をみておこう。公文書偽造等罪（155条）とは，当該公文書を作成する権限のない者（公務員も含む）が，適法かつ正式な公文書と誤認されるような外観のものを作り出すことである（最判昭和28・2・20刑集7巻2号426頁）。当該公文書が，公法上または私法上のいずれの関係に基づいて作成されたかは問わない。

たとえば，私法上の財産関係を示すために公務所が発行した証書なども，公文書にあたる。また，公図画の例として，合法的な専売煙草であることを証明する「光」という表示や（最判昭和33・4・10刑集12巻5号743頁），地方法務局出張所の土地台帳付属の地図などが挙げられる（最決昭和45・6・30判時596号96頁）。ただし，公用文書等毀棄罪（258条）や私用文書等毀棄罪（259条）と異なり，当該文書の保管場所や用途による違いでなく，作成名義人が公務所・公務員であるか否かで，公文書と私文書を区別する点に注意しなければならない（大判昭和9・10・22刑集13巻1367頁）。

つぎに，公文書の中でも，公務所・公務員の印章・署名がある場合（155条1項・2項）と，公務所・公務員の印章・署名がない場合（155条3項）で区別され

る。前者は，有印公文書（公図画を含む）であり，後者は，無印公文書（公図画を含む）と呼ばれる。印章・署名がないときには，社会的信用力が低下するため，法定刑が異なる。印章や署名は，各種文書の一部を構成して，その社会的信用を高めるため，文書偽造罪が成立するときには，印章偽造罪（164条以下）は，その中に吸収・評価される（大判明治42・2・5刑録15輯61頁など）。

> **発展学習　印章・署名の意義**
>
> 文書偽造の罪および印章偽造の罪（刑法典第2編第19章）でいう「印章」とは，物体上に押捺された印影を指し，印影を表示するための印鑑それ自体を意味しない。したがって，書面上に絵筆で印影を書き入れる場合も，印章偽造罪となる。単なる有合せ印による印影であってもよい。公文書偽造等罪における「印章」も，常に公務所・公務員の公印である必要はなく，私印や認印であってもよい（大判明治44・3・21刑録17輯427頁，大判昭和9・2・24刑集13巻160頁）。同様にして，刑法上の署名は，自署の場合だけでなく，印刷による記名も含まれる（大判明治45・5・30刑録18輯790頁参照）。いずれも，誰が作成者であるかを示すものであればよい（通説・判例。大判大正4・10・20新聞1052号27頁）。

2　有形偽造としての偽造（最狭義）と変造（最狭義）

狭義の公文書を客体とする場合，刑法上，公文書偽造等罪（155条），虚偽公文書作成等罪（156条），公正証書原本不実記載等罪（157条）に分かれる。その中でも，公文書偽造等罪は，3つの行為態様を含んでいる。まず，①犯人が行使の目的で，適法かつ有効な公務所・公務員の印章や署名（本物の印章・署名）を使用して，公務所・公務員の作るべき文書・図画（公文書・公図画）を偽造した場合である（155条1項前段）。他方，②犯人自身が公務所・公務員の印章や署名も偽造した上で，ニセ物の印章・署名を利用して公文書・公図画を偽造した場合も，同様に処罰される（同項後段）。

つぎに，③真正に成立した公務所・公務員の印章や署名のある公文書・公図画を，行使の目的で変造した場合である（同条2項）。すなわち，①および②と③の違いは，(a)作成権限のない者が他人の作成名義を冒用して，まったく新しい文書を作り出す場合であるか（①②最狭義の偽造），(b)すでに真正に成立した他人名義の文書に一部変更を加える方法で，別個の証明力を付与した場合にあたるか（③最狭義の変造）による。

> **Case 239**
>
> Ｘは，Ｙと共謀の上で，Ａらから現金や貴金属を窃取した後，別途入手したＢの

> 自動車運転免許証の写真をAのものに貼り替えるなどして，A宛ての自動車運転免許証を偽造した。そして，上記の盗品を別人に売り渡す際，身分証明の手段として，偽造した運転免許証を提示した。

> (Case 239) では，第三者のBに交付された運転免許証を，別人であるA宛ての運転免許証に作り替える行為は，当該免許証の重要事項を改ざんし，まったく別個の新たな免許証を作ったものであるから，その作成名義である公安委員会の記載に変更はなくても，公文書偽造罪が成立するとされた（最決昭和35・1・12刑集14巻1号9頁）。

偽造と変造の区別では，文書の本質的部分を変更したか否かが重要となる（文書としての同一性の有無）。したがって，外形上は既存の公文書に加筆・修正しただけでも，変更後の同一性如何によって，もはや変造にはあたらず，偽造罪を構成することがある。たとえば，Case 239 では，別人の運転免許証に作り替えたことが，その本質的部分に変更を加えたものとして，公文書偽造罪とされた（前掲最決昭和35・1・12）。同様にして，旅券中の氏名・年齢などを変更した場合や（大判大正3・11・7刑録20輯2054頁），効力を失った既存の公文書を利用して，新たに有効期限内の公文書を作成した場合にも，公文書偽造罪を構成する。

そのほか，郵便貯金通帳の名義を変更したほか，預入れや払戻しの金額欄など，重要な記載を改ざんした場合にも，その本質的部分の変更であり，偽造罪にあたるとされた（大判大正15・5・13刑集5巻158頁）。これに対して，貯金通帳の記載で，預金の受入れ日や払戻日を改ざんした場合には，非本質的部分の変更として，変造にあたることになる（大判昭和11・11・9新聞4074号15頁）。

なお，④公務所・公務員の名義を冒用しているが，その印章や署名を使用することなく，公文書・公図画を偽造・変造する場合がある（155条3項）。この類型には，偽造と変造の両者が含まれるが，いずれの場合も，印章・署名が欠けるため，社会的信用力が劣ることに配慮して，法定刑が軽くなっている。過去の判例では，物品税証紙に対する偽造・変造が，本罪にあたるとされた（最決昭和29・8・20刑集8巻8号1363頁）。なお，いずれの行為にあっても，行使の目的がなければならない。

2 虚偽公文書作成等罪（156条）

1 主体としての公務員

　本罪の客体は，公務員がその職務権限に基づいて作成する「公文書・公図画」であり，行為の主体が限られる（身分犯）。すなわち，①作成権限のある公務員が，その職務に関連して，行使の目的で，虚偽内容の公文書・公図画を作成したり，②同じく作成権限のある公務員が，行使の目的で，真正な公文書・公図画を変造した場合である（実質主義）。ここでも，印章・署名の有無を区別しつつ，詔書偽造罪および公文書偽造罪の例に従うことになる。なお，天皇は「公務員」にあたらないので，詔書に関する虚偽文書の作成は，職制上も，天皇に代わる作成権限をもつ補助公務員が作成した場合に限られる。

2 虚偽文書作成における偽造と変造

　ここでは，①作成権限者が，虚偽内容の公文書・公図画を新たに作り出す場合（無形偽造）と，②作成権限者が，既存の適法かつ有効な公文書・公図画に加工して，虚偽内容のものに変更する場合（無形変造）に分かれる。ただし，登記簿などの公正証書原本については，記載担当者が虚偽内容の届出であると知りつつ，公文書（公正証書原本）にその記載をした場合にも，ただちに虚偽公文書作成等罪が成立するわけではない。むしろ，こうした犯行形態は，作成権限のない届出人が，作成権限のある公務員を利用して公文書に虚偽の記載をさせるという間接正犯にあたる。また，虚偽の届出をした者には，公正証書原本不実記載等罪（157条）が成立する関係で，本条の間接正犯を否定する見解が一般的である（最判昭和27・12・25刑集6巻12号1387頁）。これに対して，一部の学説・判例は，こうした場合にも間接正犯の成立を認めている（大判昭和11・2・14刑集15巻113頁，最判昭和32・10・4刑集11巻10号2464頁）。

Case 240

　Xは，A県地方事務所の建築係として文書の起案等を担当していたが，Bの住宅が未着工であるにもかかわらず，その現場審査申請書に着工済みという虚偽の報告を記載して，これを作成権限者たる地方事務所長Cに提出して，情を知らないCをして記名・捺印させ，虚偽内容の現場審査合格書を作成させた。

> (Case 240) では，作成権限者であるCを補佐して公文書の起案を担当してきたXが，行使の目的で，内容虚偽の公文書を起案してCに完成させている。したがって，虚偽公文書作成罪が作成権限者を主体とする身分犯ではあるとはいえ，いわば補助者である公務員が情を知らない上司を利用した点で，刑法156条の間接正犯にあたるとされた（前掲最判昭和32・10・4）。この事案では，犯人が何らかの作成権限を有しており，通説・判例にあっても，身分者による間接正犯と認めうるであろう。

3 公正証書原本不実記載等・同行使罪（157条）

1 客体としての公正証書等

　公正証書の原本とは，権利・義務に関する事実を証明する目的で，公務員が職務上作成する公文書の一種である（最判昭和36・3・30刑集15巻3号605頁）。具体的には，土地・建物登記簿，戸籍簿，土地台帳，住民票（最決昭和48・3・15刑集27巻2号115頁）などが挙げられるが，近年では，次第に電磁的記録におき換えられつつある。電磁的記録としては，自動車登録ファイルや不動産登記ファイルがある（7条の2参照）。現行法では，文書形式のものとは別個に，これらの電磁的記録も併記しているが，すでに最高裁判例が，道路運送車両法に規定する電子情報処理組織による自動車登録ファイルについて，刑法157条1項にいう「権利若しくは義務に関する公正証書の原本」にあたるとした（最決昭和58・11・24刑集37巻9号1538頁）。他方，免状の例としては，狩猟免状や運転免許証などがあり，鑑札の例としては，犬の鑑札や古物商の許可証があり，旅券の例としては，外務大臣発行のパスポートなどがある。

2 虚偽の申立て・不実記載・原本としての供用（備付け）

　本罪の構成要件的行為は，登記官などの作成権限をもつ公務員に対して，犯人が虚偽の申立てをする方法により，公正証書の原本（または電磁的記録）・免状・鑑札・旅券に，不実の記載（または記録）をさせることである。「虚偽の申立て」および「不実の記載（記録）」にあたるかどうかは，たとえ別人（暴力団員）が指示した取引であっても，民事実体法上の物権変動を忠実に反映している以上，本罪にあたらないとしたものがある（最判平成28・12・5刑集70巻8号749頁）。
　当該公務員が虚偽であると気づかない場合が一般的であるが，偶然に虚偽の申告であると気づいても，形式的な審査権しかもたない場合については，申告者だ

けが公正証書原本不実記載等罪で処罰される。これに対して，実質的な審査権限をもつ公務員が，真実を知りながら不実の記載（記録）を行ったのであれば，虚偽公文書作成等罪（156条）または公電磁的記録不正作出罪（161条の2第2項）が成立しうる（申告者は，その共犯となる）。また，刑法157条では，未遂犯（3項）も処罰される点に注意されたい。

なお，公正証書の原本は，その性質上，公務所に備え付けるため，不実の記載が完了した時点で，ただちに行使罪になることは，すでに述べた（大判明治42・3・25刑録15輯324頁）。

3　私文書偽造等の罪

1　私文書偽造等罪（159条）

1　客体としての私文書

私文書とは，「権利，義務若しくは事実証明に関する文書若しくは図画」であって，有印私文書（159条1項および2項）と無印私文書（同条3項）に分けられる。

有印私文書の例としては，借用証書（大判大正4・9・2新聞1043号31頁），債権譲渡証（大判大正12・5・24刑集2巻445頁），無記名定期預金証書（最決昭和31・12・27刑集10巻12号1798頁）のほか，郵便局に対する転居届（大判明治44・10・13刑録17輯1713頁），衆議院議員候補者の推薦状（大判大正6・10・23刑録23輯1165頁），寄付金の賛助員芳名簿などがある（大判大正14・9・22刑集4巻538頁）。たとえ公務員が作成する文書であっても，その職務と無関係に作られた退職届などは，私文書の中に含まれる。法人などの団体が作成した文書や，外国の公務所・公務員が作成した文書も，私文書にあたる。したがって，外国の団体が発給する国際運転免許証も，本条における私文書である（最決平成15・10・6刑集57巻9号987頁）。

また，文書の記載内容については，権利・義務の発生・変更などを示す場合のほか，これらの事項を証明する機能がなければならない。しかし，養子縁組のような私法上の書類であるか，裁判手続上の申請書のように公法上の文書であるかは問われない。後述する *Case 241* では，私立大学の入試答案も，事実証明に関する有印私文書にあたるとされた。なお，作成名義人の印章・署名がない無印私文書の例としては，銀行の出金票や支払伝票などが挙げられる（大判明治43・2・10刑録16輯189頁，大判大正3・4・6刑録20輯478頁）。

Case 241
　Ｍ大学の職員であるＸらは，同大学の入学選抜試験に際して，入学を希望する志願者Ａらに替わって，現役の大学生であるＢらに受験させることを企て，ＢらをしてＡらの作成名義で入学選抜試験答案を作らせた上，これらの答案を試験監督者に提出させた。

　*Case 241*は，いわゆる替え玉受験の事例において，私立大学の入学選抜試験の答案が，志願者の学力を示す資料として，これを基礎に合否の判定が行われることから，社会生活に交渉を有する事項を証明する文書にあたり，本条にいう事実証明に関する文書であるとされた。したがって，Ｘらの行為は，有印私文書偽造罪および同行使罪を構成することになる（明治大学替え玉入試事件。最決平成6・11・29刑集48巻7号453頁）。

❷ 有形偽造としての偽造（最狭義）と変造（最狭義）

　本罪の構成要件的行為は，公文書偽造等罪（155条）と同じ区分けになっている。まず，①行使の目的で，真正な他人の印章・署名を使用して，私文書（広義。私図画を含む）を偽造するか（159条1項前段），②印章・署名も偽造した上で，広義の私文書を偽造することである（同項後段）。つぎに，③行使の目的で，他人が作成した真正な私文書を変造した場合である（2項）。さらに，④前2項のほか，他人の印章・署名を使用しないで，私文書を偽造・変造した場合も処罰される（3項）。各行為の内容については，すでに公文書偽造罪のところで説明したとおりである。

　1　代表・代理資格の冒用　　私文書にあっては，他人を代理・代表する資格を併記して，当該文書を作成することが少なくない。社会生活上は，Ｘ自身が「Ｙ代理人Ｘ」という名義で文書を作成した場合にも，被代理人ないし被代表者であるＹの意思を表示したとみられるため，勝手に代表・代理資格を付記する行為は，他人であるＹの作成名義を冒用したものとされる（有形偽造説。最決昭和45・9・4刑集24巻10号1319頁）。これに対して，学説の一部は，犯人が自分の作成名義を用いた点で，虚偽文書の作成にすぎないと主張する（無形偽造説）。

　なるほど，代理・代表資格の冒用も，ニセの資格を装った点では，「肩書の冒用」にすぎない。また，名義人本人の名前で作成した文書である以上，他人の作成名義を冒用しておらず，その意味では，無形偽造といえなくもない。しかし，

実際の取引では，被代理人・被代表者の作成名義に着目して社会的信用が付与されるため，反対説のように，私文書の無形偽造とみるならば，代表・代理資格の冒用があっても，およそ犯人を処罰できないという不都合が生じる。また，内部的な権限の分掌に着目しつつ，その逸脱や濫用に応じて有形偽造と無形偽造を区別する見解は，当事者間の実質的な権利関係によって犯罪の成否が左右される点で，当該文書の形式的な作成名義を保護するという立法趣旨に添わないであろう。

2 作成名義人の承諾　私文書偽造では，名義人の承諾さえあれば，当該文書の作成者は別人であっても，作成名義を偽ったことにはならない。代理人 X が本人 Y の同意を得て Y 名義の文書を作成する場合，名義人と作成者をめぐる観念説に従う限り，「偽造」にあたらないからである。ただし，その同意は事前に存在しなければならず（大判大正 8・11・5 刑録25輯1064頁），違法な目的に基づく承諾は無効とされる。しかも，当該文書の性質上，名義人の承諾が無効となる場合がある。

たとえば，事前に本人の承諾を得た上で，本人名義で交通反則切符中の供述書を作成した場合がみられる。この場合にも，通説・判例は，私文書偽造罪の成立を認めてきた（最決昭和56・4・16刑集35巻3号107頁など）。なぜならば，犯人が名義人の承諾を得たとはいえ，交通反則切符中の供述書は，道路交通法違反という公的な事実にかかわるものであり，実際の違反者が自分の名前で作成することが当然の前提になっているからである。同様にして，別人の氏名を自己の通称として長年使用してきた者が，通称を用いて供述書を作成した場合にも，私文書偽造罪が成立することになる。

> **Case 242**
> X は，酒気帯び運転などにより免停処分を受けてから，無免許で自動車の運転を続けていたが，警察官の取締りに遭遇した際，無免許運転の罪責を免れようとして，事前に Y から名義を使用する旨の承諾を得て，交通事件原票中の供述欄にも，Y の氏名を記載した。

> *Case 242* における交通事件原票中の供述書は，その文書の性質上，作成名義人以外の者がこれを作成することは，法令上許されないものであって，同供述書を他人の名義で作成した場合は，あらかじめその他人の承諾を得ていたとしても，私文書偽造罪が成立するとした（最決昭和56・4・8刑集35巻3号57頁）。

同姓同名の作成名義
　近年の判例では，同姓同名の弁護士が実在することを奇貨として，同弁護士の肩書を付した自己名義の私文書を作成した場合にも，私文書の有形偽造・同行使罪にあたるとされた（最決平成5・10・5 刑集47巻8号7頁）。裁判所によれば，たとえ名義人として表示された者の氏名が，犯人自身の本名と同一であっても，本件文書が弁護士の業務に関連して，弁護士資格を有する者が作成する形式・内容であった以上，文書に表示された名義人は，別人である弁護士にほかならないとされる。その意味で，弁護士資格がある別人格を偽った点で，当該文書の名義人と作成者の間で人格の同一性が欠けることになる。ここでも，通常，弁護士が作成する文書である点が重視されており，当該文書の社会的機能は，人格の同一性を判断する場面でも問題となってくる。

3　履歴書の偽造　私文書にあたる履歴書は，作成者本人の同一性を確認するための文書である場合，作成者自身の顔写真を貼付していれば十分であるともいえる。しかし，後述する *Case 243* にあっては，偽名を用いたウソの履歴書を作成し，これを就職先に提出した場合，私文書偽造罪にあたるとされた（最決平成11・12・20刑集53巻9号1495頁）。そもそも，文書偽造罪は，実際の作成者と作成名義人が異なる場合に「偽造」とするため（前掲最決平成5・10・5），雇用者の側が相手方の個性や人物を特定する資料である履歴書において，氏名や生年月日などの重要な事実を偽ったならば，作成名義の同一性に齟齬が生じている。その意味では，これらの文書に対する社会公共の信用を損なうからである。

Case 243
　Xは，指名手配中に逃走資金を調達するため，Aの偽名を用いて就職しようと考え，虚偽の氏名，生年月日，住所，経歴などを記載し，Xの顔写真を貼り付けてA名義の署名・押印をした履歴書や雇用契約書等を作成して，これを就職先に提出した。

　Case 243 では，履歴書という私文書の性質・機能などから，当該文書に表示された名義人と作成者の同一性が要求されるところ，Xが，自分の顔写真を貼り付けたとはいえ，虚偽の氏名・生年月日・住所・経歴などを記載して履歴書や雇用契約書を作成・提出した場合，これらの文書に表示された名義人と作成者の間で人格の同一性に齟齬が生じており，有印私文書偽造罪および同行使罪になるとされた（前掲最決平成11・12・20）。

2　虚偽診断書等作成罪（160条）

1　客体としての虚偽診断書等

　本罪の客体は，私人である医師により，公務所に提出されるべき診断書・検案書・死亡証書である。具体的には，公務所に提出予定の健康状態に関する証明文書（診断書），同じく死体に関する医学的な所見を記載した文書（検案書），または，死亡の事実を確認するための死亡診断書（死亡証書）である。その多くは，人の生死にかかわる事項を証明するものであるため，私文書であっても特別な取扱いを受ける。こうした事情から，私文書の無形偽造を処罰しているのは，本条（160条）だけである。なお，出頭拒否の目的で裁判所に提出する健康診断書も，「公務所に提出すべき」場合にあたるが，民間企業に就職する際に提出する健康診断書は，160条の客体には含まれない。他方，公務員である医師が，その職務として虚偽内容の診断書等を作成する場合には，虚偽公文書作成等罪（156条）が成立する。したがって，行為の主体は，私人である医師に限られるため，身分犯の一種である。

2　虚偽文書作成における偽造と変造

　上述した医師による「虚偽私文書の作成」が処罰される。すなわち，自らの医学的判断に反しており，真実にも合致しない事実を記載する行為である（大判大正5・6・26刑録22輯1179頁）。たとえば，死亡証書において死亡原因や死亡時刻を偽る場合が考えられる（大判大正12・2・24刑集2巻123頁，大判昭和13・6・18刑集17巻484頁）。医師が虚偽内容の文書を作成した時点で，本罪は既遂となる。これらの文書は，公務所に提出する目的で作成されねばならないが（行使の目的），実際上も公務所に提出することは必要でない。なお，法定刑が「3年以下の拘禁刑（禁錮）又は30万円以下の罰金」である点に注意すべきである。また，偽造私文書等行使罪（161条1項）の規定により，虚偽診断書の行使も処罰される。公務所に提出する行為が虚偽診断書の「行使」にあたることはいうまでもない。未遂罪も処罰される（同条2項）。

4　印章偽造・ウィルス作成等の罪

1　印章偽造の罪（164条〜168条）

1　客体としての印章・署名

　まず,「印章」とは,物体上に押捺された「印影」を意味する。市販の有合せ印を用いた場合であってもよい（大判大正5・12・11刑録22輯1856頁）。ただし,印鑑それ自体（印形・印顆）を「印章」に含める見解も有力である（大判明治43・11・21刑録16輯2093頁）。つぎに,「署名」とは,氏名を表記するものであり,自署に限る見解もみられるが,わが国の判例は「記名」も含めている（大判明治45・5・30刑録18輯790頁）。なお,「記号」とは,印章・署名が主体の同一性を証明するのと異なり,その他の事項を証明するものである。

　今日の社会生活では,印章などが独立して用いられる機会は少ない。また,文書偽造の一部を構成するならば,印章偽造の行為も,文書偽造罪の中で評価される（大判明治42・2・5刑録15輯61頁など）。したがって,文書偽造罪が未遂に終わった場合や,独立して印章・署名・記号を用いる例外的場合にのみ,本罪が成立する。

> **発展学習　電子署名と電子認証の保護**
> 　近年,電子取引の普及に伴って,インターネット上の本人性を証明する手段として,電子署名や電子認証のシステムが脚光を浴びるようになった。これらは,旧来の署名や印章と異なり,コンピュータで作成した電子文書を暗号化するものであり,利用者は解読に用いる公開鍵と個人鍵を用いて,当該文書の作成者を確認することになる。しかも,主務官庁から認定を受けた認証事業者が,電子署名（暗号キー）の真正さを保証する仕組みである。なお,平成12（2000）年に制定された「電子署名及び認証業務に関する法律」は,「認定認証事業者又は認定外国認証事業者に対し,その認定に係る認証業務に関し,虚偽の申込みをして,利用者について不実の証明をさせた者は,3年以下の拘禁刑（懲役）又は200万円以下の罰金に処する」という罰則を設けている（同法41条）。

2　行為としての偽造・不正使用

　「偽造」とは,作成権限のない者が,行使の目的で勝手に印章・署名などを作成することである。つぎに,「不正に使用」したとは,真正に表示された印章・署名を,使用権限のない者が勝手に使う場合のほか,作成権限者が自分の権限を超えて用いた場合である（大判大正5・7・3刑録22輯1221頁）。さらに,偽造した公印や署名を真正なものとして使用する場合も処罰される。

2 不正指令電磁的記録に関する罪（168条の2〜168条の3）

1 客体としての不正指令電磁的記録等

平成23（2011）年、「情報処理の高度化等に対処するための刑法等の一部を改正する法律」により、コンピュータ・ウィルスの作成・提供などを処罰する「第19章の2 不正指令電磁的記録に関する罪」が新設された。その保護法益は、コンピュータ・ネットワークの安全性に対する公共の信頼である。コンピュータ・ウィルスの感染・拡大は、ネット社会の重大な脅威となりうるからである。まず、行為の客体として、「人が電子計算機を使用するに際してその意図に沿うべき動作をさせず、又はその意図に反する動作をさせるべき不正な指令を与える電磁的記録」（168条の2第1項1号）が問題となる。これと並んで、「前号に掲げるもののほか、同号の不正な指令を記述した電磁的記録その他の記録」（同項2号）も列挙されている。前者は、「トロイの木馬」や「ワーム」などのスパイウェアであり、近年では、ランサムウェアが社会問題になった。後者は、上述した不正指令を与えるプログラムのソースコードや、これを記録した情報媒体（紙媒体を含む）など、そのままの状態ではただちに不正な動作をさせないものである。

最近、不正指令電磁的記録にあたるかが争われたのは、いわゆるコインハイブ事件である。具体的には、インターネット上のウェブサイトの運営者が、正当な理由がないにもかかわらず、人の電子計算機における実行の用に供する目的で、閲覧者の同意を得ないまま、暗号資産にかかる取引履歴の承認作業等（マイニング）のプログラムコードを蔵置したサーバコンピュータにアクセスさせて、閲覧者が使用する電子計算機に同プログラムコードを取得させたものである。

最高裁によれば、不正指令電磁的記録に関する罪は、電子計算機による情報処理のためのプログラムが「意図に沿うべき動作をさせず、又はその意図に反する動作をさせるべき不正な指令」でないという社会一般の信頼を保護するものである以上、反意図性とともに、社会的にみて許容されない不正なプログラムの作成・提供・保管等に限定されるとした。その上で、反意図性とは、当該プログラムについて一般の使用者が認識すべき動作と実際の動作が異なる場合をいい、閲覧中に同意を得る仕組みがない本件プログラムは、反意図性が認められるものの、電子計算機の情報処理に与える影響が乏しく、閲覧者がその変化に気付くほどでもないため、社会的に受容される広告表示プログラムと比較するならば、不正性は認めがたいという理由から、不正指令電磁的記録保管罪は成立しないとした

(最判令和4・1・20刑集76巻1号1頁)。ただし，個々の電子計算機に与える影響が軽微であっても，ただちに公共の信頼を損ねないわけでなく，「社会的に許容し得る」という捉え方は，実質的な見地から可罰的違法性を否定したとも考えられる。

2 作成・提供・供用および取得・保管

不正指令電磁的記録作成・提供罪（168条の2第1項）では，「人の電子計算機における実行の用に供する目的」がなければならない（目的犯）。また，「作成」とは，新たに不正指令電磁的記録等を作出することであり，「提供」とは，不正指令電磁的記録等であることを知りつつ，第三者の求めに応じて，その支配下に移してこれを利用できる状態におくことである。

他方，同供用罪（168条の2第2項）では，①電子メールに添付して上記客体の実行ファイルを送信することで実行可能な状態にしたり，②ウェブサイトから実行ファイルをダウンロードできる状態にする行為が処罰される（未遂犯として，168条の2第3項がある）。さらに，上述した目的から，不正指令電磁的記録等であることを知った上で，自分の支配下に移す行為は，同取得罪であり，自分の実力支配内にとどめておく行為は，同保管罪となる（168条の3）。

これらの罪は，犯人の側に「正当な理由がない」場合にのみ成立する。たとえば，ウィルス対策ソフトを開発するため，手元のコンピュータで不正指令電磁的記録等を作成して作動させる場合，「人の電子計算機における実行の用に供する目的」が欠ける。また，技術者が研究・開発の過程でバグのあるプログラムを作成したとき，そもそも「人（他人）」の電子計算機に使用することが予定されておらず，「実行の用に供する目的」が認められないであろう。

12 支払手段に関する偽造の罪

1 支払手段に対する社会公共の信用

1 通貨偽造の罪（148条～153条）

1 通貨の概念と保護法益

1　**通貨と電子マネー**　現代の日本では、各種の支払手段として、現金や手形・小切手のほか、電子マネーが普及している。これらに対する社会公共の信用も、文書と同じく保護されねばならない。「通貨偽造の罪」（刑法典第2編第16章）は、金銭に対する国民の信頼を維持して、取引システムの安全を図る一方、国家の通貨発行権も守っている（通説・判例。最判昭和22・12・17刑集1巻94頁）。かりに社会公共の信用だけが保護法益であるならば、現金に近い支払・決済機能をもつ電子マネーも、刑法上の「通貨」に含めるべきであろう。しかし、金融機関の発行する電子マネーが、刑法上の「通貨」に含まれないのは、電子マネーを偽造した場合にも、国家の通貨発行権が害されないからである。むしろ、現行刑法は、現金以外の支払手段に対する社会的信用を保護するため、通貨偽造の罪から区別して、「有価証券偽造の罪」（同第18章）と、「支払用カード電磁的記録に関する罪」（同第18章の2）を設けている。

2　**貨幣と銀行券**　通貨偽造の罪の客体は、日本国内で「通用する（強制通用力をもつ）」通貨でなければならない。その中には、貨幣・紙幣・銀行券の3種類がある。まず、「貨幣」とは、金属で鋳造された1円～500円までの硬貨をいうが、そのほか、現在でも強制通用力をもつ各種の記念硬貨が残っている。つぎに、「紙幣」とは、貨幣に代用しうる証券を意味するが、現在では発行されていない。さらに、「銀行券」とは、日本政府の認許を得て日本銀行が発行する日本銀行券であり、1,000円札～1万円札までの種類がある。

なお、国際的取引がさかんになった現在、信用の保護という見地から、外国通貨の偽造も処罰されている（149条）。その意味では、日本国以外の通貨発行権も保護するようにみえるが、刑法でいう外国通貨は、日本国内で事実上流通するも

のに限られており，それらに対する国民の信用を保護したにすぎない。

2　通貨の偽造・変造と行使の目的および行使等

1　行使の目的　通貨偽造及び行使等罪（148条）は，第1項の通貨偽造罪と，第2項の偽造通貨行使罪に分けられる。それぞれの実行行為は，第1項では，①行使の目的で，通用の貨幣・銀行券を「偽造」または「変造」することであり，第2項では，②すでに偽造・変造された貨幣・銀行券を「行使（収得後知情後行使を含む）」したり，③行使の目的で，「収得」および「人に交付ないし輸入」することである。「行使の目的」とは，自分自身または第三者により（最判昭和34・6・30刑集13巻6号985頁），真正の通貨として偽造・変造の通貨を流通におく目的をいう（東京高判昭29・3・25高刑集7巻3号323頁）。したがって，偽造の見本を作成したり，学校の教材にする場合は除かれる。しかし，第三者が本物として使うことを未必的に認識していたならば，通常，行使の目的が認められるであろう。

> **Case 244**
> Xは，行使の目的で，本物の日銀券を表裏にはがして切断することで4枚の紙片にした後，その間に厚紙を挿入して糊付けするなどの方法で，本物と見間違うニセ札8枚を作成した。Xは，相手方にこれをみせることで，だまし取った品物と釣銭をもって逃走した。

> *Case 244* において，Xが作出した8枚の紙片は，そのまま広げるならば，到底，千円札の外観を備えたものとはいえないが，折りたたんだ状態では，通常人をして，真正の銀行券を四つ折りまたは八つ折にしたものと誤解させるものであった。その意味で，本物のお札として流通する危険があった以上，通貨変造罪が成立するとされた（最判昭和50・6・13刑集29巻6号375頁）。

2　偽造・変造　「偽造」とは，通貨発行権のない者が，一般人からみて，真正の通貨（真貨）と間違えるような外観・形式のものを作り出すことをいう（大判昭和2・1・28新聞2664号10頁）。また，「変造」とは，通貨発行権のない者が，すでに存在する本物の通貨に手を加えて，その価値（名価）を偽ることである。偽造の態様としては，高性能コピー機で日銀券のコピーを作成したり，本物の印刷原板を盗み出して印刷するなどの方法が考えられる。また，変造の態様としては，本物の硬貨の中身くり抜いて，新しい硬貨にするほか，*Case 244* のように，日銀券の一部を切り取って貼り合わせるなどの例がみられた。しかし，本物の銅

貨に銀メッキを施す方法で，まったく別の貨幣にした場合は，もはや最初の貨幣との同一性を失っており，変造ではなく，偽造にあたる。

3　行使・交付・輸入　「行使」とは，偽造した通貨（偽貨）を，買物の代金として支払ったり，銀行で両替するほか（最決昭和32・4・25刑集11巻4号1480頁），保証金として提供したり，公衆電話機や自動販売機に投入するなど（東京高判昭和53・3・22刑月10巻3号217頁），およそ偽貨を真貨として流通におく場合をいう。ただし，行使の相手方は，偽貨であると知らないことが前提となる。もし相手方がニセ金であると知っていたならば，「交付」となる。また，「輸入」とは，外国から日本国内に偽貨を搬入する行為である。なお，「交付」と「輸入」については，行使の目的が必要となる（目的犯）。

4　偽造準備・偽貨収得など　通貨偽造の罪では，偽造・変造，行使・交付・輸入および偽貨の収得について，未遂犯の処罰規定を設けている（151条）。また，未遂以前の予備的行為も処罰されており，犯行に用いるプリンターやインク・用紙を調達したとき，通貨偽造等準備罪（153条）にあたる。なお，偽貨であると知っている者が，行使の目的で偽貨を受け取ったならば，偽造通貨等収得罪（150条）が成立する。ただし，犯人が収得後に偽貨であると気づいたにもかかわらず，これを本物として使った場合には，適法行為の期待可能性が低いことから，収得後知情行使罪（152条）という特別減軽類型が用意されている。

2　有価証券偽造の罪（162条〜163条）

1　客体としての有価証券

有価証券とは，権利・義務を表章する（私）文書の一種であり，その権利を行使・処分する際には，証券の占有が必要となるものである。法文上は，「公債証書，官庁の証券，会社の株券その他の有価証券」が列挙されている。これに対して，借用証書や受領証などの証拠証券や手荷物預り証などの免責証券は，財産権を表章するものでないため，刑法上の有価証券には含まれない（なお，預託証書の没収について，最決昭和55・12・22刑集34巻7号747頁参照）。大審院時代の判例では，郵便為替証書が「官庁の証券」と認められたが，郵便貯金通帳は有価証券にあたらないとされた（大判昭和6・3・11刑集10巻75頁）。また，犯行当時の増資新株式申込証拠金領収書が，売買・担保などの目的に利用されていた場合，株券類似の証券の作用を営むものとして，刑法上の有価証券とした例がある（最判昭和34・12・4刑集13巻12号3127頁）。また，*Case 245* の定期乗車券や，*Case 246* のゴル

フクラブ会員証（預り金証券）も，刑法上の有価証券にあたる。

> **Case 245**
> 　Xは，行使の目的で，定期乗車券に似せた紙片を用意し，勝手に通用区間を記入するなどした上で，改札係員のAに呈示して電車に乗った。
>
> **Case 246**
> 　Yは，Bゴルフ場開発株式会社に勤務していたが，勝手にBが経営するゴルフコースの会員証（B社名義）を作成し，これを正規の会員証であるかのように装って，被害者のCらからゴルフ会員権譲渡金などの名目で多額の金員をだまし取った。

　Case 245では，刑法上の有価証券として，取引上の流通性が要求されないため，当該証券上に財産上の権利が表示されており，その権利行使につき証券の占有が必要となればよいとされる。したがって，流通性のない定期乗車券も，刑法上の有価証券にあたる（最判昭和32・7・25刑集11巻7号2037頁）。また，**Case 246**では，刑法上の有価証券が，民商法上の概念と一致する必要はないため，その真正さを保護するかどうかは，刑法独自の見地から決定されるとした。したがって，本件会員証が，券面上の記載や取引上の慣習と相まって，施設優先利用権や預託金返還請求権を表章した証券として，その真正さを保護する必要がある以上，ゴルフクラブ会員証も，刑法上の有価証券に該当するとされた（東京地判昭和53・3・28判時911号166頁）。

　そのほか，手形・小切手も，社会生活上現金に代わる支払機能を有しており，有価証券に含まれる。また，刑法学上，有価証券は，通貨と文書の中間に位置づけられるが（なお，改正刑法草案第2編第17章参照），有価証券の社会的機能は，単なる支払手段にとどまらない。たとえば，手形による決済には，支払時期の猶予という信用供与の側面がある。また，有価証券が利害関係者の間を転々と移動することから，通常人をして真正な証券と誤信させるだけの外観・形式が必要とされる。その意味で，有価証券偽造の罪の保護法益は，有価証券の真正さに向けられた社会公共の信用である。これに対して，金額充塡式の電子マネーは，もっぱら支払手段とみなされるため，上述した有価証券と異なり，その外観・形式を重視しない見解もありうる。

2　有価証券と支払用カード

　過去の判例により有価証券とされたものは，国債・地方債の証書（「公債証書」），手形（大判明治42・3・16刑録15輯261頁）や，小切手（大判明治42・10・7刑録15輯

1196頁），倉荷証券（大判大正12・11・9刑集2巻778頁）である。また，鉄道乗車券（最判昭和32・7・25刑集11巻7号2037頁）や，当せん金付証票法によって発行された宝くじ（最決昭和33・1・16刑集12巻1号25頁），デパートの商品券なども，「その他の有価証券」に含まれる。これに対して，平成13（2001）年，「支払用カード電磁的記録に関する罪」が新設されたため，支払機能をもつ各種のプリペイドカードは，支払用カードとして保護されることになった。現在，各種のカード偽造・不正使用に対して，有価証券偽造の罪が適用される可能性は乏しい。

　かつて最高裁は，テレホンカード上の磁気情報部分と券面上の外観・記載を一体とみることで，刑法上の有価証券にあたるとした（一体性説。最決平成3・4・5刑集45巻4号171頁）。しかし，今日では，これらのプリペイドカードに対する社会的信用も，支払用カード電磁的記録不正作出罪（163条の2）で保護される。もっとも，プリペイドカードの中には，トレーディングカードのように，金券ショップで売買されるものがあり，その限度では，プリペイドカードの社会的機能を，もっぱら自動機械に用いる電磁的記録に限定することはできない。むしろ，最高裁の一体性説を前提とするならば，券面上の可視的・可読的符号を通じて，人間が真正のカードと誤信する可能性がある限り，プリペイドカードの偽造にも，なお有価証券偽造罪が成立する余地は残されている。

❸　偽造・変造・虚偽記入および行使等

　1　偽造・変造　　現行刑法には，有価証券偽造等罪（162条），偽造有価証券行使等罪（163条）の規定がある。まず，①有価証券の作成権限をもたない犯人が，行使の目的で，他人名義の有価証券を作成する場合，「偽造」として処罰される。つぎに，②同じく作成権限のない者が，行使の目的で，他人名義の真正な有価証券を利用して勝手に記載内容を変更する場合が，「変造」となる。したがって，「偽造」とは，他人の作成名義を冒用して新しく有価証券を作成するほか，真正に成立した有価証券の本質的部分を変更する行為である。他方，「変造」とは，有価証券の非本質的部分の変更をいう。変造の具体例として，他人が振り出した手形の振出日や受取日を改ざんしたり（大判大正3・5・7刑録20輯782頁），有効期限を過ぎた郵便為替証書の記載を改ざんする場合が考えられる（大判昭和7・6・11刑集11巻815頁）。ただし，すでに通用期間を過ぎて無効となった乗車券を使って，有効な乗車券に改ざんする行為は，その同一性を失わせるものであり，偽造にあたる。

Case 247
　XとYは，他の共犯者らと共謀の上，行使の目的をもって，Aが振り出した小切手の金額欄の記載を500円を500万円に改ざんした上で，事情を知らないBに手渡した。

　Case 247 では，金額の改ざんが偽造または変造のいずれにあたるかが争われた。最高裁は，ほしいままに小切手の金額欄の数字を改ざんする行為は，小切手の変造にあたるとしたが（最判昭和36・9・26刑集15巻8号1525頁），偽造と変造は，いずれも刑法162条1項に該当するため，その違いは判決に影響を及ぼさないとして，偽造と認めた原判決を破棄しなかった（上告棄却）。

　2　偽造と虚偽記入　　有価証券偽造の罪には，偽造・変造と異なる「虚偽記入」という概念がある（162条2項）。判例によれば，有価証券の発行・振出などの基本的証券行為にかかる改ざんが偽造であって，虚偽記入とは，裏書・保証・引受けなどの付随的証券行為にかかる改ざんと定義される。したがって，虚偽記入とは，作成名義を冒用したかどうかを問わず，すでに有効に作成された約束手形の裏書（付随的証券行為）を偽造した場合であり（大判明治45・4・18刑録18輯477頁），倉庫業者が自分名義の倉荷証券を作成する際，取引相手から依頼されて，あたかも物品の寄託があったかのように記載したり（大判大正12・2・15刑集2巻73頁），物品送り状の付随的事項に虚偽の記載をする場合も（なお，大判大正15・9・18刑集5巻413頁参照），有価証券の虚偽記入にあたることになる。同様にして，手形の「虚偽記入」も，およそ真実に反する記載であって，基本的な手形振出行為を除いた，付随的な記載事項にかかる偽造が含まれるであろう（最決昭和32・1・17刑集11巻1号23頁）。

Case 248
　Xは，行使の目的で，偽造したA社名義の記名印や会社印を押す方法により，為替手形用紙の支払人欄と引受け欄にA社の引受けがあったかのような為替手形一通を作成した。その後，これを事情を知らないBに提出して，同手形の割引名義でBから現金を取得した。

> (*Case 248*)において，裁判所は，有価証券の虚偽記入にあたるとした。その際，刑法162条2項の「虚偽の記入」とは，既存の有価証券に加工したかどうかを問わず，真実に反する記載のすべてが虚偽記入にあたるため，手形であれば，基本的な振出行為を除いた，付随的な手形行為に関する偽造行為も含まれることになる。したがって，為替手形の引受けにかかる他人名義の冒用は，有価証券の虚偽記入であって，有価証券の偽造ではないとされる。ただし，最高裁は，刑法162条1項を適用した原判決を違法としながら，その違法は判決に影響を及ぼさないとした（前掲最決昭和32・1・17）。

3 基本的証券行為と付随的証券行為 このようにして，他人の名義を冒用した場合にも，裏書・引受け・保証などにかかる不実の記載であれば，裁判所のいう虚偽記入にあたる一方，たとえ真実に反する記載であっても，発行・振出のような基本的証券行為にかかわる場合には，偽造行為とされる。実際，有価証券には，券面上の記載として，基本的証券行為と付随的証券行為という違いがあり，こうした「証券行為」の特徴から，偽造・変造と虚偽記入を区別した判例の態度にも，まったく理由がないわけではない。

しかし，両者は，刑法162条の中で，同じ法定刑の犯行態様である。また，現実に市場でやり取りされる個々の有価証券にとって，いずれの記載が重視されるかは，基本的証券行為と付随的証券行為の違いだけでは決まらない。そこで，通説は，有価証券の「偽造・変造」と「虚偽文書作成」も，文書偽造罪のそれと同様に考えようとする。すなわち，有価証券の作成権限をもつ者が，真実に反する記載をすれば「虚偽記入」であり，その中には，基本的証券行為と付随的証券行為に関するものが含まれることになる。なお，いずれの行為にあっても，行使の目的が必要である。

4 行使・交付・輸入 また，偽造・変造した有価証券や虚偽記入の有価証券を行使したり，行使の目的で他人に交付するほか，行使の目的で外国から輸入した場合は，偽造有価証券・虚偽記入証券行使罪となる（163条1項）。ここでは，未遂罪も処罰される（同条2項）。その中でも，「行使」は，真正な作成名義で内容も真実であるかのように装って使用することをいう。偽造通貨行使罪のように，市場に流通させることは必要でない。事情を知らない他人が認識しうる状態におけば足りる。つぎに，行使の目的による「交付」は，偽造有価証券であると告げて譲渡する行為であり，同じく「輸入」は，偽造有価証券を日本国内に搬入する行為である。

2　電子決済システムに対する社会公共の信用

1　その他の支払手段と取引の安全

1　支払用カード電磁的記録に関する罪

　現在，クレジットカードや電子マネーによる支払方法が普及したことに伴い，これらのカード類を不正にコピーしたり，その電磁的記録を改ざんする事件が多発している。しかも，最近では，さまざまな種類の電子マネーが利用されており，いわゆる「支払用カード」に対する社会的信用を保護する必要がある。そこで，平成13（2001）年には，クレジットカードや支払・決済機能のあるキャッシュカードを対象として，刑法典第２編第18章の２「支払用カード電磁的記録に関する罪」が新設された（163条の２〜163条の５）。これらの罪の保護法益は，支払用カードを用いた決済システムに向けられる社会公共の信用である。

　また，支払用カードを用いた電子取引が日常化しつつある現在，本章の罪には，電子取引の安全性を確保するという側面もある。実際，電子マネーをスキャナー（読取機）にかざすだけで，自動的に支払・決済がなされるなど，まったく人間の手を経ない機械的な処理が普及するに至った。すなわち，人間の五感では認知できない電磁的記録が，取引上も重要な意味を帯びる一方，電磁的記録には作成者の名義がないことも多い。そのため，近年では，支払用カードの外観・形式を軽視する傾向もみられる。さらに，支払用カードの真正さに対する社会的信用が，電磁的記録それ自体の真実性に根ざすならば，本章の罪の保護法益は，もっぱら，電子取引に伴う支払・決済システムの安全性に求めることになろう。

2　客体としての支払用カード

　刑法上の「支払用カード」は，商品購入の代金や役務提供の対価を，カード上に記録された電磁的記録で決済する際の情報媒体である。具体的には，カード形式の電子マネー（クレジットカードを含む）や，デビット機能（即時決済機能）を備えたキャッシュカードが挙げられる。しかし，旧来のプリペイドカードも，社会生活上支払手段として利用する限り，支払用カードの中に含まれる。

　法文上は，「その事務処理の用に供する電磁的記録であって，クレジットカードその他の代金又は料金の支払用のカードを構成するもの（163条の２第１項前段）」，または，「預貯金の引出用のカードを構成する電磁的記録（同項後段）」と

なっており，これらの電子データは，電子計算機による事務処理の用に供せられる「電磁的記録」でなければならない（7条の2）。これに対して，消費者金融会社（サラ金）が発行するローンカードや，量販店が配布するポイントカードのようなものは，支払・決済機能がないため，ここでいう支払用カードには含まれない。

> **補論** 支払用カードの概念
> かりに刑法の立法趣旨が，電子取引それ自体の安全性を確保する趣旨であったならば，客体である支払用カードの形状に拘泥する必要はないであろう。他方，実際のカード取引では，担当係員にカードを提示して使うため，この限度では，人間の知覚作用を媒介として支払・決済機能を果たしている。したがって，電磁的記録である支払・決済機能だけでなく，支払用カードの外観と電磁的記録が一体になってはじめて，刑法の保護の対象となる。もっとも，学説上は，カードの外観だけでは区別できないという理由で，支払・決済機能のないキャッシュカードも客体に加える見解がある。これに対して，金融機関のATMに用いるキャッシュカードが，本人認証の機能しか備えないときには，支払用カードにあたらないという見解も有力である。

2 支払用カード電磁的記録の不正作出および供用等

1 支払用カード電磁的記録不正作出等罪（163条の2）

人の財産上の事務処理を誤らせる目的で，①支払用カードに含まれる電磁的記録を不正に作った場合（163条の2第1項前段）と，②支払用カードにあたる「預貯金の引出用のカードを構成する電磁的記録」を不正に作った場合（同項後段）が処罰される。上述したように，「支払用カード」とは，商品の購入やサービスの提供に対する支払手段となるものであり，「預貯金の引出用のカード」とは，都市銀行などの金融機関が発行するキャッシュカードである。

こうした支払用カードを構成する電磁的記録を「不正に作る」行為とは，支払・決済に必要な電磁的記録を作出することである。具体的には，ICチップや磁気ストライプに加工するなどして，既存の機械的処理を介した支払・決済機能をもたせる行為であり，通常は，適法に発行された支払用カードから，当該電磁的記録をコピーして（スキミング），プラスティック板に装着したICチップなどに入力することが多い。

つぎに，不正電磁的記録カード供用罪（163条の2第2項）とは，当該カードがどのような目的で作られたかを問わず，人の財産上の事務処理を誤らせる目的で，不正に作られた支払用カード電磁的記録を用いる場合である。たとえば，商品・

サービスの支払用端末（CAT）に挿入または接触する行為が一般的である。ニセのクレジットカードを身分証明に用いるような場合は、「供用」から除外される。本章の罪では、支払・決済機能のある支払用カードが行為の客体となる関係で、これらの供用行為も、財産的な事務処理に限られるからである。

また、不正に作出された電磁的記録を譲り渡す、貸し渡す、または、輸入する行為も処罰されている（163条の2第3項）。ここでは、「譲り渡し」のように、相手方に処分権を付与する場合と、処分権を付与しない「貸し渡し」が併記されている。また、「輸入した」とは、日本国内に持ち込むことでよい。さらに、これらの譲渡し・貸渡し罪が、人に対する引渡しを予定した関係で、第2項の供用罪にあっては、もっぱら機械に対する場合が予定されている。なお、これらの行為では、支払用カードに対する社会的信頼を保護するため、未遂段階から犯罪となる（163条の5）。

2 事務処理を誤らせる目的および供用・譲渡し等

従来の偽造罪で要件となった「行使の目的」や「人の事務処理を誤らせる目的」と同じく、「人の財産上の事務処理を誤らせる目的」が必要となる（目的犯）。たとえ未必的な認識であっても、第三者による使用を予見すれば足り、犯人自身が直接に事務処理の用に供する目的でなくてもよい。しかし、ここで予定された事務処理は、支払・決済機能をもった「支払用カード」が客体となるため、あくまで「財産上の事務処理」に限られる。

つぎに、支払用カード電磁的記録の不正作出は、私電磁的記録不正作出罪（161条2第1項）を構成する余地もある。また、電子取引に基づく支払・決済を不正に免れたとき、不正作出電磁的記録供用罪（161条の2第3項）や電子計算機使用詐欺罪（246条の2）が成立する可能性もないわけではない。しかし、本罪の法定刑は、10年以下の拘禁刑（懲役）または100万円以下の罰金刑であるところ、上述した諸犯罪では、5年以下の拘禁刑（懲役）または50万円以下の罰金刑、あるいは、10年以下の拘禁刑（懲役）となっている。他方、有価証券偽造の罪（162条）では、3か月以上10年以下の拘禁刑（懲役）で処罰されるため、少額の支払用カードを偽造した場合の取扱いをめぐって、その適条や罪数関係が争われることがある。

3 不正電磁的記録カード所持および不正作出準備

1 不正電磁的記録カード所持罪（163条の3）

　ここでは，「前条第1項の目的（人の財産上の事務処理を誤らせる目的）」で，不正に作出された電磁的記録カードを「所持」する行為が処罰の対象となる。偽造通貨や不正電磁的記録と異なり，こうした支払用カードを所持しただけで処罰される理由は，以下のとおりである。まず，刑法163条の2第3項に規定された「貸し渡し」からも推測されるように，不正に作出された支払用カードは，反復・継続して利用されることが少なくない。また，従前のプリペイドカードと比較したとき，汎用性の高い電子マネーは，犯人らによって繰り返し使用されるだけでなく，不正作出された支払用カード電磁的記録を別のカードに複製することで，さらに財産的被害が拡大することも考えられるからである。この点では，支払用カードの社会的機能と電磁的記録という特性に配慮して，処罰範囲を拡張したのである。

> 発展学習　**お財布ケータイと支払用カード**
> そもそも，電子取引に対する社会公共の信用を保護するためには，カード形式にこだわる必要はない。最近では，お財布ケータイのように，スマートホンや携帯電話が日常的な支払手段となりつつある。立法論上は，こうした情報端末も含めた支払・決済機能を保護するべきであろう。しかし，現行刑法典が支払用「カード」という外観を重視したのは，支払用カードの利用形態の中で，なお人間の知覚作用を媒介とする部分があるため，客体の外観に向けられた社会公共の信用も保護せざるをえないからである。その意味では，支払用カード電磁的記録に関する罪は，単に電子取引の安全性を保護しているわけではない。

2 支払用カード電磁的記録不正作出準備罪（163条の4）

　支払用カードの不正作出を防ぐためには，犯行にとって必要不可欠な電磁的記録の不法入手を取り締まる必要がある。いわゆるスキミングと呼ばれる行為は，支払用カード電磁的記録を入手する手段の1つであって，それ以外にも，現在の情報処理技術では，極めて簡単にカード情報を収集できる。また，この種のデータが第三者に転売されたり，新たな犯罪を誘発するという側面も無視できない。

　そこで，支払用カード電磁的記録不正作出準備罪では，上述した不正作出罪（163条の2第1項）の用に供する目的で，①支払用カード電磁的記録の情報を取得した場合はもちろん，事情を知ってその情報を提供した者も，3年以下の拘禁刑（懲役）または50万円以下の罰金刑に処せられる（163条の4第1項）。また，②不

正に取得された支払用カード電磁的記録の情報を，不正作出の用に供する目的で保管したり（163条の4第2項），③同じく不正作出の用に供する目的で，器械や原料を準備した者も処罰されている（163条の4第3項）。

　つぎに，①と②の罪で客体となる支払用カード電磁的記録の情報とは，支払用カードの構成要素として，代金支払などの機械的処理に用いられる無形的な電子データをいう。ただし，本条は，支払用カードに記録された個人情報を保護する趣旨ではないため，当該カードの会員番号や有効期限などは，本罪の客体に含まれない。

　また，「取得」とは，支払用カードを構成する電磁的記録（カード情報）を自己の支配下に移す行為であり，カードリーダー（読取機）を使ったスキミングのほか，インターネット回線のデータを傍受・解読して取得することも考えられる。さらに，情報の「提供」とは，相手方にカード情報を記録したICチップを渡すなど，相手方にとってカード情報を利用可能な状態にする行為であり，「保管」とは，不正に取得されたカード情報を自己の実力支配下におく行為である。

Case 249
　Xは，1個のハンディスキマーに，不正に作出した34件の支払用カード電磁的記録の情報を保管していたが，このスキマーに保管された情報の件数については，X自身も，正確に認識していなかった。

　Case 249 において，支払用カード電磁的記録情報の保管罪が，同不正作出罪の準備行為にあたる以上，1個のスキマーに複数の電磁的記録情報が保管されている場合，電磁的記録情報の1件ごとに本罪が成立するのではなく，保管されている電磁的記録情報全部について，包括して一罪が成立するとされた（東京高判平成16・6・17東高刑時報55巻1〜12号48頁）。なぜならば，クレジットカードを構成する「電磁的記録の情報」とは，正規のクレジットカードとして機械的処理を行わせる不正の電磁的記録に調整される以前の，一群の情報を指しているからである。

13 性犯罪

1 社会的法益と個人的法益

1 わいせつな行為の刑事規制

1 社会の性風俗と個人の性的自由

1 わいせつ行為の「被害者」　刑法典第2編第22章の「わいせつ、強制性交等及び重婚の罪」は、2つのグループに分けられる。まず、①性に関する社会的法益を守るために、公然わいせつ罪（174条）、わいせつ物頒布等罪（175条）、淫行勧誘罪（182条）、重婚罪（184条）がある。つぎに、②性に関する個人的法益を保護するため、強制わいせつ罪（176条）、強制性交等罪（177条）、準強制わいせつ及び準強制性交等罪（178条）、監護者わいせつ及び監護者性交等罪（179条）、これらの未遂罪（180条）のほか、結果的加重犯として強制わいせつ等致死傷罪（181条）がみられる。

①のグループは、社会公共の性風俗や婚姻の法秩序を脅かす行為である（風俗犯と呼ばれる）。学説の中には、公衆の面前でわいせつな言動をしたり、わいせつな表現物や画像データを取り扱う者は、いずれも自らの欲望（性欲や金銭欲）を追求したにすぎず、「風俗犯には被害者がない」と主張するものがある。また、わいせつ表現をめぐっては、表現の自由や通信の秘密（憲21条）の見地から、刑事規制に反対する憲法学者も少なくない。

しかし、刑法は、露骨な性表現に不快感を抱く一般国民の利益も保護しなければならない。憲法上も、表現の自由が明記されたとはいえ、他者の不利益を顧みない身勝手な表現行為は、禁止されている。そもそも、わいせつ画像をまき散らす行為は、社会公衆の「見たくない自由」を侵害する点で、単純に「被害者のない犯罪」とはいえない。また、一般国民の健全な法感情を損なう点では、後述する強制わいせつ罪などにも、公然わいせつ罪などと重なる部分があるといえよう。

2 性的自由の侵害　②のグループは、個人の性的自由を侵害する犯罪である。被害者の意思に反した性的行為を強要することは、個人の性的自己決定

（権）を否定するだけでなく，そのプライバシーを浸食する側面がある。その意味で，同じく行動の自由を奪う犯罪であっても，単なる脅迫罪や強要罪を超えるものである。

なお，淫行勧誘罪（182条）については，強制わいせつ罪や旧強姦罪に近いとみる見解もあるが，たとえ「営利の目的で」「勧誘して姦淫させた」としても，十分な判断力をもった女子が，自らの意思で姦淫を選択した以上，性的自由が侵害されたとはいえない。通説は，淫行勧誘罪を性風俗に対する罪に分類している。

2 わいせつ表現と一般国民の性風俗（第三者からみたわいせつ性）

公然わいせつ罪の「わいせつな行為」とは，およそ「行為者又はその他の者の性欲を刺激興奮又は満足させる動作であって，普通人の正常な性的羞恥心を害し善良な性的道義観念に反するもの」である（東京高判昭和27・12・18高刑集5巻12号2314頁）。同様にして，わいせつ物頒布等罪の「わいせつ」性も，「徒らに性欲を興奮又は刺激せしめ且つ普通人の正常な性的羞恥心を害し善良な性的道義観念に反する」こととされる（最判昭和26・5・10刑集5巻6号1026頁，最大判昭和32・3・13刑集11巻3号997頁）。

「わいせつな行為」の具体例としては，陰部を露出したり（最決昭和30・7・1刑集9巻9号1769頁），セックスを実演する行為（最決昭和32・5・22刑集11巻5号1526頁）があり，「わいせつな文書，図画，電磁的記録に係る記録媒体その他の物」の例としては，卑猥な内容の小説や露骨な春画・エロ写真のほか，過激な性描写のある映画フィルム（名古屋高判昭和41・3・10判時443号58頁），裏ビデオテープ（最決昭和54・11・19刑集33巻7号754頁）がある。かつて流行した「ビニール本」なども（最判昭和58・3・8刑集37巻2号15頁），この中に含まれる。

> **Case 250**
> Xは，S娯楽雑誌の編集発行人であるが，男女の性交および男女陰部を表現した記事を掲載したり，死亡した女性を姦淫する光景や，異常な性交を詳述した記事が掲載された特集号を発行し，一般の販売ルートを通じて数万部を販売した。

> **Case 250** で問題となった記事は，いずれも，上述した「わいせつ物」にあたり，これを掲載した多数の雑誌を販売したXの行為は，刑法175条のわいせつ文書販売罪（当時）を構成するとされた（「サンデー娯楽」事件。前掲最判昭和26・5・10）。

2 性風俗の保護と表現の自由

1 わいせつ概念をめぐる変遷

　性的表現をめぐる刑事規制は，社会状況によって大きく変化してきた。社会一般の「わいせつ」概念は，各時代の国民の倫理観によっても左右されるからである。その意味で，刑法上の犯罪となるのは，社会公共の性風俗を著しく損なう場合に限定されねばならない。たとえば，明治時代は「わいせつ」とみなされたキスや抱擁も，現代社会では「わいせつ」行為にあたらないし，異常性欲者が性的に興奮する日用品を展示しても，わいせつ物公然陳列罪にあたらない。とくに表現行為については，憲法上の自由権（憲21条）と関係するため，過去の判例にあっても，慎重な判断がなされてきた。実際の裁判では，その時代における国民一般の法感情に配慮しつつ，その記述全体中に占める比重なども勘案して，総合的に「わいせつ」性を判断することになる。

> *Case 251*
> 　出版社の社長であるXは，作家のAに依頼して，D・H・ロレンスの長編小説「チャタレイ夫人の恋人」を翻訳させたが，翻訳した内容に性的な描写があることを知りながら，これをそのまま出版して，十数万部のわいせつ文書を販売した。
>
> *Case 252*
> 　B出版社を経営するYは，著述業のZと共謀して，マルキ・ド・サドの「悪徳の栄え」を翻訳・出版したが，その中には，露骨な性交や性戯に関する描写・記述があった。しかし，Yは，書籍販売業者を通じて多数の読者に販売するとともに，販売の目的で所持した。
>
> *Case 253*
> 　甲は，C雑誌の企画として，作家の乙と共謀して，男女の性交場面などを露骨かつ詳細に描写した記述を含む「四畳半襖の下張」を掲載したC雑誌を制作した上，取次店などに販売した。

　*Case 251*では，憲法21条でいう表現の自由は，絶対無制限の自由でないとされた。たとえ芸術作品であっても，刑法175条にいう「わいせつな文書」として，その出版・販売を禁止することが可能である。その際，故意としては，わいせつな記述の存在とこれを頒布・販売することを認識すれば足り，刑法上のわいせつ性を具備する旨の認識は必要でないとされた（チャタレイ夫人の恋人事件。最大判昭和32・3・13刑集11巻3号997頁）。また，*Case 252*では，わいせつな文書にあたるかどうかは，その一部をみるだけでなく，文書全体を判断対象とするべきであり，芸術的・思想

> 的価値がある文書であっても，わいせつ性を認めうるとした（悪徳の栄え事件。最大判昭和44・10・15刑集23巻10号1239頁）。さらに，*Case 253* では，各時代における国民の良識に依拠しつつ，芸術上ないし学問上の表現にあたる場合には，わいせつ表現が記述全体の中で占める比重なども考慮して，総合的に判断しなければならないとした（四畳半襖の下張事件。最判昭和55・11・28刑集34巻6号433頁）。

2 総合的判断と相対的わいせつ文書

　わいせつ性をめぐる裁判所の判断は，次第に緩やかになってきた。特に *Case 253* の事件では，当該文書の性的な描写や叙述の程度とその手法，当該記述が文書全体の中で占める比重のほか，文書の構成や展開に加えて，芸術性・思想性などによる性的刺激の緩和の度合いなど，これらの全体を総合したときに，主として読者の好色的興味に訴えるものであるかが基準になるとした。こうした観点から，各時代の健全な社会通念に照らして，それが「徒らに性欲を興奮又は刺激せしめ，かつ，普通人の正常な性的羞恥心を害し，善良な性的道義観念に反する」ことが求められる（前掲最判昭55・11・28）。

　したがって，書籍などのわいせつ性が問題となる場合には，広告の仕方を含む頒布・販売の態様も，わいせつ性を判断する際の参考資料となる。一部には，こうした「相対的わいせつ文書」の観念に反対する向きもあるが（東京高判昭和27・12・10高刑集5巻13号2429頁，前掲最大判昭和32・3・13），上述した風俗犯の性格からして，当該表現物が社会全体に与える影響を無視することはできない。したがって，これらの付随事情を捨象した「絶対的わいせつ文書」は存在しないのである。

2　公衆の性風俗に対する罪

1　公然わいせつ罪（174条）

1 公然性とメディアの多様化

　社会公共の性風俗を侵害する罪である以上，「公然とわいせつな行為をした」ことが必要となる。まず，「公然」とは，*Case 254* が明言するように，不特定または多数人が認識しうる状態をいう。現に相手方が認識したかどうかを問わない（最決昭和32・5・22刑集11巻5号1526頁）。しかも，わいせつ行為をする場所は，ストリップ劇場内のように，外部から閉ざされた空間であってもよい（最決昭和

31・3・6集刑112号601頁）。たとえば，スタジオ内で収録したわいせつな演技を，テレビ放送やインターネットを通じて流す場合も，公然わいせつ罪にあたる。

　しかし，いったん記憶媒体に保存してから放映する場合には，わいせつ物公然陳列罪が適用される場合もあり，メディアの多様化に伴い，両罪の境界があいまいになってきた。その際，刑法174条と175条の法定刑の違いが，直接に観覧させる場合と比較して，書籍の出版や映画の上映では，一般社会に広く伝播して性風俗を損なう点に起因するならば，たとえライブ放送であっても，一旦は記憶媒体に落とし込むプロセスに着目して，同175条を適用するべきであろう。

> *Case 254*
> 　Ｘらは，事前に切符を入手した30〜40名ほどの観客に対して，料亭の二階座敷で，外国人による性交場面を撮影した映画を見せたほか，女性らによる性交の実演などを観覧させた。

> 　*Case 254*において，「公然」とは，不特定または多数人が認識しうる状態をいう。したがって，不特定の観客である数十名に対して，上記の映画フィルムを観覧させたり，その面前で性的な演技をさせたことは，それぞれ，わいせつ物公然陳列罪と公然わいせつ罪にあたるとした（前掲最決昭32・5・22）。

2　わいせつな行為とその共犯

　公然わいせつ罪の「わいせつ行為」の意義は，すでに説明したとおりである。動作による場合だけでなく，わいせつな言語表現も含まれる。また，公然わいせつ罪となるストリップショーを行わせた劇場主については，本罪の教唆犯または幇助犯が成立する（最判昭和29・3・2集刑93号59頁）。そして，舞台上で演じられた男女２組のショーに照明をあてることで，公然わいせつ行為を容易にしたならば，１個の公然わいせつ罪を幇助したことになる（最判昭和56・7・17刑集35巻5号563頁）。また，近年では，後述する *Case 257* や *Case 258* のように，サイバーポルノが氾濫しており，これを放置したインターネット接続業者が幇助犯に問われるほか，特定のポルノ画像にリンクを張ったウェブサイトについて，その管理者の刑事責任が問題になることもありうる。

2 わいせつ物頒布等罪（175条）

1 客体としてのわいせつ物（電磁的記録を含む）

本罪では，「わいせつな文書，図画，電磁的記録に係る記録媒体その他の物（175条1項前段）」と，「わいせつな電磁的記録その他の記録（175条1項後段）」が，行為の客体となる。その「わいせつ」性は，「いたずらに性欲を興奮または刺激させ，かつ普通人の正常な性的羞恥心を害し，善良な性的道義観念に反するもの」と説明されるが，こうした表現物の形態や様式は，時代によって変化してきた。かつては性器を模したオブジェや置物が一般的であったが，その後は，ピンク小説やヌード写真集のような，文書ないし図画が刑事規制の対象となった。さらに，録音テープ（東京高判昭和46・12・23判タ276号270頁）やビデオテープ（最決昭和54・11・19刑集33巻7号754頁）などの記録媒体を経て，現在では，インターネット上のデジタル画像が問題視されている（いわゆるサイバーポルノである）。

刑法175条1項前段の「電磁的記録」とは，電子的方式や磁気的方式のほか，人の知覚によって認識することができない方式で作られたものであり，電子計算機による情報処理の用に供せられる記録をいう（7条の2）。通常は，DVDやハードディスクに保存されるが，ファクシミリを使って送信する例では，上述した電磁的記録以外の媒体に一時保存されることもあるため，「その他の記録」という表現になった。また，同175条1項後段の「わいせつな電磁的記録その他の記録」は，電子メールを使って送受信するとき，画像データの形で移動するものを指している。すなわち，前段では，有体物が客体となるのに対して，後段では，無形的な電磁的記録が客体となる。

> *Case 255*
> Xは，「The Memoirs of Dolly Morton」と題する英文の書籍が，露骨かつ詳細な性交・性戯に関する表現を含んでいることを知りながら，販売の目的で保管した。

> *Case 255* では，本件書籍が英文で書かれていても，ただちにわいせつ性が否定されるわけでなく，そのわいせつ性は，読者となるべき英語の分かる日本人や，在日外国人の平均人を基準として判断されるべきであるとした（最判昭和45・4・7刑集24巻4号105頁）。

しかし，学問や芸術と交錯する領域では，性的な描写があるだけで，ただちに

「わいせつ物」とならない点に注意しなければならない。また，外国語で叙述・描写された表現物であれば，*Case 255* のように，わいせつ性の判断に加えて，犯人がどの程度までわいせつ性を理解できたかも問題となる。ただし，本罪における故意では，当該の表現物が社会的にも性的意味を帯びることを知っていればよい（規範的構成要件要素）。その限度で，少なくとも意味の認識が必要となるが，性的な内容や程度は，未必的なもので足りる（前掲東京高判昭和27・12・10，前掲最大判昭和32・3・13）。

2 頒布・公然陳列・有償頒布目的の所持・保管

平成23（2011）年の法改正により，①「頒布」および「公然と陳列した」場合と（175条1項前段），②「電気通信の送信により……頒布した」場合のほか（175条1項後段），③「有償で頒布する目的（販売目的）」で「所持」または「保管」の場合（175条2項）に分けて規定されるようになった。

> *Case 256*
> A県人会の会長をしていたXは，会員であるYから，男女間のわいせつな描写を含む「浦夜戦記」と題する文書8冊を渡されて，その頒布方を依頼されたため，わいせつな内容であると知りながら，その中の各1部を会員であるBら3名に渡した。

> *Case 256* では，わいせつ文書の「頒布」が不特定多数人に配付することであり，当初は数人に配付しただけでも，その成り行き上，不特定多数人に配付されるような場合には，頒布にあたるとした（大判大正15・3・5刑集5巻78頁）。

まず，「頒布」とは，不特定または多数人に対して，わいせつ物を有償または無償で交付する行為である。*Case 256* の場合も，本条の「頒布」に含まれる。かつては有償譲渡を「販売」としたが（最判昭和34・3・5刑集13巻3号275頁），現行法では「頒布」の概念に吸収された。また，情報のデジタル化に伴い，所有権の移転を伴わないわいせつ画像のやり取りも増加しており，たとえば，特定人から依頼されて有償でわいせつDVDを複製する場合，かつては「販売」にあたらないとされたが（札幌高函館支判昭和35・1・12判時219号34頁），現在では「頒布」に含まれる。なお，頒布の相手方は，理論上，必要的共犯といえるが（対向犯），現行法では処罰されていない。

> ### Case 257
> 日本在住の X は，外国のサーバー・コンピュータにわいせつ動画のデータファイルを記録・保存させて，これを日本人向けに有料配信するウェブ・サイトを運営していた。そこで，これを知った日本国内の不特定または多数人が，上記動画を自己のPC にダウンロードして記録・保存した。

> (Case 257)では，顧客によるダウンロード操作が必要になるとはいえ，X による送信の契機となったにすぎず，上記動画ファイルを自動的に配信した行為は，不特定または多数人の記録媒体上に存在させるものとして，わいせつな電磁的記録の「頒布」にあたるとされた（最決平成26・11・25刑集68巻9号1053頁）。

つぎに，「公然陳列」とは，古くは，博物館に展示したり，映画フィルムを上映するなど，不特定または多数人の観覧しうる状態に置く行為とされた（大判大正15・6・19刑集5巻267頁，最決昭和33・9・5刑集12巻13号2844頁）。しかし，Case 258 では，サイバーポルノを流布させる行為が，犯行時のわいせつ物公然陳列罪（旧175条）にあたるとされた。その後，平成23（2011）年には，「電磁的記録に係る記録媒体」が公然陳列の客体に追加され（175条1項前段），「電気通信の送信によりわいせつな電磁的記録その他の記録を頒布した」類型も設けることで，不特定または多数人が認識しうる方法により，わいせつな電磁的記録を流布させる行為が広く処罰されるようになった（175条1項後段）。

> ### Case 258
> X は，自らが開設・運営するホストコンピュータのハードディスク内に，多数のわいせつ画像データを記憶・蔵置させて，これにアクセスしてきた不特定または多数の会員が，電話回線を通じて自己の PC に画像データをダウンロードすることで，各自の PC 画面で閲覧できるようにした。

> (Case 258)では，わいせつな画像データを保存したホストコンピュータのハードディスクが，刑法175条のわいせつ物にあたること，そして，上記のわいせつ画像を不特定または多数人が比較的容易に再生・閲覧できる状態にしたとき，「公然と陳列した」ものと認定された（最決平成13・7・16刑集55巻5号317頁）。

なるほど，刑法175条1項前段の頒布では，客体の引渡しが必要となるが，同項後段の頒布にあっては，無形的データの移動で足りる。ただし，犯人が送信し

た後であっても，まだ相手方の電磁的記録中に存在していない場合は，処罰の対象とならない。ただし，児童買春・児童ポルノ処罰法の事例であるが，当該画像データの所在を特定する識別番号（URL）を自分のホームページに記載した行為が，公然陳列にあたるとされたものがある（最決平成24・7・9判時2166号140頁）。

これに対して，刑法175条2項の「所持」と「保管」では，「有償で頒布する目的」が必要となる（目的犯）。わいせつ物を自己の実力支配下に置く行為が「所持」であり，わいせつな電磁的記録（情報）を実力支配下に置くことが「保管」である。「有償で頒布する目的」には，法改正前の「販売の目的」も含まれる。したがって，わいせつな児童ポルノ画像を記録したハードディスクから販売用のCDを複製するため，バックアップ用のディスクを作成・所持していた場合も，本罪にあたるとされた（最決平成18・5・16刑集60巻5号413頁）。また，**Case 257**でも，Xが，有料配信用のバックアップ等の目的で，DVDやハードディスクにファイルを保管した以上，日本国内で本条1項後段の罪を犯したのみならず，同条2項所定の有償頒布目的保管罪が成立するとした（前掲最決平成26・11・25）。

なお，有償でレンタルする目的も含まれるが，いずれの場合も，わいせつ表現物が広く社会に出回ることになる点で，本罪の保護法益を侵害している。他方，日本国内で頒布する場合でなければならず，外国で頒布する目的を含まない（最判昭和52・12・22刑集31巻7号1176頁）。本罪は，わが国の性風俗を保護する規定であって，外国の性風俗や社会環境まで保護する趣旨でないからである。そのほか，ダビングしたコピーテープを販売する目的でマスターテープを所持した場合も，最終的には同一内容のテープが流通に置かれることになるため，法改正前の「販売の目的」があったとされた（富山地判平成2・4・13判時1343号160頁）。

 性的な自己決定能力と児童買春・児童ポルノ処罰法
性的な事項に関する自己決定権は，通常の自己決定権とは異なる。たとえば，何がわいせつ行為であるかを知らない年少者の同意は無効とされる（176条後段・177条後段）。もっとも，刑法典が13歳以上と13歳未満で区分したことは，諸外国の立法例に倣ったにすぎず，科学的な根拠があるわけでない。むしろ，現在の日本では，各種の特別法によって児童および青少年の保護が図られており，児童ポルノの製造・販売・所持などは，児童買春・児童ポルノ処罰法で禁止されている。ただし，その保護法益については，直接に被害者となった児童の利益を保護するのか，それとも，児童一般を含む社会公共の利益を守っているかをめぐって，学説上の対立がある。

3 個人の性的自由に対する罪

1 性暴力の罪とその厳罰化

1 性的自由に対する罪と国民の処罰感情

　平成16（2004）年の法改正では，性暴力に対する国民の処罰感情を反映して，強制わいせつ罪（176条）や旧強姦罪（旧177条）の法定刑が加重された。また，新たに集団強姦罪（旧178条の2）の規定を設けるなど，性犯罪に対する罰則が整備された。しかし，旧強姦罪の法定刑（3年以上の有期拘禁刑〔懲役〕）は，依然として強盗罪の法定刑（5年以上の有期拘禁刑〔懲役〕）よりも軽かったため，各種の市民団体からの批判が強かった。

　そこで，平成29（2017）年には，旧強姦罪の法定刑を加重して強制性交等罪（177条）に改めるほか，親告罪の規定（旧180条）を削除した。また，強盗強姦罪を強盗・強制性交等罪に拡張する一方（241条1項），新たに監護者わいせつ及び監護者性交等罪（179条）の類型を設けている。しかし，これらの法改正（重罰化）に反対する人々は，性犯罪を抑止するためには，「性の商品化」や「性暴力」を助長する社会環境の改善が必要であるとして，刑法による罰則の強化だけでは，個人の性的な自己決定権を十分に保護できないと主張する。

2 「わいせつ」概念の違い

　強制わいせつ罪の「わいせつな行為」とは，行為者の性欲を満足させる意図の下に，客観的にみて性欲を刺激・興奮させ，かつ，普通人の正常な性的羞恥心を害して，善良な性的道徳観念に反する行為である（名古屋高金沢支判昭和36・5・2下刑集3巻5＝6号399頁）。具体的には，無理矢理に被害者を抱きしめたり，相手方の乳房をつかんだり，被害者の陰部に触れる行為などが挙げられる（大判大正7・8・20刑録24輯1203頁）。

　これらの行為は，上述した風俗犯の「わいせつ」概念と重なるところもあるが，必ずしも同一の内容ではない。たとえば，人前でキス（接吻）しても，公衆の性風俗を侵害しないが，無理矢理にキスをするならば，その性的自由を侵害する行為として，強制わいせつ罪になる（東京高判昭和32・1・22判時103号28頁）。なお，いわゆる「姦淫」行為も，わいせつ行為の一種であるが，後述する「性交等」にあたる場合は，強制性交等罪の規定が優先的に適用される。

3 親告罪規定の削除と集団強姦等罪の廃止

平成29年の法改正では，刑事訴追に際して被害者の告訴を要求する親告罪の規定（旧180条）が削除された。かつては，性暴力の罪が個人のプライバシーに深くかかわるため，常に公開の法廷で審理するとき，かえって被害者の二次的被害（セカンド・レイプ）や名誉毀損のおそれがあるといわれた。しかし，肉体的かつ精神的にも深刻なダメージを負った被害者に告訴するかどうかの選択を迫るのは酷であるし，被害者が死傷した場合や集団強姦のケースでは，犯行の悪質さや国民の処罰感情を考慮して，法改正前から親告罪とされていなかった。親告罪とした理由が，もっぱら被害者保護の見地から，二次的被害を防止することにあったとすれば，公判廷におけるビデオリンク方式や遮蔽措置が導入された現在，旧180条の存在理由は乏しくなったといえよう。

なお，平成16年に新設された集団強姦等罪の規定（4年以上の有期拘禁刑〔懲役〕）は，新しい強制性交等罪（5年以上の有期拘禁刑〔懲役〕）で重く処罰されるため，もはや加重類型の意味を失ったとして，平成29年の法改正で削除された。

2 強制わいせつ罪・準強制わいせつ罪

1 強制わいせつ罪（176条）

強制わいせつ・準強制わいせつ罪の保護法益は，個人の性的自由ないし性的自己決定（権）である。これらの条文は，刑法典上，公然わいせつ罪などと併記されるが，主として被害者の個人的法益に対する罪である。また，①客体が「13歳以上の者」である場合，「暴行又は脅迫を用いてわいせつな行為をした」ことが必要になるが（176条前段），②「13歳未満の者」である場合は，単に「わいせつな行為をした」ことでよい（176条後段）。13歳以上の客体については，暴行・脅迫を手段とすることで，その意思に反した「わいせつな行為」とされるが，13歳未満の児童は，性的行為の意味を正しく理解できないため，その同意が一律に無効となる。なお，この場合には，わいせつ行為をする故意だけでなく，被害者が13歳未満であることの認識が必要とされる。

つぎに，本罪の暴行・脅迫は，被害者の反抗を著しく困難にする程度のものでなければならない（通説・判例）。ただし，一部の判例は，およそ暴行・脅迫であれば，その大小・強弱を問わないとする（大判大正13・10・22刑集3巻749頁）。たとえば，電車内の痴漢行為の中には，被害者が周囲に対する羞恥心などから抵抗できない場合もありうるし，心理的にも抵抗しにくい人間関係にあっては，たと

え軽微な有形力の行使でも，他人の性的自由を侵害することがありうる。その意味で，常に相手方の抵抗を排除するほどのものでなくてもよい（なお，p.285の用語解説参照）。他方，「強制」わいせつ罪である以上，何らかの強制的な性質が必要となる。そこで，学説の多数は，こうした性的行為の特徴に配慮しつつ，相手方の抵抗を著しく困難にする程度の暴行・脅迫で足りるとしたのである。

Case 259
Xは，深夜，他人の住居に侵入して，就寝していた他人の妻の肩を抱き，その陰部に触れるなどした。

Case 259 では，正当な理由がなく，相手方の意思に反して身体に接触した以上，その力の大小強弱を問わないとされた。したがって，Xは，Aに対して強度な物理力を加えていないが，強制わいせつ罪の暴行をしたことになる（前掲大判大正13・10・22）。

従来，強制わいせつ罪では，主観的構成要件要素として，犯人のわいせつ意図が成立要件とされてきた。たとえば，内縁の妻の逃走を助けた被害者に仕返しをするため，これを脅してヌード写真を撮影した場合，もっぱら報復の意図ないし侮辱・虐待の目的であったならば，強制わいせつ罪は成立しないとされた（最判昭和45・1・29刑集24巻1号1頁）。しかし，性的自由の侵害が犯人の心理状態で左右されるべきでない以上，この判例を批判する見解も有力であった。下級審判例の中には，被害者の裸体写真を撮ることで，その性的羞恥心を利用して下着モデルを続けさせる意図があったならば，客観的にみて犯人のわいせつ傾向があったとしたものがある（東京地判昭和62・9・16判時1294号143頁）。その後，最高裁は，Case 260 によって，これまでの判例を変更するに至った。

Case 260
Xは，その姿態を撮影する目的で，当時7歳の女子Aに対して，Xの性器を触らせたり，Aの口にくわえさせたほか，Aの陰部に触れるなどした。Xは，強制わいせつ罪と児童買春・児童ポルノ処罰法違反で起訴されたが，強制わいせつ罪については，性的意図がなかったと主張した。

Case 260 では，「わいせつな行為」にあたるかどうかは，行為それ自体の性的

性質を踏まえつつ，個別具体的な事情に基づいて判断するべきであり，そのような事情の一つとして，犯人の目的等の主観的事情を考慮することもありうるとした。しかし，故意以外の性的意図を一律に要求するのは相当でなく，このような意図を成立要件とした旧判例は変更されると明言した。その上で，Xの行為は，客観的にみて性的性質が明らかであって，その他の事情を考慮するまでもないとされた（最大判平成29・11・29刑集71巻9号467頁）。

2 準強制わいせつ罪（178条1項）

　準強制わいせつ罪は，上述した意味の暴行・脅迫を手段としないが，①相手方の「心神喪失」または「抗拒不能」状態を利用するほか（「……に乗じ」），②犯人自らがこうした状態を引き起こして（「……にさせて」），わいせつ行為をおこなう場合である。なお，①の場合，心神喪失や抗拒不能になった原因は問われない。たとえば，アルコールや薬物の影響により正常な判断力がなくなったとき（「心神喪失」），社会生活上の人間関係から抵抗が困難な状態で（「抗拒不能」），被害者をわいせつ行為の対象にする場合が考えられる。

　そのほかにも，一時的な精神障害や熟睡状態に加えて（大判大正13・11・7刑集3巻783頁），恐怖・驚愕や錯誤に支配されていたり，職場で上司から（または学校で教師から）キスや抱擁を迫られるなど，自由な意思決定や行動の自由が欠けることもあろう。性的自己決定が困難な状況下では，見かけ上の同意があっても，被害者にとって強制となる場合が少なくない。本罪は，強制わいせつ罪と同様に処罰される（「第176条の例による」）。

3　強制性交等罪・準強制性交等罪

1　強制性交等罪（177条）

　強制性交等罪の保護法益は，強制わいせつ罪や旧強姦罪と同じく，個人の性的自由および性的自己決定（権）である（通説・判例）。①客体が13歳以上の男女である場合と（177条前段），②13歳未満の男女である場合（177条後段）に分かれる。①では，「暴行又は脅迫を用いて」，「性交，肛門性交又は口腔性交（以下「性交等」という。）をした」場合でなければならない。これに対して，②では，外見上，被害者である児童が同意した場合にも，本条の「性交等」さえあれば，強制性交等罪が成立する（なお，大判大正14・8・6刑集4巻525頁参照）。

　法改正前の旧強姦罪では，もっぱら「女子」が客体であったが，強制性交等罪

では，男子も客体となる。本罪の保護法益が，被害者の性的自由である以上，客体を女子に限定する必然性はないし，その裏面として，犯人を男子に限定する必要もなくなった（なお，女子による旧強姦罪の間接正犯や共同正犯について，最決昭和40・3・30刑集19巻2号125頁参照）。また，法文上，配偶者も除外されておらず，夫婦間の強姦が認められる（ただし，広島高松江支判昭和62・6・18判時1234号154頁参照）。なるほど，「刑法は家庭内に入らない」というが，たとえ夫婦間に性交渉義務があっても（札幌高判昭30・9・15高刑集8巻6号901頁），法律上の夫婦関係が，ただちに被害者の性的自由を放棄したことにならないからである。なお，平成29（2017）年の法改正により，法定刑が5年以上の有期拘禁刑（懲役）になった。

Case 261
　Xは，通行中の女学生A（15歳）を姦淫しようと企て，言葉巧みにAを畑の中に連れ込んで，その場に押し倒し，顔面を殴打するなどの暴行や脅迫を加えて姦淫した。その際，Aに対して全治約2週間を要する傷害を負わせた。

　*Case 261*におけるXが加えた暴行・脅迫は，Aの抵抗を抑圧する程度に達しているが，弁護人から抗拒不能に陥った事実はないと主張された。最高裁は，旧強姦罪にいう暴行・脅迫は，被害者の抗拒を著しく困難にする程度で足りるとした（最判昭和24・5・10刑集3巻6号711頁）。

　強制性交等罪の暴行・脅迫も，旧強姦罪と同じく，最狭義の暴行・脅迫である（通説・判例）。しかし，*Case 261*では，被害者の抵抗を著しく困難にした程度でよいとされた（前掲最判昭和24・5・10）。学説の中には，「合理的な程度の抵抗」を排除することで，初めて本罪が成立するという見解もあるが，他の自由侵害に比べて，性的自由の侵害を最狭義の暴行・脅迫に限定する根拠は明らかでない。しかも，こうした暴行・脅迫がないとき，実際には強制的な性交渉であっても，強制わいせつ罪にもならず，せいぜい強要罪にしかならないことから（223条。3年以下の拘禁刑〔懲役〕），強盗罪（236条）を補完する恐喝罪（249条）があるのと比較して，財産権よりも性的自由の保護が薄いと批判される。そこで，旧強姦罪の暴行・脅迫は，強盗罪の暴行・脅迫よりも緩やかに解されてきたのである。

　つぎに，本罪は，旧強姦罪の「姦淫」という言葉の制約を取り払った点でも，被害者の性的自由をより保護している。かつては，妊娠するおそれなどから，女

子に対する姦淫（狭義の性交）を重く処罰してきたが，現行法は，男子に対する「姦淫」のほか，肛門性交や口腔性交も，狭義の性交に匹敵する性的侵襲と位置づけている。そこでは，これまで強く批判されてきた暴行・脅迫の程度を維持しつつも，新たに処罰対象となる性的行為を取り込もうとした結果，過去の法文になかった文言を用いざるをえなかったと考えられる。しかし，各時代の法改正が，「性的な被害に係る犯罪やその被害の実態に対する社会の一般的な受け止め方の変化を反映したもの」だとすれば（前掲最大判平成29・11・29），そうした国民の規範意識の変化に対応して，今後とも，可罰的な「わいせつな行為」や「性交等」の範囲は変遷することになろう。

2　準強制性交等罪（178条2項）

準強制性交等罪も，準強制わいせつ罪と同じく，一時的な精神障害や飲酒・酩酊などにより，被害者が正常な判断力を失ったり（「心神喪失」），物理的ないし心理的に抵抗困難な状態（「抗拒不能」）を利用する行為である。たとえば，*Case 262* のように，医師に対する患者の信頼に乗じて，治療行為を装い姦淫した場合（大判大正15・6・25刑集5巻285頁），深夜の就寝中で寝ぼけた妻が，自分の夫と誤信しているのを利用した場合がある（仙台高判昭和32・4・18判タ76号57頁）。また，他人が加えた暴行・脅迫に乗じて，抵抗不能な女子を姦淫することもありうる（大阪高判昭和33・12・9判時175号35頁）。他方，犯人自らが「心神を喪失させ，若しくは抗拒不能にさせ」た場合として，睡眠薬や催眠術を用いる場合がある。ただし，*Case 263* のように，暴行・脅迫により心神喪失ないし抗拒不能にしたならば，刑法177条の強制性交等罪が成立することになる。

> *Case 262*
> 　医師であるXは，担当患者のA女（18歳）が，何が性交であるかも知らないのを利用して，治療目的で陰部に薬品を挿入するように装い，これを姦淫した。
>
> *Case 263*
> 　Yは，帰宅途中の女学生B（15歳）を姦淫しようと企て，突然，後ろからBの首を締めて気絶させた後，Bを墓地内へ連れ込んで姦淫しようとしたが，自分の指に血痕が附着しているのに驚愕して，それ以上の犯行を遂げなかった。しかし，上記の行為によりBを窒息死させた。

> Case 262において，Xは，患者であるAが医師を信頼しているのにつけ込んで姦淫しており，Aの抗拒不能に乗じたものとされた（前掲大判大正15・6・25）。これに対して，Case 263では，暴行または脅迫を用いてBを心神喪失ないし抗拒不能にした上で，姦淫に及んでいるため，旧177条の強姦罪にあたるとされた（最判昭和24・7・9刑集3巻8号1174頁）。

【発展学習】 **被害者の同意と性的行為**
　学説には，Case 262のような場合，治療行為であると誤解していても，性的行為それ自体は認識している以上，準強姦罪の成立を否定する見解もあった。しかし，これらの論者は，欺罔手段を用いて売春代金を免れた場合と対比しており，そもそも性交渉でないと誤認した場合と区別できていない。かりに外見上の承諾だけで準強姦罪でなくなるならば，犯人と夫を混同した寝ぼけ妻の例も含めて（前掲仙台高判昭和32・4・18），多くの場合に準強姦罪の成立が否定されてしまう。近年では，職場のセクシュアル・ハラスメントのように，上司と部下の関係を悪用したり，不当な配置転換や解雇をほのめかして性交渉を強要する場合があるところ，こうした事案も抗拒不能でなくなってしまう。その意味で，準強制性交等罪や準強制わいせつ罪では，外形上の承諾を判断基準とするべきでない。

4 監護者わいせつ及び監護者性交等罪（179条）

1 行為の主体と客体

　監護者わいせつ及び監護者性交等罪（179条）では，その客体が「18歳未満の者（被監護者）」であること，また，その主体が「（この客体を）現に監護する者」でなければならない（身分犯）。「現に監護する」とは，保護責任者が要扶助者を放置するのと異なり，被監護者の（性的）自由を守るべき監護者が，その保護義務に違反して，被害者の脆弱な生活基盤や困窮状況を逆手にとり（「影響力があることに乗じて」），自らの身勝手な欲望を満たすため，あえて性的行為に及ぶところに処罰根拠がある。したがって，被害者が監護者の歓心を買うために性的要求に応じた場合にも，本罪が成立する。

　なるほど，（準）強制わいせつ罪や（準）強制性交等罪にあっても，被害者の年齢や性別，素行や経歴のほか，犯行の時間・場所などの具体的状況に応じて，その抵抗が不可能ないし著しく困難であった場合，刑法176条，177条および178条を適用できる。その意味で，本条を新設した趣旨は，日常的に強い依存関係があるとき，例外的な場合を除いて，広く本罪の成立が肯定される点にある。もっとも，監護者であることの影響力に支配されたか否かは，これを判定するのが極めて難しいとされる。

2　監護者であることによる影響力

　また，被監護者が置かれた精神的な脆弱性に配慮するとはいえ，監護者と被監護者が性交渉に及んだ場合，類型的にみて，被監護者の自由意思が常になかったとは断定しがたい。そこで，「その者を現に監護する者であることによる影響力があることに乗じ」たことが成立要件とされたのである。

　これに対して，雇用主と被用者，教師と生徒の関係のように，実際上，弱い立場の者が将来の不利益をおそれて性交渉に応じる場合も考えられるが，生活全般について強い支配従属関係にあるとはいえない。その意味では，準強制わいせつ・準強制性交等罪になる場合はともかく，本罪では処罰されない。他方，監護者と認定された以上，その立場を利用して（「乗じて」）被監護者にわいせつな行為をすれば，強制わいせつ罪と同様に処罰されるし（179条1項。「第176条の例による」），性交等があった場合には，強制性交等罪と同様に処罰される（179条2項。「第177条の例による」）。

5　強制わいせつ等致死傷罪（181条）

1　結果的加重犯と因果関係

　強制わいせつ罪・準強制わいせつ罪や強制性交等罪・準強制性交等罪にあっては（これらの未遂罪も含む），手段たる暴行・脅迫による場合も含めて，被害者に死傷結果が生じることが多い。本条は，こうした重大な結果に着目した結果的加重犯の規定である（大判明治44・4・28刑録17輯712頁）。平成29年の法改正では，監護者わいせつ及び監護者性交等罪による死傷結果についても，本罪が成立することになった。

　いずれも，基本犯の中に未遂を含んでおり，わいせつな行為や性交等が途中で終わっても，すでに被害者が負傷ないし死亡していれば，（準）強制わいせつ致死傷罪や監護者わいせつ致死傷罪（181条1項），または，（準）強制性交等致死傷罪や監護者性交等致死傷罪（181条2項）の既遂犯となる（なお，最決昭和34・7・7集刑130号515頁参照）。実際の死傷結果は同じであっても，先行した基本犯が（準）強制わいせつ罪または監護者わいせつ罪であるか，それとも，（準）強制性交等罪または監護者性交等罪のいずれであるかによって，当該犯行の反社会性に応じた法定刑になっている。

　なお，*Case 264* のように，暴行・脅迫による致死傷に限らず，わいせつな行為や性交等の過程で生じた死傷結果に加えて，犯行と密接に関連する行為に基づ

く致死傷にも，本罪が適用される（最決昭和43・9・17刑集22巻9号862頁）。たとえば，Case 265 では，被害者が逃走する過程で生じた負傷のほか，姦淫の目的で被害者を監禁した際に生じた傷害についても，旧強姦致傷罪が認められた（東京高判昭和47・12・18判タ298号441頁）。

> **Case 264**
> Xは，A家を訪れた際，隣家のB宅で妻Cが1人で留守番しているのをみて，ただちにB宅に侵入してCの背後からいきなり襲いかかった。Xは，Cの首を締め付けるなどして姦淫したが，これらの暴行によってCが負傷した。
>
> **Case 265**
> YとZは，共謀の上でA女を姦淫しようと決意し，まず共犯者のYがA女を強姦したが，その後も，さらにZによって強姦される危険を感じたA女が，トイレに行くと偽ってその場から離れ，暗闇の中，慣れない田舎道を数百メートルほど逃走した際，転倒するなどして傷害を負った。

> Case 264 では，姦淫行為自体によるものでないが，姦淫の手段である暴行によって負傷した以上，Xには，旧強姦致傷罪が成立することになる（前掲最決昭和43・9・17参照）。Case 265 では，Zの姦淫から逃れる際に生じた傷害も，本件の強姦行為によって生じたものである以上，Yらには旧強姦致傷罪が成立するとした（最決昭和46・9・22刑集25巻6号769頁参照）。

ただし，原因となった行為と死傷結果の間には，相当因果関係がなければならない。したがって，強制性交等の被害に遭った女子が，数日後に自殺した場合には，もはや強制性交等致死罪の規定を適用できない。なお，傷害の程度をめぐっては，最も軽い強制わいせつ致傷罪でも，無期または3年以上の拘禁刑（懲役）になるため，表皮の剝離や一部のうっ血などは，本罪の致死傷に含まれないとして，少なくとも，医師の治療を要する程度の傷害に限定する学説がある。しかし，従来の判例は，こうした限定をしておらず，医師の手当てを要しない軽傷であっても，本罪が成立することになる（最大判昭和25・3・15刑集4巻3号355頁）。

2 殺人または傷害の故意があった場合

強制わいせつ等致死傷罪（181条）において，犯人が致死傷の結果を認識・認容していた場合は，どのように処理すべきか。①たとえば，旧強姦罪の犯人が殺意を有していたとき，通説・判例は，殺人罪と旧強姦致死罪の観念的競合とした

（大判大正4・12・11刑録21輯2088頁，最判昭和31・10・25刑集10巻10号1455頁）。しかし，学説上は，②強制わいせつ等致死傷罪が結果的加重犯の類型であるため，殺意がある場合には適用できず，殺人罪と旧強姦罪（または強制わいせつ罪）の観念的競合とみる向きもある。殺人（既遂）罪として被害者の死を評価する以上，旧強姦「致死」罪ないし強制わいせつ「致死」罪として，二重に死の事実を評価するべきでないからである。

なるほど，本罪の規定は，強盗致死傷罪（240条）と異なり，未遂犯を処罰する規定がなく，文言上も，「よって」の語が用いられる。その意味で，強盗致死傷罪のように，刑法181条だけを適用する条文上の根拠はない。しかし，②説によれば，殺意のある場合の方が，殺意のない場合よりも（法定刑の下限が）軽くなってしまう。したがって，犯人に殺意がある場合には，①説に従い，殺人罪と強制わいせつ等致死傷罪の規定を適用するべきである（図各論13-1の1を参照）。

つぎに，傷害の故意があった場合にも，③説に従って，強制わいせつ罪と傷害罪の観念的競合（6か月以上15年以下の拘禁刑〔懲役〕）にするならば，④傷害の故意がない強制わいせつ致傷罪の場合（無期または3年以上の拘禁刑〔懲役〕）よりも，刑の上限・下限が軽くなるという不均衡が生じる（図各論13-1の2を参照）。そこで，この場合には，強制わいせつ等致傷罪が結果的加重犯と故意犯を併せ規定したものと捉えて，同181条1項だけを適用することになろう。

図 各論13-1 故意犯の場合と結果的加重犯の場合の比較対照

1 殺人の故意と181条の適用 （強制性交等罪と殺人罪の組合せ）
① 181条2項（無期または6年以上の拘禁刑〔懲役〕） ＋ 199条（死刑または無期もしくは5年以上の拘禁刑〔懲役〕） → 死刑または無期もしくは6年以上の拘禁刑（懲役）
② 177条（5年以上の有期拘禁刑〔懲役〕） ＋ 199条（死刑または無期もしくは5年以上の拘禁刑〔懲役〕） → 死刑または無期もしくは5年以上の拘禁刑（懲役）

2 傷害の故意と181条の適用 （強制わいせつ罪と傷害罪の組合せ）
③ 176条（6か月以上10年以下の拘禁刑〔懲役〕） ＋ 204条（15年以下の拘禁刑〔懲役〕または50万円以下の罰金） → 6か月以上15年以下の拘禁刑（懲役）
④ 181条1項（無期または3年以上の拘禁刑〔懲役〕） → 無期または3年以上の拘禁刑（懲役）

14 公務執行妨害の罪

1 国家的法益に対する罪

1 国家的法益に対する罪の分類

1 「国家の存立」と「国交」に関する罪

　国家的法益に対する罪は，大別して，国家の存立に対する罪，国交に関する罪，国家の作用に対する罪からなっている。まず，国家の存立そのものを危うくする罪には，内乱罪（77条〜80条），外患誘致・援助罪（81条〜88条）があり，それぞれ，国家の内部からの行為と外部からの行為が処罰対象とされている。国家の存立は国家法である刑法にとっても，その正統性・妥当性の基盤であるから，極めて重大な関心事であるが，実際に国家転覆が成功すれば刑法の効力も失われる可能性があるだけに，これらは例外的な犯罪である。つぎに，国交に関する罪には，外国国章損壊等罪（92条），私戦予備及び陰謀罪（93条），中立命令違反罪（94条）があり，外国と日本との関係において成立する犯罪類型である。このうち，中立命令違反の具体的内容は，その命令の内容によってはじめて確定することになるから，中立命令違反罪は一種の白地刑罰法規である。

2 「国家の作用」に関する罪

　国家の作用は国民生活の広い範囲に及ぶが，刑法の犯罪は，それを外側から侵害または危殆化するものと，内側からの侵害・危殆化，すなわち国家の作用の担い手である公務員自身が適正な公務の遂行を危うくするものとに分類できる。外側からの侵害行為には，公務執行妨害罪（95条〜96条の6），逃走罪（97条〜102条），犯人蔵匿罪・証拠隠滅罪（103条〜105条の2），偽証罪（169条〜171条），虚偽告訴罪（172条〜173条）がある。公務執行妨害罪は，一般的な国家作用としての公務を保護するものであり，それ以外は，ある特定の性質の作用を保護するものである。内側からの侵害・危殆化としては，職権濫用罪（193条〜196条）と賄賂罪（197条〜198条。贈収賄罪）がある。これらは，ホワイトカラーの典型としての公

務員による犯罪であり，その観点から公務員犯罪という分類もできる。

国家の作用に対する罪は，国家の日常的活動に関係しているものであるから，実際上の重要性が高い。本章でもこれらの犯罪を扱うことにし，とくに公務執行妨害罪を中心に説明する。

2 逃走罪（97条〜102条）

公務執行妨害罪以外の類型のうち，犯人蔵匿・証拠隠滅の罪については，各論*15*「犯人蔵匿・証拠隠滅の罪」（⇒p.499）で扱われるので，逃走罪についてここで簡単に説明しておくこととする。逃走罪は，国の司法作用の1つとしての拘禁作用を保護するものである。

まず「裁判の執行により拘禁された既決又は未決の者」が自ら逃走する行為を処罰する単純逃走罪（97条）がある。身体拘束を受けている者の逃走は類型的に期待可能性がないともいえるが，処罰対象になっている。

つぎに「拘禁場若しくは拘束のための器具の損壊」・「暴行」・「脅迫」・「2人以上の通謀」による逃走に関する加重逃走罪（98条）がある。この罪では，逃走主体に97条の主体のほか「勾引状の執行を受けた者」が加わる。

逃走罪の章（刑法典第2編第6章）には，被拘禁者等を看守者の支配から離脱させ自己または第三者の実力支配に移すことを内容とする奪取罪も規定されている。97条・98条に規定される者を含む「法令により拘禁された者」を奪取する被拘禁者奪取罪（99条）である。法令により拘禁された者の逃走を容易にする行為は，逃走援助罪（100条）にあたり，逃走援助が看守者または護送者によって行われた場合には加重処罰の対象となる（101条）。

以上の罪は未遂も処罰される（102条）。

2 公務執行妨害罪（95条1項）

1 保護法益

公務執行妨害罪は，公務員が公務を執行する際に，公務員に対して暴行・脅迫を加えることを内容とする犯罪である。行為の客体として公務員が規定されているが，個人としての公務員の身体や地位が保護されるのではなく，公務あるいは公務の適正・円滑な遂行を保護しようとするものである（最判昭和28・10・2刑集7巻10号1883頁）。国民の負託による国または地方公共団体の作用は，それ自体の

公共性・正統性のゆえに民間の業務より厚く保護されるのだと考えられる。そこで，本罪の罪数も，客体である公務員の数ではなく，具体的な国家の作用である公務の数によるのが基本である。2人の警察官が逮捕状を示して逮捕しようとしているときにその2人の警察官に暴行しても，1個の逮捕作用に対する行為であるから，公務執行妨害罪は1個ということになる。

なお，かつて，本罪の法定刑には懲役と禁錮が規定されていた。これは，公務執行妨害が国家の権力作用に対する抵抗という政治犯的性質をもちうることから，このような場合において非破廉恥罪として禁錮刑を選択可能としたものと解されてきた（内乱罪等の場合も同様）。すなわち，禁錮刑は，いわゆる非破廉恥罪に対する自由刑という位置づけであった（この趣旨から，一般に過失犯における自由刑は禁錮とされてもいた）。しかし，犯罪を破廉恥・非破廉恥に分けることにも，また，それに応じて科される刑種を区別することにも，十分に合理的な理由は見出しにくい。令和4（2022）年の刑法改正において（ここで挙げたことだけが理由ではないが）懲役・禁固が「拘禁刑」に一本化されたため，この問題も解消されることとなった。

本罪には，破防法40条，暴力行為等処罰法3条2項などの特別規定がある。

2 公務執行妨害罪の行為対象をめぐる諸問題

1 公 務 員

客体は「公務員」である。公務員の定義は7条1項にあり，「国又は地方公共団体の職員その他法令により公務に従事する議員，委員その他の職員」をいう。議員は，衆議院・参議院の議員や地方議会の議員であり，委員は，法令に基づき特定の公務を委任された非常勤の者，職員は，法令上の根拠に基づき国または地方公共団体の機関として公務に従事する者をいう。任用・職務が法令に根拠を有することが必要かつそれで足り，職務権限の定めは不要である。判例は，公法人・公共団体等の職員を公務員としてきたが，公法人の範囲は明確でないし，公務員の範囲が広くなりすぎるとの批判が強い。いわゆる「みなし公務員」，すなわち，職員を公務員とみなす旨の規定がおかれている場合に限り公務員に含めるのが妥当であろう（⇒ p.515の **4**）。

主体には，とくに限定はない。職務執行の対象者以外の第三者も主体となりうる。合法的に逮捕されようとしている者の友人が警察官に体当たりして逮捕を免れさせようとすれば，その友人は公務執行妨害罪に問われる。

2　保護対象となる「職務」の範囲

「執行」という文言が使われているが，職務は強制的性質の公務に限られないとするのが，古くからの判例（大判明治44・4・17刑録17輯601頁）であり，通説でもある。最高裁判所も長田電報局事件（最判昭和53・6・29刑集32巻4号816頁）において，職務には，広く公務員が取り扱う各種各様の事務のすべてが含まれるので電報局長らのデスクワークも公務として保護されると述べて，本罪における公務に特段の限定をしない立場（いわゆる非限定説）を確認している。

これに対して，非権力的（現業的）公務が業務妨害罪でも保護されることとの関係で，非権力的公務が公務執行妨害罪と業務妨害罪との二重の保護を受けることになるのは不都合だとして，公務執行妨害罪における公務を権力的公務に限定する説（限定説）も有力である。この立場からは，非権力的公務は業務妨害罪による保護のみが認められる。権力的公務は，自力執行力があるから，暴行・脅迫に至らない威力業務妨害罪の程度では，いまだ保護されないというのである。この見解は，実力行使が認められている警察官の逮捕などを典型例として想定しているのであるが，自力執行力なるものの実体は必ずしも明確ではない。権力性と自力執行力の関係も明らかではない。税額を確定して「通知する」ことは「権力的」であるかもしれないが「自力執行力」があるかは見解が分かれるであろう。その上，自力執行力といわれるものも「偽計」に対しては無力であるから，自力執行力があるからといって公務に業務妨害罪の保護が与えられないのは論理が一貫しないとの批判もある（⇒ p.322 **3**）。

3　「執行するに当たり」

1　具体的・個別的な把握　「職務を執行するに当たり」とは「職務執行に際して」という意味である。この場合，職務は抽象的・包括的に捉えられるべきではなく，具体的・個別的に特定された職務行為について，その開始から終了までの間をいうのが基本である。たとえば，出勤から退勤まで職務を行っているとすれば，勤務時間中に公務員に対して加えられた暴行・脅迫がすべて公務執行妨害罪にあたることになるが，そうではなく，勤務時間内に行われる個々の単位職務ごとに考えるべきである。開始から終了までの間に加えて，まさにその職務行為を開始しようとしているときも，当該職務行為と時間的に接着し，切り離しえない一体性がある場合には，それに続く職務が妨害される可能性があるから，含まれる。しかし，過去の職務を妨害することはありえないから，職務行為が終了

した後は,「職務を執行するに当たり」とはいえない。また,休憩中や次の職務のために待機している状態は,含まれない。ただし,窓口に来る不特定の人に対応するために待機している場合のように待機自体が職務執行である場合は,待機中も職務執行中である。

2 「統轄的」職務　もっとも,判例は,統轄的な職務については個別の職務に分断してそれぞれの開始・終了を論ずることはできず,その性質上一体性・継続性を有し,職務執行が中断ないし停止されているような外観を呈していても,なお統轄的職務の執行中であるとみられる場合があるとしている。この統轄的職務という性質に基づいて一体性・継続性を認める考え方は,判例上繰り返し確認され,定着している。

そのリーディング・ケースとみられるのは,「電報局長及び次長の職務は,局務全般にわたる統轄的なもので,その性質上一体性ないし継続性を有するものと認められ,局長及び次長が被告人から暴行を受けた際,職務の執行が中断ないし停止されているかのような外観を呈していたとしても,なお一体性ないし継続性を有する前記の統轄的職務の執行中であったとみるのが相当である。」とした判例（長田電報局事件。前掲最判昭和53・6・29）である。ただし,この事案では,デスクワークを中断する（外観を呈する）に至った理由が,行為者に対応するためであったことにも注意が必要であろう。

Case 266
　旧国鉄の駅員Xは,駅助役Aが会議室での点呼終了後,次の職務である事務引継ぎが行われる助役室に赴く際に,その退出を阻止するなどした。

Case 267
　県議会の公害対策特別委員会委員長Aが,陳情のあった件につき回答文を取りまとめて朗読し,昼食のための休憩を宣言するとともに,その陳情に関する審議の打ち切りを告げて席を離れ,委員会室出口に向かおうとしたところ,Xらが,これを引き止めるべくこれに暴行を加えた。

Case 266 について,最高裁は,「国鉄助役が職員の点呼終了後次の職務である事務引継ぎに赴く際」は,「職務を執行するに当たり」に該当しないとした（最判昭和45・12・22刑集24巻13号1812頁）。ただし,国鉄の運転士が他の運転士に交代した後,運転当直助役のもとで終業点呼を受けるためホームを歩行していた際の暴行について,運転に関する職務は,乗務員執務標準によると,運転状況の報告など乗務に直結する内容を含む終業点呼によって完了するので,それまでは一体として職務執行

中であるとした（小牛田駅事件。最決昭和54・1・10刑集33巻1号1頁）。Case 267 の事案では，県議会委員長の職務は，委員会の秩序保持・紛議への対応などを含む統轄的なものであるから，休憩宣言後であってもその職務執行中であるとして，公務執行妨害罪が認められた（熊本県議会委員会事件。最決平成1・3・10刑集43巻3号188頁）。

4　職務の適法性

　保護される公務であるためにはその公務執行が適法なものでなければならない。これは，構成要件の明文に現れてはいないが，必要な要件として判例・学説上異論なく認められている。違法な公務の要保護性は否定されて当然であろう。そこで，職務の適法性は書かれざる構成要件要素（記述されない構成要件要素）だと理解される。したがって，職務の適法性は故意における認識対象である。逆に，違法な職務執行に際し暴行・脅迫を加えても本罪の構成要件には該当しない。この場合にも，公務員個人に対する暴行罪・脅迫罪の構成要件には該当するといわざるをえないが，それについても違法行為に対する反応として正当防衛による違法性阻却が認められることが少なくないであろう。

　1　適法性の判断方法　公務の適法性は，当該職務執行が，①当該公務員の抽象的（一般的）職務権限に属すること，②その行為をなしうる具体的職務権限があること，③職務行為の有効要件たる法律上の重要条件・方式を踏んでいること，によって判断される。①では，およそ公務員の職務執行として保護が与えられるかどうかが問題とされ，②では当該具体的職務遂行の要保護性が問題となっているので，②だけが単独で充足されることはない。これらの要件は公務の適法性にとって必要条件であるが，③については，軽微な違反があってもただちに違法な職務として保護されなくなるわけではない（最判昭和27・3・28刑集6巻3号546頁）。「違法であっても保護の必要はある」場合を肯定すると，公務の暴行・脅迫による妨害からの要保護性が適法性の判断と連動しないという問題が生じるが，執行対象者の保護という観点からみて重要でない条件は，必ずしも完全に充足している必要はないと考えられるであろう。結局，公務の「要保護性」と執行対象者の受忍限度との調整の問題になる。

　2　適法性の判断基底　適法性の判断基準には，「判断基底」（何に基づいて誰が判断するか）の観点から，客観説・主観説・折衷説が提案されている。公務の適法性は，客観的な事情であるから，裁判所が法令を解釈して客観的に判断す

るべきである。したがって、判断基底については客観説が妥当である。公務員自身の意識によって決める主観説や、一般人の見地から判断しようとする折衷説は、いずれも法に基づく公務執行の適法性判断としては適切でない。通説・判例（最決昭和41・4・14判時449号64頁）ともに客観説の立場に立っている。

　3　**適法性の判断時点**　　客観説をとったとしても、さらに「判断時点」（いつの時点で判断するか）が問題になる。純粋に客観的な判断を貫こうとすれば、裁判時点に立って、そのときに明らかになっている事情をもとに判断すべきであり、事後的にみて違法とされれば本罪は成立しないとする裁判時標準説をとるのが一貫するとはいえる。これに対して、公務執行当時の状況を前提に判断すべきだとするのが行為時標準説である。行為時標準説が通説・判例である。たとえば、通常逮捕（刑訴199条）は、犯罪を犯したと疑うに足りる相当な理由があり、被害者に逃亡・証拠隠滅のおそれがあるときに、裁判官による逮捕状の発付を受けて行われるもので、このような要件を充足する限り適法である。それなのに、裁判時標準説からは、裁判時点からみて逮捕の理由がなかったことが明らかになったら違法な逮捕だったということになってしまう。

5　公務の適法性についての錯誤

　公務の適法性が構成要件要素であるとすると、適法な公務を違法だと認識していた場合には、構成要件該当事実についての認識を欠くことになる。しかし、この錯誤が事実の錯誤であって本罪の故意が否定されることになれば、常識的な知識を欠いていたため、あるいは軽率な判断をしたために公務の適法性に関する誤解を生じた場合も、すべて不可罰になる可能性がある。他方、適法性の錯誤は自己の行為の違法性と表裏の関係にあって完全に連動するから、このような例は、事実についての認識はあるが行為の違法性の意識がない場合だというべきであり、したがって法律の錯誤であって、故意は否定されないと考えることもできる（⇒ p.200 の**2**）。

　判例は、公務の適法性についての錯誤は法律の錯誤であり、したがって故意を阻却しないとしている。たとえば、地方議会議長の議事運営が違法だと認識していた被告人についても犯意が肯定された（大判昭和7・3・24刑集11巻296頁）。

　学説には、公務の適法性に関する錯誤が故意を阻却し本罪は不成立であるとする事実の錯誤説もあるが、適法性の錯誤が「事実レベルにおける誤認」に基づく場合（「適法性を基礎づける事実」の誤認）は事実の錯誤であって故意が否定される

が，事実認識を前提とした「要件や評価」の誤解に基づくような場合（「適法性そのもの」の誤解）は法律の錯誤であって，故意は認められるとする二分説も有力である。たとえば，逮捕状が示されているのにそれを見落とし，逮捕状が出ていないので違法逮捕だと判断した場合は，適法性を基礎づける事実の認識がないので事実の錯誤である。これに対し，逮捕状を認識しつつ，自分は真犯人ではなく，真犯人でない者を逮捕するのは違法であると評価したときには，逮捕要件についての誤解であって外形的事実の認識には欠けるところはないから，法律の錯誤として故意を認めることになる。どちらの錯誤であるかを判断するのは難しいこともあるが，基本的には二分説が妥当だと思われる。

|補論| **二分説の根拠**
　　職務行為の適法性は，規範的構成要件要素に属し，その認識は事実と評価の両面にまたがっている。行為の違法性を認識するためには当然に客観的事実の認識がなければならないが，事実認識はあっても違法性の意識を欠く場合がありうる。法律の錯誤とは，事実認識を前提に違法性についての錯誤があることを意味するのだから，適法性の錯誤がどの次元で生じたかによって扱いを分けることには意味がある。
　　なお，法律の錯誤とされた上でどのように扱うべきであるかについては諸説があるため，詳細は総論*10*「故意犯と違法性の錯誤」（⇒p.187）を参照して頂きたい。

3 暴行・脅迫

　本罪の行為は，「公務員が職務を執行するに当たり」これに暴行・脅迫を加えることである。本罪における暴行は，人に対する物理力の行使（広義の暴行）であって，人の身体に対するものでなくてもよい。たとえば，公務員の立っている手前の地面を狙って投石する，あるいは公務員の持っている物への有形力行使（間接暴行）も含まれることになる。間接暴行については，学説は，公務員の身体に何らかの物理的影響力があることを前提に肯定する見解が一般的である。その他，行為が公務員のみている前で行われればその勢いで公務遂行が妨げられるなどの理由で，公務員の面前性などを実際的基準とする考え方もある。しかし，判例は，物に対する暴行・補助者に対する暴行などを広く含めており，公務員の身体への感応如何にかかわらず，公務が本来の意図どおりに行われるのを妨げるような物理力行使が広く本罪で捕捉されているように思われる。

***Case* 268**
　Xは，公務員Aが押収しトラックに積み込んだタバコをAの面前でトラックから

投げ捨てた。
Case 269
　Yは，公務員Bの指示に従って家財道具を屋外に搬出中の公務員ではない補助者Cに対して暴行を加えた。

　Case 268 は，物に対する物理力の行使であるが，押収対象物を破棄することで押収の目的を達することができないようにしている。最判昭和26・3・20刑集5巻5号794頁は，このような場合にも公務執行妨害罪を認めている。判例では，このほか，公務員が差押えて車に積み込んだ密造酒入りの甕を鉈で破砕して内容物を流出させる行為や，証拠物として差押え，整理のためおいた覚せい剤入りアンプルを足で踏みつけて破壊する行為などが公務執行妨害罪にあたるとされている。
　Case 269 は，補助者に対する暴行の事例で，最判昭和41・3・24刑集20巻3号129頁では，公務執行妨害罪とされた。そうすると，公務員の補助者に対する暴行も間接的に公務員に対する暴行だと解していることになる。ほかに，警察署長が乗船して見回り中の船に取りすがり，水夫らに暴行を加え船べりをたたく行為が公務執行妨害罪とされた例がある。先に述べたように，学説の多くは，公務執行中の公務員に何らかの影響が及び，それによって公務執行が妨げられる必要があると考えるのであるが，そのような影響のあることの判断基準として先に述べた公務員面前性を要件とするならば，判例に現れたこれらの場合にも要件は充足されているといえるだろう。

　脅迫は，人を畏怖させるに足りる害悪の告知（広義の脅迫）である。
　行為は，積極的作用として行われることを要する。受動的な抵抗では足りない。したがって，腕をつかまれて捕まりそうになった人がこれを避けようとして腕を振り払ったにとどまる場合は本罪の暴行にはあたらない。また，公務執行を妨害する程度のものであることも必要であるが，現に職務執行が妨害されることは不要である。その意味で，本罪は抽象的危険犯である。

4　罪　　数

　本罪の保護法益が公務員ではなく公務であるところから，個人的法益に対する罪等は別罪として評価可能である。殺人罪・傷害罪・事後強盗罪・強盗致傷罪・騒乱罪などは，本罪と観念的競合となる。しかし，公務妨害手段として公務員に対する暴行・脅迫が規定されている以上，暴行罪・脅迫罪については，公務執行妨害罪に吸収されて別罪を構成しない。

3 職務強要罪（95条2項）

1 将来の職務執行に対する妨害

　本罪は，公務員にある処分をさせ，あるいはさせないため，またはその職を辞させるために暴行または脅迫を加える犯罪である。狭義の公務執行妨害罪が現実の職務執行に対する妨害であるのに対し，将来の職務執行に対する妨害である。狭義の公務執行妨害罪と同様，暴行・脅迫は，本罪の行為そのものであるから本罪に吸収されるほか，強要も本罪の実体そのものと解されるので強要罪も本罪に吸収されて，別罪を構成しない。

2 将来の職務強要の目的

　将来の職務強要は，目的の内容として規定されており，実現は不要である。作為を強要する場合には，その作為が違法である場合も適法である場合も含まれるが，不作為を強要する場合には，適法な処分をさせない目的である場合に限るとされている。この場合は，もともと違法で行われるべきでない公務が行われないままにとどまるのみであり，したがって公務の適正な遂行に対する危険を含まず，本罪にはあたらないと考えられるからである。これに対し作為の強要は，適法違法にかかわらず現に行われる作為が強要の結果であるという外形を呈する以上，公務の適正な遂行に対する危険を否定できないのである。

3 職務に関する処分

　本罪にいう処分は，職務に関係のある処分であれば，職務権限内のものに限られないとするのが判例（最判昭和28・1・22刑集7巻1号8頁）である。しかし，狭義の公務執行妨害罪との関係も考慮すれば，本罪においても適法な公務が対象となると解するのが妥当であり，学説の多数は公務員が職務上なしうる行為（職務権限内）に限るとしている。

4 封印等破棄罪（96条）

1 保護法益と客体

　本罪は，公務員が施した封印もしくは差押えの表示を損壊し，または，その他

の方法により，その封印もしくは差押えの表示にかかる命令もしくは処分を無効にする犯罪である。行為は「処分を無効にする」ことであるから，客体は「公務員の施した封印または差押えの表示にかかる命令または処分」であり，保護法益はそれらの命令または処分ないしその有効性である。

「封印」とは，物に対する任意処分を禁止するためにした封緘その他これに類する設備で，判例上，郵袋（以前は郵便行のうと呼んだ）の封印，執行吏が俵に縄を張り文字を記載した紙片を巻きつけたものなどがこれにあたるとされた。「差押えの表示」は，公務員が職務上保全すべき物を強制的に自己の占有に移したことを明らかにするために物に施した表示である。これらは，施された時点でその封印等に客観的適法性が認められるとともに，行為時において適法な封印・表示でなければならないであろう。そうすると，瑕疵ある仮処分に対する封印破棄罪を肯定した判例（最決昭和42・12・19刑集21巻10号1407頁）には疑問がある。

2 行　　為

封印・差押えの表示に対する行為として挙げられている「損壊」は，物理的に破壊して事実上の効力を消滅・減少させることだと解されている。ただし，その他の方法によって一般に，命令・処分を「無効にする」ことも構成要件的行為とされている。したがって，行為時に実際に封印等が存在するか否かの間に本質的な差異はなく，適法に施された封印等が除去された状況であっても，これを実質的に無効にする行為は，本条に該当する。また，不動産の競売手続において，裁判所が民事執行法55条1項2号(ロ)の規定により執行官保管の保全処分を命令し，その旨公示札で表示されているとき，この表示札が違法に除去された状態で，その後，経緯を知る者がさらに妨害を行うという場合，後の妨害行為も本罪を構成する。このほか，判例上，封印した桶から密造酒を漏出させる行為，立入禁止の表示札を無視して土地内に立ち入り耕作する行為，仮処分を受け公示書が貼付されている建物を他人に賃貸してその内部を改造させる行為などが「無効にする」行為にあたるとされた。

3 法　定　刑

なお，本罪をはじめ，強制執行妨害関連の罪においては，法定刑は，3年以下の拘禁刑（懲役）もしくは250万円以下の罰金に処し，またはこれを併科することとされている（96条の5の加重封印等破棄罪の場合は，5年以下の拘禁刑〔懲役〕も

しくは500万円以下の罰金に処し，またはこれを併科する）。強制執行妨害に関わる手段は，複数が重複して用いられることもあるし，究極的な侵害法益からみても各種の妨害行為は同等の不法性があると解される。罰金の併科は，悪質な妨害行為であって拘禁刑（懲役）を選択すべき場合においても，それが利欲的性格をもつことが多いため，財産面での制裁を合わせて行う可能性を認める趣旨である。

5 強制執行妨害目的財産損壊等の罪（96条の2）

1 保護法益

本条以降の強制執行妨害関係の罪の保護法益は，公の強制執行の機能である。ただし，判例は，民事的作用に対する罪の性格を（も）強調し，本罪の前提として民事上の基本的債権が必要だとする（最判昭和35・6・24刑集14巻8号1103頁）。もっとも，主体は，債務者に限られない。なお，国税徴収法による滞納処分については刑法の強制執行妨害関係罪の適用はないとする判例（最決昭和29・4・28刑集8巻4号596頁）があるが，少なくとも立法者意思としては，本条は，民事執行法・民事保全法によるもの，それを準用するものはもとより，それらに実質的に類似するものを含むとし，かつ国税徴収法による滞納処分は民事執行に類似するとの理解をしている。そうすると，滞納処分における公売も本条の売却に含まれ，しかも，罰金額につき本罪の法定刑の方が重いので，この公売妨害の処理は本条によることとなるものと考えられる。また，平成23（2011）年改正前の96条の2の保護の対象とされる「強制執行」に，民事執行法1条に定める「担保権の実行としての競売」が含まれるとする判例（最決平成21・7・14刑集63巻6号613頁）があり，現行規定の下でもなお同様に解される。なお，強制執行は，もちろん適法なものでなければならない。

2 要件

本罪は，強制執行の進行を妨害する行為のうち，主として物に向けられたものを処罰する趣旨の規定である。強制執行を妨害する目的で，①強制執行を受ける財産または受けるべき財産を隠匿・損壊する行為，その譲渡を仮装する行為，または債務の負担を仮装する行為（1号），②強制執行を受ける財産または受けるべき財産について，その現状を改変して，価格を減損する行為，または強制執行の費用を増大させる行為（2号），③金銭執行を受けるべき財産について，無償

その他の不利益な条件で，譲渡をし，または権利の設定をする行為（3号）を処罰する（以上，本条前段）。目的罪であり，目的の実現は要しないが，目的実現の客観的可能性は必要であろう。強制執行を免れる目的までは必要とされず，強制執行の進行を一時的にでも妨害する目的であれば足りる。

客体は「強制執行を受け，又は受けるべき財産」とされ，現に強制執行手続が進行中の財産だけでなく，強制執行を受けるおそれが客観的に生じている財産も含まれる。「債務の負担を仮装する」とは，仮想の債務を負担して財産を少なく見せる行為はもちろん，いわゆる「占有屋」（抵当になっている土地などを短期の賃貸借等を主張して占拠する者）が，強制執行の目的財産について仮想の占有権原を主張して手続を妨害するときには，財産所有者である債務者が権原仮装工作に関与しておらず，行為者が債務を「負担」しているかが問題となりうる場合にも，処罰対象となる。金銭債権の引当財産を不足させる行為は，財産損壊・仮装譲渡を手段とする場合のほか，3号の定める「不利益処分」として処罰される。本号の客体は，「金銭執行を受けるべき財産」であって，強制執行を受けるおそれのある客観的状況が発生した後，強制執行が開始される前における，目的となるべき財産を意味する。このほか，情を知って，③の譲渡または権利の設定の相手方となった者も同様とされて（後段），3号の行為と必要的共犯の関係にある行為が処罰されることが明らかにされている。

6 強制執行行為妨害等の罪（96条の3）

本罪は，強制執行の進行を妨害する行為のうち，執行官や債権者等の人に対する行為を処罰するものである。強制執行の実施現場における執行行為の進行を保護するため，偽計または威力を用いて，立入り・占有者の確認その他の強制執行の行為を妨害する行為（1項），強制執行の申立てをさせず，またはその申立てを取り下げさせる目的で，申立権者またはその代理人に対して暴行または脅迫を加える場合（2項）が処罰される。脅迫は，告知される害悪の如何を問わない。現実に申立権者等の意思自由に影響を及ぼすことも必要がないとされている。

7 強制執行関係売却妨害罪（96条の4）

本罪は，偽計または威力を用いて，強制執行において行われ，または行われる

べき売却の公正を害すべき行為をする罪である。競売開始決定前において行われた行為も含まれる。財産の換価手続は，競り売り・入札に限られず（民事執行法64条参照），強制執行に関係する売却であることが要件である。判例に現れた例としては，競売開始決定のあった土地建物に関する虚偽の賃貸借契約書を裁判所に提出する行為（最決平成10・7・14刑集52巻5号343頁），競売における入札で最高価買受申出人となった者に対し落札後にその取得を断念するように威力行使して要求する行為（最決平成10・11・4刑集52巻8号542頁）などがある。談合も偽計にあたり，また，売却の公正を害する行為であると解されるので，強制執行に関し談合が行われた場合は本罪を構成する。

8 加重封印等破棄等の罪（96条の5）

本罪は，報酬を得，または得させる目的で，人の債務に関して，96条から96条の4までの罪を犯した者を他の類型に比して加重（5年以下の拘禁刑〔懲役〕もしくは500万円以下の罰金，併科も可）して処罰するものである。職業的な妨害勢力による悪質・執拗な妨害については抑止の必要が高いこと，職業的妨害勢力の妨害が犯罪行為に及ぶことの対価として報酬を得るのが目的であると考えられることから，本条のような要件が設定された。

9 公契約関係競売等妨害罪（96条の6第1項）

本罪は，偽計・威力を用いて，公の競売，または入札で契約を締結するためのものの公正を害すべき行為を行うことによって成立する。脅迫による談合要求（最決昭和58・5・9刑集37巻4号401頁）は，威力を用いて公正を害すべき行為を行ったものといえよう。本罪でも拘禁刑（懲役）・罰金の併科の可能性を認めている。

10 談合罪（96条の6第2項）

本罪は，構成要件的行為が複数関与者を予定する必要的共犯（集合犯）である。上述のとおり，強制執行の売却に関する談合は96条の4の処罰対象となる。「公正な価格」について，判例は，入札を離れて客観的に測定される価格ではなく，

その入札において公正な自由競争が行われたならば成立したであろう価格をいうとする（最判昭和32・1・22刑集11巻1号50頁）。談合となるためには，競争者が互いに通謀して特定の者を契約者とするために他の者がある価格以下または以上に入札しないことを協定すれば足り，その協定に従って行動することまでは要しない（最決昭和28・12・10刑集7巻12号2418頁）。

犯人蔵匿・証拠隠滅の罪

1 犯人蔵匿等罪（103条）

1 保護法益と司法作用に対する罪

1 犯罪の性質と行為の主体

1　**保護法益**　犯人蔵匿・隠避の罪（103条）は、第三者が犯人や逃走者をかくまったり、他の場所に逃がすなどの方法で、犯罪の捜査や刑事裁判ないし刑罰の執行を妨げる行為である。他方、すでに刑務所または拘置所に拘禁された者が、その場所から逃走する場合には、単純逃走罪（97条）や加重逃走罪（98条）の規定が用意されている。すなわち、逃走の罪が、国家や地方自治体の適法な拘禁作用を保護するのに対して、犯人蔵匿等罪の保護法益は、国家の刑事司法作用の安全である（大判大正4・12・16刑録21輯2103頁、最判昭和24・8・9刑集3巻9号1440頁）。

2　**犯人の庇護**　犯人蔵匿等罪は、すでに生じた本犯を助長する「事後共犯」とされた時期もあった。実際上も、本犯の犯人を庇護するために行われることが多い。しかし、法文上は、犯人庇護罪とされておらず、蔵匿および隠避が犯人の不利益となる場合もありうる。ただし、犯人庇護罪という側面があることに配慮して、「親族による犯罪に関する特例」が設けられた（105条）。なお、後述する証拠隠滅・偽造の罪（104条）も、刑事事件に関する証拠の収集・利用を妨げる方法で、犯罪捜査や刑事裁判ないし刑罰の執行を妨害する罪である。

> **Case 270**
> 　Xらは、すでに恐喝の容疑者として逮捕状が出ている暴力団組長Aを、警察の逮捕から免れさせるため、数日間、自分が管理する家屋に潜伏させた。なお、犯行当時、Xは、Aが犯した罪が何かを知らなかったが、少なくとも、罰金以上の刑にあたる罪を犯した嫌疑により逃走中であることは承知していた。

> <u>Case 270</u>において，犯人蔵匿等罪は，司法に関する国権の作用を妨害した者を処罰する規定であるから，同条の「罪を犯した者」とは，犯罪の嫌疑によって捜査中の者を含むとされた（前掲最判昭和24・8・9）。

　　3　**偽証の罪**　犯人蔵匿・隠避の罪と異なり，国家の審判作用（その前提となる捜査権や調査権も含む）を保護するため，刑法典第2編第20章「偽証の罪」，同第21章「虚偽告訴の罪」がある。偽証の罪は，法廷で宣誓した証人が虚偽の事実を述べる場合にのみ成立する。犯行の主体は，偽証罪（169条）では「法律により宣誓した証人」であり，虚偽鑑定等罪（171条）では，「法律により宣誓した鑑定人，通訳人又は翻訳人」に限定されるため，真正身分犯の一種である。

　　通説・判例によれば，証人の宣誓と虚偽の陳述の時期は，その時間的な前後関係を問わず，両者が逆転することもありうる（大判明治45・7・23刑録18輯1100頁）。また，「虚偽の陳述」の意味は，証人自身の記憶や専門的意見に反する事実を述べることである（主観説。大判明治42・6・8刑録15輯735頁）。なお，本罪は，虚偽の陳述があった時点で既遂に達する（抽象的危険犯。大判大正2・9・5刑録19輯844頁）。

　　4　**虚偽告訴の罪**　つぎに，虚偽告訴の罪とは，他人に刑罰または懲戒の処分を受けさせるため，虚偽の告訴・告発などを行う場合である。これによって，第三者の私生活が侵害される面もある。その際，犯人である虚告者は，申告内容が虚偽であることを確定的ないし未必的に認識していなければならない（大判大正6・2・8刑録23輯41頁，最判昭和28・1・23刑集7巻1号46頁）。また，犯人には，「人に刑事又は懲戒の処分を受けさせる目的」も必要である（目的犯）。

　　通説・判例によれば，ここでいう「虚偽」は，偽証罪や虚偽鑑定等罪と異なり，申告した事実が客観的真実に反することをいう（客観説。最決昭和33・7・31刑集12巻12号2805頁）。すでに虚偽の告訴状や告発書が担当官庁に到達したならば，虚偽告訴罪は完成する（抽象的危険犯。大判明治43・6・23刑録16輯1276頁）。

2　証人等威迫罪

　　1　**主体と客体**　刑法典第2編第7章の「犯人蔵匿及び証拠隠滅の罪」には，証人等威迫罪（105条の2）の規定がある。この罪は，主として，本犯者らによる裁判後の「お礼参り」を防止する目的で設けられた。いわゆる人的証拠を，不当な侵害から守るための規定である。証人等威迫罪の客体は，「自己若しくは他人

の刑事事件の捜査若しくは審判に必要な知識を有すると認められる者又はその親族」である。いずれも、犯罪の捜査や刑事裁判にとって必要不可欠な証人ないし参考人（その関係者を含む）となりうる者である。証人等威迫罪では、副次的な保護法益として、証人らの私生活上の平穏（または意思の自由）も考慮される。また、犯人蔵匿等罪や証拠隠滅等罪のように、他人の刑事事件だけに限定されない。したがって、本犯の犯人が自ら実行する場合も考えられる。

「捜査若しくは審判に必要な知識」とは、犯罪の成否にかかわる事実のほか、犯罪の情状に関するものに加えて、逃亡犯人の所在や証拠の発見を助ける知識も含まれる。その際、「必要な知識を有する」とは、当該行為の客観的状況からみて、捜査・審判にとって必要な知識・情報を有する者であればよい。したがって、たまたま犯行の現場に居合わせたとはいえ、実際には何も目撃しなかった者も、本罪の客体となりうる。

Case 271
　Xは、AがXの窃盗事件を警察に通報したため、容疑者として捜査されたのを恨んで、Aに対して電話で「内緒にしてくれと頼んだのに、なぜ通報したのか、ただちに面談に来い」などと申し向けた。

Case 272
　Yは、スナック内でBに暴行を加えた事件の公判が係属している最中、証人であるCに対して「偽証罪で告発するから覚悟しろ」とか、「謝罪しなければ、永遠に民事裁判・刑事告発が続く」などと記載した文書を送りつけた。

Case 271 では、電話による面談の強請が問題となった。刑法105条の2は、その手段・方法を何ら限定していないが、刑事司法の適正な作用という保護法益や同条の制定趣旨などから、直接に相手方の住居ないし事務所に出向いて、言語や挙動などで面談を強請する場合に限定される。したがって、電話や文書などにより間接的に面会を求めただけでは足りないとした（福岡高判昭和38・7・15下刑集5巻7＝8号653頁）。また、*Case 272* では、「威迫」の有無が問題となったが、不安・困惑の念を生じさせる内容の文書を送付して、これを相手方に了知させる方法も含まれるとした。その意味で、直接に相手方と対面する必要はないのである（最決平成19・11・13刑集61巻8号743頁）。

2　構成要件的行為　「当該事件に関して、正当な理由がないのに面会を強請」するとは、自己または他人の刑事事件について、相手方の意思に反し、強いて面会を求める行為をいう。*Case 271* では、相手方（証人等）の居所まで出向

くことが求められた（前掲福岡高判昭和38・7・15）。「面会の強請」という行為が，直接に相手方と面会する前段階にあたるからである。ただし，電話や手紙による要求があった場合にも，その威圧の程度が著しく，人に恐怖心を生じさせる程度であれば，脅迫罪や強要罪などが成立しうる。

「強談威迫の行為」とは，口頭で自己の要求に応ずるよう求めるほか，言語・動作などにより，気勢を示して不安・困惑の念を生じさせることである（前橋地判昭和37・10・31判タ140号112頁）。ここでは，直接に相手方と対面する必要はなく，電話による場合のほか，*Case 272* のように，文書による場合も含まれる（前掲最決平成19・11・13）。証人等威迫罪は，抽象的危険犯であるため，これらの行為があれば，ただちに既遂犯となる（福岡高判昭和51・9・22判時837号108頁）。

2 犯人蔵匿等罪の成立要件

1 客　　体

「罰金以上の刑に当たる罪を犯した者」とは，法定刑として罰金以上の刑が設けられた罪の犯人である。必ずしも真犯人である必要はなく，捜査機関から犯罪の嫌疑を受けることにつき相当な根拠がある者をいう。これに対して，およそ犯罪の嫌疑を受けて捜査・訴追中の者も含めるならば（最判昭和24・8・9刑集3巻9号1440頁），通常は逮捕されない者でも，捜査機関が犯人と疑っているだけで本罪の客体になってしまう。これに対して，「真犯人」に限定するならば，正式の逮捕状が出ている犯人であっても，本罪の客体に含まれないおそれがある。

そもそも，正式裁判でまだ真犯人と認定されない段階でも，容疑者の身柄を確保する必要がある。また，その後の刑事裁判は，まさしく真犯人を確定するための手続である以上，犯罪の嫌疑を受けて捜査・訴追中の場合，容疑者の身柄確保を妨げるような行為を放置するべきでない。しかも，行為の客体を「真犯人」に限定する立場では，蔵匿・隠避者が「真犯人でない」と誤信したとき，たとえ正式裁判で真犯人とされた場合にも，犯行時の故意が否定されてしまう。したがって，客観的・合理的にみて，逮捕状を発行するだけの実質的根拠が備わった場合には，捜査の開始前または審理中のいずれかを問わず，本罪の客体になると考えられる。

図　各論15-1　客体の概念と故意犯の成否

客　体	事実の錯誤	→	故意犯の成否
①客観的・合理的にみた犯人	真犯人でないと誤信	→	故意犯成立
②捜査機関等のいう犯人	真犯人でないと誤信	→	故意犯成立
③真犯人だけに限る	真犯人でないと誤信	→	故意なし（犯罪不成立）

Case 273
　Ａ暴力団の若頭Ｘは，同暴力団の組長Ｂが，殺人未遂罪の容疑で逮捕された際，その訴追や処罰を免れさせる目的で，同暴力団の組員Ｃに対し，Ｂの身代わり犯人として出頭するように申し向けた。その上で，事前に入手したけん銃と実包をＣに手渡すことで，Ｃ自身がけん銃を使用して殺人未遂を犯したとする虚偽の申告を，Ｄ警察署に対して行わせた。

　Case 273 において，「罪を犯した者」には，すでに逮捕・勾留された者も含むとされた。したがって，逮捕・勾留された本犯者を解放するため，第三者を身代わり犯人として出頭させる行為は，犯人隠避教唆罪を構成する（最決平成1・5・1刑集43巻5号405頁）。これに対して，一部の見解は，本罪の保護法益を，本犯者および逃走者の身柄確保に向けた刑事司法作用とみるため，すでに身柄が確保された本犯者を客体から除外する。しかし，刑法103条の立法趣旨が，広く刑事司法作用を妨害する行為全般を防ぐことに求められる以上，反対説には合理的根拠がないとされた（前掲最判昭和24・8・9）。

　また，「罪を犯した者」には，*Case 273* のように，すでに逮捕・勾留中の者も含まれる。したがって，逮捕中の容疑者を不法に拘禁から免れさせる場合も，本罪の「隠避」にあたる。また，「拘禁中に逃走した者」には，自ら逃走した場合だけでなく，第三者によって奪取された者も含む（広島高判昭和28・9・8高刑集6巻10号1347頁）。主観面では，本犯者（客体）が罰金以上の刑にあたる罪を犯したと認識していた以上，その罪が捜査機関に発覚したか，また，すでに捜査が始まっているかどうかを問わない（最判昭和33・2・18刑集12巻3号359頁）。同様にして，本犯者の有罪判決が確定したことは，犯人蔵匿等罪の成立にとって不要である（大判大正4・12・16刑録21輯2103頁）。ただし，無罪や免訴の裁判が確定するなど，もはや訴追・処罰を受ける可能性が消失した場合や，親告罪の告訴権が消滅した場合には，本罪の客体から除かれる。

2 蔵匿・隠避

「蔵匿」とは，捜査機関などによる発見・逮捕を逃れる場所を提供する行為である（大判大正4・12・16刑録21輯2103頁）。また，「隠避」とは，その他の方法で，およそ犯人の発見・逮捕を妨げる行為をいう（大判昭和5・9・18刑集9巻668頁）。したがって，隠避には，逃走用の資金や変装のための衣類を与えるほか（大判大正12・2・15刑集2巻65頁），後述する *Case 274* のように，犯人に対して捜査当局の動きを通報する場合なども含まれる（前掲大判昭和5・9・18）。また，前掲 *Case 273* のように，身代わり犯人を用意して，捜査機関に虚偽の申告をさせたり（大判大正4・8・24刑録21輯1244頁，前掲最決平成1・5・1），犯人と口裏合わせをした上で，参考人として虚偽の供述をする場合も含まれる（最決平成29・3・27刑集71巻3号183頁）。そのほか，警察官である犯人が，知人の違反事実を黙認したり，職務上逮捕するべき犯人を故意に見逃すような場合は，不作為による隠避行為となる。

> *Case 274*
> Xは，地方議会の汚職事件が摘発された際，容疑者となった市会議員のAが潜伏中であることを知りつつ，直接にAから依頼されて，留守宅の家族の安否や，捜査状況などに関する情報を提供した。

> *Case 274* において，「蔵匿」行為が，犯人の発見・逮捕を免れさせる場所の提供であるところ，それ以外の方法で発見・逮捕を免れさせる「隠避」行為は，何らかの方法で容疑者に対して逃避の便宜を与えることで足りる。したがって，Aの留守宅の状況のほか，捜査の進捗状況などを通報することは，犯人隠避罪を構成するとされた（前掲大判昭和5・9・18）。

犯人蔵匿等罪では，実際に刑事司法作用が侵害されたことは必要でない（抽象的危険犯）。たとえば，捜査機関が本犯者（被蔵匿者）の居場所を把握していた場合にも，本罪が成立する（東京地判昭和52・7・18判時880号110頁）。また，蔵匿・隠避者にあっては，相手方が罰金以上の刑にあたる罪を犯したことを認識するとともに，その者を蔵匿・隠避している旨の認識・認容があれば足りる。実際に生じた具体的な犯罪事実や処罰規定の内容，さらには法定刑の種類・程度まで認識する必要はない（大判大正4・3・4刑録21輯231頁，大阪高判昭和56・12・17刑月13巻12号819頁）。これに対して，本犯者が犯した罪の種類を，拘留・科料にあたる軽微な違反行為と誤信したならば，本罪の故意が否定されることになる。

3 共犯の成否と期待可能性

1 主体としての犯人・逃走者

　犯人蔵匿等罪の主体は，本犯者または逃走者以外の者である。なぜならば，本犯者や逃走者は，通常，蔵匿・隠避行為の客体となるからである。法文上も，犯人蔵匿等罪の主体と客体は，これらを対置した対向犯の形式になっている（必要的共犯）。しかし，隠避行為の中には，本犯者とは無関係に身代わり犯人を立てるなど，本犯者からみて一方的な行為態様もありうる。したがって，本犯者や逃走者が，常に構成要件的行為の客体となるわけではない。

　そこで，本犯者や逃走者が犯人蔵匿等罪の主体から除外される根拠について，何らかの説明が必要となってくる。たとえば，本犯者や逃走者が，自らの所在を隠すことは，罪を犯した人間の心情からして，適法行為の期待可能性がないと説明されてきた。その際，学説上の諸見解が鋭く対立するのは，本犯者または逃走者自身が，第三者を教唆して蔵匿・隠避させた場合である。

> *Case 275*
> 　Xは，自動車で走行中，過失によりA運転の自動車と接触したが，その衝撃によりA車が暴走したことで，幼児数人に衝突して死傷結果を生じさせた。しかし，犯行当時，無免許運転をしていたXは，上記の人身事故による処罰を免れようと考え，同乗者のBに対して，自己の身代りとなるよう頼んだため，Bが無実の罪で有罪判決を受けることとなった。

> 　*Case 275* において，本犯者であるXが自分の処罰を免れようとするのは，人間の情としてやむを得ない面もあるが，他人であるBを利用（教唆）して自己を隠避させた場合には，犯人隠避罪の教唆犯が成立するとした（最決昭和35・7・18刑集14巻9号1189頁）。

　通説・判例は，第三者による蔵匿・隠避行為を引き起こしたとき，本犯者または逃走者には，（蔵匿・隠避を控えるという）適法行為の期待可能性があったとする。したがって，*Case 275* の事例でも，犯人の行為は「防御権の濫用」であり，犯人蔵匿等罪の共犯にあたるとされた（最決昭和35・7・18刑集14巻9号1189頁，最決昭和40・2・26刑集19巻1号59頁）。最近の判例でも，本犯者が他人を教唆して自己を蔵匿または隠避させたとして，犯人蔵匿等罪の教唆犯が認められている（最決

令和3・6・9裁判所ウェブサイト)。これに対して,本犯者や逃走者が正犯となりえないにもかかわらず,共犯者として処罰する態度は,他人を犯罪に引き入れた点を重視する責任共犯論にほかならないと批判する見解がある。

　しかし,本犯者を（正犯者から）除外する根拠となった期待可能性の理論は,犯人の個別的行為に着目して,当該行為者の責任の程度を判断する枠組みである。したがって,本犯者であるというだけで,一律に期待可能性が否定されるわけではない。また,共犯者の責任と正犯者の責任が常に同一の評価とならない以上,自ら隠避する場合には,適法行為の期待可能性が欠けるとしても,他人を教唆して実行させたときは,当然に期待可能性が消失するわけでもない。通説・判例は,こうした責任の基本原則を維持しつつ,国家の刑事司法作用を妨げるおそれがある以上,本犯者や逃走者にも共犯の成立を肯定してきたのである。

図　各論15-2　行為の主体と共犯の成否

共犯 (教唆者)		正犯 (被教唆者)	通説・判例	備　考
第三者	→	第三者	犯罪成立	法文の予定した基本型
第三者	→	本犯者	犯罪不成立（共犯も不成立）	本犯者が構成要件に該当しない
本犯者	→	第三者	正犯・教唆犯ともに成立 反対説――正犯のみ成立	教唆犯では期待可能性がある 教唆犯でも期待可能性がない
本犯者	→	本犯者 (の共犯)	正犯者の目的によって区別する 反対説――正犯・共犯ともに不成立	

2　親族による犯罪に関する特例と共犯

　本犯者または逃走者の親族が,犯人蔵匿・隠避行為をする場合がある。ここでも,適法行為の期待可能性が低下するため,親族による犯罪に関する特例（105条）を設けて,任意的な刑の免除事由としている（人的処罰阻却事由）。親族の範囲については,民法によって定められる（民725条参照）。

　冒頭でも述べたように,犯人蔵匿等罪が庇護罪的な要素も含むとしたとき,刑法105条は,まさしく親族間の心情に配慮した特別規定である（大判昭和8・10・18刑集12巻1820頁）。したがって,同条の適用範囲は,犯人・逃走者のために実行した場合に限られる。たとえば,犯人・逃走者からみて不利益となる場合,または,親族自身の利益やそれ以外の者の利益を目指した場合には,この特例は適用されない（大判大正8・4・17刑録25輯568頁,大判昭和7・12・10刑集11巻1817頁）。なお,妻の犯罪事実が発覚した際,その夫が自らの社会的体面を維持するべく犯

人蔵匿等罪を犯したならば，妻の利益よりも夫の利益が優越しない場合に限って，本条の適用を認めることができる。

> **Case 276**
> Xは，不注意にも人が往来する場所に，野生の猪を捕獲する「仕掛け銃」を据え付けておいた。ところが，これを知らないAが通りかかった際，発射された銃弾がAに命中して，死亡するに至った。そこで，Xは，使用人のBに依頼して，身代わり犯人として裁判所で陳述させた結果，Bが狩猟法違反と過失致死罪により有罪判決を受けた。

> **Case 276**は，本犯者であるXが，他人であるBを教唆して自己を隠避させた場合であるが，裁判所は，この事件に関連して，親族が他人を教唆して犯人隠避をさせた場合にも，犯人隠避教唆罪が成立して刑が免除されるにすぎないこと，本犯者が他人を教唆したならば，防御権の濫用として，同教唆罪が成立すると述べた（前掲大判昭和8・10・18）。

学説上，①本犯者・逃走者の親族が，他人を教唆して蔵匿・隠避をさせた場合の処理が問題となる。また，これとは反対に，②親族関係のない第三者が，本犯者・逃走者の親族を教唆して，同種の行為をさせた場合にも，刑法105条の適用をめぐって諸見解が対立してきた。通説によれば，①の場合，他人を教唆して犯罪を実行させた以上，本犯者・逃走者の親族であっても，刑の免除は認められない。他方，②の場合には，親族による犯罪に関する特例は，単なる人的処罰阻却事由にすぎず，すでに犯罪が成立している以上，親族以外の者がこれに加担したならば，およそ刑の免除はありえないとされる。法文上，親族相盗例（244条）のように，「親族でない共犯については，適用しない」という文言はみられないが，政策的理由ないし期待可能性の低下に基づく刑の免除であるため，本犯者・逃走者と親族関係がない共犯者については，その適用が認められないのは当然である。

つぎに，③本犯者・逃走者自身が自らの親族を教唆して，蔵匿・隠避をさせた場合はどうなるか。この場合においても，通説・判例は，教唆犯の成立を認めてきた（証拠隠滅等罪について，前掲大判大正8・4・17参照）。ただし，正犯者である親族が刑の免除を受けるとき，教唆者である本犯者・逃走者については，正犯者に準じて刑を免除する余地が残されている。また，④これらの親族が，本犯者・逃走者自身を教唆して実行させた場合には，正犯者である本犯者・逃走者が犯罪構成要件を充足しない以上，共犯の従属性からして，教唆者である親族も処罰さ

れない。なお，上述したことは，もっぱら「他人の刑事事件」に関する証拠隠滅等罪についても，基本的には妥当するであろう（なお，p.510 の図各論15-3参照）。

2　証拠隠滅等罪（104条）

1　保護法益と実行行為

1　犯行の主体と客体

　証拠隠滅等罪（104条）では，「他人の刑事事件に関する証拠」が客体となるため，本犯者・逃走者は，本罪の主体から除外される。通常人が自らの処罰を免れようとするのは自然の情であり，証拠の隠滅や偽造・変造などを思いとどまるように期待できないからである。その意味で，「他人の刑事事件に関する証拠」を客体とする場合だけが処罰される。また，平成7（1995）年の刑法改正までは，「刑事被告事件」と規定されていたが，現在では「刑事事件」となっており，起訴前の被疑事件や捜査段階の刑事事件も含むことは，明らかである。すなわち，後述する *Case 277* で示されたように，現に裁判所で審理中のものに限らず，将来において刑事被告事件となりうる場合でもよい（大判明治45・1・15刑録18輯1頁）。

> *Case 277*
> 　Xは，知人であるAの横領事件の共犯として，会計係のBに帳簿類を偽造するように教唆したが，XがBを教唆した時点では，まだ担当検事が捜査中であって，起訴するには至っていなかった。

> 　*Case 277* では，旧規定が「刑事被告事件」と規定していたため，少なくとも起訴後の証拠偽造でなければならないかが争われた。裁判所は，すでに裁判所に係属している刑事事件はもちろん，将来，刑事訴訟となりうる事件も含むとした。したがって，Xが，検察官の捜査中である横領事件に関して，Bを教唆して証拠を偽造させた以上，その教唆犯が成立するし，また，共犯者の刑事被告事件であっても，他人を教唆して刑法104条の罪を犯させたならば，証拠偽造罪の教唆犯が成立するとした（前掲大判明治45・1・15）。

2　親族による犯罪に関する特例と共犯

　すでに *3* の *2*（⇒p.506）で述べたように，親族による犯罪に関する特例（105条）では，本犯者・逃走者の親族が証拠の隠滅などを行ったときにも，刑の任意

的な免除が認められる（人的処罰阻却事由）。これは，もっぱら親族間の庇護的心情に配慮した特別規定であるが，客観的には，国家の刑事司法を妨害する事実があったことも否定できない。だからこそ，もっぱら本犯者・逃走者の利益のために犯した場合にのみ適用されるのである。

　なるほど，刑法105条の形式的な解釈としては，所定の親族関係が存在した場合，たとえ親族自身の利益を目指したとしても，本条の適用を認めることが可能である。しかし，親族自身の不利益を回避する目的であったならば，親族自身に適法行為の期待可能性がないので，一般的な責任減少・消滅事由を認めることで足りる。また，犯人と本犯者・逃走者の間の親族関係を明記したのは，いわゆる内縁関係から証拠隠滅に及んだ場合を除外する趣旨であろう。したがって，刑の免除が家族間の庇護的心情に基づくとはいえ，およそ法律上の親族関係がない場合まで，刑法105条を適用するべきでない。

　つぎに，本犯者が，第三者に対して，自己の刑事事件の証拠を隠滅・偽造するように教唆したとき，犯人蔵匿等罪と同じように，共犯者（教唆者）として適法行為の期待可能性はあったかという問題が生じる。通説・判例は，本犯者にも，証拠隠滅等罪の教唆犯が成立すると解してきた（最決昭和40・9・16刑集19巻6号679頁など）。なぜならば，第三者を教唆して証拠を隠滅・偽造させた場合にも，被教唆者にとっては「他人の刑事事件に関する証拠」にあたるため，その限度で，本犯者自身も，正犯者の行為を通じて証拠隠滅等罪の主体となりうるからである。また，防御権の濫用という理由も挙げられる。ただし，学説上は，こうした通説・判例に反対する見解も有力である。なお，第三者が本犯者を教唆して，その証拠を隠滅・偽造させた場合には，正犯にあたる者が不可罰となるため，その共犯も成立しない。

図 各論15-3 親族間における刑の免除と共犯者の処罰（刑法105条の適用範囲）

共犯（教唆者）	正犯（被教唆者）	通説・判例
本犯者・逃走者の親族	第三者（他人）	その親族であっても、刑の免除は認められない。
第三者（他人）	本犯者・逃走者の親族	第三者に対しては、刑の免除は認められない。
本犯者・逃走者	本犯者・逃走者の親族	親族の刑が免除されるので、本犯者も免除できる。
本犯者・逃走者の親族	本犯者・逃走者	本犯者・逃走者が犯罪にならないので、共犯の従属性から、教唆者である親族も処罰されない。

2 証拠隠滅等罪の成立要件

1 他人の刑事事件に関する証拠

「刑事事件に関する証拠」には、捜査機関や裁判機関が刑事事件を取り扱う際に必要となる一切の資料が含まれる（大判昭和10・9・28刑集14巻997頁）。たとえば、犯罪の成否を証明する証拠に加えて、被告人の情状に関する証拠もある。また、人的証拠または物的証拠のいずれであるかを問わない（通説・判例。大判昭和7・12・10刑集11巻1817頁、最決昭和36・8・17刑集15巻7号1293頁）。

なお、「他人の」刑事事件といえるかをめぐって争いとなるのは、共犯事件である。裁判所によれば、自己の刑事事件に関する証拠であると同時に、共犯者の刑事事件にとっても証拠となりうる場合、その証拠は、「他人の刑事事件に関する証拠」にあたり、証拠隠滅等罪の客体に含まれる（大判大正7・5・7刑録24輯555頁、前掲大判昭和7・12・10）。

> **Case 278**
> Xは、衆議院議員に当選したものの、運動員のAが買収の容疑で取調べを受けており、このままでは連座制により議員失格となる可能性があった。そこで、Xは、買収を指揮した選挙事務長のBと共謀の上、買収資金の出所に関する偽造手形を用意して、これを裁判所に提出させた。

(*Case 278*) のXらは、同一の選挙違反事件における共犯者であり、Xからみて他人であるAとBの刑事事件に関する証拠を偽造させた以上、たまたま、X自身の

> 刑事事件に関係する証拠を偽造したことになっても，証拠偽造罪の成立を妨げないとされた（大判昭和12・11・9刑集16巻1545頁）。

　学説の中には，*Case 278* のような場合も含めて，一律に本罪の成立を否定しようとする見解がある。すなわち，証拠隠滅等罪の客体から，およそ共犯者の証拠を除外するのである。しかし，文言上は「他人の」証拠であれば足りるし，共犯者の刑事事件に関する証拠であっても，ただちに自己の刑事裁判を左右するわけでない以上，本犯者には適法行為の期待可能性を認めうるであろう。さらに，上述した犯人蔵匿等罪にあっては，本犯者・逃走者自身が行為の客体となっていたため，犯行の主体にできなかったが，証拠隠滅等罪では，単に法文で犯行の主体が限定されたにすぎない。その意味でも，形式上は共犯事件にあたるというだけで，一律に「自己の刑事事件に関する証拠」とみるべきではない。

2　隠滅・偽造等

　まず，①「隠滅」とは，証拠物件を物理的に損壊する場合に加えて，容易に発見できない場所に隠匿するなど，およそ証拠の発見を妨げる行為のほか，証拠物の価値を滅失・減少させることをいう（大判明治43・3・25刑録16輯470頁）。証人や参考人の隠匿も含まれる。これに関連して，共犯者を蔵匿・隠避させることが，（人的）証拠の隠滅にあたるかが問題となる。一部の判例は，証拠隠滅等罪としては期待不可能であるが，犯人蔵匿等罪としては期待可能であるとした（旭川地判昭和57・9・29判時1070号157頁）。しかし，有力説は，共犯事件の証拠を隠滅・偽造する行為について，適法行為の期待可能性が乏しい以上，犯人蔵匿等罪も成立しないとする。

　つぎに，②「偽造」または「変造」とは，不真正な証拠を作成するほか，真正な証拠に加工して虚偽の証拠を作り出す行為をいう。文書偽造罪のように，当該文書の作成権限がどこにあるかを問わない。したがって，作成名義人が内容虚偽の文書を作成した場合も，本罪にあたる。他方，参考人が捜査機関に対して虚偽の供述をしただけでは足りないが，捜査官らと相談しながら虚偽内容の供述調書を作成した場合には，証拠偽造罪の共同正犯になるとされた（最決平成28・3・31刑集70巻3号58頁）。なお，その証拠を使用しなかった場合にも，国家の適正な司法・審判作用を危うくするため，偽造・変造しただけで処罰される（抽象的危険犯）。

第3に，③偽造・変造の証拠使用罪は，実際に偽造・変造された証拠を真正なものとして用いる行為である。しかし，宣誓した証人に偽証させる場合には，偽証罪の規定（169条）があるため，本条の適用対象から除かれる（法条競合）。学説の中には，非宣誓の証人に偽証させる行為は，本罪にあたるというものがある。裁判所は，証拠隠滅等罪には，証人による虚偽の陳述を含まないとするが（大判昭和9・8・4刑集13巻1059頁），参考人による虚偽の供述をめぐっては，なお諸見解の対立がある。

16 汚職の罪（賄賂罪）

1 公務員による犯罪

　刑法典第2編第25章には，汚職の罪が規定されている。公務員によってなされる犯罪が規定されている。

　193条以下は，職権濫用の罪である。公務員職権濫用罪（193条。公務員がその職権を濫用して，人に義務のないことを行わせ，または，権利の行使を妨害したときに成立する），特別公務員職権濫用罪（194条。裁判官，検察官，司法警察員またはこれらの職務を補助する者が，その職権を濫用して，人を逮捕し，または，監禁したときに成立する），特別公務員暴行陵虐罪（195条。194条の主体が，その職務を行うにあたり，被告人，被疑者その他の者に対して暴行または陵辱もしくは加虐の行為をしたとき等に成立する），特別公務員職権濫用等致死傷罪（196条。194条・195条の罪を犯し，よって人を死傷させたときに成立する）がある。公務の適正とこれに対する国民の信頼という国家的法益と，具体的被害者となる国民の権利・自由という個人的法益に対する罪である。

　197条以下は，賄賂の罪であり，収賄罪および贈賄罪（両者をあわせて贈収賄罪という）に関する規定である。

2 賄賂罪の基礎

1 単純収賄罪（197条1項前段）

　収賄罪の基礎となるのは，197条1項の規定である。その前段は，「公務員が，その職務に関し，賄賂を収受し，又はその要求若しくは約束をしたときは，5年以下の懲役に処する」と規定する。単純収賄罪である。その主体は，公務員に限られる。いわゆる真正身分犯である。ただ，公務員でない者も，65条1項の共犯と身分犯に関する規定の適用を受け，共犯（共同正犯を含む）としては処罰されうる。

1項には，未遂処罰規定は存在しない。ただ，公務員が，賄賂を現実に受け取ることに加えて，その前段階である，賄賂を要求すること，あるいは，賄賂の授受の約束をすることも処罰の対象とされている。

そして，1項後段は，「この場合において，請託を受けたときは，7年以下の拘禁刑（懲役）に処する」と規定する。賄賂の収受，要求，約束が，一定の職務行為を行うことの依頼を受けてなされた場合には，より重く処罰される。受託収賄罪である（⇒p.525の**2**）。

このほかに，いくつかの類型がある（⇒p.526の**3**以下）。

2 贈賄罪（198条）

198条は，197条の収賄罪をはじめ，刑法上の収賄罪の類型すべてに対応して，その「賄賂を供与し，又はその申込み若しくは約束をした者は，3年以下の拘禁刑（懲役）又は250万円以下の罰金に処する」と規定し，賄賂を贈る者を処罰の対象とする。贈賄罪である。収賄罪の場合と同様に，現実に提供することに加えて，その前段階である，賄賂の提供を申し込むこと，あるいは，賄賂の授受の約束をすることも処罰の対象とされている。贈賄者は，この規定によってのみ処罰され，収賄罪の共犯として処罰されるのではない。

贈賄罪の条文は，1個のみである。贈賄者が収賄者に比べて軽く処罰されることは是認されるとしても，立法論としては，収賄罪類型の法定刑の相違に応じて，贈賄罪の類型も個別化されることに合理性があろう。

3 賄賂罪の保護法益

賄賂罪を全体として捉えたとき，その保護法益はどのように解することができるか。これについて，さまざまな見解があるが，判例は，「賄賂罪は，公務員の職務の公正とこれに対する社会一般の信頼を保護法益とする」と述べる（最大判平成7・2・22刑集49巻2号1頁）。この見解は，信頼保護説と呼ばれる。学説の多数も，これと同様に理解する。この見解によれば，不正な職務行為がなされた場合に重く処罰する加重収賄罪が職務の公正を保護法益とし，その侵害を要件とすることを説明することは容易である。また，職務の公正に加えて，これに対する社会一般の信頼を保護法益とすることにより，職務行為が公正であるか公正でないかを問わずに成立する単純収賄罪（および受託収賄罪）について，職務の公正は侵害されなくても，職務が公正に行われないのではないかという疑念を社会一般

に生じさせ，その信頼を侵害するものであると説明することが可能となる。これは，公務の円滑な遂行という作用は，公務の公正に対する社会一般（国民）の信頼が存在することを前提とするから，職務の公正だけでなく，これに対する社会一般の信頼を保護法益として，公務の円滑な遂行を担保しようとする見解であるということができる。

　もっとも，職務が公正に行われないのではないかという社会一般の疑念は，職務が公正に行われない危険性のある行為の存在を前提とする。そして，職務行為が公正であるか公正でないかを問わない単純収賄罪であっても，公務員が職務に関して賄賂を受け取ることによって，職務が公正に行われない危険性が生じていると解することができるから，判例・多数説のように，保護法益を，職務の公正とこれに対する（社会一般の）信頼としなくても，職務の公正と理解することによって，それを侵害する加重収賄罪だけでなく，単純収賄罪も，職務の公正を侵害する危険があるとして，両者を統一的に理解することができると思われる。このような見解は，純粋性説と呼ばれる。

4 賄賂罪の要素

1 公　務　員

　公務員とは，何かについて，刑法7条1項に定義規定がある。「国又は地方公共団体の職員その他法令により公務に従事する議員，委員その他の職員をいう」（⇒ p.485の1）。また，特別法には，「法令により公務に従事する職員とみなす」という規定が存在する。これによって，たとえば，日本銀行の役職員（日本銀行30条），国立大学法人の役職員（国立大学法人19条），警察署長から放置車両の確認事務を委託された放置車両確認機関の役職員（駐車監視員を含む。道交51条の12第7項），自動車教習所の技能検定員（道交99条の2第3項）は，公務員とみなされる。みなし公務員と呼ばれる。

2 収受・要求・約束 ── 収賄罪

　収受とは，賄賂を自己のものとする意思で現実に取得することである。要求とは，賄賂の供与を求める意思表示をすることである。相手方が認識しうる程度になされれば足り，現実に認識することを必要としない（大判昭和11・10・9刑集15巻1281頁）。相手方が要求に応じなかったときにも要求罪は成立する（大判昭和9・11・26刑集13巻1608頁）。約束とは，賄賂の供与と収受を収賄者が贈賄者との間で

合意することである。賄賂の要求，約束，収受が一連の行為として行われた場合には，包括一罪となる（大判昭和10・10・23刑集14巻1052頁）。

3 収賄罪の故意

　収賄罪は，故意犯であるから，賄賂性の認識（授受の対象となる利益が，職務と対価関係にあることの認識）が必要である。賄賂を収受する者が，賄賂の認識に欠ける場合には，収賄罪（収受罪，要求罪，約束罪）は，成立しない。収受と供与，両者の約束は，必要的共犯（対向犯）として収賄者と贈賄者がともに賄賂性の認識をもつことによってはじめて成立する罪であるから，その場合，贈賄する者にも，供与罪，約束罪は成立しない。しかし，その場合でも，贈賄する者については，賄賂性の認識があれば，申込罪は成立する。

　賄賂を収受する者には，その対価となる職務を執行する意思が必要である。それがないときには，職務の公正が害される危険が存在しないからである（なお，信頼保護説から，職務執行意思は不要であるとする見解もある）。

4 供与・申込み・約束 ―― 贈賄罪

　供与とは，収受させること（現実に受け取らせること）である。申込みとは，収受を促すことである。収受を促す意思表示を，公務員が認識することは必要でないが，認識しうる程度に行うことは必要である。公務員がその申込みを拒否した場合であっても，申込罪は成立する（大判昭和3・10・29刑集7巻709頁）。公務員が賄賂性を認識していないとき（最判昭和37・4・13判時315号4頁），返還する意思で一時預ったにすぎないとき（大阪高判昭和29・5・29判特28号133頁）は，利益の授受がなされた場合でも，申込罪は成立する。約束とは，賄賂の供与と収受を贈賄者が収賄者との間で合意することである。賄賂の申込み，約束，供与が一連の行為として行われた場合には，包括一罪となる（仙台高秋田支判昭和29・7・6高刑特1巻1号7頁）。

3 賄賂の意義

1 賄賂となりうる利益

　賄賂とは，公務員の職務の対価としての不法な利益をいう。あっせん収賄罪の場合は，あっせんの対価としての不法な利益をいう。なお，公務員として在職中

に私企業の幹部から請託を受けて職務上不正な行為をし、退職後その関連会社の非常勤顧問となり、顧問料として金員の供与を受けた場合について、顧問としての実態が全くなかったとはいえないとしても、この金員は、不正な行為との間に対価関係があるとして、事後収賄罪が成立するとした判例がある（最決平成21・3・16刑集63巻3号81頁）。賄賂は、個別具体的な職務行為との間の対価関係があることは必要でない（最決昭和33・9・30刑集12巻13号3180頁）。賄賂となりうるのは、有形・無形を問わず、人の需要・欲望をみたすに足りる一切の利益である。その種類に限定はない。よって、金融の利益（大判大正14・4・9刑集4巻219頁）、債務を免れる利益（大判大正14・5・7刑集4巻266頁）、接待供応（大判明治43・12・19刑録16輯2239頁）、ゴルフクラブ会員権（最決昭和55・12・22刑集34巻7号747頁）、新規上場に先立ち値上がり確実な株式を公開価格で取得できる利益（最決昭和63・7・18刑集42巻6号861頁。東京高判平成9・3・24判時1606号3頁参照）、土地の売買による換金の利益（最決平成24・10・15刑集66巻10号990頁）等の財産上の利益のほか、就職のあっせん（大判大正14・6・5刑集4巻372頁参照）、異性間の情交（最判昭和36・1・13刑集15巻1号113頁）等が含まれる。

2 社交儀礼と賄賂

中元、歳暮、餞別、お祝い、お見舞い等の社交儀礼（一定程度以下の金額に相当する利益でなければならないと思われる）は、賄賂となるかについて、議論がある。職務の対価である場合には、賄賂となるというのが判例の基本的な見解である（大判昭和4・12・4刑集8巻609頁、大判昭和10・8・17刑集14巻885頁）が、対価関係があっても、社交儀礼として是認される範囲内のものであれば、賄賂とはならないという学説も有力である。

> **Case 279**
> Yは、その子の新規担任となった公立中学校の教師Xに5,000円の贈答用小切手を贈った。

> **Case 279** ような場合について、判例は、Yは、かねてから、その子女の教員に対して、季節の贈答や学年初めの挨拶を慣行としていたことから、上の場合も、慣行的社交儀礼として行われたものであると考える余地があり、ただちにYが学級担任の教諭として行うべき教育指導の職務行為そのものに関する対価的給付であると断じるには疑いがあるとして、賄賂罪の成立に疑問を呈した（最判昭和50・4・24

判時774号119頁)。

3 政治献金と賄賂

政治献金であっても，職務との対価関係が認められれば，賄賂である。単に金銭を贈与する者の利益にかなう政治活動を一般的に期待するときには，賄賂ではないが，具体的な利益と結びつく特定の職務行為を依頼する趣旨であるときには，賄賂であるとする判例がある（大阪タクシー事件。最決昭和63・4・11刑集42巻4号419頁）。なお，金銭が，政治献金という名目で贈与されたか否かは，賄賂であるか否かとは関係がない。また，政治資金規正法による届出がされたか否かも，関係がない。

4 職務の意義

1 職務と法令

賄賂罪が成立するためには，公務員がその職務に関し賄賂を受け取る等のことが必要である。そこで，対価関係に立つべき賄賂を受け取る者の職務とは何かが問題となる。職務の範囲を狭く理解すれば，賄賂罪の成立範囲は狭くなり，職務の範囲を広く理解すれば，賄賂罪の成立範囲は広くなる。

職務とは，公務員がその地位に伴い公務として取り扱うべき一切の執務（事務）をいう（最判昭和28・10・27刑集7巻10号1971頁）。公務員の職務の根拠は，法令であるが，職務であるためには，法令に明示されたものである必要はない。法令全体の趣旨により，公務員が与えられた任務を達成するために公務員としての立場で行うものであれば足りる。

Case 280
　内閣総理大臣Xが，航空機販売会社役員Yから民間航空会社に特定機種の航空機の購入を勧める行政指導をするよう運輸大臣Aを指揮することの依頼を受けて，これを承諾し，多額の現金を受け取った。

Case 281
　内閣官房長官Xが，就職情報誌を発行する会社の代表取締役Yから，国の行政機関において，国家公務員の採用に関し民間の就職協定の趣旨に沿った（官庁による青田買い防止に関する）適切な対応をするよう尽力することの依頼を受けて，多額の小切手

を受け取った。

> (Case 280)・(Case 281)では，ともに，法令の合理的解釈から，対価関係に立つ行為がXの職務に属することを導くことが可能である。(Case 280)の場合には，民間航空会社に対し特定機種の選定購入を勧奨することは，一般的には，（当時の）運輸大臣の航空運輸行政に関する行政指導として，その職務権限に属し，かつ，内閣総理大臣の憲法上（66条・68条・72条）および内閣法上（4条・6条・8条）の行政各部に対する指揮監督権限の存在を根拠として，内閣総理大臣が，運輸大臣に対しそのような勧奨をするよう働きかけることは，一般的には，内閣総理大臣の指示としてその職務権限に属するとして，依頼の対象である内閣総理大臣の運輸大臣に対する働きかけは，内閣総理大臣の職務行為にあたると，最高裁は判断した（ロッキード事件〔丸紅ルート〕。最大判平成7・2・22刑集49巻2号1頁）。
> (Case 281)の場合には，依頼の内容は，国家公務員の採用という国の行政機関全体にわたる事項について適切な措置をとることであり，これは，行政各部の施策に関する総合調整機能に関する内閣官房の事務（内閣12条2項）にあたり，内閣官房の事務を統括する内閣官房長官（内閣13条3項）の職務権限に属すると，最高裁は判断した（リクルート事件。最決平成11・10・20刑集53巻7号641頁）。

なお，賄賂と対価関係に立つ行為は，適法なものであることは必要ない（前掲最大判平成7・2・22）。守秘義務に違反して情報を漏示する等の不正な行為（最決昭和32・11・21刑集11巻12号3101頁，最決昭和59・5・30刑集38巻7号2682頁）や，なすべき職務を行わないという不作為（最決昭和29・9・24刑集8巻9号1519頁，最決平成14・10・22刑集56巻8号690頁）であってもよい。

2 具体的職務権限と一般的職務権限

職務といえるためには，公務員が，具体的職務権限に基づいて現実に担当している事務である必要はなく，一般的職務権限に属する事務であれば足りると解されている。内部的な事務分配によって担当していないだけで（大判大正9・12・10刑録26輯885頁），各人の事務分担に相互に融通性があり，必要な場合は，いつでも担当する可能性があるような事務であれば，職務ということができる。県の地方事務所の農地課の開拓係の者が，同課の農地係の分担に属する事務について賄賂を収受した事案について，たとえ日常担当しない事務であっても，同課の分掌事務に属するものである限り，一般的職務権限に属するとされる（最判昭和37・5・29刑集16巻5号528頁）。賄賂と対価関係に立つ事務が，同じ課に属する事務で

あるか否かは，目安として重要な意味をもつが，異なる課に属する事務について，常に職務性が否定されるというわけではない（前掲最決昭和32・11・21）。

> *Case 282*
> 警視庁A警察署地域課に勤務する警察官Xは，同庁B警察署刑事課で捜査中の事件に関して，告発状を提出していたYから，助言，情報提供，働きかけ等の便宜を受けたいとの趣旨で現金を供与された。

> *Case 282*のような事案について，最高裁は，警察法64条等の関係法令によれば，警視庁警察官の犯罪捜査に関する職務権限は，同庁の管轄区域である東京都の全域に及ぶ等として，被告人が，B警察署刑事課の担当する事件の捜査に関与していなかったとしても，その職務に関し賄賂を収受したものであるといえるとする（最決平成17・3・11刑集59巻2号1頁）。しかし，その捜査についてある程度の担当可能性があったか否かが問題とされるべきであるという見解も有力である。

3 職務密接関連行為とその具体例

1および**2**において述べたような，具体的に担当している事務に関してでなくても，また，一般的職務権限に属する事務に関してでなくても，賄賂罪は成立しうる。それは，本来の職務行為ではないが，職務と密接に関連する行為（職務密接関連行為）に関する場合である。判例は，公務員が，「その職務に密接な関係を有するいわば準職務行為又は事実上所管する職務行為に関して」賄賂を受け取る等すれば，収賄罪が成立するとも表現している（最決昭和31・7・12刑集10巻7号1058頁，最判昭和51・2・19刑集30巻1号47頁）。もっとも，収賄罪は，賄賂が職務との対価関係が認められる場合にのみ成立すると解すべきであり，職務密接関連行為であっても，職務行為に含まれる限りにおいて，その成立を認めてよいとする学説も有力である。

判例において職務密接関連行為とされたのは，以前は，主に，①県議会議員が他の議員を勧誘して議案に賛成させる行為（大判大正2・12・9刑録19輯1393頁）のように，議会で審議する案件について同僚議員へ働きかけを行うような場合であったが，戦後は，さまざまな場合にこれが認められている。その例として，②村役場の書記が村長の補助として担当していた外国人登録事務（前掲最決昭和31・7・12），③市議会議員が所属の会派内において市議会議長の候補者を選出する行為（最決昭和60・6・11刑集39巻5号219頁），④板ガラス割当証明書の発行事務を

担当する者が，証明書の所持人に特定の店から板ガラスを買うように仕向ける行為（最判昭和25・2・28刑集4巻2号268頁），⑤国立芸大の教授が，学生に特定のバイオリンの購入を勧告・あっせんする行為（東京地判昭和60・4・8判時1171号16頁），⑥北海道開発庁の長官が，その下部組織である北海道開発局の港湾部長に対し，港湾工事の受注に関し特定業者の便宜を図るように働きかける行為（最決平成22・9・7刑集64巻6号865頁）等がある。

これに対して，職務密接関連行為であることが否定された例として，農林大臣が，復興金融支援公庫から融資を受けようとする者に，県の食糧事務所長あての紹介名刺を交付し，復興金融支援公庫融資部長を紹介する行為（最判昭和32・3・28刑集11巻3号1136頁），電報電話局施設課の線路係長が，電話の売買をあっせんする行為（最決昭和34・5・26刑集13巻5号817頁），あるいは，工場誘致を担当していた市の職員が，市が開発した工場団地内に希望に沿う土地がみつからなかった会社に，かねてから土地の売却のあっせんを依頼されていた私人の土地の買入れをあっせんする行為（最判昭和51・2・19刑集30巻1号47頁）がある。

発展学習　**職務密接関連性の判断基準**
　どのようにして，職務密接関連行為であると判断すべきかは困難な問題である。職務密接関連性の判断の際に，行為の公務的性格の有無・程度を基準とする見解，行為の本来的職務に及ぼす影響の有無・程度を基準とする見解，地位を利用して行為の相手方に対して行使される影響力の有無・程度を基準とする見解がある。また，たとえば，職務密接関連行為を類型化して，その第1は，自己の本来の職務ではないが，慣行上担当している職務，自己の本来の職務から派生した職務の類型や，本来の職務の前段階的・準備的行為の類型であり，第2は，自己の職務に基づく事実上の影響力を利用する行為の類型であるとし，上記判例の事案のうち，①から③は，第1の類型，④から⑥は，第2の類型の例である等との説明がなされる。

Case 283
　大学設置の認可等を審議する大学設置審議会の委員であり，歯科大学専門課程における教員の資格等を審査する同審議会内の歯学専門委員会の委員であるXは，認可申請をしていた関係者Yから現金等の供与を受け，Yに対し，教員予定者の適否を委員会における審査基準に従ってあらかじめ判定し，あるいは，中間的審査結果を正式通知前に知らせた。

　Case 283 では，審査基準に従った判定は，委員としての地位になければなしえないものであり，将来同専門委員会の審査の対象にかかるものであるから，Xの本来的職務である審査に影響を及ぼす可能性がある。また，正式通知前に，より詳細

な中間的審査結果を知らせることは、その情報が委員の職務遂行の過程で得られたものであり、他の申請者にはなしえない、または他の申請者に先んじた対応をYに可能にしうる点で、Xの本来的職務である審査に影響を与える可能性があるから、職務密接関連行為であることが認められうる。判例は、この結論を肯定している（大学設置審事件。最決昭和59・5・30刑集38巻7号2682頁）。

Case 284
県立医科大学教授Xは、自己が教育指導し、自己が長を務める医局の構成員である医師を、私立病院理事長Yの経営にかかる関連病院に派遣する行為に対する謝礼として、Yから多額の現金を受け取った。

Case 284 では、最高裁は、その行為は、医師の教育指導の上でも、教員養成の上でも重要な意義を有するとして、医師の教育指導という職務に密接に関係するとした（最決平成18・1・23刑集60巻1号67頁）。第一審判決は、本来の職務に密接な関係を有するいわば準職務行為または事実上所管する行為であるとした（前掲最決昭和31・7・12）。もっとも、これは、p. 521 の 発展学習 に記したような類型化によるときにも、第1の類型にあたるか、第2の類型にあたるかは見方が分かれる。

Case 285
内閣総理大臣Xは、航空機販売会社役員Yから民間航空会社に特定の航空機の購入を直接働きかけることの依頼を受け、多額の現金を受け取った。

Case 285 におけるXの行為は、Case 280（⇒ p. 518）と異なり、航空会社に直接働きかける行為である。これは、内閣総理大臣の指揮監督権限の行使を通じて運輸大臣に同様の行政指導を行わせるのと同じ効果を上げうるから、指揮監督権限の行使に準ずる公務的性格の行為であるとして、「準職務行為」の類型にあたるとされている（ロッキード事件〔丸紅ルート〕。東京高判昭和62・7・29判時1257号3頁。上告審である前掲最大判平成7・2・22は、これについて触れなかった）。これは、p. 521 の 発展学習 に記した第2の類型にあたるとされる。

Case 286
衆議院運輸委員会に属する衆議院議員Xは、大手タクシー会社の社長で、地域のタクシー協会の理事であったYから、衆議院大蔵委員会で審議中の法律案について、Yらの利益のために廃案、修正になるよう、法律案の審議、表決にあたって自らその旨の意思を表明することや、大蔵委員会に属する委員を含む他の議員に対してその旨説得、勧誘することの依頼を受けて、現金を受け取った。

Case 286 において、①国会議員は、本会議、自己の所属する委員会における法案の審議、表決についてだけでなく、自己の所属しない委員会における法案の審議、表決についても、一定の要件の下で委員会に出席して意見を述べることができるとすると、職務権限をもち、一定の結論を得るため、自ら意思を表明することや、他の議員を説得、勧誘することは、その職務権限の範囲内にある、または、②自己の所属しない委員会における法案の審議、表決についても、自ら意思を表明することは、職務権限にあたるが、それに加えて、一定の結論を得るため、他の議員を説得、勧誘する行為は、職務密接関連性をもつと理解することが可能である。

Case 286 のような大阪タクシー事件について、第一審および第二審判決は、他の議員を説得、勧誘することは、職務密接関連行為にあたるとしたが、最高裁は、衆議院議員の職務に関して賄賂の供与がなされたとするだけで、職務密接関連行為にあたることを明示していない（前掲最決昭和63・4・11）。もっとも、それは、法案の審議、表決における意思の表明という本来の職務行為に対して賄賂の授受がなされており、問題なく賄賂罪の成立する事案であったから、これとは区別して説明する必要がなかっただけであって、他の議員を説得、勧誘することは、職務密接関連行為ではなく、本来の職務行為にあたる（すなわち、②ではなく①のように理解できる）と判断したわけではないと解することもできる。

4 過去の職務

過去の職務に対する利益を収受する等の行為は、収賄罪を構成するか（なお、加重収賄罪やあっせん収賄罪は、職務行為やあっせん行為後の賄賂収受について成立することが法文上明示されている⇒p.527の**5**とp.528の**7**）。

そもそも、職務行為の後でその対価として賄賂を収受する等の行為についても収賄罪は成立するかという問題については、これを肯定するのが、通説・判例（大判明治44・2・24刑録17輯165頁、大判昭和10・5・29刑集14巻584頁）である。このような場合でも、公務員が職務行為時と賄賂収受時に同じ職務にあるときには、その職務の公正に対する社会の信頼を害することになるからである。

 純粋性説の立場

　この立場は、職務行為後に賄賂を収受することへの期待による職務行為への影響という意味における職務の公正の侵害の危険に着目する。職務行為後のこれに対する賄賂の収受によって、すでになされた職務行為の公正に事後的に影響を与える（事後的に職務の公正の侵害の危険を生じさせる）ことはありえない。ありうるとすると、その職務行為について、「後に賄賂を受け取ることができるのではないか」という期待が公務員に存在した場合（とりわけ、職務行為時に、その職務行為をすることの依頼が、賄賂供与側からなされていた場合）であり、職務行為の後でその対価として賄賂を収受する等の行為に

ついて収賄罪が成立するのは，このような場合に限られると解するのである。

　つぎに，公務員が一般的職務権限を異にする地位に転職した後，転職する前の職務に関し賄賂を収受する等の行為があった場合に，賄賂罪が成立するかが問題となる。大審院判例は，これを否定した。たとえば，帝室林野管理局主事の時に賄賂を約束し，宮内省会計審査官に転じた後に賄賂を収受した場合について，賄賂約束罪の成立のみを認め，収受罪の成立を否定した（大判大正4・7・10刑録21輯1011頁）。また，岡山駅助役から倉敷駅駅長への転職後，前職に関して収賄した場合について，その職務に異同を生じていないとして，収受罪の成立を肯定した（大判昭和11・3・16刑集15巻282頁）。これに対して，最高裁は，賄賂収受の時に公務員である以上は，収賄罪は成立し，賄賂に関する職務を現に担当することは収賄罪の要件ではないとし（最決昭和28・4・25刑集7巻4号881頁），県建築部職員から同県住宅供給公社に出向後，前職に関し賄賂の授受がなされた場合について，「公務員が一般的職務権限を異にする他の職に転じた後に前の職務に関して賄賂を供与した場合」でも，贈賄罪が成立するとしている（最決昭和58・3・25刑集37巻2号170頁）。

　これを肯定する見解は，過去の職務に関する賄賂収受について収賄罪が成立することについて，過去の職務の公正が害されたのではないかという疑念を社会に抱かせる（過去の職務の公正に対する社会の信頼を害する）と同時に，現在の職務の公正に対する社会の信頼をも害するからだと説明する。過去の職務の公正に対する信頼を害することにだけ着目するとすれば，もはや公務員でなくなった者も，現在も公務員である者と同様に，過去の職務の公正が害されたのではないかという疑念を抱かせることになるため，収賄罪の主体を現在公務員である者に限る理由がなくなるであろう。そこで，現在の職務の公正に対する社会の信頼を害することにも着目し，収賄罪の主体は公務員でなければならない（収賄収受等の時にその主体は公務員でなければならない）ことを説明するのである。

　しかし，このような説明については，賄賂と対価関係に立たない現在の職務の公正に対する信頼がどうして害されることになるのかが，必ずしも明らかでない。むしろ，公務員が（職務行為時の）過去の職務の公正に対する社会の信頼を害することはあっても，（賄賂収受時の）現在の職務の公正に対する社会の信頼を害することはないと解することができる。そこで，学説には，転職前と転職後の職務が一般的職務権限を異にする場合には，（収賄罪は成立せず）事後収賄罪しか成立

しないとする見解も有力である。ただ，なお現在も公務員である者が，事後収賄罪の主体である「公務員であった者」にあたるかについては疑問がある。

 将来の職務
　前に述べたのとは逆に，公務員が将来担当すべき職務に関して利益を収受する等の行為が，収賄罪を構成するかも問題である。当該職務を担当する蓋然性があり，将来の職務についてその公正を害すべき危険があると認められるときには，賄賂罪の成立を肯定することができよう。
　改選を控えた市長Ｘが，市長としての一般的職務権限に属し，再選された場合具体的にその職務を執行することが予定されている市庁舎の建設工事の入札等に関し，工事業者Ｙから便宜な取計らいを依頼され，賄賂を収受したような場合において，判例は，Ｘについて，受託収賄罪の成立を肯定する（最決昭和61・6・27刑集40巻4号369頁）。しかし，市長が再選されることは確実とはいえないから，後述する事前収賄罪か，現在の職務に関する単純収賄罪の成立を認めるべきであるとする指摘も有力である。

5　収賄罪の類型

1　複雑な全体像

　明治40（1907）年の現行刑法制定当初は，犯罪類型としては，単純収賄罪と加重収賄罪の規定しかなかった。しかし，昭和16（1941）年には，戦時統制経済体制の下で公務員の綱紀粛正のため，収賄罪の類型が大幅に拡大された。新たな加重収賄罪の類型が設けられ，受託収賄罪，事前収賄罪，事後収賄罪，第三者供賄罪の規定が制定された。昭和33（1958）年には，あっせん収賄罪が新設された。このようにして，収賄罪の全体像は，複雑な様相を呈するに至った。

2　受託収賄罪（197条1項後段）

　受託収賄罪（197条1項後段）は，職務に関する賄賂の収受，要求，約束が，「請託を受けたとき」に成立する。単純収賄罪より重く処罰される。重く処罰されるのは，職務行為が請託に基づくときには，賄賂と職務の対価関係が明白となり，職務の公正（に対する社会の信頼）が害される危険（法益侵害の危険）がより高くなるからである。
　請託とは，公務員に対して一定の職務行為を行うことを依頼することをいう。そして，公務員が請託「を受けた」というためには，依頼を承諾したことが必要である（最判昭和29・8・20刑集8巻8号1256頁）。請託は，黙示的になされたものでもよい（もっとも，この場合は，請託のない単純収賄罪が成立する場合との区別が現実

には微妙となる）。ただ，依頼の対象である職務行為は，具体的に特定されていることが必要であり，一般的に好意ある取扱いを受けたいという依頼にとどまる場合には，請託とはいえない（最判昭和30・3・17刑集9巻3号477頁）。

請託を受けて職務行為がなされた後，賄賂行為がなされる場合にも受託収賄罪が成立する（ロッキード事件〔全日空ルート〕。東京高判昭和61・5・14判時1205号61頁）。

3 事前収賄罪（197条2項）

事前収賄罪は，「公務員になろうとする者が，その担当すべき職務に関し，請託を受けて，賄賂を収受し，又はその要求若しくは約束をしたときは，公務員となった場合において」成立する。法定刑は，5年以下の拘禁刑（懲役）である（197条2項）。現在公務員でない者について成立する罪であることに注意すべきである。公務員でなくても，将来担当する蓋然性が相当程度ある職務についての賄賂の収受等を，請託を受けることと，後に公務員となったことを要件として，処罰の対象とするものである。

公選による地方公共団体の長や議員の候補者について，賄賂行為の時点は，立候補届出前であっても主体となりうる（宇都宮地判平成5・10・6判タ843号258頁）。公務員となることは，客観的処罰条件であるとして，故意の対象とならないとする見解がかつては通説であった。しかし，公務員となってはじめて職務の公正の侵害の危険（法益侵害の危険，すなわち，違法性）が生じるのであるから，構成要件要素であり，故意の対象となると解するべきである。

> *Case 287*
> Xは，公務員になる前に，請託を受けて賄賂の要求，約束をし，公務員になった後に賄賂を収受した。

> (*Case 287*)のような場合，要求，約束は，事前収賄（要求，約束）罪の要件をみたすが，公務員となった後の収受について，受託収賄（収受）罪が成立し，これに吸収されると解されている。

4 第三者供賄罪（197条の2）

第三者供賄罪は，「公務員が，その職務に関し，請託を受けて，第三者に賄賂

を供与させ，又はその供与の要求若しくは約束をしたとき」に成立する。法定刑は，5年以下の拘禁刑（懲役）である（197条の2）。第三者を介して間接的に利益を得るという，受託収賄罪の脱法的行為を処罰の対象とするものである。賄賂が職務行為を行う公務員以外の者に供与されるため，賄賂と職務の対価関係の存在を明確にするために，請託が要件となっている（これは，賄賂を収受する者が公務員でない場合を処罰の対象とする事前収賄罪や事後収賄罪と同じである）。不正な職務行為やその請託は要件となっていない（これは，事前収賄罪と同じである）。

「第三者」は，贈賄者と職務行為を行う公務員以外の者をいう。ただ，公務員が，請託を受けて，その家族（配偶者等）に賄賂を供与させるときのように，実質的には，公務員が賄賂を収受したと認められる場合には，受託収賄罪が成立する。また，賄賂を受け取った者について，公務員と収賄罪の共同正犯が成立する場合には，第三者にあたると解する必要がなく，第三者から除かれる。一方，狭義の共犯者は，第三者にあたる。第三者には，自然人のほか，法人（前掲最判昭和29・8・20）や法人格なき社団を含む。警察署長が，その警察署で使用する自動車の改造費用の負担をさせた場合に，その警察署が第三者にあたるとして，第三者供賄罪の成立が肯定された（最判昭和31・7・3刑集10巻7号965頁）。第三者は，賄賂性の認識をもつ者であることは必要ないと解されている。また，公務員とまったく無関係の第三者への供与について，第三者供賄罪が成立するかについて，判例は，肯定的である（前掲最判昭和29・8・20）が，間接的にも公務員が利益を得ることがないのであれば，利益と職務との間に対価関係があるといえるかは疑問であるとする見解がある。

Case 288
参議院議員Xは，参議院での法案審議について自己にとって有利な活動をしてもらいたいとの依頼のために訪れたYに，Xの後援会に対し寄付名目で現金を供与させた。

Case 288 のように，公務員が自己の関係する団体に寄付させるような場合が第三者供賄罪が成立する典型例である。

5 加重収賄罪（197条の3第1項・第2項）

賄賂を収受等するだけでなく，現実に不正な行為をしたことを要件として，加

重処罰をするのが，加重収賄罪の規定である。法を枉げるということから，枉法
収賄罪とも呼ばれる。2つの類型があり，賄賂の収受等をしてから，不正な行為
をするものと，不正な行為をしてから，賄賂の収受等をするものである。

前者の類型は，公務員が，収賄罪，受託収賄罪，事前収賄罪または第三者供賄
罪を犯し，「よって不正な行為をし，又は相当の行為をしなかったとき」に成立
する収賄後枉法罪（197条の3第1項）である。後者は，「公務員が，その職務上不
正な行為をしたこと又は相当の行為をしなかったことに関し，賄賂を収受し，若
しくはその要求若しくは約束をし，又は第三者にこれを供与させ，若しくはその
供与の要求若しくは約束をしたとき」に成立する枉法後収賄罪（197条の3第2項）
である。いずれも，法定刑は，1年以上の有期拘禁刑（懲役）である。

「不正な行為をし，又は相当の行為をしなかった」とは，職務に違反する一切
の行為をいう（大判大正6・10・23刑録23輯1120頁）。作為か不作為かは問わない。
裁量権の濫用があれば，不正である。

不正な行為が他の犯罪を構成する場合の処理については，収賄の後，公文書偽
造にあたる不正な行為をした場合，加重収賄罪と公文書偽造罪の観念的競合とな
り（最決昭和31・7・12刑集10巻7号1058頁），業務上横領にあたる不正な行為の後，
収賄をした場合，業務上横領罪と加重収賄罪の併合罪となる（最決昭和32・12・5
刑集11巻13号3157頁）とするのが判例である。

6 事後収賄罪（197条の3第3項）

事後収賄罪は，「公務員であった者が，その在職中に請託を受けて職務上不正
な行為をしたこと又は相当の行為をしなかったことに関し，賄賂を収受し，又は
その要求若しくは約束をしたとき」に成立する（例として，前掲最決平成21・3・
16参照）。法定刑は，5年以下の拘禁刑（懲役）である（197条の3第3項）。

公務員在職中の職務に関して，退職後に行った賄賂の収受等を処罰の対象とす
るものである。公務員在職中に賄賂の要求，約束があり，退職後に収受がなされ
たときには，（要求と約束について）加重収賄罪が成立し，（収受について）事後収賄
罪は，それに吸収される。

7 あっせん収賄罪（197条の4）

あっせん収賄罪は，「公務員が請託を受け，他の公務員に職務上不正な行為を
させるように，又は相当の行為をさせないようにあっせんをすること又はしたこ

との報酬として，賄賂を収受し，又はその要求若しくは約束をしたとき」に成立する。法定刑は，5年以下の拘禁刑（懲役）である（197条の4）。公務員が自己の職務に関して賄賂を収受するのではない。あっせんの対象となる他の公務員の職務の公正を間接的に侵害する危険性があるため，処罰されるものである。

請託を受けることが要件であり，あっせんすることの依頼を受け，承諾することが必要である。あっせんとは，働きかけ，依頼をする等，依頼者（贈賄者）と他の公務員の仲介をすることである。判例は，公務員が積極的にその地位を利用してあっせんすることは必要でないが，少なくとも公務員としての立場であっせんすることが必要であり，単なる私人としての行為では，あっせん収賄罪は成立しないとする（最決昭和43・10・15刑集22巻10号901頁）。たとえば，親族関係や先輩と後輩の関係によってあっせんする場合は，含まれないと解される。

あっせん収賄罪の成立が認められた例として，税務署の公務員が他の税務署の公務員に対し，過少の納税ですむように不正な記載のある譲渡所得計算明細書をそのまま受理するようあっせんした事例（前掲最決昭和43・10・15），国会議員が，他の議員の委員会における質問を取りやめるようあっせんすることの報酬を収受した事例（東京地判昭和46・9・20判時648号28頁），衆議院議員が公正取引委員会委員長に対し，大手ゼネコンの入札談合を独占禁止法違反として刑事告発しないよう働きかけることの報酬を収受した事例（最決平成15・1・14刑集57巻1号1頁）等がある。

> **発展学習　あっせん利得処罰法**
> なお，「公職にある者等のあっせん行為による利得等の処罰に関する法律」が，平成12（2000）年に成立し，翌年施行された。あっせん収賄罪の構成要件が限定的であり，十分に機能しうるかについて疑問であったことから，制定された。政治家が公務員等に口利きすることの見返りとして報酬を得ることを処罰する。立法趣旨は，公職にある者（国会議員，地方議会議員等）の政治活動の廉潔性を保持し，これによって国民の信頼を得ることにあるとされる。

6　没収・追徴

1　刑法総則における任意的没収・任意的追徴

1　没　収

没収は，財物の所有権を剥奪し国庫に帰属させることを内容とする財産刑であ

る。付加刑であり（9条），主刑を言い渡す場合にこれに加えて言い渡すことができるだけである。19条1項は，「次に掲げる物は，没収することができる」とする。没収の言渡しは，裁判所の裁量による（任意的〔裁量的〕没収）。没収の対象は，①犯罪行為を組成した物（組成物件という。たとえば，偽造文書行使罪における偽造文書。1号），②犯罪行為の用に供し，または供しようとした物（供用物件という。たとえば，殺人において使用された凶器である刃物。2号），③犯罪行為によって生じた物（生成物件という。たとえば，文書偽造罪における偽造文書），犯罪行為によって得た物（取得物件という。たとえば，賭博によって得た財物・金銭），犯罪行為の報酬として得た物（報酬物件という。たとえば，殺人の報酬として得た財物・金銭。3号），④③の物の対価として得た物（対価物件という。たとえば，③の財物を売って得た金銭。4号）である。没収の対象となる物には，動産だけでなく，不動産も含まれる。債権等の利益それ自体は，没収の対象とならない。

　没収は，犯人以外の者に属しない物に限り，することができる（19条2項）。これは，犯人（共犯者を含む）以外の者がその物に対して所有権その他の物権を有しない物のことである（たとえば，窃盗によって得た財物は取得物件であるが，被害者に所有権がある場合は，犯人以外の者に属する物であるから，没収することはできない）。ただし，犯人以外の者に属する物であっても，犯罪の後にその者が情を知って取得したものであるときは，これを没収することができる（同項ただし書）。

2 追　徴

　19条の2は，**1**に記した③・④の「物の全部又は一部を没収することができないときは，その価額を追徴することができる」とする。これも，裁判所の裁量による（任意的〔裁量的〕追徴）。追徴は，本来の刑罰ではないが，刑罰である没収に準じる性質をもつ。「没収することができない」とは，犯人が費消し，紛失し，毀損し，または，混同し，加工することにより，物の存在または同一性を失わせている場合，善意の第三者に譲渡している場合等，裁判時に法律上または事実上没収できないことをいう。

2 賄賂罪における必要的没収・必要的追徴（197条の5）

　賄賂罪においては，収受者に不正な利益を保持させないために，賄賂について必要的な没収と，（没収ができないときの）賄賂の価額の必要的追徴を行うことが定められている（197条の5）。**1**に述べた刑法総則における任意的没収・任意的

追徴の規定（19条・19条の2）の特則である。また，特別法（国際的な協力の下に規制薬物に係る不正行為を助長する行為等の防止を図るための麻薬及び向精神薬取締法等の特例等に関する法律11条以下，金融商品取引200条の2等）にも，必要的没収・必要的追徴を定める規定が存在する。

3 収受した賄賂の没収

197条の5前段は，「犯人又は情を知った第三者が収受した賄賂は，没収する」とする。公務員が収受した金銭が，自己の金銭と混同して特定性を失ったときや，預金されたときは，没収することができない。追徴の対象となるだけである（最判昭和23・6・30刑集2巻7号777頁，最判昭和32・12・20刑集11巻14号3331頁）。犯人には，収受した公務員のほか，収賄の共同正犯者および狭義の共犯者が含まれる。情を知った第三者とは，第三者供賄罪にいう第三者で，情を知ったもののことをいう。第三者が法人の場合，法人の代表者が情を知っているときは，これにあたる（最判昭和29・8・20刑集8巻8号1256頁）。

> *Case 289*
> Xは，公務員在職中にYに対して賄賂として金銭の供与の要求，約束をし，退職後に現金を収受した。ただし，XはYから請託を受けたことは認められなかった。

> *Case 289* では，Xについて，単純収賄の要求罪，約束罪が成立するが，退職後の受取りについて収受罪は成立しない。このような場合にも，Xが受け取った現金を没収の対象とすることができる（広島高判昭和34・6・12高刑集12巻7号681頁参照）。197条の5の規定は，収受罪が成立することを要件としていないからである。

申込みはあったが，収受されなかったような賄賂は，197条の5前段によって没収することはできない。これは，賄賂申込罪の「犯罪行為を組成した物」として19条1項1号により没収することができる（最判昭和24・12・6刑集3巻12号1884頁）。また，金銭の貸与を受けたとき，賄賂は，金銭そのものでなく，金融の利益（金銭を借りることができる利益）であると理解することができるから，金銭そのものは「収受した賄賂」として197条の5前段によって没収することはできない（また，金融の利益は，その価額を算定することは困難であるとして，実際上追徴もできないとされる）。金銭は，「犯罪行為によって得た物」として19条1項3号により没収することができる（最決昭和33・2・27刑集12巻2号342頁，最判昭和36・6・

22刑集15巻6号1004頁)。

　いったん収受した賄賂を収賄者が贈賄者に返還した場合については，判例は，197条の5は，没収の対象物を定めたものであり，対象者を定めたものではないとの理由で，贈賄者から没収すべきであるとする（大連判大正11・4・22刑集1巻2号296頁，最決昭和29・7・5刑集8巻7号1035頁。学説においては，収受者に不正な利益を保持させないという197条の5の趣旨から，贈賄者から19条の任意的没収を認めるべきであるとする見解もある)。これに対して，いったん収受した賄賂を収賄者が費消した後，賄賂の価値相当額を贈賄者に返還した場合は，収受した賄賂は没収することができないとして，収賄者から価額を追徴する（最判昭和24・12・15刑集3巻12号2023頁，最決昭和31・2・3刑集10巻2号153頁)。

　賄賂を複数の共同正犯者が共同して収受した場合について，最高裁は，共犯者各自に対し，それぞれ全部の没収を言い渡すことができ，没収が不能の場合には，共犯者各自に対し，それぞれ収受した賄賂の価額全部の追徴を命じることができるとした（最決平成16・11・8刑集58巻8号905頁)。もっとも，利益の共犯者間における帰属，分配が明らかである場合にその分配等の額に応じて各人に追徴を命じる等，裁量により，各人にそれぞれ一部の額の追徴を命じ，あるいは一部の者にのみ追徴を科することも許されるとし，原判決が，大審院判例（大判昭和9・7・16刑集13巻972頁）によって，分配の状況は不明であるとして均分した金額を各人からそれぞれ追徴するとした判断を是認した。

4　賄賂の価額の追徴

　197条の5後段は，同条前段の賄賂の「全部又は一部を没収することができないときは，その価額を追徴する」とする。この没収不能となる場合には，①賄賂が，費消，譲渡，紛失等により収賄者から失われた場合（事後的不能）と，②賄賂が，そもそもその性質上没収の対象とならない場合（原始的不能）とがある。総則の19条の2による追徴は，没収可能な物が事後的に没収不能となる①の場合に限られるが，197条の5後段による追徴は，不正な利益を収賄者に残すことがないよう，②の場合にもなされることが認められている。その例として，供応接待（大判大正4・6・2刑録21輯721頁)，債務を免れる利益（最決昭和41・4・18刑集20巻4号228頁)，ゴルフクラブ会員権（最決昭和55・12・22刑集34巻7号747頁)，新規上場に先立ち値上がり確実な株式を公開価格で取得できる利益（最決昭和63・7・18刑集42巻6号861頁）等がある。

追徴額としての賄賂の価額をどの時期を基準として算定するかについては、収受した時とする見解、没収不能となった時とする見解、裁判の時とする見解があるが、収受した時とする見解が判例（最大判昭和43・9・25刑集22巻9号871頁）であり、多数である。

7 恐喝罪・詐欺罪との関係

恐喝により、賄賂を供与させた場合には、公務員に職務執行の意思がないときには、収賄罪は成立せず、恐喝罪のみが成立する（最判昭和25・4・6刑集4巻4号481頁）が、職務執行の意思があるときには、収賄罪と恐喝罪の観念的競合となり（福岡高判昭和44・12・18判時584号110頁）、供与者には贈賄罪が成立する（最決昭和39・12・8刑集18巻10号952頁）。公務員が、職務執行をする意思がないのに、欺罔により賄賂を供与させた場合には、収賄罪と詐欺罪の観念的競合となるとする判例がある（大判昭和15・4・22刑集19巻227頁）が、収賄罪は成立しないと解すべきであろう。

事項索引

あ 行

欺 く……………………………………379
アジャン・プロヴォカトゥール……………220
あっせん収賄罪……………………………528
あてはめの錯誤………………………98, 192
安楽死………………………………147, 266
医学的適応性………………………………146
遺 棄
　——の概念………………………………274
遺棄の罪……………………………………273
意思決定機能………………………………9
意思主義……………………………………96
意思侵害説…………………………………309
意思責任論…………………………………174
遺失物………………………………………403
遺失物等横領罪……………………………403
意思表示説…………………………………141
意思方向説…………………………………141
医術的正当性………………………………146
委託物横領罪…………………………395, 396
移 置…………………………………………274
一元主義……………………………………18
一部実行の全部責任………………………212
一部責任能力………………………………178
一部損壊説……………………………415, 416
一部露出説…………………………………263
一厘事件……………………………………137
1項強盗罪…………………………………361
一体性説……………………………………455
一般法………………………………………248
一般予防的機能……………………………7
一般予防機能………………………………9
一般予防主義………………………………7, 9
移転説………………………………………343
居直り強盗…………………………………363
囲繞地………………………………………313
違法一元論……………………………135, 136
違法多元論…………………………………136
違法二元論…………………………………131

違 法
　——の相対性……………………………135
違法減少説…………………………………80
違法状態維持説……………………………352
違法性…………………………………40, 129
　——の意識……176, 189, 191, 194, 195, 197, 198
　——の意識の可能性………………195, 198
　——の意識必要説……………193, 195, 197
　——の錯誤……………187, 196, 198, 200
違法性阻却…………………………………129
違法性阻却事由………………………129, 187
　——の錯誤……………………………200, 202
違法身分……………………………………233
意味の認識……………98, 100, 188, 189, 469
医療行為……………………………………146
威 力…………………………………………325
因果関係……………………………………49
　——の錯誤……………………………102, 103
　——の認識………………………………97
因果関係存否の具体的判断………………56
因果の共犯論…………………………207, 213
因果的行為論………………………………38
印 章…………………………………………447
印章偽造罪…………………………………447
隠 匿…………………………………………357
隠匿説………………………………………343
隠 避…………………………………………504
ヴェーバーの概括的故意…………………103
受け子………………………………………225
営利・わいせつ・結婚・加害目的略取・誘拐罪
　…………………………………………300
越権行為説…………………………………399
延焼罪………………………………………422
応報刑………………………………………17
応報刑主義………………………………17, 18
枉法収賄罪…………………………………528
横 領…………………………………………399
　横領後の——……………………………402
横領罪…………………………………395, 396
大阪南港事件………………………………57
汚職の罪……………………………………513

か　行

概括的故意……93
外国判決の効力……35
拐　取……298
蓋然性説……97
回避可能性……115
外部的名誉……314
解放減軽……304
外務省秘密漏洩事件……134
替え玉受験……443
確信犯……193, 195, 196
拡張解釈……29
拡張された構成要件……69
拡張的正犯概念……205
確定的故意……93
科刑上一罪……250
加減的身分……232
加減的身分犯……45
過　失
　　──による教唆……219
　　──の競合……126
　　──の体系的地位……111
過失傷害罪……283
過失推定説……42
過失犯……109
　　──における注意義務……111
　　──の因果関係……118
　　──の教唆……219
　　──の共同正犯……226
過失併存論……120
加重収賄罪……527
加重封印等破棄等の罪……496
過剰避難……168
過剰防衛……161
かすがい現象……254
ガス漏出等の罪……418
課徴金制度……14
仮定的因果経過……54
可能的自由……291
可罰的違法性……135, 136
可罰的責任論……171
科　料……13
ガロファロ……7

川崎協同病院事件……147
監　禁……291
監護者性交等致死傷罪……479
監護者わいせつ及び監護者性交等罪……5, 472, 478, 479
監護者わいせつ致死傷罪……479
患者の推定的同意……147
慣習刑法の排除……28
間接教唆……219
間接正犯……72, 204, 208, 440
間接正犯類似説……182, 183
間接的安楽死……147
間接暴行……490
カント……7
観念説……431, 432, 444
観念的競合……250, 253
管理可能性説……331
管理・監督過失……122
毀　棄……357
毀棄および隠匿の罪……357
毀棄罪……330
企業組織体の過失責任……122
危惧感説……116
偽　計……324
危険運転致死傷罪……3, 4, 93, 279
危険故意……97
危険実現説……55
危険の引受け……122
危険犯……25, 46, 273
危険分配の法理……120
偽証罪……500, 512
既遂結果発生と中止犯……86
規制的機能……9, 125
キセル乗車……383
偽　造……430, 452
偽造私文書等行使罪……434
偽造・変造……455, 457
期待可能性……171, 172, 176, 453, 505, 509, 511
　　──の理論……172, 173, 506
機能的一体性……420
機能的行為支配説……213
規範違反……130
規範の構成要件要素……98, 100, 188, 189, 469
規範の事実の認識……97
規範的責任論……175, 189, 196

器物損壊罪	359
義務の衝突	169
客　体	
——の錯誤	102, 103
——の不能	74
客観説	55, 88
客観的違法論	129
客観的危険性	75
客観的危険説	75, 76
客観的処罰条件	19, 47
客観的責任要素	176
キャッシュカード	458, 459
旧過失論	111, 115, 116, 124
旧強姦致死傷罪	480
吸収関係	248
旧　派	7, 8
急　迫	153
——の侵害	153
境界損壊罪	359
恐　喝	374
恐喝罪	373
凶器準備集合・結集罪	279
狭義の公文書	426
教唆行為	218
教唆犯	204, 218
行政刑罰法規	91, 100, 189
強制執行関係売却妨害罪	495
強制執行行為妨害等の罪	495
強制執行妨害目的財産損壊等の罪	494
強制性交等罪	5, 472, 475, 477, 479
行政犯	192, 193, 194
強制わいせつおよび準強制わいせつ罪	5
強制わいせつ罪	473, 479
強制わいせつ等致死傷罪	479, 480, 481
共同意思主体説	212
共同教唆	244
共同実行	
——の意思	211, 216
——の事実	210, 215
共同正犯	206, 210, 287
——からの離脱	229
——と正当防衛	243
——の中止	230
共同幇助	244
脅　迫	490
脅迫罪	295
共罰的事後行為	250, 338
共罰的事前行為	250
共　犯	203
——と錯誤	237
——の過剰	237
——の錯誤	237
——の従属性	208
——の処罰根拠	207
共犯従属性説	270
共犯諸形式間の事実の錯誤	239
共謀共同正犯	211, 216
——における実行の着手時期	215
業　務	114, 146, 322
業務上横領罪	395, 396
業務上過失致死傷罪	4, 114, 122, 124
業務上失火罪	114
業務上の過失	113, 114
業務と公務	322
業務妨害罪	320, 322
供　与	516
強要緊急避難	167
強要罪	297
供用物件	530
虚偽記入	456
虚偽公文書作成等罪	440, 442
虚偽告訴の罪	500
虚偽私文書の作成	446
虚偽診断書等	426
虚偽診断書等作成罪	446
虚偽の風説の流布	322
虚偽文書作成	430, 432, 457
極端従属形式	208
許諾権説	308
挙動犯	46
緊急行為	151
緊急状況に関する錯誤	144
緊急避難	165
禁錮刑	14
禁止規範	61
禁止の錯誤	200
禁制品	333
近代学派	7, 8, 17
偶然防衛	157
具体的危険説	75

具体的危険犯	46, 97, 413
具体的危険犯説	274
具体的事実の錯誤	101
具体的符合説	101
具体的法定符合説 → 法定的符合説	
クレジットカード	458
——の不正使用	391
刑	
——の廃止	36
——の変更	31, 36
傾向犯	48, 99
形式主義	425
形式的違法性	129
形式的客観説	70, 205
形式的な意味の刑法	6
形式的犯罪論	8, 44
形式犯	25
刑事未成年	177
継続犯	47, 185
刑罰	
——の威嚇力	18
——の加重減軽事由	15
刑罰拡張事由	206
刑罰適応性	174
刑罰法規の明確性	32
刑罰法規不遡及の原則	30
刑法	
——の謙抑主義	23
——の謙抑性	9
——の時間的適用範囲	36
——の場所的適用範囲	34
——の補充性	9, 23
刑務作業	14
激情犯	193
激発物破裂罪	418
結果回避可能性	54, 63
結果回避義務	115
結果主義	24
結果的加重犯	94, 279, 282, 285, 289, 479
結果発生	
——の確実性	72
——の切迫性	72
結果無価値論	130, 131
結果予見義務	115, 124
決定論	7

原因において違法な行為	156
原因において自由な行為の理論	180, 183
厳格故意説	193, 195, 197, 198
喧嘩闘争	156
権限濫用説	404
現在の危難	166
現実的自由	291
限時法	31
——の理論	31
現住建造物等放火罪	419
現住性	419, 420
限縮的正犯概念	205
建造物	358
建造物等以外放火罪	422
建造物等損壊罪	358
建造物等損壊致死傷罪	358
限定主観説	88
限定責任能力	177, 183
現場助勢罪	279, 286
権利行使	375
——と恐喝罪	375
牽連犯	253
故意	
——ある道具	209
——のある幇助的道具	183, 210
——の体系的地位	92
——の符合	103, 105
——のブーメラン現象	202
故意規制機能	99
故意説	197
故意犯	91
行為	45
——の客体	46
行為共同説	214
行為支配説	205
行為時標準説	489
行為者の主観と危険	73
行為主義	24
行為制御能力	177, 179, 180, 183
行為・責任同時存在の原則	180, 182, 183
行為責任論	174
行為無価値論	130, 131
行為論	37
公益を図る目的	317
公共危険罪(犯)	411, 419

公共の危険	411
公共の利害に関する事実	317
拘禁刑	6
公契約関係競売等妨害罪	496
行　使	453
——の目的	99, 432, 439, 452, 453, 455, 457
強　取	361
公図画	426, 437, 438
公正証書原本	426
公正証書原本不実記載等・同行使罪	441
構成的身分	232
構成的身分犯	45
構成要件	43
——の重なり合い	215
——の修正形式	206
構成要件該当行為	43
構成要件該当性	39
構成要件的故意	176, 201
構成要件的錯誤	200
公　然	315
公然陳列	470
公然わいせつ罪	463, 466
強盗・強制性交等罪	372, 472
強盗・強制性交等致死罪	373
強盗強姦罪	472
強盗罪	361
強盗致死傷罪	370
強盗予備罪	370
交　付	453
交付行為	374, 381, 383
公文書	426, 437, 438
公文書偽造等罪	437, 438
合法則的条件説	54
公務員	485, 515
公務員職権濫用罪	513
公務執行妨害罪	484, 485
公務の適法性についての錯誤	489
効用喪失説	415
公用文書等毀棄罪	357, 437
拘　留	13
呼吸終止説	265
国際刑事司法共助	34
個人の法益に対する罪	261
個人の性的自由	463, 472, 475
誤想過剰避難	169
誤想過剰防衛	164
誤想避難	169, 200
誤想防衛	163, 187, 200
誇張従属形式	208
国家的法益に対する罪	261, 483
国家の作用に対する罪	483
国家の存立に対する罪	483
国交に関する罪	483
古典学派	7, 17
個別財産	331
混合惹起説	207
混合的包括一罪	250
混合的方法	178
昏酔強盗罪	370
コントロールド・デリバリー	241
コンピュータ・ウィルス	448

さ　行

再間接教唆	219
罪刑法定主義	8, 26, 110
財産刑	13, 14
財産罪	329
財産上の損害	406
財産上の利益	330, 364, 378
財産的損害	387
罪質符合説	101
最小限従属形式	208
罪　数	247
サイバーポルノ	470
裁判時標準説	489
財　物	330, 331
財物罪	330
財物返還請求権	365
罪名従属性	214
詐欺罪	377
作　為	60
——容易性	64
作為可能性	63
作為義務	63
——の根拠	64
——の発生根拠	64
作為犯	61
作為犯との等価値性	268
作出権者	436, 437

作成名義	431, 443
——の真正さ	425
作成名義人	425, 427, 432, 435, 437
——の承諾	444
殺人の罪	261
殺人未遂	269
殺人予備	269
三徴候説	265
三分説	261
自救行為	151
死　刑	13
事後共犯	499
事後強盗罪	368
事後従犯	221
事後収賄罪	528
自殺関与罪	270, 271
事実上の引受け	68
事実説	431
事実的故意	187, 190, 197
事　実	
——の過失	199
——の公共性	317
——の錯誤（説）	200
——の錯誤（論）	100, 103, 118, 187
——の摘示	316
——の認識	193
自手犯	46
自招侵害	156
事前収賄罪	19, 526
自然犯	196
死体損壊罪	262
失火罪	423
実行共同正犯	211
実行行為	49
——の終了時期	82
実行従属性	208, 218
実行中止	81
実行の着手	70
実行未遂	81
実質主義	425, 440
実質的違法性	130
実質的違法性阻却	135
実質的客観説	70, 205
実質的故意論	99, 193
実質的な意味の刑法	6
実質的犯罪論	8, 44
実体的デュー・プロセス	32
質的過剰	162
児童虐待	277
自動車運転過失致死傷罪	4
自動車運転死傷行為等処罰法	3
支配型	217
支配領域性	65
支払用カード電磁的記録に関する罪	455, 458
支払用カード電磁的記録不正作出準備罪	460
支払用カード電磁的記録不正作出等罪	459
私文書	426, 442
私文書偽造等罪	442
事務処理者	405
社会公共	
——の信用	425, 429, 451, 454
——の性風俗	463, 465
社会生活上必要な注意	116, 120
社会的行為論	38
社会的責任論	17, 174
社会的相当性説	132
社会的法益に対する罪	261
社会防衛論	18
社交儀礼と賄賂	517
惹起説	207, 213
住居権説	308
住居侵入罪	307, 309
自由刑	13
自由刑単一化論	14
集合犯	203, 249
収　受	515
修正惹起説	207
重大な過失	113
柔道整復師事件	58
従　犯	206
自由保障機能	9
終末期医療	266
重要部分燃焼開始説	415
収賄罪	513, 515, 516
主観主義	74, 197
主観説	70, 88
主観的違法要素	48, 92, 99
主観的違法論	129
主観的危険説	74
主観的構成要件要素	92, 98

主観的責任要素	173	職務密接関連行為	520
主観的名誉	314	所在国外移送目的略取・誘拐罪	303
主刑	14	所持説	334
主体	45	処断刑	16
主体の不能	74	侵害故意	97
受託収賄罪	525	侵害犯	46
取得説	343	人格的行為論	38
取得物件	530	新過失論	111, 115
準強制性交等罪	477, 479	人工妊娠中絶	266
(準)強制性交等致死傷罪	479	新効用喪失説	417
準強制わいせつ罪	5, 475, 479	親告罪	19, 304
(準)強制わいせつ致死傷罪	479	真実性の誤信	318
準詐欺罪	377	真実性の証明	316
純主観説	74	真摯な努力	85
純粋惹起説	207	信書	359
純粋性説	515	信書隠匿罪	359
準正当防衛説	202	信書開封罪	307
傷害罪	279	新・新過失論	116
傷害致死罪	285	心神耗弱	177, 183
障害未遂	79	心神喪失	177, 183, 475
消火妨害罪	418	人身売買	297
消極的安楽死	147	人身売買罪	297, 302
消極的構成要件要素の理論	200	真正不作為犯	61
消極的責任主義	173	真正身分犯	45, 235, 275, 500
消極的身分犯	234	親族相盗例	348
承継的共同正犯	223	親族による犯罪に関する特例	506
上下主従の関係	340	侵奪	347
条件関係	52, 53	陣痛開始説	263
──の断絶	53	人的処罰阻却事由	506
条件説	55	新派	7
条件付き故意	94	信用毀損罪	320, 321
証拠隠滅等罪	508	信用・業務に対する罪	320
常習者の身分	235	信頼の原則	120
常習犯	196	信頼保護説	514
詔書	426	心理的責任論	175
使用窃盗	344	推定的同意	144
焼損	415	随伴行為	250
状態犯	47	ストーカー行為規制法	13
証人等威迫罪	500	性格責任論	174
私用文書等毀棄罪	357, 437	制限故意説	195, 198
情報の保護	346	制限従属形式	208
触法精神障害者	180	制限従属性説(論)	208, 270
職務	486, 518	制限責任説	202
職務強要罪	492	政策説	80
職務の適法性	488	政治献金と賄賂	518

生成物件	530
製造物責任	126
請　託	526
性的な自己決定権	473
性的自己決定権	475
正当化事情の錯誤	200
正当業務行為	145
正当行為	145
正当防衛	151, 152, 187
正　犯	203
正犯意思	211
性犯罪	5
世界主義	34
責　任	171
責任共犯論	207, 506
責任減少説	80
責任原則緩和説	182, 184
責任故意	176, 187, 198
責任主義	17, 25, 91, 95, 97, 117, 171, 173, 174, 180, 187, 194, 199, 285
責任説	197
責任阻却事由	177, 180
責任能力	173, 177, 180, 184
責任無能力	177
責任身分	234
説教等妨害罪	321
積極的安楽死	147
積極的加害意思	154
窃　取	342
接触説	343
接続犯	249
絶対主義	17
絶対的軽微型	136
絶対的不定期刑	32
絶対的不能	76
折衷説	55
折衷的行為無価値論	131
窃盗の機会	368
――の継続中	369
窃盗の罪（窃盗罪）	329, 337
是非弁別能力	177, 179, 183
先行行為	64
宣告刑	16
全体財産	331
専断的治療行為	147

全部露出説	263
占　有	339, 398
――の弛緩	382
占有説	334
臓器移植法	265, 266
総合判断説	265
相対的軽微型	136
相対的不定期刑	32
相対的不能	76
相対的わいせつ文書	466
相当因果関係	118
相当因果関係説	55
相当性	158
相当性説	55, 57
蔵　匿	504
贈賄罪	514
属人主義	34
即成犯	47
属地主義	34
組成物件	530
措置入院制度	180
損　壊	358, 359
尊厳死	147, 266

た　行

対価物件	530
大規模火災事故	124
対向犯	203, 469, 505, 516
第三者供賄罪	526
第3の錯誤説	202
代表・代理資格の冒用	443
対物防衛	155
逮　捕	291
逮捕・監禁罪	291
逮捕・監禁致死傷罪	294
択一関係	248
択一的競合	54
択一的故意	93
打撃の齟齬	102
堕胎の罪	266
奪取罪	330
堕落説	207
段階的過失論	119
談合罪	496

単純遺棄罪	273, 274	東京中郵事件	135
単純一罪	247	道具理論	183, 209
単純行為犯	46	同時傷害の特例	224, 279, 287
単純収賄罪	513	同時犯	216, 287
秩序維持機能	9	逃走罪	483, 484
着手中止	81	盗品等運搬罪	355
着手未遂	81	盗品等に関する罪	351
中止故意	86	盗品等保管罪	355
中止犯	79	盗品等無償譲受罪	355
中止未遂	79	盗品等有償処分あっせん罪	355
中止の任意性	87	盗品等有償譲受罪	355
抽象的危険説	74	独自の錯誤説	202
抽象的危険犯	46, 273, 412, 425, 500, 502, 504, 511	特殊詐欺	3, 225
		特別関係	248
抽象的危険犯説	274	特別刑法	6
抽象的事実の錯誤	101, 105, 106	——上の重なり合い	106
抽象的符合説	101	特別公務員職権濫用罪	513
抽象的法定符合説 → 法定的符合説		特別公務員職権濫用等致死傷罪	513
懲役刑	14	特別公務員暴行陵虐罪	513
超過的内心傾向	48, 99	特別法	248
重畳的因果関係	53	特別予防機能	9
直接正犯	204	独立呼吸説	263
直近過失論	119	独立燃焼説	415
治療行為	12, 146	図利加害目的	407
追求権説	351		
追　徴	530	**な　行**	
通貨偽造等準備罪	453		
通貨偽造の罪	451	内部的名誉	314
通貨発行権	451, 452	名古屋中郵事件	135
適法行為の期待可能性	505	新潟監禁致傷事件	256
デュー・プロセス	32	二元主義	18
電気窃盗事件	332	2項強盗罪	364
電子計算機使用詐欺罪	393	二重の故意	182
電子計算機損壊等業務妨害罪	326	二重売買	402
電子コピー		日数罰金制度	15
——の偽造	429	二分説	166, 261
——の文書性	427	認識主義	96, 97
電子署名	447	認識のある過失	96, 113
電磁的記録	393, 426, 435, 436, 441, 458, 459	認識のない過失	113
電子マネー	451, 454, 458, 460	妊婦の自己決定権	266
同意殺人罪	267, 270, 272	任務違背行為	406
同意に基づく傷害	139	認容説	96
東海大学病院事件	148	脳死説	265, 266
同害報復	6		
道義的責任論	174, 193		

543

は行

背信説……404
背信的権限濫用説……404
背任罪……404
　　──の共同正犯……408
罰金刑……14
早すぎた結果発生……108, 414
犯罪共同説……214
犯罪個別化機能……99
犯罪類型……44
犯罪論……37
犯人蔵匿・証拠隠滅の罪……499
犯人蔵匿等罪……502
犯人庇護罪……499
頒　布……469
被害者
　　──の承諾……11
　　──の同意……122, 138, 270
被害者のない犯罪……10, 463
被拐取者収受者身代金要求罪……302
ひき逃げ……65
非決定論……7, 174
非現住建造物等放火罪……421
非権力的公務……486
ひったくり……363
必要的共犯……203, 469, 505, 516
人
　　──の始期……262
　　──の終期……265
　　──の住居……313
　　──の信用……321
非難可能性……171, 172, 173, 176
避難の意思……168
非破廉恥罪……14
秘密漏示罪……307
評価機能……9, 130
評価規範……130
表現犯……48
漂流物……403
ビラ貼り……358
被略取者等所在国外移送罪……303
被略取者引渡し等の罪……303
封印等破棄罪……492

風俗犯……466
夫婦間の強姦……476
フェリー……7
フォイエルバッハ……7
不確定的故意……93
付加刑……14
不可罰的事後行為　→　共罰的事後行為
武器対等の原則……158
不作為……60
　　──正犯への共犯……243
　　──と共犯……241
　　──による共犯……242
　　──による殺人……277
　　──の因果関係……62
　　──の過失……126
　　──の共同正犯……241
不作為犯……60
侮辱罪……320
不真正不作為犯……61
不真正身分犯……45, 232, 262, 275
不正指令電磁的記録……448
不正電磁的記録カード所持罪……460
不正の侵害……155
不退去罪……314
普通殺人罪……267
物理的一体性……420
不動産……347, 364, 378
不動産侵奪罪……347
不能犯……74
部分的責任能力……178
部分的犯罪共同説……214
不法共犯論……207
不法原因寄託物……401
不法原因給付……390, 401
不法領得の意思……344, 399
プリペイドカード……455, 458
文書偽造罪の保護法益……429
文書偽造の罪……425
文書としての同一性……439
平穏侵害説……309
平穏説……308
平穏占有説……335
併合罪……255
米兵ひき逃げ事件……56
ベッカリーア……7

遍在説	35
変　造	430, 452
片面的教唆	219
片面的共同正犯	216
片面的幇助	221
保安処分	17
防衛の緊急避難	159
防衛の意思	156, 187
法益関係的錯誤説	143, 388
法益均衡	168
法益侵害	130
法益性の欠如	134
法益保護機能	9
放　火	414
放火罪	411
法確証の利益	152
包括一罪	248
防御権の濫用	505
暴　行	490
——の概念	285
暴行罪	283
報酬物件	530
法条競合	247
幇助の因果性	222
幇助犯	206, 220
法人の処罰	41
法定刑	16
法定的符合説	92, 101, 102
法定犯	192, 193, 194
法の不知	191
方　法	
——の錯誤	102, 103, 105
——の不能	74
法　律	
——の過失	199
——の錯誤	100, 189, 198, 200
——の認識	193
——の不知	190, 191
法律主義	28
法律説	80
法律の事実の錯誤	189
法令行為	145
保護主義	34
保護責任者	275
保護責任者遺棄等罪	273, 274, 276

保護の客体	46
保護法益	11, 261, 262, 279, 425, 451, 454, 458, 473, 475, 499, 501
補充関係	248
補充性	168
補充を必要とする構成要件	111
保障人的地位	63, 268
母体保護法	267
没　収	13, 529, 530
本権説	334

ま　行

未遂結果説	182
未遂の教唆	219
未遂犯	69
未成年者略取・誘拐罪	300
みなし公務員	515
身代金目的略取・誘拐罪	301
身代金目的略取・誘拐予備罪	303
未必的故意	93, 94
身　分	231
身分犯	275, 440
脈搏終止説	265
無印公文書	438
無印私文書	442
無価値	132
無形偽造	426, 431, 443
無形偽造説	443
無銭飲食	380
名誉毀損罪	315
名誉拘禁	14
名誉に対する罪	314
命令規範	61, 129
燃え上がり説 → 重要部分燃焼開始説	
目的刑	17
目的説	152
目的的行為論	38, 198
目的犯	48, 99, 432, 437, 453, 460, 500

や　行

約　束	515, 516
有印公文書	438
有印私文書	442

545

優越的利益説	133
有価証券偽造の罪	453, 455
有体性説	331
有形偽造	426, 430
有形偽造説	443
有責性	40
輸　入	453
許された危険	120
要素従属性	208
予見可能性	115
予備段階における中止	89
予備の共犯	244

ら　行

利益衡量説	152
利益窃盗	338
離隔犯	50, 72
リスト	7
利得罪	330
リビング・ウィル	148

略取・誘拐罪	297
略取・誘拐者身代金要求罪	302
量的過剰	162
領得行為説	399
領得罪	330
両罰規定	41, 45
履歴書の偽造	445
類推解釈	28
──の禁止	28
連鎖的教唆	219
連続犯	249
労役場留置	14
労働争議	149
ロンブローゾ	7

わ　行

わいせつ物頒布等罪	98, 464, 468
賄　賂	516
賄賂罪	514

判例索引

大判明治36・5・21刑録9輯874頁 …………… 332
大判明治41・11・9刑録14輯994頁 …………… 433
大判明治42・2・5刑録15輯61頁 …………… 438, 447
大判明治42・3・16刑録15輯261頁 …………… 454
大判明治42・3・25刑録15輯324頁 …………… 434, 442
大判明治42・4・16刑録15輯452頁 …………… 359
大判明治42・6・8刑録15輯735頁 …………… 500
大判明治42・7・27刑録15輯1048頁 …………… 254
大判明治42・10・7刑録15輯1196頁 …………… 454
大判明治43・2・7刑録16輯175頁 …………… 403
大判明治43・2・10刑録16輯189頁 …………… 442
大判明治43・3・25刑録16輯470頁 …………… 511
大判明治43・4・25刑録16輯739頁 …………… 249
大判明治43・4・28刑録16輯760頁 …………… 106
大判明治43・5・23刑録16輯906頁 …………… 390
大判明治43・6・17刑録16輯1210頁 …………… 366
大判明治43・6・17刑録16輯1220頁 …………… 254
大判明治43・6・23刑録16輯1276頁 …………… 500
大判明治43・9・22刑録16輯1531頁 …………… 401
大判明治43・9・30刑録16輯1572頁 …………… 426
大判明治43・10・11刑録16輯1620頁〔たばこ専売法違反事件（一厘事件）〕…………… 137
大判明治43・10・27刑録16輯1764頁 …………… 371
大判明治43・11・21刑録16輯2093頁 …………… 447
大判明治43・12・2刑録16輯2129頁 …………… 403
大判明治43・12・16刑録16輯2214頁 …………… 409
大判明治43・12・19刑録16輯2239頁 …………… 517
大判明治44・1・24刑録17輯8頁 …………… 249
大判明治44・2・24刑録17輯165頁 …………… 523
大判明治44・2・27刑録17輯197頁 …………… 359
大判明治44・3・21刑録17輯427頁 …………… 438
大判明治44・4・17刑録17輯587頁 …………… 397
大判明治44・4・17刑録17輯601頁 …………… 486
大判明治44・4・24刑録17輯655頁 …………… 411
大判明治44・4・28刑録17輯712頁 …………… 479
大判明治44・7・6刑録17輯1388頁 …………… 254
大判明治44・8・15刑録17輯1488頁 …………… 333
大判明治44・10・13刑録17輯1713頁 …………… 442
大判明治44・11・10刑録17輯1871頁 …………… 254
大判明治44・11・27刑録17輯2041頁 …………… 386
大判明治45・1・15刑録18輯1頁 …………… 508

大判明治45・4・18刑録18輯477頁 …………… 456
大判明治45・5・7刑録18輯578頁 …………… 398
大判明治45・5・23刑録18輯658頁 …………… 254
大判明治45・5・30刑録18輯790頁 …………… 438, 447
大判明治45・6・20刑録18輯896頁 …………… 280
大判明治45・7・16刑録18輯1083頁 …………… 275
大判明治45・7・16刑録18輯1087頁 …………… 381
大判明治45・7・23刑録18輯1100頁 …………… 500
大判大正1・9・6刑録18輯1211頁 …………… 362
大判大正1・10・8刑録18輯1231頁 …………… 398
大判大正1・11・25刑録18輯1421頁 …………… 333
大判大正2・1・20刑録19輯9頁 …………… 333
大判大正2・3・25刑録19輯374頁 …………… 354
大判大正2・4・29刑録19輯533頁 …………… 432
大判大正2・6・12刑録19輯711頁 …………… 397
大判大正2・6・12刑録19輯714頁 …………… 400
大判大正2・9・5刑録19輯844頁 …………… 500
大判大正2・10・21刑録19輯982頁 …………… 371
大判大正2・11・5刑録19輯1121頁 …………… 110
大判大正2・11・18刑録19輯1212頁 …………… 230
大判大正2・12・6刑録19輯1387頁 …………… 432
大判大正2・12・9刑録19輯1393頁 …………… 520
大判大正2・12・16刑録19輯1440頁 …………… 400
大判大正2・12・23刑録19輯1502頁 …………… 375
大判大正3・4・6刑録20輯478頁 …………… 442
大判大正3・4・24刑録20輯619頁 …………… 112, 114
大判大正3・4・29刑録20輯654頁 …………… 48
大判大正3・5・7刑録20輯782頁 …………… 455
大連判大正3・5・18刑録20輯932頁 …………… 236
大判大正3・5・23刑録20輯1018頁 …………… 121
大判大正3・6・11刑録20輯1171頁 …………… 389
大判大正3・6・13刑録20輯1174頁 …………… 409
大判大正3・7・4刑録20輯1403頁 …………… 280
大判大正3・7・24刑録20輯1546頁 …………… 78
大判大正3・10・16刑録20輯1867頁 …………… 407
大判大正3・11・7刑録20輯2054頁 …………… 439
大判大正3・11・10刑録20輯2079頁 …………… 252
大判大正3・12・3刑録20輯2322頁 …………… 325
大判大正3・12・12刑録20輯2401頁 …………… 397
大判大正3・12・22刑録20輯2596頁 …………… 409
大判大正4・2・10刑録21輯90頁 …………… 65, 268

547

大判大正4・3・2刑録21輯221頁……… 392
大判大正4・3・4刑録21輯231頁 504
大判大正4・4・9刑録21輯457頁 398
大判大正4・5・21刑録21輯663頁……… 344
大判大正4・5・21刑録21輯670頁 273, 274
大判大正4・5・21刑録21輯663頁……… 323
大判大正4・5・24刑録21輯661頁……… 370
大判大正4・6・2刑録21輯721頁……… 532
大判大正4・6・15刑録21輯818頁……… 381
大判大正4・7・10刑録21輯1011頁……… 524
大判大正4・8・24刑録21輯1244頁……… 504
大判大正4・8・24新聞1039号32頁 398
大判大正4・9・2新聞1043号31頁……… 442
大判大正4・10・8刑録21輯1578頁 401
大判大正4・10・20新聞1052号27頁 438
大判大正4・12・11刑録21輯2088頁……… 481
大判大正4・12・16刑録21輯2103頁…… 499, 503, 504
大判大正5・2・12刑録22輯134頁……… 275, 277
大判大正5・5・4刑録22輯685頁……… 269
大判大正5・6・8刑録22輯919頁……… 110
大判大正5・6・26刑録22輯1179頁……… 446
大判大正5・7・3刑録22輯1221頁……… 447
大判大正5・9・22刑録22輯1423頁……… 433
大判大正5・9・28刑録22輯1467頁……… 386
大判大正5・12・11刑録22輯1856頁……… 447
大判大正5・12・13刑録22輯1822頁……… 316
大判大正6・2・8刑録23輯41頁……… 500
大判大正6・4・12刑録23輯305頁……… 434
大判大正6・4・12刑録23輯339頁……… 374
大判大正6・4・13刑録23輯312頁……… 421
大判大正6・9・10刑録23輯999頁……… 77
大判大正6・9・17刑録23輯1016頁……… 404
大判大正6・10・15刑録23輯1113頁……… 399
大判大正6・10・23刑録23輯1120頁……… 528
大判大正6・10・23刑録23輯1165頁……… 442
大判大正6・10・25刑録23輯1131頁……… 249
大判大正6・11・5刑録23輯1136頁……… 386
大判大正7・4・10刑録24輯317頁……… 112
大判大正7・5・7刑録24輯555頁……… 510
大判大正7・8・20刑録24輯1203頁……… 472
大判大正7・10・19刑録24輯1274頁……… 398
大判大正7・11・16刑録24輯1352頁……… 72
大判大正7・12・18刑録24輯1558頁……… 67
大判大正8・4・4刑録25輯382頁……… 340

大判大正8・4・17刑録25輯568頁 506, 506
大判大正8・4・18新聞1556号25頁 315
大判大正8・8・7刑録25輯19巻953頁……… 277
大判大正8・8・30刑録25輯963頁……… 275
大判大正8・11・5刑録25輯1064頁……… 431, 444
大判大正8・11・13刑録25輯1081頁……… 113
大判大正8・11・19刑録25輯1133頁……… 401
大判大正8・12・13刑録25輯1367頁……… 263
大判大正9・5・8刑録26輯348頁……… 380
大判大正9・12・10刑録26輯885頁……… 519
大判大正10・10・14刑録27輯625頁……… 404
大判大正11・1・24新聞1958号22頁……… 283
大判大正11・2・24刑集1巻76頁……… 268
大連判大正11・4・22刑集1巻2号296頁…… 532
大判大正11・6・24刑集1巻354頁 110
大判大正11・7・12刑集1巻393頁 351, 401
大判大正11・12・15刑集1巻763頁……… 378
大連判大正11・12・22刑集1号815頁…… 371, 372
大判大正12・2・15刑集2巻65頁……… 504
大判大正12・2・15刑集2巻73頁 456
大判大正12・2・24刑集2巻123頁 446
大判大正12・3・1刑集2巻162頁 403
大判大正12・3・31刑集2巻287頁……… 112
大判大正12・4・30刑集2巻378頁〔砂末吸引事件〕 59, 103
大判大正12・5・24刑集2巻445頁……… 442
大判大正12・7・14刑集2巻650頁……… 389
大判大正12・11・9刑集2巻778頁……… 455
大判大正13・4・25刑集3巻364頁〔むささび・もま事件〕 190
大判大正13・6・10刑集3巻473頁……… 339
大判大正13・8・5刑集3巻611頁 194, 197, 198
大判大正13・10・22刑集3巻749頁 285, 473, 474
大判大正13・11・7刑集3巻783頁……… 475
大判大正13・12・12刑集3巻867頁……… 167
大判大正14・1・22刑集3巻921頁……… 221
大判大正14・4・9刑集4巻219頁……… 517
大判大正14・5・7刑集4巻266頁……… 517
大判大正14・6・5刑集4巻372頁……… 517
大判大正14・6・9刑集4巻378頁〔たぬき・むじな事件〕 190
大判大正14・7・3刑集4巻470頁……… 98
大判大正14・8・6刑集4巻525頁……… 475

大判大正14・9・22刑集4巻538頁	442	大判昭和7・12・10刑集11巻1817頁	506, 510
大判大正14・12・8刑集4巻739頁	277	大判昭和7・12・12刑集11巻1881頁	269
大決大正15・2・22刑集5巻97頁〔封印破棄事件〕	188	大判昭和8・4・15刑集12巻427頁	283
大判大正15・3・5刑集5巻78頁	469	大判昭和8・4・19刑集12巻471頁	268
大判大正15・3・24刑集5巻117頁	316	大判昭和8・6・5刑集12巻648頁	368
大判大正15・4・20刑集5巻136頁	400	大判昭和8・6・5刑集12巻736頁	281
大判大正15・5・13刑集5巻158頁	439	大判昭和8・6・29刑集12巻1001頁	200
大判大正15・6・19刑集5巻267頁	470	大判昭和8・8・30刑集12巻1445頁	105
大判大正15・6・25刑集5巻285頁	477	大判昭和8・9・11刑集12巻1599頁	397
大判大正15・9・18刑集5巻413頁	456	大判昭和8・10・2刑集12巻1721頁	392
大判大正15・9・28刑集5巻383頁	421	大判昭和8・10・16刑集12巻1807頁	374
大判大正15・9・28刑集5巻387頁	275	大判昭和8・10・18刑集12巻1820頁	506, 506
大判大正15・10・25大審院判例拾遺1巻刑87頁	65	大判昭和8・11・21刑集12巻2072頁〔第五柏島丸事件〕	172
大判昭和2・1・28新聞2664号10頁	452	大判昭和8・11・27刑集12巻2134頁	240
大判昭和2・3・28刑集6巻118頁	286	大判昭和8・12・6刑集12巻2221頁	111
大判昭和2・9・9刑集6巻343頁	285	大判昭和9・2・24刑集13巻160頁	438
大判昭和3・2・14評論17巻刑法253頁	313	大判昭和9・3・29刑集13巻335頁	383
大判昭和3・3・9刑集7巻172頁	242	大判昭和9・7・16刑集13巻972頁	532
大判昭和3・4・6刑集7巻291頁	273	大判昭和9・8・2刑集13巻1011頁	375
大判昭和3・10・29刑集7巻709頁	516	大判昭和9・8・4刑集13巻1059頁	512
大決昭和3・12・21刑集7巻772頁	388	大判昭和9・8・27刑集13巻1086頁	141, 272
大判昭和4・3・7刑集8巻107頁	380	大判昭和9・9・28刑集13巻1230頁	198
大判昭和4・5・16刑集8巻251頁	372	大判昭和9・10・19刑集13巻1473頁	70
大判昭和4・9・3裁判例3巻刑27頁	117	大判昭和9・10・22刑集13巻1367頁	437
大判昭和4・9・17刑集8巻446頁	85	大判昭和9・11・20刑集13巻1514頁	235
大判昭和4・12・4刑集8巻609頁	517	大判昭和9・11・26刑集13巻1608頁	515
大判昭和5・5・26刑集9巻342頁	375	大判昭和9・12・20刑集13巻1785頁	20
大判昭和5・9・18刑集9巻668頁	504	大判昭和9・12・22刑集13巻1789頁	357
大判昭和5・12・12刑集9巻893頁	254	大判昭和10・5・13刑集14巻514頁	20, 373
大判昭和6・3・11刑集10巻75頁	453	大判昭和10・5・29刑集14巻584頁	523
大判昭和6・5・8刑集10巻205頁	366	大判昭和10・6・6刑集14巻631頁	413
大判昭和6・7・2刑集10巻303頁	413	大判昭和10・8・17刑集14巻885頁	517
大判昭和6・7・8刑集10巻319頁	370	大判昭和10・9・23刑集14巻938頁	375
大判昭和6・10・29刑集10巻511頁	371	大判昭和10・9・28刑集14巻997頁	510
大判昭和6・11・17刑集10巻604頁	395	大判昭和10・10・23刑集14巻1052頁	248, 516
大判昭和6・12・3刑集10巻682頁	177	大判昭和10・11・11刑集14巻1165頁	249
大判昭和7・2・19刑集11巻85頁	381	大判昭和11・2・14刑集15巻113頁	440
大判昭和7・2・29刑集11巻141頁	294	大判昭和11・3・16刑集15巻282頁	524
大判昭和7・3・24刑集11巻296頁	489	大判昭和11・5・7刑集15巻573頁	326
大判昭和7・5・2刑集11巻680頁	254	大判昭和11・5・12刑集15巻617頁	112
大判昭和7・6・11刑集11巻815頁	455	大判昭和11・10・9刑集15巻1281頁	515
大判昭和7・9・12刑集11巻1317頁	408	大判昭和11・11・9新聞4074号15頁	439
大判昭和7・10・10刑集11巻1519頁	325	大決昭和12・3・31刑集16巻447頁	110
		大判昭和12・6・25刑集16巻998頁	85

大判昭和12・9・21刑集16巻1303頁………88
大判昭和12・11・6裁判例11集刑87頁………169
大判昭和13・2・28刑集17巻141頁………316
大判昭和13・3・11刑集17巻237頁………67
大判昭和13・6・18刑集17巻484頁………446
大判昭和13・9・1刑集17巻648頁………401
大判昭和14・3・29刑集18巻158頁………198
大判昭和14・12・12刑集18巻565頁………308
大判昭和15・4・22刑集19巻227頁………533
大判昭和15・8・22刑集19巻540頁〔ガソリンカー事件〕………30
大判昭和19・11・24刑集23巻252頁………364
最判昭和22・12・17刑集1巻94頁………451
最大判昭和23・3・12刑集2巻3号191頁………18
最判昭和23・3・16刑集2巻3号227頁………96, 354
最判昭和23・5・1刑集2巻5号435頁………105, 239
最判昭和23・5・22刑集2巻5号496頁………368
最判昭和23・6・5刑集2巻7号641頁………401
最判昭和23・6・12刑集2巻7号676頁………370, 372
最判昭和23・6・22刑集2巻7号694頁………36
最判昭和23・6・30刑集2巻7号777頁………531
最大判昭和23・7・14刑集2巻8号889頁〔メタノール販売事件〕………192
東京高判昭和23・10・16高刑集1巻追録18頁………173
最判昭和23・10・23刑集2巻11号1386頁………106
最判昭和23・10・23刑集2巻11号1396頁………344
最判昭和23・11・2刑集2巻12号1443頁………415
最判昭和23・11・4刑集2巻12号1446頁………378
最判昭和23・11・18刑集2巻12号1614頁………285
最判昭和23・12・24刑集2巻14号1883頁………362
最判昭和24・1・11刑集3巻1号1頁………374
最判昭和24・2・8刑集3巻2号75頁………361, 363, 374
最判昭和24・2・8刑集3巻2号83頁………373
最判昭和24・2・15刑集3巻2号164頁………363
最判昭和24・3・8刑集3巻3号276頁………399
最判昭和24・4・5刑集3巻4号421頁………164
最判昭和24・5・10刑集3巻6号711頁………285, 476
最大判昭和24・5・18刑集3巻6号722頁………151
最判昭和24・5・28刑集3巻6号873頁………371
最判昭和24・6・28刑集3巻6号1129頁………419

最判昭和24・7・9刑集3巻8号1174頁………478
最判昭和24・7・9刑集3巻8号1188頁………369
最判昭和24・7・9刑集3巻8号1193頁………355
最判昭和24・7・12刑集3巻8号1237頁………289, 289
最大判昭和24・7・22刑集3巻8号1363頁………310
最判昭和24・7・23刑集3巻8号1373頁………16, 249
最判昭和24・8・9刑集3巻9号1440頁………499, 500, 502, 503
最判昭和24・8・18刑集3巻9号1465頁………155
名古屋高判昭和24・9・27判特3号42頁………198
最判昭和24・10・1刑集3巻10号1629頁………356
最判昭和24・12・6刑集3巻12号1884頁………531
最判昭和24・12・8刑集3巻12号1915頁………253
最判昭和24・12・15刑集3巻12号2023頁………532
最判昭和24・12・17刑集3巻12号2028頁………230, 231
最大判昭和24・12・21刑集3巻12号2048頁………254
最判昭和24・12・22刑集3巻12号2070頁………344
最判昭和24・12・24刑集3巻12号2114頁………372
最判昭和25・2・24刑集4巻2号255頁………251, 392
最判昭和25・2・28刑集4巻2号268頁………431, 521
最判昭和25・3・15刑集4巻3号355頁………480
最判昭和25・3・31刑集4巻3号469頁………56, 285
最判昭和25・4・6刑集4巻4号481頁………533
最判昭和25・4・11集刑17号87頁………106
東京高判昭和25・6・10高刑集3巻2号222頁………284
最判昭和25・7・6刑集4巻7号1178頁………210
最判昭和25・7・11刑集4巻7号1261頁………106, 239
最判昭和25・8・29刑集4巻9号1585頁………333
最判昭和25・8・31刑集4巻9号1593頁………77
最判昭和25・9・22刑集4巻9号1757頁………400
最大判昭和25・10・11刑集4巻10号1972頁………36
最判昭和25・11・9刑集4巻11号2239頁………282
最大判昭和25・11・22刑集4巻11号2380頁〔花札賭博事件〕………11
最判昭和25・11・24刑集4巻11号2393頁………11
最判昭和25・11・28刑集4巻12号2463頁〔進駐軍物資運搬事件〕………194
最判昭和25・12・5刑集4巻12号2475頁………390
最判昭和25・12・12刑集4巻12号2543頁………353

最判昭和25・12・19刑集4巻12号2577頁………249
最判昭和25・12・26刑集4巻12号2627頁………198
最大判昭和26・1・17刑集5巻1号20頁………181
最判昭和26・1・30刑集5巻1号117頁………356
最判昭和26・1・30刑集5巻2号374頁〔モルヒネ所持事件〕………………………194
最判昭和26・3・20刑集5巻5号794頁………491
最判昭和26・4・10刑集5巻5号825頁………249
名古屋高判金沢支判昭和26・5・9判特30号55頁………………………………………313
最判昭和26・5・10刑集5巻6号1026頁〔サンデー娯楽事件〕…………………………464
最判昭和26・5・25刑集5巻6号1186頁………397
最判昭和26・6・7刑集5巻7号1236頁………114
最判昭和26・7・13刑集5巻8号1437頁………345, 400
最大判昭和26・7・18刑集5巻8号1491頁………323
最判昭和26・8・17刑集5巻9号1789頁〔飼い犬撲殺事件〕……………………………188
最判昭和26・9・20刑集5巻10号1937頁………95, 288, 288
最判昭和26・12・14刑集5巻13号2518頁………382
最決昭和27・2・21刑集6巻2号275頁………141, 268
仙台高判昭和27・2・29判特22号106頁………240
最判昭和27・3・28刑集6巻3号546頁………488
最判昭和27・6・6刑集6巻6号795頁………281
最判昭和27・6・24集刑65号321頁………115, 117
東京高判昭和27・7・3高刑集5巻7号1134頁………………………………………322, 325
最決昭和27・7・10刑集6巻7号876頁………352
最判昭和27・9・19刑集6巻8号1083頁………231
札幌高判昭和27・11・20高刑集5巻11号2018頁………………………………………391
東京高判昭和27・12・10高刑集5巻13号2429頁………………………………466, 469
東京高判昭和27・12・18高刑集5巻12号2314頁………………………………………464
最判昭和27・12・25刑集6巻12号1387頁………389, 440
最判昭和27・12・25刑集6巻12号1442頁………36
最判昭和28・1・22刑集7巻1号8頁………492
最判昭和28・1・23刑集7巻1号46頁………500
最判昭和28・1・30刑集7巻1号128頁………325

最判昭和28・2・20刑集7巻2号426頁………437
最決昭和28・3・5刑集7巻3号506頁〔外国人登録証明書事件〕………………………110
最判昭和28・4・14刑集7巻4号850頁………252
最決昭和28・4・25刑集7巻4号881頁………524
最判昭和28・5・8刑集7巻5号965頁………409
高松高判昭和28・6・11判特36号15頁………179
名古屋高判昭和28・7・28高刑集6巻9号1217頁………………………………………256
広島高判昭和28・9・8高刑集6巻10号1347頁………………………………………503
最判昭和28・10・2刑集7巻10号1883頁………484
最判昭和28・10・27刑集7巻10号1971頁………518
東京高判昭和28・10・29刑集12巻11号2489頁〔失業保険料不納付事件〕…………172
福岡高判昭和28・11・10判特26号58頁………78
最判昭和28・11・13刑集7巻11号2096頁………427
最決昭和28・12・10刑集7巻12号2418頁………497
最判昭和28・12・15刑集7巻12号2436頁………318
最判昭和28・12・25刑集7巻13号2671頁〔狩勝トンネル事件〕………………………169
最判昭和28・12・25刑集7巻13号2721頁………400
最判昭和29・1・20刑集8巻1号41頁………89, 269
最判昭和29・3・2集刑93号59頁………467
東京高判昭和29・3・25高刑集7巻3号323頁………………………………………452
最判昭和29・4・6刑集8巻6号407頁………374
最決昭和29・4・15刑集8巻4号508頁………432, 433
最決昭和29・4・28刑集8巻4号596頁………494
最判昭和29・5・27刑集8巻5号741頁………255
大阪高判昭和29・5・29判特28号133頁………516
最判昭和29・6・1刑集8巻6号787頁………333
広島高判昭和29・6・30判時33号23頁………142, 271
最判昭和29・7・5刑集8巻7号1035頁………532
仙台高秋田支判昭和29・7・6高刑特1巻1号7頁………………………………………516
最判昭和29・8・20刑集8巻8号1256頁………525, 527, 531
最判昭和29・8・20刑集8巻8号1277頁………284
最決昭和29・8・20刑集8巻8号1363頁………439
最決昭和29・9・24刑集8巻9号1519頁………519
広島高判昭和30・2・5高刑特2巻4号60頁………………………………………317
最判昭和30・3・17刑集9巻3号477頁………526

最判昭和30・4・5刑集9巻4号645頁………398
最判昭和30・4・8刑集9巻4号827頁………367,383
東京高判昭和30・4・18高刑集8巻3号325頁〔禁止区域内追越し事件〕…………99
名古屋高判昭和30・5・4高刑特2巻11号501頁……………………………362
東京高判昭和30・6・27東高刑時報6巻7号211頁……………………………317
最判昭和30・7・1刑集9巻9号1769頁………464
最決昭和30・7・7刑集9巻9号1856頁………380,384
仙台高判昭和30・7・19高刑特2巻16=17号821頁……………………………385
広島高判昭和30・9・6高刑集8巻8号1021頁………………………383
札幌高判昭和30・9・15高刑集8巻6号901頁……………………………476
最判昭和30・10・14刑集9巻11号2173頁……375
名古屋高判昭和30・12・13高刑特2巻24号1276頁……………………………391
最判昭和31・2・3刑集10巻2号153頁………532
最判昭和31・3・6集刑112号601頁…………466
名古屋高判昭和31・4・19高刑集9巻5号411頁……………………………181
最判昭和31・6・26刑集10巻6号874頁………402
最判昭和31・7・3刑集10巻7号965頁………527
最決昭和31・7・12刑集10巻7号1058頁……520,522,528
最判昭和31・8・3刑集10巻8号1202頁………250
最決昭和31・8・22刑集10巻8号1237頁……310
名古屋高判昭和31・10・22高刑特3巻21号1007頁……………………………228
最判昭和31・10・25刑集10巻10号1455頁……481
東京高判昭和31・12・5東高刑時報7巻12号460頁……………………………385
最判昭和31・12・7刑集10巻12号1592頁……405
最判昭和31・12・11刑集10巻12号1605頁……172
最大判昭和31・12・26刑集10巻12号1769頁……173
最決昭和31・12・27刑集10巻12号1798頁……442
最決昭和32・1・17刑集11巻1号23頁……456,457
最判昭和32・1・22刑集11巻1号31頁………156
最決昭和32・1・22刑集11巻1号50頁………497
東京高判昭和32・1・22判時103号28頁……472
最判昭和32・2・14刑集11巻2号715頁………252

最判昭和32・2・21刑集11巻2号877頁………325
最判昭和32・2・26刑集11巻2号906頁………95
名古屋高判昭和32・3・4高刑特4巻6号116頁……………………………362
最大判昭和32・3・13刑集11巻3号997頁〔チャタレイ夫人の恋人事件〕……189,464,465,466,469
最判昭和32・3・28刑集11巻3号1136頁………521
最判昭和32・3・28刑集11巻3号1275頁〔たばこ専売法違反事件（旅館たばこ買置き事件）〕……………………………137
仙台高判昭和32・4・18判タ76号57頁……477,478
最決昭和32・4・23刑集11巻4号1393頁……280,281
最決昭和32・4・25刑集11巻4号1427頁………341
最決昭和32・4・25刑集11巻4号1480頁………453
最決昭和32・5・22刑集11巻5号1526頁………464,466,467
最決昭和32・6・29刑集11巻6号1801頁………16
最決昭和32・7・25刑集11巻7号2037頁………454,455
最判昭和32・8・1刑集11巻8号2065頁………371
最決昭和32・9・10刑集11巻9号2202頁………89
最判昭和32・9・13刑集11巻9号2263頁………366
最判昭和32・10・4刑集11巻10号2464頁……440,441
最大判昭和32・10・9刑集11巻10号2497頁……36
最判昭和32・10・18刑集11巻10号2663頁〔つり橋爆破事件〕……………………191
最判昭和32・11・8刑集11巻12号3061頁……340
最判昭和32・11・19刑集11巻12号3073頁……236,397
最決昭和32・11・21刑集11巻12号3101頁……519,520
最大判昭和32・11・27刑集11巻12号3113頁……42
最決昭和32・12・5刑集11巻13号3157頁……528
最決昭和32・12・20刑集11巻14号3331頁……531
最決昭和33・1・16刑集12巻1号25頁………455
最判昭和33・2・18刑集12巻3号359頁………503
最判昭和33・2・27刑集12巻2号342頁………531
仙台高判昭和33・3・13高刑集11巻4号137頁……………………………289
最決昭和33・3・19刑集12巻4号636頁………293
最判昭和33・4・3集刑124号31頁…………145
最判昭和33・4・10刑集12巻5号743頁………437

最判昭和33・4・18刑集12巻6号1090頁……… 114
最判昭和33・5・6刑集12巻7号1297頁……… 255
最判昭和33・5・6刑集12巻7号1336頁……… 375
最大判昭和33・5・28刑集12巻8号1718頁
〔練馬事件〕………………………………… 217
東京高判昭和33・7・7高刑特5巻8号313頁
………………………………………………… 385
最判昭和33・7・10刑集12巻11号2471頁〔失業
保険料不納付事件上告審〕………………… 172
最判昭和33・7・25刑集12巻12号2746頁〔京都
駅焼失事件〕………………………… 114, 423
最決昭和33・7・31刑集12巻12号2805頁…… 500
最決昭和33・9・1刑集12巻13号2833頁…… 391
最決昭和33・9・5刑集12巻13号2844頁…… 470
最判昭和33・9・9刑集12巻13号2882頁…… 67,
415
最決昭和33・9・30刑集12巻13号3180頁…… 517
最判昭和33・11・21刑集12巻15号3519頁…… 143,
269, 272
大阪高判昭和33・12・9判時175号35頁…… 477
高松高判昭和34・2・11高刑集12巻1号18頁
………………………………………………… 364
最判昭和34・2・13刑集13巻2号101頁…… 410
最判昭和34・2・27刑集13巻2号250頁…… 192
最判昭和34・3・5刑集13巻3号275頁…… 469
最決昭和34・3・12刑集13巻3号298頁…… 378
最判昭和34・3・23刑集13巻3号391頁…… 368
最判昭和34・5・7刑集13巻5号641頁…… 315,
319
最決昭和34・5・26刑集13巻5号817頁…… 521
広島高判昭和34・6・12高刑集12巻7号681頁
………………………………………………… 531
東京高判昭和34・6・16判時195号24頁〔免許
証不携帯事件〕……………………………… 109
最判昭和34・6・30刑集13巻6号985頁…… 452
最決昭和34・7・7集刑130号515頁……… 479
最決昭和34・7・24刑集13巻8号1163頁…… 66,
273, 275, 276
最決昭和34・8・28刑集13巻10号2906頁…… 335,
375
最決昭和34・9・28刑集13巻11号2993頁…… 388
最決昭和34・12・4刑集13巻12号3127頁…… 453
最決昭和35・1・12刑集14巻1号9頁……… 439
札幌高函館支判昭和35・1・12判時219号34頁
………………………………………………… 469

最判昭和35・2・4刑集14巻1号61頁……… 167
東京高判昭和35・2・13下刑集2巻2号113頁
………………………………………………… 145
東京高判昭和35・2・22東高刑時報11巻2号
43頁…………………………………………… 384
最判昭和35・3・18刑集14巻4号416頁…… 296
東京高判昭和35・4・19判時231号56頁…… 256
最判昭和35・4・26刑集14巻6号748頁…… 335
広島高判昭和35・6・9判時236号34頁…… 201
最判昭和35・6・24刑集14巻8号1103頁…… 494
最決昭和35・7・18刑集14巻9号1189頁…… 505
最決昭和35・8・12刑集14巻10号1360頁…… 408
最決昭和35・10・18刑集14巻12号1559頁…… 78
最決昭和35・11・18刑集14巻13号1713頁…… 323
最判昭和36・1・13刑集15巻1号113頁…… 517
最判昭和36・3・30刑集15巻3号605頁…… 441
最判昭和36・3・30刑集15巻3号667頁…… 427
名古屋高金沢支判昭和36・5・2下刑集3巻
5＝6号399頁………………………………… 472
最判昭和36・6・22刑集15巻6号1004頁…… 531
広島高判昭和36・7・10判時269号17頁…… 79
最決昭和36・8・17刑集15巻7号1293頁…… 510
最判昭和36・9・26刑集15巻8号1525頁…… 456
最判昭和36・10・10刑集15巻9号1580頁…… 401
東京地昭和37・3・17判時298号32頁……… 85
最判昭和37・3・23刑集16巻3号305頁…… 78
最判昭和37・4・13判時315号4頁………… 516
東京高判昭和37・4・24高刑集15巻4号210頁
………………………………………………… 78
最判昭和37・5・4刑集16巻5号510頁…… 110
最判昭和37・5・29刑集16巻5号528頁…… 519
横浜地判昭和37・5・30下刑集4巻5＝6号
499頁………………………………………… 66
最決昭和37・8・21集刑144号13頁………… 370
東京高判昭和37・8・30高刑集15巻6号488頁
………………………………………………… 364
東京高判昭和37・10・23判時326号33頁…… 322
前橋地判昭和37・10・31判タ140号112頁…… 502
最決昭和37・11・8刑集16巻11号1522頁…… 270
最決昭和37・11・21刑集16巻11号1570頁…… 301
名古屋高判昭和37・12・22判時324号11頁…… 148
最決昭和38・3・15刑集17巻2号23頁〔国労
檜山丸事件〕………………………………… 135
東京地判昭和38・3・23判タ147号92頁…… 280
最決昭和38・4・18刑集17巻3号248頁…… 294

福岡高判昭和38・7・15下刑集5巻7＝8号
　653頁……………………………………… 501, 502
高松地丸亀支判昭和38・9・16下刑集5巻
　9＝10号867頁……………………………………389
最決昭和38・11・8刑集17巻11号2357頁………357
最判昭和38・12・24刑集17巻12号2485頁………357
最決昭和39・1・28刑集18巻1号31頁…………284
札幌地判昭和39・6・24下刑集6巻5＝6号
　774頁………………………………………………433
東京高判昭和39・8・5判タ166号145頁…………89
大阪高判昭和39・10・5下刑集6巻9＝10号
　988頁………………………………………………325
最決昭和39・12・8刑集18巻10号952頁…………533
最決昭和40・2・26刑集19巻1号59頁…………505
札幌高判昭和40・3・20判時423号55頁…………119
最決昭和40・3・26刑集19巻2号83頁……………42
最決昭和40・3・30刑集19巻2号125頁…………232,
　476
東京地判昭和40・4・28判時410号16頁…………84
最決昭和40・9・16刑集19巻6号679頁…………509
東京地判昭和40・9・30判時429号13頁…………66
名古屋高判昭和41・3・10判時443号58頁………464
最判昭和41・3・24刑集20巻3号129頁…………491
最判昭和41・4・8刑集20巻4号207頁…………342
最決昭和41・4・14判タ449号64頁………………489
最決昭和41・4・18刑集20巻4号228頁…………532
東京高判昭和41・4・18判タ193号181頁…………96
札幌地昭和41・4・20下刑集8巻4号658頁
　………………………………………………………374
最決昭和41・6・10刑集20巻5号374頁…………358
最決昭和41・7・7刑集20巻6号554頁…………164
最大判昭和41・10・26刑集20巻8号901頁〔東
　京中郵事件〕………………………………………135
最決昭和41・11・30刑集20巻9号1076頁………323
最決昭和41・12・20刑集20巻10号1212頁………121
最決昭和42・3・7刑集21巻2号417頁…………231,
　232
大阪高判昭和42・5・12判時490号74頁…………347
最決昭和42・5・25刑集21巻4号584頁…………115
東京高判昭和42・6・20判タ214号249頁………362
東京高判昭和42・9・21判タ508号76頁…………121
最判昭和42・10・13刑集21巻8号1097頁………120,
　121
最決昭和42・10・24刑集21巻8号1116頁〔米兵
　ひき逃げ事件〕…………………………………56, 119

最決昭和42・12・19刑集21巻10号1407頁………492
最決昭和42・12・21刑集21巻10号1453頁………386
最決昭和43・1・18刑集22巻1号7頁……………318
最決昭和43・1・18刑集22巻1号32頁……………358
大阪地判昭和43・2・21下刑集10巻2号140頁
　………………………………………………………67
最決昭和43・2・27刑集22巻2号67頁………183, 185
尼崎簡判昭和43・2・29判時523号90頁…………308
名古屋地岡崎支判昭和43・5・30下刑集10巻5
　号580頁………………………………………………65
最決昭和43・6・6刑集22巻6号434頁…………380
最判昭和43・6・13判時520号82頁………………121
最決昭和43・9・17刑集22巻9号862頁…………480,
　480
最大判昭和43・9・25刑集22巻9号871頁………533
最決昭和43・10・15刑集22巻10号901頁………529
最決昭和43・10・24刑集22巻10号946頁………378
最決昭和43・11・7判時541号83頁………………274
最決昭和43・12・11刑集22巻13号1469頁………374
最決昭和44・5・1刑集23巻6号907頁…………358
最決昭和44・6・5刑集23巻7号935頁……………17
最大判昭和44・6・18刑集23巻7号950頁………435
最大判昭和44・6・25刑集23巻7号975頁………317,
　319
東京高判昭和44・8・4判タ242号313頁………120
大阪高判昭和44・8・7判時572号96頁…………383
東京高判昭和44・9・1判時239号227頁………311
東京高判昭和44・9・17判時571号19頁〔黒い
　雪事件〕……………………………………………196
最大判昭和44・10・15刑集23巻10号1239頁
　〔悪徳の栄え事件〕………………………………466
大阪高判昭和44・10・17判タ244号290頁…………86
最判昭和44・12・4刑集23巻12号1573頁………158
福岡高判昭和44・12・18判時584号110頁………533
最判昭和45・1・29刑集24巻1号1頁…………48, 99,
　474
大阪高判昭和45・2・26判時608号173頁………111
最判昭和45・3・26刑集24巻3号55頁…………386
最決昭和45・4・7刑集24巻4号105頁…………468
最決昭和45・6・30判時596号96頁………………437
最決昭和45・7・28刑集24巻7号585頁……………71
最決昭和45・9・4刑集24巻10号1319頁………443
京都地判昭和45・10・12判時614号104頁………291
東京高判昭和45・11・11判時639号107頁〔ブ
　ルーボーイ事件〕……………………………………12

最判昭和45・11・17刑集24巻12号1622頁……121
広島高判昭和45・11・24判タ261号358頁……179
最決昭和45・12・22刑集24巻13号1882頁……363
最判昭和45・12・22刑集24巻13号1812頁……487
東京高判昭和46・2・2判時636号95頁……282
東京高判昭和46・3・4判タ265号220頁……66
福岡地久留米支判昭和46・3・8判タ264号403頁……65
最判昭和46・6・17刑集25巻4号567頁……56
前橋地高崎支判昭和46・9・17判時646号105頁……65
東京地昭和46・9・20判時648号28頁……529
最決昭和46・9・22刑集25巻6号769頁……480
福岡高判昭和46・10・11判時655号98頁……284
東京高判昭和46・10・25判タ276号371頁……119
最判昭和46・11・16刑集25巻8号996頁……153
東京高判昭和46・12・23判タ276号270頁……468
大阪地昭和47・7・10刑月4巻7号1299頁……433
東京高判昭和47・7・25判タ288号396頁……120
大阪高判昭和47・8・4判タ298号443頁……364
福岡高判昭和47・11・22判タ289号292頁……402
東京高判昭和47・12・18判タ298号441頁……480
東京地昭和48・3・9判タ298号349頁……275
最決昭和48・3・15刑集27巻2号115頁……441
東京高判昭和48・3・26判時711号142頁……364
東京高判昭和48・3・27判タ306号288頁……311
最大判昭和48・4・25刑集27巻3号418頁……138, 149
東京高判昭和48・8・7判時722号107頁……325
大阪高判昭和49・2・14判時752号111頁……324
最大判昭和49・5・29刑集28巻4号114頁……253
最大判昭和49・5・29刑集28巻4号151頁……253
最決昭和49・5・31集刑192号571頁……308
最決昭和49・7・5刑集28巻5号194頁……285
大阪高判昭和49・7・17刑月6巻7号805頁……284
東京地判昭和49・11・5判時785号116頁……318
東京地昭和50・2・20東高刑時報26巻2号36頁……179
東京地判昭和50・4・15刑月7巻4号480頁……284
最判昭和50・4・24判時774号119頁……517
最決昭和50・6・12刑集29巻6号365頁……354
最判昭和50・6・13刑集29巻6号375頁……452

最判昭和50・8・27刑集29巻7号442頁……138
最大判昭和50・9・10刑集29巻8号489頁〔徳島市公安条例事件〕……33
最判昭和50・11・25刑集29巻10号928頁……138
最判昭和50・11・28刑集29巻10号983頁……157
東京地判昭和50・12・26判タ333号357頁……325
最判昭和51・2・19刑集30巻1号47頁……520, 521
最判昭和51・3・4刑集30巻2号79頁……308, 314
大阪地判昭和51・3・4判時822号109頁……182
札幌高判昭和51・3・18判時820号36頁〔北大電気メス事件〕……117, 121
最決昭和51・3・23刑集30巻2号229頁……318
最判昭和51・4・1刑集30巻3号425頁……378
最判昭和51・4・30刑集30巻3号453頁……428, 434
東京高判昭和51・6・1判時815号114頁〔羽田空港デモ事件〕……196
東京高判昭和51・7・14判時834号106頁……84
最大判昭和51・9・22刑集30巻8号1640頁……253
福岡高判昭和51・9・22判時837号108頁……502
最決昭和52・4・25刑集31巻3号169頁……434
最大判昭和52・5・4刑集31巻3号182頁〔名古屋中郵事件〕……135
東京地判昭和52・7・18判時880号110頁……504
最判昭和52・7・21刑集31巻4号747頁……154
最判昭和52・12・22刑集31巻7号1176頁……471
最判昭和53・3・22刑集32巻2号381頁……60
東京高判昭和53・3・22刑月10巻3号217頁……453
東京地判昭和53・3・28判時911号166頁……454
最決昭和53・5・31刑集32巻3号457頁〔外務省秘密漏洩事件〕……132, 134, 149
最決昭和53・6・29刑集32巻4号816頁〔長田電報局事件〕……486, 487
最決昭和53・7・7刑集32巻5号1011頁……249
最決昭和53・7・28刑集32巻5号1068頁〔びょう打銃事件〕……104
最決昭和54・1・10刑集33巻1号1頁〔小牛田駅事件〕……488
熊本地判昭和54・3・22判時931号6頁〔胎児性水俣病事件〕……264
最決昭和54・3・27刑集33巻2号140頁〔ヘロイン・覚せい剤輸入事件〕……107
東京高判昭和54・3・29判時977号136頁……137
最決昭和54・4・13刑集33巻3号179頁……106,

名古屋地判昭和54・4・27刑月11巻4号358頁
　………………………………………… 389
最決昭和54・6・26刑集33巻4号364頁…… 304
東京地判昭和54・8・10判時943号122頁…… 281
最決昭和54・11・19刑集33巻7号710頁…… 370
最決昭和54・11・19刑集33巻7号754頁…… 464,
　468
東京高判昭和55・1・21東高刑時報31巻1号1
　頁……………………………………………… 67
長崎地佐世保支判昭和55・5・30判時999号131
　頁………………………………………… 325
最決昭和55・7・15判時972号129頁………… 397
東京地判昭和55・7・24判時982号3頁……… 429
最決昭和55・10・30刑集34巻5号357頁…… 345
最決昭和55・11・13刑集34巻6号396頁…… 134,
　140
最判昭和55・11・28刑集34巻6号433頁〔四畳
　半襖の下張事件〕………………………… 466
最決昭和55・12・22刑集34巻7号747頁…… 453,
　517, 532
東京高判昭和56・2・5判時1011号138頁…… 392
東京高判昭和56・4・1判時1007号133頁…… 145
最決昭和56・4・8刑集35巻3号57頁…… 431, 444
最決昭和56・4・16刑集35巻3号107頁……… 444
最判昭和56・4・16刑集35巻3号84頁……… 317
最決昭和56・7・17刑集35巻5号563頁……… 467
福井地昭和56・8・31判時1022号144頁…… 384
福岡高判昭和56・9・21判タ464号178頁…… 391
大阪高判昭和56・9・30判時1028号133頁…… 185
大阪高判昭和56・12・17刑月13巻12号819頁
　………………………………………………… 504
最決昭和56・12・21刑集35巻9号911頁……… 94
最決昭和57・2・17刑集36巻2号206頁……… 255
最決昭和57・4・2刑集36巻4号503頁……… 110
最決昭和57・5・26刑集36巻5号609頁……… 155
最決昭和57・6・24刑集36巻5号646頁……… 357
大阪地判昭和57・7・9判時1083号158頁…… 365
最決昭和57・7・16刑集36巻6号695頁……… 217
東京地判昭和57・7・23判時1069号153頁…… 67
東京高判昭和57・8・6判時1083号150頁…… 364
福岡高判昭和57・9・6判時1059号17頁…… 265
旭川地昭和57・9・29判時1070号157頁…… 511
東京地判昭和57・12・22判タ494号142頁…… 65
最決昭和58・2・25刑集37巻1号1頁……… 428

最判昭和58・3・8刑集37巻2号15頁……… 464
大阪地判昭和58・3・18判時1086号158頁…… 185
最決昭和58・3・25刑集37巻2号170頁…… 524
最判昭和58・4・8刑集37巻3号215頁…… 308,
　309
最決昭和58・5・9刑集37巻4号401頁…… 496
最決昭和58・5・24刑集37巻4号437頁…… 407
東京地判昭和58・6・10判時1084号37頁…… 317
横浜地判昭和58・7・20判時1108号138頁…… 415
最決昭和58・9・21刑集37巻7号1070頁…… 209
最決昭和58・9・27刑集37巻7号1078頁…… 299,
　302
最判昭和58・9・29刑集37巻7号1110頁…… 253
最判昭和58・11・1刑集37巻9号1341頁…… 320
最決昭和58・11・24刑集37巻9号1538頁…… 441
最決昭和59・3・6刑集38巻5号1961頁……… 94
最決昭和59・3・23刑集38巻5号2030頁…… 325
最決昭和59・3・27刑集38巻5号2064頁…… 209
最決昭和59・4・27刑集38巻6号2584頁…… 324,
　326
最決昭和59・5・8刑集38巻7号2621頁…… 323
大阪高判昭和59・5・23判時1139号155頁…… 389
最決昭和59・5・30刑集38巻7号2682頁〔大学
　設置審事件〕……………………… 519, 522
東京地判昭和59・6・15判時1126号3頁〔新薬
　産業スパイ事件〕………………………… 346
東京地判昭和59・6・28判時1126号6頁〔新薬
　産業スパイ事件〕………………………… 346
最決昭和59・7・3刑集38巻8号2783頁…… 177,
　178
名古屋高判昭和59・7・3判時1129号155頁
　………………………………………………… 391
最決昭和59・7・6刑集38巻8号2793頁……… 59
東京高判昭和59・7・18判時1128号32頁…… 318
東京高判昭和59・10・30判時1147号160頁…… 341
大阪高判昭和59・11・28判時1146号158頁…… 367
最判昭和59・12・18刑集38巻12号3026頁…… 313
札幌高判昭和60・3・12判タ554号304頁…… 199
東京地判昭和60・3・19判時1172号155頁…… 369
最判昭和60・3・28刑集39巻2号75頁……… 413
東京地判昭和60・4・8判時1171号16頁…… 521
最決昭和60・6・11刑集39巻5号219頁…… 520
大阪高判昭和60・6・26判タ566号306頁…… 389
最決昭和60・10・21刑集39巻6号362頁…… 114,
　423

最大判昭和60・10・23刑集39巻6号413頁〔福岡県青少年保護育成条例事件〕……………33
福島地判昭和61・1・31判時1233号159頁……429
福岡高那覇支判昭和61・2・6判時1184号158頁………………………………………119
福岡高判昭和61・3・6判時1193号152頁……89
東京高判昭和61・5・14判時1205号61頁〔ロッキード事件（全日空ルート）〕…………526
最決昭和61・6・9刑集40巻4号269頁〔覚せい剤・コカイン所持事件〕……………107
最決昭和61・6・24刑集40巻4号292頁〔マジックホン事件〕…………………137
最決昭和61・6・27刑集40巻4号340頁……429
最決昭和61・6・27刑集40巻4号369頁……525
最決昭和61・7・18刑集40巻5号438頁……359
最決昭和61・11・18刑集40巻7号523頁……251, 337, 363, 364, 365
大阪高判昭和61・12・16判時1232号160頁……295
仙台地石巻支判昭和62・2・18判時1249号145頁〔エンコ詰め事件〕……………12, 139
最決昭和62・3・12刑集41巻2号140頁……323
最決昭和62・3・24刑集41巻2号173頁……301
最決昭和62・3・26刑集41巻2号182頁〔勘違い騎士道事件〕…………………164
最決昭和62・4・10刑集41巻3号221頁……340
広島高松江支判昭和62・6・18判時1234号154頁………………………………………476
大阪高判昭和62・7・10判時1261号132頁……224
最決昭和62・7・16刑集41巻5号237頁〔百円札サービス券事件〕………………199
大阪高判昭和62・7・17判時1253号141頁……369
東京高判昭和62・7・29判時1257号3頁〔ロッキード事件（丸紅ルート）〕…………522
東京地判昭和62・9・16判時1294号143頁……474
岐阜地判昭和62・10・15判タ654号261頁……78
大阪高判昭和62・10・28判タ662号243頁……201
最決昭和63・1・19刑集42巻1号1頁……66, 276
最決昭和63・2・29刑集42巻2号314頁……264
最決昭和63・4・11刑集42巻4号419頁〔大阪タクシー事件〕…………………518, 523
最決昭和63・5・11刑集42巻5号807頁〔柔道整復師事件〕……………………58
最決昭和63・7・18刑集42巻6号861頁……517, 532
大阪地判昭和63・7・21判時1286号153頁……325

大阪地判昭和63・10・7判時1295号151頁……393
最判昭和63・10・27刑集42巻8号1109頁〔日本アエロジル塩素ガス流出事件〕………123
最決昭和63・11・21刑集42巻9号1251頁……407
東京地判平成1・2・17判タ700号279頁……436
東京高判平成1・2・27判タ691号158頁……367
大阪高判平成1・3・3判タ712号248頁……364
最決平成1・3・10刑集43巻3号188頁〔熊本県議会委員会事件〕……………488
最決平成1・3・14刑集43巻3号262頁……118
東京高判平成1・3・14判タ700号266頁……380
福岡高宮崎支判平成1・3・24判タ718号226頁………………………………………143
甲府地判平成1・3・31判時1311号160頁……436
最決平成1・5・1刑集43巻5号405頁……503, 504
最決平成1・6・26刑集43巻6号567頁……230
最決平成1・7・7刑集43巻7号607頁……335
最決平成1・7・7判時1326号157頁……421
最決平成1・7・14刑集43巻7号641頁〔平安神宮事件〕…………………421
最判平成1・7・18刑集43巻7号752頁〔無許可浴場営業事件〕………………192
最決平成1・12・15刑集43巻13号879頁……62, 66, 276
東京高判平成2・2・21判タ733号232頁〔板橋宝石商殺害事件〕…………222
富山地判平成2・4・13判時1343号160頁……471
最決平成2・11・16刑集44巻8号744頁〔川治プリンスホテル火災事件〕……………123, 124
最決平成2・11・20刑集44巻8号837頁〔大阪南港事件〕……………………57
最決平成2・11・29刑集44巻8号871頁〔千日デパートビル火災事件〕……………123
東京高判平成3・4・1判時1400号128頁……340
最決平成3・4・5刑集45巻4号171頁……455
東京地八王子支判平成3・8・28判タ768号249頁………………………………………383
最決平成3・11・14刑集45巻8号221頁〔大洋デパート火災事件〕……………126
長崎地判平成4・1・14判時1415号142頁……184
浦和地判平成4・2・27判タ795号263頁……89
最決平成4・6・5刑集46巻4号245頁〔フィリピンパブ事件〕……………162, 243
東京地判平成4・6・19判タ806号227頁……301

大阪地判平成4・9・22判タ828号281頁……… 363
東京高判平成4・10・28判タ823号252頁……… 344
最決平成4・11・27刑集46巻8号623頁……… 325
最決平成4・12・17刑集46巻9号683頁〔夜間潜水事件〕……………………………………… 58
東京高判平成5・6・29判時1491号141頁…… 393
大阪地判平成5・7・9判時1473号156頁…… 265
最決平成5・10・5刑集47巻8号7頁……… 445
宇都宮地判平成5・10・6判タ843号258頁… 526
最判平成5・10・29刑集47巻8号98頁……… 249
浦和地判平成5・11・16判タ835号243頁…… 302
最決平成5・11・25刑集47巻9号242頁〔ホテルニュージャパン火災事件〕……………… 125
名古屋地判平成6・1・18判タ858号272頁… 281
最判平成6・2・8民集48巻2号149頁……… 318
仙台高判平成6・3・31判時1513号175頁…… 311
最決平成6・7・19刑集48巻5号190頁……… 349
最決平成6・11・29刑集48巻7号453頁〔明治大学替え玉入試事件〕…………………… 443
最判平成6・12・9刑集48巻8号576頁……… 35
東京地判平成7・1・31判時1559号152頁…… 250
最大判平成7・2・22刑集49巻2号1頁〔ロッキード事件（丸紅ルート）〕…… 514, 519, 522
東京高判平成7・3・14判時1542号143頁…… 251
横浜地判平成7・3・28判時1530号28頁…… 147, 148
札幌高判平成7・6・29判時1151号142頁…… 364
千葉地判平成7・12・13判時1565号144頁…… 122
最判平成8・2・6刑集50巻2号129頁……… 407
最判平成8・2・8刑集50巻2号221頁……… 30
東京地判平成8・3・28判時1596号125頁…… 86, 89
広島高岡山支判平成8・5・22判時1572号150頁……………………………………………… 430
最判平成8・11・18刑集50巻10号745頁…… 31
名古屋地判平成9・3・5判時1611号153頁… 66
東京高判平成9・3・24判時1606号3頁…… 517
最判平成9・6・16刑集51巻5号435頁……… 162
大阪地判平成9・6・18判時1610号155頁…… 89
大阪地判平成9・8・20判タ995号286頁…… 224
最判平成9・10・21刑集51巻9号755頁…… 420
最決平成9・10・30刑集51巻9号816頁…… 241
横浜地判平成10・6・8判タ1002号221頁… 282
最決平成10・7・14刑集52巻5号343頁…… 496
大阪高判平成10・7・16判時1647号156頁… 141

最決平成10・11・4刑集52巻8号542頁……… 496
最決平成10・11・25刑集52巻8号570頁……… 408
福岡高判平成11・9・7判時1691号156頁…… 84
最決平成11・10・20刑集53巻7号641頁〔リクルート事件〕……………………………… 519
最決平成11・12・9刑集53巻9号1117頁…… 347
最決平成11・12・20刑集53巻9号1495頁…… 445
最決平成12・2・17刑集54巻2号38頁……… 323
札幌高判平成12・3・16判時1711号170頁… 243
最決平成12・3・27刑集54巻3号402頁…… 389
福岡高判平成12・5・9判時1728号159頁… 282
東京高判平成12・5・12判時1064号254頁… 409
横浜地相模原支判平成12・7・4判時1737号150頁〔暴走ドライバー事件〕……………… 4
大阪高判平成12・8・24判時1736号130頁… 386
東京高判平成12・8・29判時1741号160頁… 383, 385
福岡高判平成12・9・21判時1731号131頁… 327
最決平成12・12・15刑集54巻9号923頁…… 347
最決平成12・12・15刑集54巻9号1049頁… 347
富山地判平成13・4・19判タ1081号291頁… 282
松山地宇和島支判平成13・7・12判時1762号127頁……………………………………………… 282
最決平成13・7・16刑集55巻5号317頁…… 470
最判平成13・7・19刑集55巻5号371頁…… 378, 387, 399
最決平成13・10・25刑集55巻6号519頁…… 210
最決平成13・11・5刑集55巻6号546頁…… 400
最決平成14・2・8刑集56巻2号71頁……… 392
最決平成14・2・14刑集56巻2号86頁…… 368, 369
最決平成14・7・1刑集56巻6号265頁…… 353
大阪高判平成14・9・4判タ1114号293頁… 160
最決平成14・9・30刑集56巻7号395頁…… 323
最決平成14・10・21刑集56巻8号670頁…… 389
最決平成14・10・22刑集56巻8号690頁…… 519
最決平成15・1・14刑集57巻1号1頁……… 529
東京高判平成15・1・29判時1838号155頁… 379
最決平成15・2・18刑集57巻2号161頁…… 236, 409
最決平成15・3・11刑集57巻3号293頁…… 321
最決平成15・3・12刑集57巻3号322頁…… 381, 387, 399
最決平成15・3・18刑集57巻3号356頁…… 406
最決平成15・3・18刑集57巻3号371頁…… 300
最決平成15・4・14刑集57巻4号445頁…… 411

最大判平成15・4・23刑集57巻4号467頁……251, 403

最決平成15・5・1刑集57巻5号507頁〔スワット事件〕……………………………………217

大阪地判平成15・6・19判時1829号159頁……13

最判平成15・7・10刑集57巻7号903頁〔新潟監禁致傷事件〕………………………………256

最決平成15・7・16刑集57巻7号950頁〔高速道路進入事件〕…………………………………59

最決平成15・10・6刑集57巻9号987頁………442

最決平成15・12・9刑集57巻11号1088頁……382

最決平成16・1・20刑集58巻1号1頁…142, 210

最決平成16・2・9刑集58巻2号89頁………392

最決平成16・2・17刑集58巻2号169頁………57

最決平成16・3・22刑集58巻3号187頁…51, 71, 72, 73, 108

大阪高判平成16・4・22判タ1169号316頁……47

東京高判平成16・6・17東高刑時報55巻1〜12号48頁……………………………………………462

最決平成16・8・25刑集58巻6号515頁………340

最判平成16・9・10刑集58巻6号524頁………409

最決平成16・10・19刑集58巻7号645頁………58

最決平成16・11・8刑集58巻8号905頁………532

最決平成16・12・10刑集58巻9号1047頁……368, 369

最決平成17・3・11刑集59巻2号1頁…………520

横浜地判平成17・3・25判時1909号130頁〔川崎協同病院事件〕………………………………147

最決平成17・3・29刑集59巻2号54頁〔騒音おばさん事件〕…………………………………281

最判平成17・4・14刑集59巻3号283頁………254

神戸地判平成17・4・26判時1904号152頁……367

最決平成17・7・4刑集59巻6号403頁…66, 239

最決平成17・8・1刑集59巻6号676頁………249

最決平成17・10・7刑集59巻8号779頁………408

最決平成17・10・7刑集59巻8号1108頁………409

最決平成17・12・6刑集59巻10号1901頁……300

最決平成18・1・17刑集60巻1号29頁………358

最決平成18・1・23刑集60巻1号67頁………522

最決平成18・2・14刑集60巻2号165頁………393

最決平成18・3・27刑集60巻3号382頁…58, 294

大阪地判平成18・4・10判タ1221号317頁……365

最決平成18・5・16刑集60巻5号413頁………471

最決平成18・8・21判タ1227号184頁…………389

最決平成18・8・30刑集60巻6号479頁………348

大阪地判平成18・11・17判例集未登載………174

最決平成18・11・21刑集60巻9号770頁………218

東京高判平成19・2・28判タ1237号153頁〔川崎協同病院事件〕………………………………147

最決平成19・3・20刑集61巻2号66頁………358

最決平成19・7・2刑集61巻5号379頁……308, 311, 325

最決平成19・7・17刑集61巻5号521頁………389

最決平成19・11・13刑集61巻8号743頁……501, 502

最決平成19・12・3刑集61巻9号821頁………252

最決平成20・2・18刑集62巻2号37頁…348, 396

最決平成20・3・3刑集62巻4号567頁………126

最判平成20・4・11刑集62巻5号1217頁……309, 313

最決平成20・4・25刑集62巻5号1559頁……179

最決平成20・5・19刑集62巻6号1623頁……408

最決平成20・5・20刑集62巻6号1786頁……156

最決平成20・6・25刑集62巻6号1859頁……162

東京高判平成20・7・18判タ1306号311頁……430

最決平成21・2・24刑集63巻2号1頁…………163

東京高判平成21・3・12判タ1304号302頁……324

最決平成21・3・16刑集63巻3号81頁…517, 528

最決平成21・3・26刑集63巻3号291頁………400

最決平成21・6・30刑集63巻5号475頁………229

最決平成21・7・14刑集63巻6号613頁………494

最決平成21・10・19判時2063号155頁…………218

最決平成21・11・9刑集63巻9号1117頁……406

東京高判平成21・11・16判時2103号158頁…367

最決平成21・11・30刑集63巻9号1765頁……309

最決平成21・12・7刑集63巻11号1899頁〔川崎協同病院事件〕……………………………148

最決平成21・12・7刑集63巻11号2641頁〔明石市人工砂浜陥没事件〕……………………127

最決平成21・12・8刑集63巻11号2829頁……179

最決平成22・3・15刑集64巻2号1頁…………319

最決平成22・3・17刑集64巻2号111頁………250

最決平成22・5・31刑集64巻4号447頁〔明石市花火大会歩道橋事件〕……………………127

最決平成22・7・29刑集64巻5号829頁……379, 389, 390

最決平成22・9・7刑集64巻6号865頁………521

最決平成22・10・26刑集64巻7号1019頁…60, 127

最判平成23・7・7刑集65巻5号619頁………325

最決平成23・12・19刑集65巻9号1380頁
〔Winny事件〕……………………………… 222
最決平成24・1・30刑集66巻1号36頁……… 282
最決平成24・2・8刑集66巻4号200頁……… 60, 126
東京地判平成24・6・25判タ1384号363頁…… 384
最決平成24・7・9判時2166号140頁……… 471
最決平成24・7・24刑集66巻8号709頁……… 282,
294
最決平成24・10・9刑集66巻10号981頁……… 396
最決平成24・10・15刑集66巻10号990頁…… 517
最決平成24・11・6刑集66巻11号1281頁…… 224
東京高判平成24・12・18判時2212号123頁…… 167
最決昭和24・12・24刑集3巻12号2114頁……… 372
最決平成25・4・15刑集67巻4号437頁……… 221
札幌高判平成25・7・11高刑速報（平25）253
頁……………………………………………… 272
東京高判平成25・11・6判タ1419号230頁…… 271
最決平成26・3・17刑集68巻3号368頁……… 250
最判平成26・3・28刑集68巻3号582頁……… 380,
390
最決平成26・3・28刑集68巻3号646頁……… 390
最決平成26・4・7刑集68巻4号715頁……… 390
最決平成26・7・22刑集68巻6号775頁……… 127,
228
最平成26・11・25刑集68巻9号1053頁…… 470,
471
大阪高判平成27・8・6裁判所Web…… 274, 276
東京地判平成28・2・16判タ1439号245頁…… 326

最決平成28・3・24刑集70巻3号1頁…… 287, 288
最決平成28・3・31刑集70巻3号58頁……… 511
最決平成28・5・25刑集70巻5号117頁……… 126
最決平成28・7・12刑集70巻6号411頁……… 128,
228
最決平成28・7・27刑集70巻6号571頁……… 36
最判平成28・12・5刑集70巻8号749頁……… 441
最決平成29・3・27刑集71巻3号183頁……… 504
最決平成29・4・26刑集71巻4号275頁……… 154
最決平成29・6・12刑集71巻5号315頁〔福知
山線列車脱線転覆事件〕…………………… 128, 228
最大判平成29・11・29刑集71巻9号467頁…… 49,
99, 475, 477
最決平成29・12・11刑集71巻10号535頁…… 225
最判平成30・3・19刑集72巻1号1頁……… 277
最判平成30・3・22刑集72巻1号82頁……… 71, 379
最決平成30・10・23刑集72巻5号471頁…… 215
最判令和1・9・27刑集73巻4号47頁……… 226
最決令和2・8・24刑集74巻5号517頁……… 242
最決令和2・9・30刑集74巻6号669頁……… 225,
287
最判令和2・10・1刑集74巻7号721頁……… 253
最決令和2・12・7刑集74巻9号757頁……… 20
最判令和3・1・29刑集75巻1号1頁……… 95
最決令和3・2・1刑集75巻2号123頁……… 218
最決令和3・6・9裁判所Web…………… 505
最判令和4・1・20刑集76巻1号1頁……… 449
最決令和4・2・14刑集76巻2号101頁…… 71, 343

刑法基本講義　総論・各論〔第3版補訂版〕
Elements of Criminal Law —— General Part and Special Part, 3rd edition revised

2009年4月30日　初　版第1刷発行	2019年5月25日　第3版第1刷発行
2013年4月10日　第2版第1刷発行	2023年4月25日　第3版補訂版第1刷発行

著　者　　佐久間修，橋本正博，上嶌一高
発行者　　江草貞治
発行所　　株式会社有斐閣
　　　　　〒101-0051　東京都千代田区神田神保町2-17
　　　　　https://www.yuhikaku.co.jp/
装　丁　　島田拓史
印刷・製本　共同印刷工業株式会社

落丁・乱丁本はお取替えいたします。定価はカバーに表示してあります。
©2023, O. Sakuma, M. Hashimoto, K. Ueshima
Printed in Japan　ISBN 978-4-641-24363-7

本書のコピー，スキャン，デジタル化等の無断複製は著作権法上での例外を除き禁じられています。本書を代行業者等の第三者に依頼してスキャンやデジタル化することは，たとえ個人や家庭内の利用でも著作権法違反です。

JCOPY　本書の無断複写（コピー）は，著作権法上での例外を除き，禁じられています。複写される場合は，そのつど事前に，(一社)出版者著作権管理機構（電話03-5244-5088, FAX03-5244-5089, e-mail:info@jcopy.or.jp）の許諾を得てください。